Classroom in a Book

Adobe®

Illustrator® CS5

Adobe

PEARSON

Publié par Pearson Education France
47 bis, rue des Vinaigriers
75010 PARIS
Tél. : 01 72 74 90 00
www.pearson.fr

Réalisation : edito.biz

ISBN : 978-2-7440-2439-9
Copyright © 2010 Pearson Education France
Tous droits réservés

Titre original : Adobe® Illustrator® CS5 Classroom in a Book
Traduction : Hervé Soulard

ISBN original : 978-0-321-70178-7
Copyright © 2010 by Adobe System Incorporated and its licensors
All rights reserved

Adobe Press books are published by Peachpit, a division of Pearson Education, USA

Contenu du CD-ROM

Le CD-ROM *Adobe Illustrator CS5 Classroom in a Book* contient l'ensemble des fichiers nécessaires à la réalisation des leçons. Vous y trouverez aussi d'autres ressources qui vous permettront d'améliorer vos connaissances d'Adobe Illustrator CS5. Le contenu du CD-ROM est représenté par l'illustration suivante.

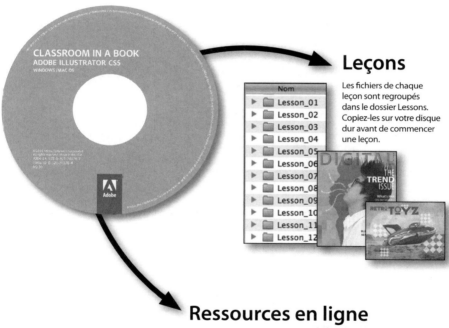

Leçons

Les fichiers de chaque leçon sont regroupés dans le dossier Lessons. Copiez-les sur votre disque dur avant de commencer une leçon.

Ressources en ligne

Des liens vers l'aide de la communauté Adobe, les pages de support et d'aide sur les produits, les programmes de certification Adobe, Adobe TV et d'autres ressources en ligne utiles. Ouvrez le fichier HTML dans votre navigateur web. Un lien renvoie vers la page dédiée à cet ouvrage sur le site de l'éditeur, Pearson Education.

Sommaire

15 GRAPHIQUES ILLUSTRATOR ET AUTRES APPLICATIONS ADOBE

Introduction

Adobe Illustrator® CS5 est le logiciel d'illustration standard pour l'impression, le multimédia et les graphismes en ligne. Que vous soyez concepteur technique de documents destinés à l'impression, graphiste multimédia ou créateur de pages web, Adobe Illustrator vous offre les outils dont vous avez besoin pour obtenir des résultats de qualité professionnelle.

À propos de ce manuel

Adobe Illustrator CS5 Classroom in a Book fait partie de la collection officielle des ouvrages de formation aux logiciels graphiques et de publication d'Adobe développés par des experts d'Adobe Systems, Inc. Ses leçons sont conçues de façon à vous permettre de progresser à votre propre rythme. Si vous ne connaissez pas encore Adobe Illustrator, vous y trouverez les notions fondamentales nécessaires pour maîtriser ce logiciel. Si vous êtes un utilisateur expérimenté, vous découvrirez que *Classroom in a Book* détaille de nombreuses fonctions élaborées et présente des astuces et des conseils pour mieux exploiter la dernière version du logiciel.

Bien que les leçons contiennent des instructions pas à pas qui vous permettent de créer un document particulier, elles vous laissent assez de liberté pour l'expérimentation. Vous pouvez suivre l'ouvrage dans l'ordre de bout en bout ou ne consulter que les leçons qui répondent à vos besoins. Chaque leçon se termine par une section récapitulative qui permet de réviser les questions qui y ont été abordées.

Contexte d'utilisation

Avant d'aborder *Adobe Illustrator CS5 Classroom in a Book*, vous devez connaître, au moins sommairement, le fonctionnement de votre ordinateur et de son système d'exploitation. Vous devez savoir vous servir de la souris, des menus et des commandes standard, et savoir ouvrir, enregistrer et fermer des fichiers. Si vous devez revoir ces techniques, reportez-vous à la documentation imprimée ou à l'aide en ligne de votre système Windows ou Mac OS.

● **Note :** Lorsque des instructions diffèrent selon les systèmes, les commandes Windows sont les premières citées, suivies des commandes Mac OS, la plate-forme étant précisée entre parenthèses. Par exemple : "Appuyez sur la touche Alt (Windows) ou Option (Mac OS) et cliquez en dehors du dessin." Certaines commandes usuelles sont abrégées : est indiquée d'abord la commande Windows, suivie d'une barre oblique et la commande Mac OS, sans que soit précisé le système entre parenthèses. Par exemple, "Appuyez sur la touche Alt/Option" ou "Cliquez tout en appuyant sur la touche Ctrl/Cmd."

Installation d'Adobe Illustrator

Avant de commencer les leçons de ce manuel, vérifiez que votre système est correctement configuré et que les logiciels et le matériel requis sont installés.

Le logiciel Adobe Illustrator CS5 n'est pas inclus sur le CD-ROM qui accompagne cet ouvrage. Vous devez l'acheter séparément. Pour des instructions complètes sur l'installation de ce logiciel, reportez-vous au fichier Lisez-Moi (ou équivalent) du DVD ou allez sur le Web à l'adresse **www.adobe.fr/support**.

Installation des polices de *Classroom in a Book*

Les polices de caractères employées dans les leçons de cet ouvrage sont livrées avec Adobe Illustrator CS5 et installées en même temps que ce logiciel, aux emplacements suivants :

- Windows : [lecteur de démarrage]\Windows\Fonts ;
- Mac OS X : [lecteur de démarrage]/Bibliothèque/Fonts.

Pour plus d'informations sur les polices et l'installation, consultez le fichier Lisez-Moi (ou équivalent) d'Adobe Illustrator CS5 présent sur le DVD de l'application ou sur le Web à l'adresse **www.adobe.fr/support**.

Copie des fichiers d'exercices de *Classroom in a Book*

Le CD-ROM *Adobe Illustrator Classroom in a Book* comprend divers dossiers qui contiennent tous les fichiers associés aux leçons. À chaque leçon correspond un dossier unique. Vous devez copier ces dossiers sur votre disque dur pour pouvoir les utiliser au cours des leçons. Pour économiser de l'espace sur le disque dur, vous pouvez les copier au fur et à mesure et les supprimer quand vous n'en avez plus besoin.

Installer les fichiers de *Classroom in a Book*

1. Insérez le CD-ROM *Adobe Illustrator Classroom in a Book* dans votre lecteur de CD-ROM.
2. Choisissez entre :
   - copier l'intégralité du dossier Lessons sur votre disque dur ;
   - copier le dossier d'une leçon en particulier sur votre disque dur.

Rétablissement des préférences par défaut

Le fichier des préférences contrôle les paramètres d'affichage des commandes à l'écran lorsque vous ouvrez le programme Adobe Illustrator. Chaque fois que vous quittez Adobe Illustrator, la position des panneaux et certains paramètres des commandes sont enregistrés dans ce fichier. Pour retrouver les réglages par défaut des outils et des panneaux, il suffit d'effacer le fichier actuel des préférences d'Adobe Illustrator CS5. S'il n'existe pas, Illustrator le crée à la prochaine ouverture du programme et lors de la sauvegarde d'un fichier.

Avant chaque leçon, vous devrez restaurer les préférences par défaut. Vous serez ainsi sûr que les outils et les panneaux fonctionneront comme ils sont décrits dans cet ouvrage. Quand vous aurez fini votre session de travail, vous pourrez restaurer vos préférences enregistrées.

Enregistrer les préférences

1. Quittez Adobe Illustrator CS5.

2. Localisez le fichier AIPrefs (Windows) ou Préfs Adobe Illustrator (Mac OS) :

    * Sous Windows XP, le fichier AIPrefs se trouve dans le dossier *Lecteur de démarrage*\Documents and Settings*nom de l'utilisateur*\Application Data\ Adobe\Adobe Illustrator CS5 Settings\fr_FR*.

    * Sous Windows Vista et Windows 7, le fichier AIPrefs se trouve dans le dossier *Lecteur de démarrage*\Utilisateurs*nom de l'utilisateur*\AppData\Roaming\ Adobe\Adobe Illustrator CS5 Settings\fr_FR*.

    * Sous Mac OS X, le fichier Préfs Adobe Illustrator se trouve dans *Lecteur de démarrage*/Utilisateurs/*nom de l'utilisateur*/Bibliothèque/Preferences/Adobe Illustrator CS5 Settings/fr_FR*.

    * Les noms des dossiers peuvent varier en fonction de la langue d'installation.

    ● **Note :** Si vous ne parvenez pas à localiser le fichier des préférences, servez-vous de la commande Rechercher de votre système d'exploitation pour trouver AIPrefs (Windows) ou Préfs Adobe Illustrator (Mac OS).

    Ce fichier n'existera pas si vous vous n'avez pas encore lancé Adobe Illustrator CS5 ou si vous l'avez déplacé. Le fichier des préférences est créé la première fois que vous quittez le logiciel et actualisé les fois suivantes.

3. Créez une copie du fichier et placez-la dans un autre dossier sur votre disque dur.

4. Lancez Adobe Illustrator CS5.

    ▶ **Astuce :** Pour localiser et supprimer rapidement le fichier des préférences d'Adobe Illustrator avant de commencer une nouvelle leçon, créez un raccourci (Windows) ou un alias (Mac OS) pour le dossier Adobe Illustrator CS5 Settings.

● **Note :** Sous Windows XP, le dossier Application Data est caché par défaut. C'est également le cas du dossier AppData sous Windows Vista et Windows 7. Pour qu'ils soient visibles, ouvrez Options des dossiers dans le Panneau de configuration et activez l'onglet Affichage. Sur la liste Paramètres avancés, localisez la rubrique Fichiers et dossiers cachés puis activez l'option Afficher les fichiers, dossiers et lecteurs cachés.

Supprimer les préférences actuelles

1. Quittez Adobe Illustrator CS5.

2. Localisez le fichier AIPrefs (Windows) ou Préfs Adobe Illustrator (Mac OS) :

   - Sous Windows XP, le fichier AIPrefs se trouve dans le dossier *Lecteur de démarrage*\Documents and Settings*nom de l'utilisateur*\Application Data\ Adobe\Adobe Illustrator CS5 Settings\fr_FR*.

   - Sous Windows Vista et Windows 7, le fichier AIPrefs se trouve dans le dossier *Lecteur de démarrage*\Utilisateurs*nom de l'utilisateur*\AppData\Roaming\ Adobe\Adobe Illustrator CS5 Settings\fr_FR*.

   - Sous Mac OS X, le fichier Adobe Illustrator Préfs se trouve dans *Lecteur de démarrage*/Utilisateurs/*nom de l'utilisateur*/Bibliothèque/Preferences/Adobe Illustrator CS5 Settings/fr_FR*.

   * Les noms des dossiers peuvent varier en fonction de la langue d'installation.

3. Supprimez le fichier des préférences.

4. Lancez Adobe Illustrator CS5.

Restaurer les préférences enregistrées après chaque leçon

1. Quittez Adobe Illustrator CS5.

● **Note :** Vous pouvez déplacer le fichier des préférences au lieu de le renommer.

2. Supprimez le fichier des préférences actuel, puis replacez la copie du fichier d'origine dans le dossier Adobe Illustrator CS5 Settings.

Ressources complémentaires

Adobe Illustrator CS5 Classroom in a Book n'a pas l'ambition de remplacer la documentation qui accompagne le logiciel ou de constituer une référence absolue pour chaque fonctionnalité offerte par Illustrator CS5. Seules, les commandes et les options employées au fil des leçons sont expliquées dans ce livre. Pour des informations exhaustives sur les fonctions du programme, reportez-vous aux ressources suivantes.

Aide à la communauté d'Adobe. Elle réunit des utilisateurs des produits Adobe, des membres des équipes de développement, des auteurs et des experts pour vous apporter les informations les plus pertinentes et récentes sur les produits Adobe. Que vous recherchiez un exemple de code ou une réponse à un problème, que vous ayez des questions sur le logiciel ou que vous vouliez partager une astuce ou une méthode, l'Aide à la communauté pourra vous aider. Les résultats des recherches présentent non seulement le contenu d'Adobe, mais également celui de la communauté.

Grâce à l'Aide à la communauté, vous pouvez :

- accéder à du contenu de référence à jour, que ce soit en ligne ou hors ligne ;
- trouver le contenu pertinent sélectionné par des experts de la communauté Adobe, sur le site Adobe.com et d'autres ;
- apporter vos commentaires, noter et contribuer au contenu de la communauté Adobe ;
- télécharger le contenu de l'Aide directement sur votre ordinateur pour une utilisation hors ligne ;
- rechercher du contenu connexe en utilisant la recherche dynamique et des outils de navigation.

Accéder à l'Aide à la communauté. Cela se fait depuis l'application Adobe Community Help, déjà installée si vous possédez un logiciel Adobe CS5. Pour l'ouvrir, choisissez Aide > Aide Illustrator. Cette application vous permet de faire des recherches et de parcourir le contenu fourni par Adobe et par la communauté. Vous pouvez également commenter et noter les articles, comme vous le feriez depuis le navigateur. Si vous le souhaitez, téléchargez l'aide d'Adobe et le contenu de référence du langage pour les utiliser hors ligne. Vous pouvez vous abonner aux mises à jour, qui seront téléchargées automatiquement, afin de toujours disposer du contenu le plus récent pour votre logiciel. L'application est également disponible en téléchargement à l'adresse **www.adobe.fr/support/chc**.

Le contenu d'Adobe est actualisé à partir des retours d'informations et des contributions apportées par la communauté. Vous pouvez y participer de plusieurs manières : poster vos commentaires sur le contenu ou dans les forums, y compris des liens vers du contenu web ; publier votre propre contenu en utilisant Community Publishing ; ou contribuer aux Cookbooks. Pour de plus amples informations concernant la manière de participer, rendez-vous sur la page **www.adobe.com/community/ publishing/download.html**.

Les réponses aux questions les plus fréquentes sur l'Aide à la communauté sont données à l'adresse **http://community.adobe.com/help/profile/faq.html**.

www.adobe.com/fr/support/illustrator. L'Aide et support d'Illustrator vous permet d'effectuer des recherches et de consulter le contenu publié sur Adobe.com.

http://tv.adobe.com/fr. Adobe TV propose des programmes vidéo en ligne pour la formation des experts sur les produits Adobe et pour soutenir leur inspiration, incluant notamment une chaîne Comment faire qui permet de débuter avec un logiciel.

www.adobe.com/fr/designcenter. Le pôle de création Adobe contient des articles sur la conception et ses problèmes, une galerie dévoilant le travail d'excellents designers, des didacticiels, etc.

www.adobe.com/fr/devnet. Adobe Developer Connection sera votre source d'articles techniques, d'exemples de code et de vidéos concernant les technologies et les produits de développement proposés par Adobe.

www.adobe.com/fr/education. Les ressources pour l'éducation proposent trois formations gratuites qui se fondent sur une approche intégrée de l'apprentissage des logiciels Adobe et qui peuvent être utilisées pour préparer les certifications Adobe.

D'autres liens utiles :

http://forums.adobe.com/community/international_forums/francais. Les forums
Adobe vous permettent de participer à des discussions, de poser des questions et
d'obtenir des réponses sur les produits Adobe.

www.adobe.com/fr/exchange. Des lieux d'échanges pour trouver des outils, des
services, des extensions, des exemples de code et bien d'autres choses pour étendre
vos logiciels Adobe.

www.adobe.fr/products/illustrator. La page d'accueil d'Illustrator CS5.

http://labs.adobe.com. Adobe Labs propose les premières versions des dernières
technologies, ainsi que des forums dans lesquels vous pouvez échanger avec les
équipes de développement d'Adobe et d'autres membres actifs de la communauté.

Certification Adobe

Les programmes de formation et de certification Adobe sont conçus pour aider les
utilisateurs à améliorer et à promouvoir leurs compétences sur un produit. Il existe
quatre niveaux de certification :

• expert certifié Adobe (ACE, *Adobe Certified Expert*) ;

• associé certifié Adobe (ACA, *Adobe Certified Associate*) ;

• formateur certifié Adobe (ACI, *Adobe Certified Instructor*) ;

• centre de formation agréé Adobe (AATC, *Adobe Authorized Training Center*).

Le programme ACE homologue les compétences de haut niveau des utilisateurs
experts. Vous pouvez vous appuyer sur la certification Adobe pour obtenir une aug-
mentation, trouver un emploi ou promouvoir vos connaissances.

Le programme ACA certifie que l'utilisateur possède les compétences de base nécessaires pour planifier, concevoir, créer et gérer des systèmes de communication effi-
caces *via* différents supports numériques.

Si vous êtes un formateur de niveau ACE, le programme formateur certifié Adobe
(ACI) vous permet d'élargir vos connaissances et vous donne accès à une grande
diversité de ressources Adobe.

Dans les centres de formation agréés Adobe (AATC), les formations et les cours
sur les produits Adobe sont dispensés uniquement par des personnes de niveau
ACI. La liste des organismes AATC est disponible à l'adresse **www.adobe.com/go/
gntray_comm_partners_fr**.

Travaillez plus rapidement avec Adobe CS Live

Adobe CS Live est un ensemble de services en ligne qui tire parti du Web en l'intégrant dans Adobe Creative Suite 5, de manière notamment à simplifier le processus de préparation à la création, à accélérer les tests de compatibilité des sites web, à fournir des renseignements importants en provenance du Web aux utilisateurs et à vous permettre de vous concentrer sur la création de vos travaux. Les services CS Live sont gratuits pour une période limitée* et sont accessibles en ligne ou depuis une application de la suite Creative Suite 5.

Adobe BrowserLab est destiné aux concepteurs et développeurs web qui ont besoin de prévisualiser et tester leurs pages web sur plusieurs navigateurs et systèmes d'exploitation. Contrairement aux autres solutions de compatibilité navigateur, BrowserLab réalise des captures d'écran de vos pages web dans différents navigateurs et fournit des outils de diagnostic. Si vous utilisez BrowserLab en tant que service intégré à Dreamweaver CS5, vous pouvez tester vos pages et les différents états des pages interactives depuis votre application sans devoir les publier sur un serveur. Comme il s'agit d'un service en ligne, le développement de BrowserLab est rapide, si bien qu'il prend en charge de plus en plus de navigateurs et de fonctionnalités.

Adobe CS Review est destiné aux professionnels qui recherchent à améliorer le processus de révision de leurs créations. Contrairement aux autres services similaires en ligne, CS Review permet de publier une révision directement sur le Web depuis InDesign, Photoshop, Photoshop Extended ou Illustrator et d'afficher les commentaires des réviseurs dans l'application Creative Suite d'origine.

Acrobat.com sert aux professionnels à organiser et à partager des révisions, ainsi qu'à collecter des commentaires avec plusieurs collègues ou clients tout au long du processus de création d'un projet, depuis l'idée de départ jusqu'au produit final. C'est un ensemble d'outils en ligne où l'on trouve, entre autres, un système de conférence, de partage de fichier et d'espace de travail. Contrairement à la collaboration par courriel ou aux réunions en tête à tête, Acrobat.com permet à vos collaborateurs de se connecter à votre travail, plutôt que de leur envoyer des fichiers et vous permet ainsi de travailler plus rapidement, ensemble et partout.

Adobe Story est destiné aux créatifs, producteurs et auteurs, qui travaillent sur ou avec des scripts. Story est un outil de développement de script collaboratif. Il convertit les scripts en métadonnées pouvant être utilisées avec les outils de la suite Adobe CS5 Production Premium pour rationaliser le flux des données et accélérer la création multimédia.

SiteCatalyst NetAverages concerne les professionnels du Web et des mobiles qui souhaitent optimiser leurs projets dans le but de toucher un public plus large. NetAverages fournit des renseignements sur la manière dont les utilisateurs accèdent à Internet. Vous pouvez accéder à des données utilisateur globales comme le type de navigateur, le système d'exploitation, le profil du périphérique mobile, la résolution d'écran, et plus encore. Les données proviennent de l'activité des visiteurs sur les sites clients participatifs Omniture SiteCatalyst. Contrairement aux autres solutions de renseignements sur l'activité web, NetAverages innove en affichant les données à l'aide de Flash, ce qui permet de les consulter rapidement et simplement.

Vous pouvez accéder à CS Live de trois manières différentes :

- en configurant l'accès à CS Live lors de l'enregistrement de vos produits Creative Suite 5. Vous obtenez ainsi un accès gratuit qui comprend toutes les caractéristiques du service et offre tous les avantages de CS Live ;

- en vous enregistrant en ligne, pour obtenir un accès supplémentaire aux services CS Live pour une durée limitée. Notez que cette option ne vous permet pas d'accéder à ces services depuis vos programmes CS5 ;

- en téléchargeant une version d'évaluation de trente jours des services CS Live.

* Les services CS Live sont gratuits pour une durée limitée. Pour en savoir plus, consultez la page : **www.adobe.com/fr/products/creativesuite/cslive**.

Nouveautés d'Adobe Illustrator CS5

Adobe Illustrator CS5 regorge de fonctionnalités nouvelles et innovantes pour vous aider à produire efficacement des œuvres, qu'elles soient destinées à l'impression, au Web ou à une publication vidéo. Au cours de ce chapitre, vous allez prendre connaissance de ces nouveautés et voir comment vous en servir dans votre travail.

Dessin en perspective

La grille de perspective permet de dessiner des formes et des scènes dans des perspectives à un, deux ou trois points. Avec le nouvel outil Grille de perspective, vous activez une grille pour dessiner directement sur les plans de perspective réelle. Le nouvel outil de sélection de perspective sert non seulement à déplacer, mettre à l'échelle, dupliquer et transformer des objets dynamiquement, mais également à déplacer et à dupliquer des objets d'un plan à un autre.

Contours esthétiques

Illustrator CS5 se dote de plusieurs fonctions inédites qui viennent consolider ses capacités d'illustration avec contours. Comme lors de chaque mise à jour, les principaux outils de dessin d'Illustrator CS5 font l'objet d'une attention particulière ; avec cinq mises à jour importantes. Il est à présent possible d'ajuster finement la largeur des contours, les lignes pointillées, les flèches et les étirements des formes le long d'un tracé. Par ailleurs, grâce aux améliorations apportées dans la gestion des angles, les contours se comportent de manière prévisible lorsque les angles sont aigus.

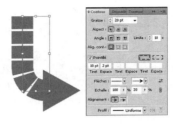

Pointe du pinceau

Avec la pointe du pinceau, vous pouvez tra-cer des vecteurs qui rappellent les véritables traits de pinceau. Le nouvel outil Pointe du pinceau confère une maîtrise inégalée de la peinture. Vous pouvez définir les caractéris-tiques de la pointe, notamment sa taille, sa longueur, son épaisseur et sa dureté, de même que régler la densité et la forme de la brosse ou encore l'opacité de la peinture, qui utilise les variations de transparence pour simuler des ombres très ressemblantes. Après avoir choisi les caractéristiques parfaites de la pointe du pinceau, vous pouvez les enregistrer pour les réutiliser ultérieurement.

Amélioration des plans de travail multiples

Vous pouvez manipuler jusqu'à cent plans de travail de tailles différentes dans un même document, organisés et affichés selon vos souhaits. Parmi les aménagements apportés par Illustrator CS5, le panneau Plans de travail permet de nommer et de réorganiser les plans de travail. Vous pourrez ajouter, supprimer et dupliquer rapide-ment les plans de travail à l'aide des contrôles du panneau ou des raccourcis clavier.

Outil Concepteur de forme

Combinez, modifiez et remplissez intuitivement des formes sur le plan de travail. Faites glisser le pointeur au-dessus des formes et des tracés superposés pour créer de nouveaux objets et ajouter des couleurs sans passer par de nombreux outils et panneaux. Vous pouvez combiner, exclure et gommer très facilement.

Amélioration du dessin

Travaillez plus efficacement avec les outils quotidiens. Les améliorations apportées aux outils de dessin habituels entraînent un usage d'Illustrator CS5 plus efficace et plus productif. Créer instantanément des masques avec le mode Dessin intérieur et joindre des tracés par une simple combinaison de touches, voilà deux améliorations qui accélèrent les tâches routinières.

Édition Roundtrip
avec Adobe Flash Catalyst CS5

La conception se veut interactive dans Illustrator CS5 grâce à Adobe Flash Catalyst CS5, disponible dans les produits Adobe Creative Suite 5 Design Premium, Web Premium, Production Premium et Master Collection. Développez vos idées et réalisez votre interface dans Illustrator, avec des dispositions d'écran et des éléments indépendants tels que les logos et les graphiques de bouton. Ouvrez ensuite votre illustration dans Flash Catalyst pour y ajouter des actions et des composants interactifs sans recourir à la programmation.

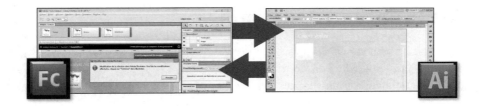

Effets indépendants de la résolution

Les effets indépendants de la résolution permettent aux effets de pixellisation, tels que les ombres portées, les flous et les textures, de garder un aspect uniforme quel que soit leur support. Avez-vous déjà constaté que vos œuvres perdaient mystérieusement en qualité lorsqu'elles étaient publiées ? Vous pouvez à présent créer des illustrations pour différents types de sortie tout en conservant l'aspect optimal pour les effets de pixellisation, quels que soient les paramètres de résolution, de la sortie imprimée à la sortie web, en passant par la sortie vidéo. Vous avez également la possibilité d'augmenter la résolution. Travaillez rapidement et efficacement avec des illustrations en basse résolution et augmentez ensuite leur résolution pour une impression de haute qualité.

Netteté du graphisme pour le Web et les périphériques mobiles

Créez des objets vectoriels avec précision sur la grille des pixels pour obtenir des illustrations alignées en pixels. Si vous réalisez des illustrations pour Flash Catalyst, Adobe Flash Professional et Adobe Dreamweaver, il est primordial que les images pixellisées présentent un aspect net, tout particulièrement les graphiques web standard avec une résolution de 72 ppp. L'alignement des pixels sera également utile pour contrôler la pixellisation de la résolution vidéo. Dans Illustrator CS5, les nouveaux outils pour images web améliorent notamment la manipulation du texte. Vous avez le choix entre quatre options de lissage de texte pour chacun des blocs de texte Illustrator.

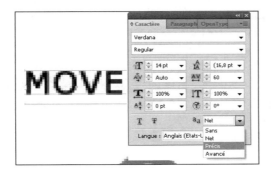

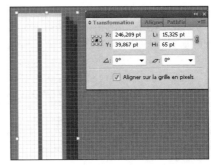

Intégration à Adobe CS Review

Illustrator CS5 est compatible avec Adobe CS Review, l'un des nombreux services en ligne de CS Live. Grâce à Adobe CS Review, vous pouvez créer et partager des révisions avec des clients et des collègues, qu'ils se trouvent dans le bureau voisin ou à l'autre bout du monde. Depuis Illustrator CS5, publiez une révision de votre travail sur le Web. Plusieurs réviseurs peuvent ensuite y accéder depuis un navigateur, sans installer de logiciels supplémentaires, et apporter leurs commentaires directement dans la fenêtre du navigateur à l'aide d'outils d'annotation conviviaux.

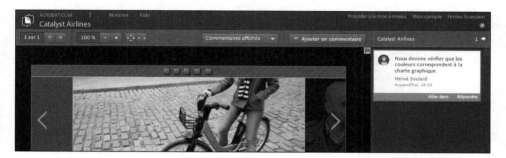

Bien que cette liste ne présente que quelques-unes des nouveautés d'Illustrator CS5, elle démontre l'engagement des équipes Adobe à fournir les meilleurs outils possibles pour vos besoins de publication. Nous espérons que vous apprécierez autant que nous de travailler avec Illustrator CS5.

L'équipe d'*Adobe Illustrator CS5 Classroom in a Book*.

Vous apprendrez au cours de cette présentation interactive
les bases indispensables d'Adobe Illustrator CS5 et vous découvrirez
les nouveautés, comme l'outil Concepteur de forme et le dessin
en perspective.

Visite guidée
d'Adobe Illustrator CS5

Cette démonstration interactive d'Adobe Illustrator CS5 a pour objet de vous donner une vue d'ensemble du logiciel et de vous familiariser avec certaines de ses nouvelles fonctionnalités.

 Cette leçon vous prendra environ une heure. Copiez le dossier Lesson00 sur votre disque dur.

Mise en route

Au cours de cette visite guidée, vous travaillerez sur un seul fichier. Tous les fichiers d'illustration se trouvent sur le CD-ROM d'accompagnement de l'ouvrage. Avant de commencer cette leçon, vérifiez que le dossier Lessons du CD-ROM a été copié sur votre disque dur. Vous devez également rétablir les préférences par défaut d'Adobe Illustrator CS5. Cette leçon fournit le fichier d'illustration terminé afin que vous puissiez visualiser ce que vous allez créer.

Note : Si vous n'avez pas encore copié les fichiers de cette leçon sur votre disque dur à partir du dossier Lesson00 du CD-ROM *Adobe Illustrator CS5 Classroom in a Book*, faites-le maintenant. Pour savoir comment procéder, consultez la section "Copie des fichiers d'exercices de *Classroom in a Book*" à la page 2.

1. Pour vous assurer que les outils et les panneaux fonctionneront exactement comme ils sont décrits au fil de cette leçon, supprimez ou désactivez (en le renommant) le fichier des préférences d'Adobe Illustrator CS5 (pour en savoir plus, reportez-vous à la section "Rétablissement des préférences par défaut" de l'Introduction).

2. Lancez Adobe Illustrator CS5.

3. Choisissez Fichier > Ouvrir puis ouvrez les fichiers L00end_1.ai et L00end_2.ai, qui se trouvent dans le dossier Lesson00 sur votre disque dur. Il s'agit des illustrations terminées. Vous pouvez les garder ouverts pour vous y référer ou choisir de les fermer (Fichier > Fermer). Pour cette leçon, vous partirez d'un document vierge.

Manipuler plusieurs plans de travail

Un document Illustrator peut contenir jusqu'à cent plans de travail (pages). Dans la suite de cette section, vous allez créer un document constitué de plusieurs plans de travail, pour ensuite les modifier. Nous reviendrons sur la création et la modification des plans de travail à la Leçon 4, "Transformation d'objets".

1. Choisissez Fichier > Nouveau.

Note : De nouveaux profils de document sont adaptés à différents types de projets, par exemple pour les équipements mobiles, l'impression, le Web et la vidéo.

2. Dans la boîte de dialogue Nouveau document, nommez le fichier **livrethé** et laissez Nouveau profil de document fixé à Impression. Changez Nombre de plans de travail à **2**, choisissez Millimètres dans le menu Unités, fixez Largeur à **174 mm** et Hauteur à **248 mm**. Cliquez sur OK. Un nouveau document vierge apparaît.

3. Choisissez Fichier > Enregistrer sous. Dans la boîte de dialogue Enregistrer sous, laissez le nom livrethé.ai et sélectionnez le dossier Lesson00. Sélectionnez Adobe Illustrator (*.AI) dans le menu Type (Windows) ou Adobe Illustrator (ai) dans le menu Format (Mac OS), puis cliquez sur Enregistrer. Dans la boîte de dialogue Options Illustrator, conservez les valeurs par défaut et cliquez sur OK.

4. Affichez les règles verticale et horizontale sur le plan de travail en choisissant Affichage > Règles > Afficher les règles.

5. Dans le panneau Outils, sélectionnez l'outil Plan de travail (▦). Cliquez sur le plan de travail nommé 01 – Plan de travail 1 dans le coin supérieur gauche. Dans le panneau Contrôle, au-dessus du document, cliquez sur le point de référence central droit (▦), puis fixez Largeur à **89 mm**.

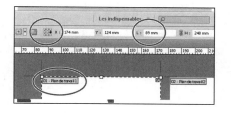

● **Note :** Si vous ne voyez pas les champs Largeur et Hauteur dans le panneau Contrôle, cliquez sur le bouton Options du plan de travail (▦) dans ce panneau et saisissez les valeurs dans la boîte de dialogue qui apparaît.

Notez que les options de modification des dimensions, de l'orientation et d'autres caractéristiques du plan de travail apparaissent dans le panneau Contrôle, sous les menus.

6. Activez l'outil Sélection (▸) pour arrêter la modification des plans de travail. Cliquez sur le plan de travail de droite de manière à l'activer, puis choisissez Affichage > Ajuster le plan de travail à la fenêtre.

Créer des formes

Les formes sont un élément central d'Illustrator et vous allez en créer beaucoup tout au long de cette leçon. Dans cette section, vous en créerez et en copierez plusieurs. Nous reviendrons sur la création et la modification des formes à la Leçon 3, "Création de formes".

1. Sélectionnez l'outil Rectangle (▦) et placez le pointeur dans le coin supérieur gauche du plan de travail. Notez que le mot "intersection" s'affiche à côté du pointeur pour indiquer que le rectangle que vous allez tracer est aligné sur l'angle du plan de travail. Faites glisser le pointeur vers l'angle inférieur droit du plan de travail.

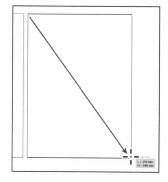

Le rectangle étant toujours sélectionné, vous voyez qu'au bas du panneau Outils se trouvent des contrôles pour le fond et le contour. Le contour est simplement une bordure, le fond est l'intérieur d'une forme. Lorsque le fond est au premier plan, toute couleur sélectionnée est attribuée à l'intérieur de l'objet sélectionné.

2. Activez le fond en cliquant sur la vignette unie (blanc), s'il n'est pas déjà sélectionné.

Fond actif   Contour actif

Note : Si le panneau Couleur ne s'affiche pas, cliquez sur son icône (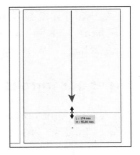) sur le côté droit de l'espace de travail pour l'ouvrir.

3. Le rectangle étant toujours sélectionné, modifiez les valeurs dans le panneau Couleur qui apparaît sur le côté droit de l'espace de travail. Fixez-les à C = 0, M = 2, J = 7, N = 0. Après avoir saisi la dernière valeur, appuyez sur Entrée ou Retour pour changer la couleur. Le fond du rectangle est à présent en jaune clair.

4. Dans le panneau Outils, activez l'outil Sélection (▶) et choisissez Édition > Copier puis Édition > Coller devant.

5. Avec l'outil Sélection, faites glisser vers le bas le point supérieur central de la forme sélectionnée. En même temps, une boîte grise contenant des libellés de largeur et de hauteur s'affiche. Lorsque la hauteur arrive à environ 56 mm, relâchez. Les libellés des dimensions font partie des repères commentés, sur lesquels nous reviendrons ultérieurement.

6. Cliquez sur l'icône du panneau Nuancier (▦) à droite de l'espace de travail. La vignette de fond étant toujours sélectionnée dans le panneau Outils, cliquez sur la nuance Noir pour remplir la nouvelle forme en noir.

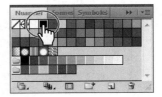

7. Choisissez Sélection > Tout sur le plan de travail actif puis Objet > Verrouiller > Sélection.

8. Choisissez Fichier > Enregistrer. Gardez le fichier ouvert.

L'outil Concepteur de forme

L'outil Concepteur de forme est un outil interactif pour la création de formes complexes par fusion et gommage de formes plus simples. Vous allez à présent vous en servir pour créer une théière à partir de formes simples. Nous reviendrons sur cet outil à la Leçon 3, "Création de formes".

1. Avec l'outil Zoom (🔍), cliquez deux fois sur le rectangle noir en bas du plan de travail.

2. Dans le panneau Outils, activez l'outil Rectangle arrondi (▢) en cliquant, sans relâcher le bouton de la souris, sur l'outil Rectangle (▭). Cliquez une fois au centre du rectangle noir.

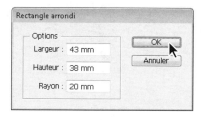

3. Dans la boîte de dialogue Rectangle arrondi, fixez Largeur à **43 mm**, Hauteur à **38 mm** et Rayon à **20 mm**. Cliquez sur OK.

4. Dans le panneau Contrôle, cliquez sur la couleur de fond (■▾) et sélectionnez la nuance Blanc.

5. L'outil Rectangle arrondi étant toujours sélectionné, faites glisser vers la gauche de la nouvelle forme pour créer une forme comparable, avec une largeur d'environ 18 mm et une hauteur d'environ 8 mm. Servez-vous des libellés de dimension comme guides.

6. Double-cliquez sur l'outil Rotation (⟳). Dans la boîte de dialogue Rotation, fixez Angle à **−45**, puis cliquez sur OK.

7. Avec l'outil Sélection (▸), faites glisser la forme à l'emplacement indiqué dans la figure de manière à obtenir un bec verseur.

▶ **Astuce :** Si vous ne voyez pas mm dans la boîte de dialogue Rectangle arrondi, vous pouvez toujours saisir "mm" après la valeur pour définir le rectangle en millimètres.

● **Note :** Il est possible que votre rectangle arrondi ne se trouve pas à l'emplacement indiqué dans la figure ci-après. Ce n'est pas un problème.

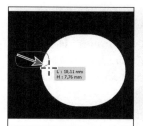

Créez un rectangle arrondi.

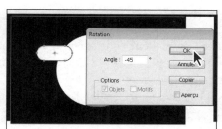

Faites-le pivoter.

Mettez-le en position.

8. Dans le panneau Outils, sélectionnez l'outil Rectangle (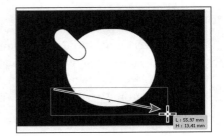), à partir du groupe d'outils Rectangle arrondi. Utilisez-le pour tracer un rectangle qui couvre le quart inférieur du grand rectangle arrondi. Reportez-vous à la figure pour son emplacement.

9. Activez l'outil Sélection. Tout en appuyant sur la touche Maj, cliquez sur les deux autres formes blanches pour les sélectionner toutes les trois.

10. Dans le panneau Outils, sélectionnez l'outil Concepteur de forme (🔧). Placez le pointeur au-dessus du plus petit rectangle arrondi et faites glisser vers le plus grand rectangle arrondi blanc. Cette opération combine toutes les formes en une seule.

11. Tout en appuyant sur la touche Alt (Windows) ou Option (Mac OS), faites glisser l'outil Concepteur de forme vers les deux formes du bas pour les supprimer. Notez la présence du symbole moins (–) dans le pointeur.

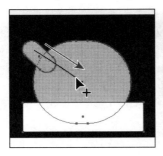
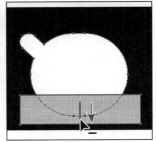

Les modes de dessin

Les modes de dessin permettent de dessiner à l'intérieur des formes, derrière des formes existantes ou de manière normale, c'est-à-dire en empilant les formes les unes au-dessus des autres. (Nous reviendrons sur les modes de dessin à la Leçon 3, "Création de formes".) Vous allez tracer un rectangle à l'intérieur de la forme de la théière.

1. Avec l'outil Sélection ( ), cliquez sur la forme de la théière pour la sélectionner.

2. Dans le panneau Outils, cliquez sur le bouton Dessin intérieur (⟨▣⟩). Vous remarquerez que les angles de la forme de la théière sont à présent entourés de lignes pointillées. Elles indiquent que vous dessinez à l'intérieur de la forme.

3. Activez l'outil Rectangle (▭). Positionnez le pointeur au-dessus du centre de la forme de la théière blanche. Faites-le glisser pour tracer un rectangle d'environ 18 mm de large et 9 mm de haut. Les dimensions n'ont pas besoin d'être exactes.

4. Dans le panneau Contrôle, changez la couleur de fond à un gris moyen.

5. Activez l'outil Sélection et faites glisser le rectangle dans le bec verseur.

6. Activez l'outil Rotation (⟨◌⟩). Placez le pointeur au-dessus du coin supérieur droit du rectangle. Appuyez sur la touche Maj et faites glisser dans le sens inverse des aiguilles d'une montre jusqu'à voir apparaître 45°. Relâchez le bouton de la souris, puis la touche Maj.

● **Note :** Si le panneau Outils est affiché sur une seule colonne, vous pouvez cliquer sur le bouton Modes de dessin (⟨▣⟩) dans la partie inférieure du panneau et choisir le mode dans le menu qui apparaît.

▶ **Astuce :** Si vous n'aimez pas la forme que vous avez dessinée, choisissez Édition > Annuler et recommencez.

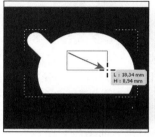
Créez un rectangle.

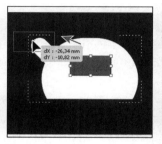
Mettez-le en position.

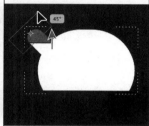
Faites-le pivoter.

7. Dans le panneau Outils, cliquez sur le bouton Dessin normal (⟨▣⟩).

8. Choisissez Sélection > Désélectionner puis Fichier > Enregistrer.

Les contours

L'outil Largeur permet de créer un contour de largeur variable et d'enregistrer celle-ci sous forme de profil, qui peut ensuite être appliqué à d'autres contours. Vous allez à présent ajouter une anse à la théière.

1. Activez l'outil Sélection (▶). Choisissez Sélection > Tout sur le plan de travail actif. Déplacez la théière vers le coin inférieur droit du rectangle noir.

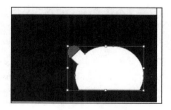

Astuce : Vous pouvez vous servir de l'outil Sélection ( ) pour repositionner l'ellipse après l'avoir dessinée.

2. Dans le panneau Outils, activez l'outil Ellipse ( ) à partir du groupe d'outils Rectangle. Positionnez le pointeur au-dessus et à droite du bec verseur. Faites glisser pour créer une ellipse d'environ 30 mm de large et 35 mm de haut.

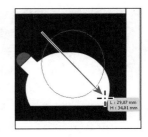

3. Dans le panneau Contrôle, cliquez sur la couleur de fond et choisissez [Sans] ( ). Cliquez sur la couleur de contour et choisissez un gris clair (C = **0**, M = **0**, J = **0**, N = **50**).

4. Dans le panneau Contrôle, sur la liste Épaisseur de contour, située à droite de la couleur de contour, choisissez 2 pt.

5. Choisissez Objet > Disposition > En arrière pour placer l'ellipse derrière la théière.

6. Activez l'outil Zoom ( ) et cliquez deux fois sur la nouvelle ellipse.

Astuce : Pour de plus amples informations sur l'outil Largeur, consultez la Leçon 3, "Création de formes".

7. L'ellipse étant toujours sélectionnée, activez l'outil Largeur ( ). Positionnez le pointeur dans la partie supérieure du contour gris, juste à gauche du centre. Faites glisser en éloignant le pointeur de la ligne (voir figure).

8. Positionnez le pointeur légèrement à gauche de l'emplacement où vous avez fait glisser le contour. Cliquez et faites glisser vers le centre de la ligne. Il est inutile d'être strictement conforme à la figure ci-après.

9. Choisissez Sélection > Désélectionner puis Fichier > Enregistrer.

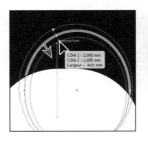
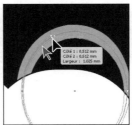

Groupes de couleurs et modification des couleurs de l'illustration

Astuce : Pour de plus amples informations sur les groupes de couleurs et la modification des couleurs de l'illustration, consultez la Leçon 6, "Couleurs et peinture".

Un groupe de couleurs est un outil qui permet de regrouper des nuances de couleurs dans le panneau Nuancier. Il peut également servir à regrouper des couleurs en harmonie, créées à l'aide de la boîte de dialogue Redéfinir les couleurs de l'illustration ou du panneau Guide des couleurs. Vous allez ici modifier les couleurs de la couverture du livre.

1. Choisissez Affichage > Ajuster le plan de travail à la fenêtre.

2. Activez l'outil Rectangle arrondi (▢). Cliquez au milieu du plan de travail. Dans la boîte de dialogue Rectangle arrondi, fixez Largeur à **114 mm**, Hauteur à **28 mm** et Rayon à **5 mm**. Cliquez sur OK.

3. Dans le panneau Outils, activez le fond si ce n'est pas déjà le cas. Cliquez sur l'icône du panneau Nuancier (▦) à droite de l'espace de travail.

4. Dans le panneau Nuancier, positionnez le pointeur au-dessus des nuances marron. Cliquez sur celle dont l'info-bulle affiche C = 40, M = 65, J = 90, N = 35 pour remplir le rectangle.

5. Activez l'outil Sélection et cliquez sur l'icône du panneau Guides des couleurs (◨) à droite de l'espace de travail. Cliquez sur l'icône Définir la couleur de base sur la couleur actuelle (▣). Choisissez Ombres dans le menu Règles d'harmonie (voir figure ci-après).

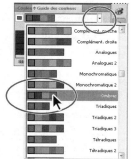

6. Dans le panneau Nuancier, cliquez sur le bouton Enregistrer le groupe de couleurs (▭⁺). Les quatre couleurs sont alors enregistrées au début du panneau Nuancier sous forme d'un groupe.

7. Avec l'outil Sélection (▶), tracez un rectangle de sélection autour de la théière et de l'anse pour sélectionner ces deux objets.

8. Cliquez sur l'icône du panneau Nuancier (▦). Notez le nouveau groupe de couleurs affiché en bas du panneau (faites défiler la liste vers le bas si nécessaire). Cliquez sur le dossier à gauche des quatre couleurs marron. Cliquez sur le bouton Modifier ou appliquer le groupe de couleurs (◉) situé dans la partie inférieure du panneau Nuancier.

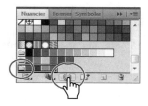

9. Dans la boîte de dialogue Redéfinir les couleurs de l'illustration, cliquez sur Groupe de couleurs 1 dans la zone Groupes de couleurs. Cliquez sur OK. Choisissez Sélection > Désélectionner.

La boîte de dialogue Redéfinir les couleurs de l'illustration associe les couleurs de l'illustration à celles du groupe de couleurs sélectionné.

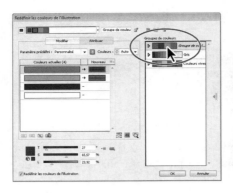

Importer des images Photoshop dans Illustrator

Illustrator accepte d'importer des fichiers Photoshop et de choisir une composition de calques avant d'insérer l'image dans le plan de travail. Vous allez importer une image réalisée à la main. Pour de plus amples informations concernant les compositions de calques et l'importation d'images Photoshop, consultez la Leçon 15, "Graphiques Illustrator et autres applications Adobe".)

1. Choisissez Affichage > Ajuster le plan de travail à la fenêtre pour que la fenêtre du document soit centrée.

● **Note :** En cochant la case Lien dans la boîte de dialogue Importer, vous connectez l'image Photoshop au fichier Illustrator. Si l'image est modifiée ultérieurement dans Photoshop, elle sera actualisée dans le document Illustrator.

2. Choisissez Fichier > Importer. Dans la boîte de dialogue Importer, sélectionnez le fichier floral.psd qui se trouve dans le dossier Lesson00. Vérifiez que la case Lien, placée dans le coin inférieur gauche, est cochée puis cliquez sur Importer.

   Illustrator reconnaît un fichier enregistré avec des compositions de calques et ouvre dans ce cas une fenêtre Options d'importation Photoshop. Le fichier de cet exemple a été enregistré avec deux compositions de calques différentes.

3. Dans la boîte de dialogue Options d'importation Photoshop, activez l'option Afficher l'aperçu. Dans le menu déroulant Composition de calques, vérifiez que no background est sélectionné. Cliquez sur OK. L'image du motif floral est insérée dans le plan de travail.

● **Note :** Il est possible que votre rectangle arrondi ne se trouve pas à l'emplacement indiqué dans la figure. Ce n'est pas un problème.

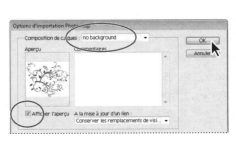

4. Choisissez Fichier > Enregistrer.

L'outil Vectorisation dynamique

L'outil Vectorisation dynamique permet de vectoriser des photographies (images bitmap). Dans cet exemple, vous tracerez les contours d'une image Photoshop pour créer un dessin au trait en noir et blanc. Pour en savoir plus sur l'outil Vectorisation automatique, consultez la Leçon 3, "Création de formes".

1. L'image étant sélectionnée, cliquez sur le bouton Vectorisation dynamique dans le panneau Contrôle. L'image est vectorisée, mais elle n'est pas encore modifiable.

2. Choisissez Logo monochrome dans le menu Paramètre prédéfini du panneau Contrôle. Cette opération modifie les paramètres du tracé et rend les zones blanches transparentes.

3. Choisissez Fichier > Enregistrer.

▶ **Astuce :** À ce stade, si l'image floral.psd était liée et que vous la modifiiez dans Photoshop, l'image vectorisée serait actualisée dans Illustrator.

L'outil Peinture dynamique

Grâce à l'outil Peinture dynamique, vous pouvez remplir les objets de peinture comme sur une feuille de papier. Pour en savoir plus sur cet outil, consultez la Leçon 6, "Couleurs et peinture".

1. L'image vectorisée étant toujours sélectionnée, cliquez sur le bouton Peinture dynamique dans le panneau Contrôle.

2. Dans le panneau Outils, activez l'outil Pot de peinture dynamique (🖱) à partir du groupe d'outils Concepteur de forme (🖱). Dans le panneau Contrôle, cliquez sur la couleur de fond et sélectionnez la première nuance marron dans le groupe de couleurs créé précédemment.

3. Appuyez deux fois sur Ctrl++ (Windows) ou Cmd++ (Mac OS) pour augmenter le zoom.

4. L'outil Pot de peinture dynamique (🖱) étant toujours activé, positionnez le pointeur au-dessus de l'une des branches. Remarquez que l'illustration est repérée en rouge et que des carrés colorés apparaissent au-dessus du pointeur (🖱). Cliquez afin d'appliquer la couleur de fond marron.

● **Note :** Si la peinture est appliquée à la zone entre les branches, choisissez Édition > Annuler Pot de peinture dynamique et recommencez l'opération.

Les carrés colorés au-dessus du pot de peinture représentent les couleurs avant et après sélection de la couleur dans le panneau Nuancier.

● **Note :** Même si cette forme est constituée de nombreux tracés, l'outil Peinture dynamique reconnaît les formes visuelles et les surligne en rouge lorsque vous les survolez avec le pointeur.

5. Appuyez une fois sur la touche Flèche droite du clavier pour choisir le marron plus foncé (■) affiché dans les carrés au-dessus du pot de peinture. Activez l'outil Pot de peinture dynamique et appliquez le remplissage à l'une des feuilles.

   Continuez à peindre les feuilles et les branches restantes, en appuyant sur les touches fléchées pour changer de couleur.

6. Activez l'outil Sélection (➤). L'image vectorisée étant toujours sélectionnée, cliquez sur le bouton Décomposer dans le panneau Contrôle pour convertir l'image en formes vectorielles modifiables. Choisissez Objet > Disposition > En arrière.

● **Note :** Selon la résolution de votre écran, les options de transformation peuvent ne pas apparaître dans le panneau Contrôle. Si elles sont présentes, vous pouvez les fixer directement depuis ce panneau. Vous pouvez également choisir Fenêtre > Transformation pour ouvrir le panneau Transformation.

7. Avec l'outil Sélection, cliquez sur le rectangle arrondi. Dans le panneau Contrôle, cliquez sur le lien Transformation pour ouvrir le panneau correspondant. Vérifiez que le point de référence central (▦) est sélectionné, puis fixez la valeur X à **87 mm** et la valeur Y à **104 mm**. Appuyez sur Entrée ou Retour pour déplacer le rectangle arrondi.

● **Note :** Il vous faudra peut-être indiquer mm lors de la saisie des valeurs dans le panneau Transformation si une autre unité est affichée.

8. Appuyez sur la touche Maj et, avec l'outil Sélection, cliquez sur l'illustration florale. Relâchez la touche Maj, puis cliquez à nouveau sur le rectangle arrondi pour en faire l'objet de référence de l'alignement.

9. Dans le panneau Contrôle, cliquez sur le bouton Alignement vertical au centre (▣➤). Notez que l'illustration florale se déplace pour s'aligner sur le rectangle.

● **Note :** Si les options d'alignement ne sont pas visibles, cliquez sur le mot Alignement dans le panneau Contrôle de manière à ouvrir le panneau Alignement.

10. Choisissez Sélection > Désélectionner.

11. Avec l'outil Sélection, cliquez sur l'illustration florale pour la sélectionner. Dans le panneau Contrôle, choisissez Aligner sur le plan de travail (▦) depuis le bouton Aligner sur (▦). Cette opération permet d'aligner les objets sélectionnés sur le plan de travail. Cliquez sur le bouton Alignement horizontal à gauche (▤) pour aligner l'illustration florale sur le bord gauche du plan de travail.

12. Choisissez Sélection > Désélectionner.

L'outil Forme de tache

L'outil Forme de tache permet de dessiner des formes pleines qui fusionnent avec d'autres formes de la même couleur. Vous allez à présent l'utiliser pour modifier l'illustration florale.

● **Note :** Pour de plus amples informations concernant l'outil Forme de tache, consultez la Leçon 11, "Les formes".

1. Choisissez Affichage > Ajuster le plan de travail à la fenêtre. Avec l'outil Sélection (▶), double-cliquez sur l'illustration florale. Vous entrez ainsi dans le mode Isolation qui permet de modifier les formes de l'illustration florale.

2. Activez l'outil Zoom (🔍). Tracez un rectangle de sélection autour de la moitié supérieure de l'illustration florale pour augmenter le zoom.

3. Avec l'outil Sélection, cliquez sur l'une des branches supérieures (non sur une feuille). Cette opération sélectionne une grande partie de l'illustration florale.

4. Dans le panneau Outils, double-cliquez sur l'outil Forme de tache (🖌). Dans la boîte de dialogue Options de l'outil Forme de tache, cochez Conserver la sélection, fixez Lissage à **80** et modifiez Taille à **5 pt**. Cliquez sur OK.

5. Positionnez le pointeur au-dessus de l'extrémité de l'une des branches supérieures (voir figure). Faites glisser à partir de la branche vers le haut puis vers la gauche pour créer une autre petite branche. Lorsque vous relâchez, vous pouvez constater la modification de la forme et noter qu'elle fait à présent partie de la branche.

6. Recommencez l'opération pour que l'extrémité de la branche que vous venez d'ajouter soit plus large et plus arrondie. Vous pouvez vous servir de l'outil Forme de tache comme d'un crayon ; la précision n'est pas obligatoire.

7. Choisissez Sélection > Désélectionner. Appuyez sur la touche Échap pour quitter le mode Isolation.

8. Choisissez Affichage > Ajuster le plan de travail à la fenêtre, puis Fichier > Enregistrer.

L'outil Texte

▶ **Astuce :** Pour de plus amples informations concernant la prise en charge du texte, consultez la Leçon 7, "Manipulation de texte".

Vous allez à présent ajouter du texte à la couverture du livre.

1. Choisissez Fenêtre > Espace de travail > Les indispensables pour réinitialiser les panneaux.

2. Activez l'outil Texte (**T**) et cliquez une fois sur le plan de travail dans une zone ne contenant aucun objet. Le texte sera repositionné plus tard.

3. Saisissez le mot **FeliciTea**. Toujours avec l'outil Texte, choisissez Sélection > Tout ou appuyez sur les touches Ctrl+A (Windows) ou Cmd+A (Mac OS), afin de sélectionner tout le texte saisi. Choisissez Texte > Modifier la casse > CAPITALES.

Astuce : Si vous ne voyez pas les options de caractères dans le panneau Contrôle, cliquez sur le mot Caractère pour afficher le panneau Caractère.

4. Sélectionnez le nom de la police dans le champ Police du panneau Contrôle (à droite du mot Caractère).

Commencez par taper **tra** pendant que le nom de la police est sélectionné. La liste des polices est alors filtrée sur Trajan Pro. Saisissez **45 pt** dans le champ Corps et appuyez sur Entrée ou Retour.

5. Avec l'outil Texte, sélectionnez les lettres "Tea" du texte. Depuis le panneau Contrôle, changez la taille à **64 pt**.

6. Choisissez Sélection > Tout. Dans le panneau Outils, activez l'outil Pipette (✐). Cliquez sur la forme jaune clair en arrière-plan pour lire la couleur et l'appliquer au texte.

7. Le texte étant toujours sélectionné, fixez la couleur de contour à [Sans] (⊘) dans le panneau Contrôle.

8. Avec l'outil Sélection (▶), faites glisser le texte au-dessus du rectangle arrondi, vers le centre du plan de travail.

9. Choisissez Objet > Masquer > Sélection pour masquer temporairement le texte.

10. Choisissez Fichier > Enregistrer.

Avant de masquer le texte

Le panneau Aspect et les effets

Le panneau Aspect permet de contrôler les attributs d'un objet comme son contour, son fond et d'autres effets.

▶ **Astuce :** Pour de plus amples informations concernant le panneau Aspect, consultez la Leçon 13, "Les attributs d'aspect et les styles graphiques".

1. Avec l'outil Sélection (▶), cliquez sur le rectangle arrondi marron.

2. Cliquez sur l'icône du panneau Aspect (⬤) sur le côté droit de l'espace de travail. Notez que, dans ce panneau, la sélection est listée en tant que Tracé.

3. Dans le panneau Aspect, cliquez sur la couleur Contour et choisissez la nuance marron clair (C = **18**, M = **55**, J = **83**, N = **7**) dans le groupe de couleurs créé précédemment. À droite de la couleur, fixez Épaisseur de contour à **10 pt**. Cliquez sur le mot souligné Contour et, dans le panneau Contour qui apparaît, cliquez sur Contour aligné sur l'extérieur (⬜).

4. Au bas du panneau Aspect, cliquez sur le bouton Ajouter un contour (◼) pour ajouter un nouveau contour à ce panneau. Cliquez sur la couleur Contour et sélectionnez la première nuance marron (C = **40**, M = **65**, J = **90**, N = **35**) dans le groupe de couleurs créé précédemment. Cliquez à nouveau sur la ligne de la couleur de contour pour fermer le panneau Nuancier. Fixez Épaisseur de contour à **4 pt**.

5. Choisissez Effet > Tracé > Décalage. Dans la boîte de dialogue Décalage, fixez Décalage à **11 pt** puis cliquez sur OK.

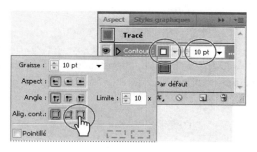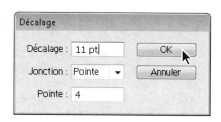

6. Dans la partie supérieure du panneau Aspect, cliquez sur le mot Tracé pour appliquer l'effet suivant à l'intégralité du tracé.

7. Cliquez sur le bouton Ajouter un effet (*fx.*) du panneau Aspect et choisissez Spécial > Ombre portée. Dans la boîte de dialogue Ombre portée, fixez Opacité à **40**, Décalage sur X et Décalage sur Y à **1,5 mm** et Atténuation à **1 mm**. Validez.

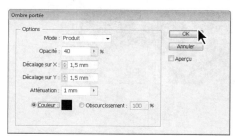

8. Faites défiler le panneau Aspect vers le bas. Cliquez sur l'icône de visibilité (👁) située à gauche de l'effet Ombre portée pour le masquer et le désactiver. Cliquez à nouveau sur cette icône pour le réactiver.

9. Choisissez Objet > Tout afficher pour faire réapparaître le texte.

10. Choisissez Sélection > Désélectionner puis Fichier > Enregistrer.

Les formes

Grâce aux formes, vous décorerez les tracés. Vous pouvez appliquer des contours à des tracés existants ou utiliser l'outil Pinceau pour simultanément dessiner un tracé et lui appliquer un contour. Pour de plus amples informations concernant les formes, consultez la Leçon 11, "Les formes".

1. Choisissez Objet > Tout déverrouiller. Avec l'outil Sélection (▶), cliquez sur le rectangle noir situé dans la partie inférieure du plan de travail. Tout en appuyant sur la barre d'espacement, faites glisser le plan de travail vers le haut pour le repositionner.

2. En bas du panneau Outils, cliquez sur le bouton Dessin intérieur (◙). Choisissez Sélection > Désélectionner.

3. Cliquez sur l'icône du panneau Formes (🖌) sur la droite de l'espace de travail pour ouvrir ce panneau. Faites-le défiler vers le bas et cliquez sur la forme Filbert. Une info-bulle apparaît lorsque vous positionnez le pointeur au-dessus d'une forme dans la liste.

4. Dans le panneau Contrôle, changez la couleur de fond à [Sans] (▱) et la couleur de contour à Blanc.

5. Activez l'outil Pinceau (✏). Positionnez le pointeur au-dessus de l'extrémité du bec verseur. Faites glisser vers le haut et la gauche, au-delà du bord du rectangle noir, de manière à créer un filet de vapeur. Tracez deux lignes pour obtenir un effet de vapeur.

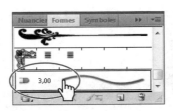

6. Dans le panneau Formes, double-cliquez sur la forme Filbert afin de la modifier. Dans la boîte de dialogue Options du module externe Pointe du pinceau, changez Forme à Éventail plat, Corps à **4**, Longueur de la pointe du pinceau à **280**, Opacité de la peinture à **15** et Dureté à **20**. Cochez la case Aperçu pour constater les modifications dans l'illustration ; déplacez la boîte de dialogue si nécessaire. Cliquez sur OK.

7. Dans la boîte de dialogue Alerte de remplacement de forme, cliquez sur Appliquer aux contours de manière à modifier les contours déjà tracés sur le plan de travail.

8. Avec l'outil Pinceau, ajoutez de la vapeur sur la partie gauche du rectangle noir afin de donner l'illusion que de la vapeur tourne à l'intérieur de la boîte.

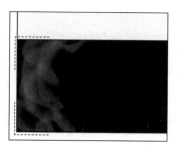

9. En bas du panneau Outils, cliquez sur le bouton Dessin normal (⬚) puis choisissez Fichier > Enregistrer.

Créer et modifier un dégradé

Les dégradés sont des mélanges de couleurs qui emploient deux couleurs ou plus. Ici, vous appliquerez un dégradé à une forme en arrière-plan.

▶ **Astuce :** Pour de plus amples informations sur les dégradés, consultez la Leçon 10, "Les dégradés de formes et de couleurs".

1. Avec l'outil Sélection (▶), cliquez sur le rectangle jaune clair en arrière-plan. Choisissez Édition > Copier.

2. Choisissez Affichage > Tout ajuster à la fenêtre. Cliquez sur le premier plan de travail situé à gauche afin de l'activer. Choisissez Affichage > Ajuster le plan de travail à la fenêtre puis Édition > Coller sur place. Faites glisser le point de sélection central droit vers la gauche jusqu'à ce qu'il soit aligné avec le bord droit du plan de travail de gauche.

3. La forme étant toujours sélectionnée, choisissez Édition > Copier et Édition > Coller devant. Faites glisser le point central supérieur vers le bas pour redimensionner le rectangle copié. Lorsque les repères d'alignement verts s'affichent, pour indiquer l'alignement avec le rectangle noir du plan de travail de droit, relâchez.

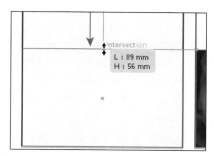

4. Cliquez sur l'icône du panneau Dégradé de couleurs (▭) à droite de l'espace de travail.

5. Cliquez sur le bouton du menu Dégradé (▯) et choisissez Fondu noir sur la liste. Un dégradé noir allant vers le transparent est appliqué au rectangle.

6. Dans le panneau Outils, sélectionnez l'outil Dégradé de couleurs (▭). Notez l'annotateur (barre) de dégradé qui apparaît sur le rectangle. Tout en appuyant sur la touche Maj, faites glisser de la droite vers la gauche au travers du rectangle et au-dessus de la barre de dégradé.

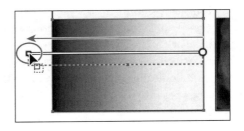

Par cette opération, vous modifiez la direction du dégradé.

7. Positionnez le pointeur au-dessus de l'annotateur de dégradé (la barre sur le rectangle) : il se transforme en curseur de dégradé. Notez les points d'arrêt de couleurs sous le curseur de dégradé, comparables à ceux qui se trouvent dans le panneau Dégradé de couleurs. Double-cliquez sur le point d'arrêt de couleur noire (▮) situé sur la droite de l'annotateur de dégradé. Cliquez sur le bouton Nuancier (▦) et sélectionnez la première couleur marron du groupe de couleurs créé précédemment ; vous changez la couleur du point d'arrêt à marron. Appuyez sur la touche Échap pour fermer le panneau.

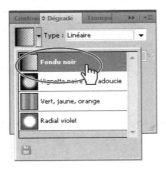
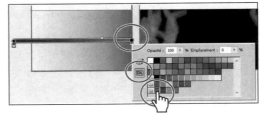

8. Positionnez le pointeur au-dessus de l'extrémité droite de l'annotateur de dégradé pour révéler le point d'arrêt de couleur marron. Faites-le glisser légèrement vers la gauche pour modifier l'apparence du dégradé.

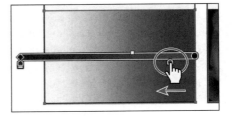

9. Choisissez Sélection > Désélectionner puis Fichier > Enregistrer.

Les symboles

Un symbole est un objet graphique enregistré dans le panneau Symboles et que vous pouvez réutiliser. Vous allez créer un symbole à partir d'une illustration. Pour de plus amples informations sur l'utilisation des symboles, consultez la Leçon 14, "Les symboles".

1. Cliquez sur l'icône du panneau Plans de travail (⬚) située sur la droite de l'espace de travail. Double-cliquez sur Plan de travail 2 pour ajuster ce plan de travail à la fenêtre de document.

2. Choisissez Fichier > Ouvrir et chargez le fichier symbol.ai, qui se trouve dans le dossier Lesson00 sur votre disque dur. Choisissez Sélection > Tout sur le plan de travail actif. Choisissez Édition > Copier puis Fichier > Fermer. De retour sur le fichier teabook.ai, choisissez Édition > Coller.

3. Cliquez sur l'icône du panneau Symboles (♣) située sur la droite de l'espace de travail.

4. Le cercle étant toujours sélectionné sur le plan de travail, au bas du panneau Symboles, cliquez sur le bouton Nouveau symbole (⬚). Dans la boîte de dialogue Options de symbole, saisissez **cercle** dans le champ Nom et choisissez le type Graphique. Cliquez sur OK.

Le cercle apparaît alors dans le panneau Symboles. Ce symbole a été enregistré dans la bibliothèque de symboles réservée au document actuel.

5. Depuis le panneau Symboles, faites glisser le symbole du cercle sur le plan de travail. Cette action crée une instance du symbole. Ajoutez plusieurs symboles afin de réaliser un motif libre autour du rectangle arrondi marron et du texte.

● **Note :** Les instances de votre symbole peuvent se trouver à des endroits différents de ceux indiqués par la figure. Ce n'est pas un problème. Servez-vous de la figure comme guide.

6. Tout en appuyant sur les touches Maj+Alt (Windows) ou Maj+Option (Mac OS), activez l'outil Sélection (▶) pour faire glisser un point de sélection vers le centre de l'un des cercles de manière à le réduire tout en conservant ses proportions.

7. Redimensionnez chaque cercle, en les rendant plus petits que l'original.

8. Choisissez Sélection > Désélectionner puis Fichier > Enregistrer.

La perspective

Vous allez à présent créer une perspective de la couverture du livre, ce qui sera facile grâce aux fonctionnalités de dessin en perspective d'Illustrator. Pour de plus amples informations concernant le dessin en perspective, consultez la Leçon 9, "Dessin en perspective".

1. Choisissez Fichier > Nouveau. Dans la boîte de dialogue Nouveau document, nommez le fichier **livrethé_persp** et choisissez Impression dans le menu Nouveau profil de document. Fixez Unités à Millimètres et Largeur à **380 mm**. Cliquez sur OK.

2. Choisissez Fichier > Enregistrer sous. Dans la boîte de dialogue Enregistrer sous, conservez le nom livrethé_persp.ai et choisissez le dossier Lesson00. Laissez Adobe Illustrator (*.AI) dans le menu Type (Windows) ou Adobe Illustrator (ai) dans le menu Format (Mac OS), puis cliquez sur Enregistrer. Dans la boîte de dialogue Options Illustrator, conservez les valeurs par défaut et cliquez sur OK.

3. Dans le menu Outils, activez l'outil Grille de perspective (▦). Cette action entraîne l'affichage de la grille de perspective.

4. L'outil Grille de perspective étant activé, choisissez Affichage > Grille de perspective > Verrouiller la position. Vous pourrez ainsi modifier ensemble les plans de la grille de perspective.

5. Faites glisser le point de fuite gauche vers la droite (voir figure). Cette opération modifie la grille de perspective.

6. Cliquez sur l'onglet livrethé.ai dans la partie supérieure de la fenêtre de document.

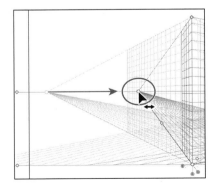

7. Avec l'outil Sélection (), cliquez sur le deuxième plan de travail (le plus large) pour l'activer. Choisissez Sélection > Tout sur le plan de travail actif.

8. Choisissez Édition > Copier.

9. Cliquez sur l'onglet livrethé_persp.ai pour revenir au document en perspective.

10. Choisissez Édition > Coller, puis Objet > Associer.

11. L'onglet livrethé_persp.ai étant toujours actif, activez l'outil Sélection de perspective () à partir du groupe des outils Grille de perspective (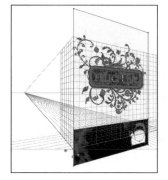) du panneau Outils.

12. Cliquez sur Plan de la grille de droite dans le widget de changement de plan situé dans le coin supérieur gauche du plan de travail. Cela vous permet de mettre le groupe sélectionné en perspective dans le plan de la grille de droite.

13. Avec l'outil Sélection de perspective, faites glisser le groupe de manière que son bord gauche s'aligne approximativement avec la ligne de jointure entre les plans gauche et droit.

> **Note :** Faire glisser une illustration vectorielle existante avec l'outil Sélection de perspective met ce contenu en perspective.

14. Cliquez sur l'onglet livrethé.ai dans la partie supérieure de la fenêtre de document.

15. Avec l'outil Sélection (), cliquez sur le premier plan de travail (le plus étroit) pour l'activer. Choisissez Sélection > Tout sur le plan de travail actif.

16. Choisissez Édition > Copier. Cliquez sur l'onglet livrethé_persp.ai pour revenir au document en perspective. Choisissez Édition > Coller puis Objet > Associer.

17. Dans le panneau Outils, activez l'outil Sélection de perspective ().

18. Dans le widget de changement de plan situé dans le coin supérieur gauche du plan de travail, cliquez sur Plan de la grille de gauche. Cela vous permet de mettre le groupe sélectionné en perspective dans le plan de la grille de gauche.

19. Avec l'outil Sélection de perspective, faites glisser le groupe de manière que son bord droit s'aligne approximativement avec le bord gauche du groupe positionné précédemment. Vous pouvez repositionner le groupe après l'avoir placé sur la grille s'il n'est pas correctement aligné (voir figure).

20. Avec l'outil Sélection de perspective, faites glisser le point de sélection central gauche de la tranche du livre vers la droite de manière à la rendre plus étroite.

21. Choisissez Sélection > Désélectionner puis Affichage > Grille de perspective > Masquer la grille.

Positionnez l'illustration de la tranche du livre.

Redimensionnez l'illustration.

Observez le résultat.

22. Choisissez Fichier > Enregistrer puis Fichier > Fermer pour chacun des fichiers ouverts.

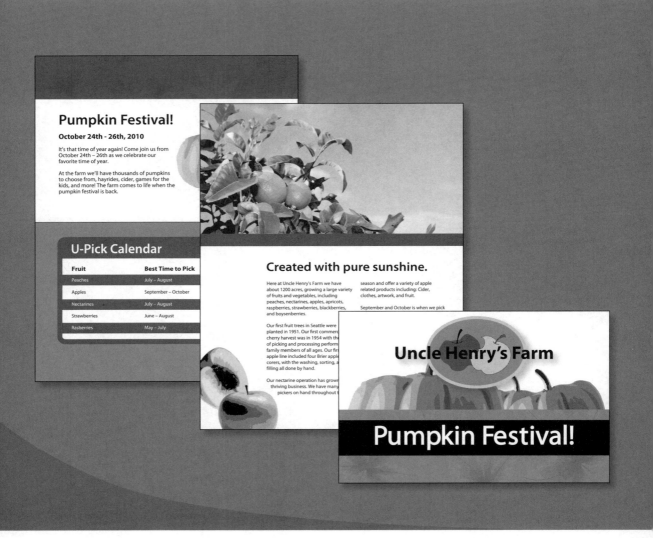

Pour tirer le meilleur parti des fonctionnalités étendues de dessin, de peinture et d'édition d'Adobe Illustrator CS5, il est important de bien connaître l'espace de travail. Celui-ci est composé de la barre d'application, de la barre de menus, du panneau Outils, du panneau Contrôle, de la fenêtre de document et du jeu de panneaux par défaut.

L'espace de travail

1

Au cours de cette leçon, vous apprendrez à :

- utiliser l'écran de bienvenue ;
- ouvrir un fichier Adobe Illustrator CS5 ;
- travailler avec les panneaux ;
- utiliser les options d'affichage pour agrandir ou réduire une illustration ;
- naviguer parmi plusieurs plans de travail et documents ;
- comprendre les règles ;
- travailler avec les groupes de documents ;
- consulter l'Aide d'Illustrator.

 Cette leçon vous prendra environ quarante-cinq minutes. Si nécessaire, supprimez le dossier Lesson00 de votre disque dur et copiez le dossier Lesson01.

Mise en route

Au cours de cette leçon, vous allez travailler sur plusieurs fichiers d'illustration mais, avant de commencer, vous devez restaurer les préférences par défaut d'Adobe Illustrator CS5. Vous ouvrirez ensuite l'illustration terminée afin de visualiser ce que vous allez créer.

1. Pour vous assurer que les outils et les panneaux fonctionneront exactement comme ils sont décrits au fil de cette leçon, supprimez ou désactivez (en le renommant) le fichier des préférences d'Adobe Illustrator CS5 (consultez la section "Rétablissement des préférences par défaut" de l'Introduction).

● **Note :** Si vous n'avez pas encore copié les fichiers de cette leçon sur votre disque dur à partir du dossier Lesson01 du CD-ROM *Adobe Illustrator CS5 Classroom in a Book,* faites-le maintenant (consultez la section "Copie des fichiers d'exercices de *Classroom in a Book*" à la page 2).

2. Double-cliquez sur l'icône Adobe Illustrator CS5 pour lancer le logiciel.

3. Choisissez Aide > Écran de bienvenue pour ouvrir l'écran de bienvenue, qui contient des liens hypertextes.

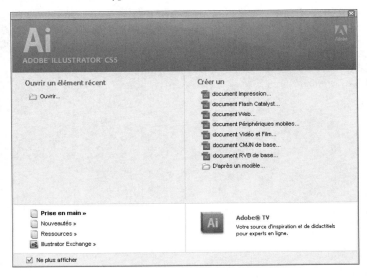

▶ **Astuce :** Par défaut, l'écran de bienvenue ne s'affiche pas au démarrage du logiciel. Pour qu'il apparaisse dès que vous lancez Illustrator, décochez la case Ne plus afficher située dans le coin inférieur gauche de l'écran.

Cet écran vous guide pour découvrir les nouveautés et accéder à des ressources (des vidéos, des modèles, etc.). Il vous permet d'ouvrir un nouveau document, un modèle ou un document existant. La section Ouvrir un élément récent propose le lien Ouvrir et une liste des fichiers récemment consultés. Elle est vierge lors du premier démarrage d'Adobe Illustrator CS5. Pour cette première leçon, vous ouvrirez un document existant.

4. Dans l'écran de bienvenue, cliquez sur le bouton Ouvrir ou choisissez Fichier > Ouvrir et chargez le fichier L1start_1.ai, qui se trouve dans le dossier Lesson01 sur votre disque dur.

5. Choisissez Affichage > Ajuster le plan de travail à la fenêtre.

6. Choisissez Fenêtre > Espace de travail > Les indispensables afin que l'espace de travail prenne sa configuration par défaut.

Note : En raison des différences de réglage des paramètres de couleur d'un système à l'autre, une boîte de dialogue signalant un profil manquant peut apparaître à l'ouverture des différents fichiers d'exercices. Cliquez sur OK lorsque ce message s'affiche.

Le fichier de travail contient le recto et le verso d'une brochure.

Une fois le document ouvert, l'interface d'Illustrator affiche la barre d'application, la barre de menus, le panneau Outils, le panneau Contrôle et des groupes de panneaux. Notez que les panneaux sont ancrés sur le côté droit de l'écran. C'est là que certains d'entre eux apparaissent par défaut. Illustrator place également les éléments des panneaux les plus utilisés dans le panneau Contrôle, juste en dessous de la barre de menus. Cela permet de travailler avec moins de panneaux affichés et de disposer d'une plus grande surface de travail.

Vous vous servirez du fichier L1start_1.ai pour apprendre à naviguer, zoomer et explorer un document Illustrator et la zone de travail.

7. Choisissez Fichier > Enregistrer sous. Dans la boîte de dialogue Enregistrer sous, nommez le fichier **brochure.ai** et sélectionnez le dossier Lesson01. Laissez Adobe Illustrator (*.AI) dans le menu Type (Windows) ou Adobe Illustrator (ai) dans le menu Format (Mac OS) et cliquez sur Enregistrer. Si un message d'avertissement concernant la couleur et la transparence apparaît, cliquez sur Continuer. Dans la boîte de dialogue Options Illustrator, cliquez sur OK pour accepter les paramètres par défaut.

Présentation de l'écran de travail

Note : Vous pouvez créer jusqu'à cent plans de travail par document, en fonction de leur taille. Il est possible de préciser leur nombre dans un document au moment de sa création, mais également d'en ajouter ou d'en supprimer à tout moment. Vous pouvez créer des plans de travail de tailles différentes, les redimensionner avec l'outil Plan de travail et les positionner sur l'écran, et même les faire se chevaucher.

Les plans de travail représentent les régions qui peuvent contenir une illustration imprimable. Vous vous en servirez pour délimiter les zones d'impression ou pour positionner des éléments. Grâce aux multiples plans de travail, il est possible de créer divers objets, comme des documents PDF de plusieurs pages, des pages imprimées avec des tailles ou des éléments différents, des éléments indépendants pour les sites web, des scénarios de vidéos ou des éléments individuels pour une animation dans Adobe Flash ou After Effects.

A. Surface imprimable

B. Surface non imprimable

C. Bord de la page

D. Plan de travail

E. Fond perdu

F. Zone de travail

A B C D E F

A. La surface imprimable est délimitée par les lignes pointillées intérieures. Elle représente la portion de page sur laquelle l'imprimante sélectionnée peut imprimer. La plupart des imprimantes ne peuvent pas imprimer jusqu'au bord du papier.

B. La surface non imprimable se situe entre les deux rectangles en pointillés, représentant toutes les marges non imprimables de la page. Cet exemple montre la surface non imprimable d'une page de 215,9 × 279,4 mm pour une imprimante laser standard. Les surfaces imprimable et non imprimable sont déterminées par l'imprimante choisie dans la boîte de dialogue Imprimer.

C. Le bord de la page est défini par les lignes pointillées extérieures.

D. Le plan de travail est délimité par des lignes continues représentant la taille maximale de la surface imprimable. Par défaut, il est de la même taille que la page. Il peut cependant être élargi ou réduit. Sa taille par défaut pour la version française est de 210 × 297 mm, mais elle peut aller jusqu'à 5 779,55 × 5 779,55 mm.

Note : Si vous enregistrez un document Illustrator pour le placer ensuite dans un logiciel de mise en page comme InDesign, les zones imprimables et non imprimables n'ont pas de signification ; le dessin qui sort des limites est affiché.

E. Le fond perdu désigne la zone de l'illustration située en dehors du cadre d'impression ou en dehors des traits et marques de coupe. Il représente en quelque sorte votre marge d'erreur afin de garantir que l'encre s'imprime toujours jusqu'au bord une fois la page rognée, ou que le positionnement de l'illustration respecte un filet technique défini sur la page.

F. La zone de travail se situe en dehors du plan de travail et s'étend jusqu'au bord de la fenêtre carrée de 558,8 cm de côté. Les objets placés dans cette zone sont visibles à l'écran mais ne s'impriment pas.

Extrait de l'Aide d'Illustrator

Étude de l'espace de travail

Vous créez et vous manipulez vos documents et fichiers en employant différents éléments, comme les panneaux, les barres et les fenêtres. L'organisation de ces éléments est appelée "espace de travail". Lorsque vous lancez Illustrator, vous obtenez l'espace de travail par défaut, que vous configurez en fonction de vos besoins. Par exemple, vous créez un espace de travail pour les modifications et un autre pour les visualisations, vous les enregistrez et passez de l'un à l'autre pendant votre travail.

Note : Les figures de ce chapitre proviennent d'un système Windows. Si vous utilisez un système Mac OS, elles risquent de présenter de légères différences.

Voici une description des zones de l'espace de travail :

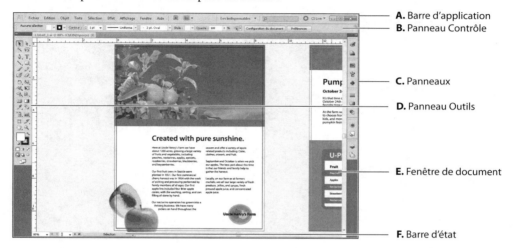

A. Barre d'application
B. Panneau Contrôle
C. Panneaux
D. Panneau Outils
E. Fenêtre de document
F. Barre d'état

A. La barre d'application se trouve dans la partie haute et contient un commutateur d'espace de travail, des menus (uniquement sous Windows) et d'autres contrôles de l'application.

Note : Sous Mac OS, les éléments de menus apparaissent au-dessus de la barre d'application.

B. Le panneau Contrôle affiche les options de l'outil actuellement sélectionné.

C. Les panneaux servent à superviser et à modifier le travail. Certains sont affichés par défaut, mais vous pouvez en ajouter en les choisissant dans le menu Fenêtre. Nombreux sont ceux qui possèdent des menus dont les options leur sont spécifiques. Les panneaux peuvent être regroupés, empilés, ancrés ou flottants.

D. Le panneau Outils contient les outils permettant de créer et de modifier des images, des illustrations, des éléments de page, etc. Les outils connexes sont regroupés.

E. La fenêtre de document affiche le fichier sur lequel vous travaillez.

F. La barre d'état apparaît dans la partie inférieure gauche de la fenêtre de document. Elle contient différentes informations, dont des contrôles de navigation.

Le panneau Outils

Le panneau Outils contient des outils de sélection, de dessin et de peinture, d'édition, d'affichage, les cases de sélection de couleur Fond et Contour, ainsi que les modes de dessin. Au fil des leçons, vous apprendrez à mieux connaître le rôle de chacun d'eux.

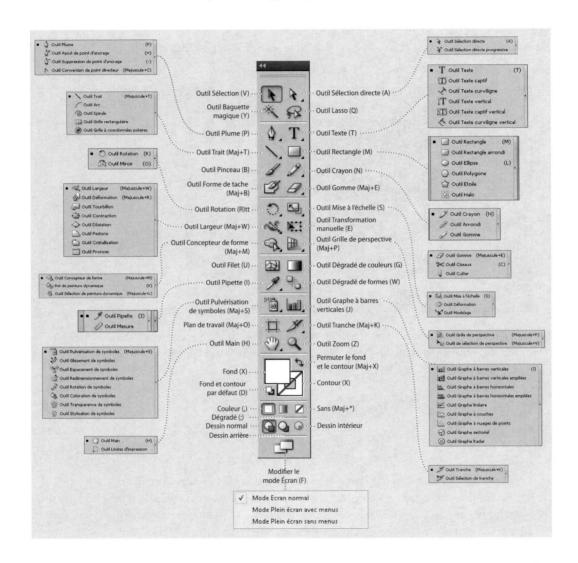

● **Note :** Le panneau Outils est présenté ici sur deux colonnes. Le vôtre peut l'être sur une seule colonne, en fonction de la résolution de votre écran et de votre espace de travail.

1. Dans le panneau Outils, positionnez le pointeur sur l'outil Sélection (▶). Son nom et son raccourci clavier s'affichent.

▶ **Astuce :** Vous pouvez activer ou désactiver l'affichage des info-bulles en choisissant Édition > Préférences > Général (Windows) ou Illustrator > Préférences > Général (Mac OS) et en cochant ou décochant la case Afficher les info-bulles.

2. Positionnez le pointeur sur l'outil Sélection directe (▷), cliquez et maintenez. D'autres outils de sélection apparaissent alors. Faites glisser le pointeur vers le bas et la droite, puis relâchez sur l'un des outils complémentaires pour le sélectionner.

Le petit triangle placé dans l'angle inférieur droit de certains outils du panneau Outils signale la présence d'outils supplémentaires masqués. Pour les sélectionner, il suffit de cliquer et de maintenir dessus.

Vous allez maintenant apprendre à redimensionner et à détacher le panneau Outils.

3. Voici différentes manières de sélectionner un outil masqué :

- Cliquez et maintenez sur un outil doté d'outils complémentaires masqués. Ensuite, faites glisser le pointeur jusqu'à l'outil de votre choix et relâchez.

- Appuyez sur la touche Alt (Windows) ou Option (Mac OS) et cliquez sur l'outil dans le panneau Outils. Chaque clic sélectionne l'outil masqué suivant de la séquence d'outils masqués.

- Cliquez et maintenez sur l'outil Rectangle (▭). Faites glisser le pointeur sur la droite des outils masqués et relâchez au-dessus de la flèche Détacher. Les outils sont alors détachés du panneau Outils afin que vous puissiez y accéder en permanence.

4. Cliquez sur la double flèche placée dans le coin supérieur gauche du panneau Outils pour le réduire de deux à une colonne. Vous gagnez ainsi de l'espace à l'écran. Cliquez sur cette même double flèche pour le remettre sur deux colonnes.

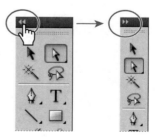

▶ **Astuce :** Puisque les raccourcis clavier par défaut fonctionnent uniquement lorsque vous n'êtes pas en insertion de texte, vous pouvez également ajouter d'autres raccourcis clavier pour sélectionner des outils même pendant la modification d'un texte. Pour cela, choisissez Édition > Raccourcis clavier. Pour de plus amples informations, consultez la rubrique "Raccourcis clavier" dans l'Aide d'Illustrator.

● **Note :** Sous Mac OS, le panneau Outils flottant possède un point dans son coin supérieur gauche (pour le fermer) et des doubles flèches dans le coin supérieur droit.

5. Cliquez sur la barre de titre gris foncé au sommet du panneau Outils ou sur la double ligne sous la barre de titre, puis faites glisser le panneau Outils dans l'espace de travail pour qu'il y flotte.

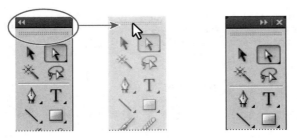

Faites glisser le panneau Outils pour qu'il flotte dans l'espace de travail.

6. Lorsque le panneau Outils flotte librement, il peut être placé sur une colonne. Pour cela, cliquez sur la double flèche située dans son coin supérieur gauche. Pour revenir sur deux colonnes, cliquez sur cette même double flèche.

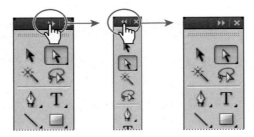

7. Pour ancrer de nouveau le panneau Outils, faites glisser sa barre de titre ou la double ligne vers le bord gauche de la fenêtre de l'application (Windows) ou de l'écran (Mac OS). Lorsque le pointeur atteint le bord, une bordure bleue translucide apparaît sur la gauche. Il s'agit de la zone de dépôt. Relâchez le bouton de la souris pour que le panneau Outils s'intègre parfaitement à l'espace de travail.

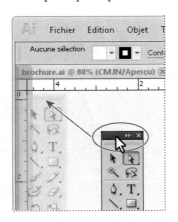
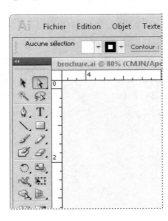

Cliquez sur le panneau Outils et faites-le glisser pour l'ancrer.

Le panneau Contrôle

Le panneau Contrôle est contextuel. Autrement dit, il offre un accès rapide aux options, aux commandes et aux autres panneaux correspondant aux objets alors sélectionnés. Par défaut, il est ancré en haut de la fenêtre d'application (Windows) ou de l'écran (Mac OS). Mais on peut aussi l'ancrer en bas, le rendre flottant ou le masquer totalement. Lorsqu'un élément du panneau Contrôle est bleu et souligné, vous pouvez cliquer dessus pour afficher un panneau spécifique. Par exemple, cliquez sur le mot "Contour" pour afficher le panneau Contour.

1. Examinez le panneau Contrôle situé sous la barre de menus. Avec l'outil Sélection (▸), cliquez au milieu de la barre rougeâtre qui se trouve au centre de la page. Regardez les informations présentées sur le panneau Contrôle, notamment Tracé, Contour, Style et Opacité.

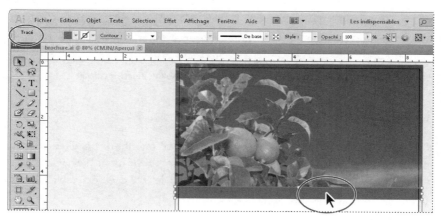

2. Quel que soit l'outil, faites glisser dans l'espace de travail la double ligne gris clair placée sur le côté gauche du panneau Contrôle. Lorsque le panneau Contrôle flotte librement, une barre verticale gris foncé apparaît sur son côté gauche, permettant de le déplacer en haut ou en bas de l'espace de travail.

3. Faites glisser le panneau Contrôle vers le bas de la fenêtre de l'application (Windows) ou de l'écran (Mac OS). Lorsque le pointeur atteint le bas, une ligne bleue apparaît pour indiquer où le panneau sera ancré lorsque vous relâcherez.

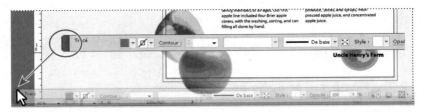

▶ **Astuce :** Une autre manière d'ancrer le panneau Contrôle consiste à choisir Ancrer en haut ou Ancrer en bas dans son menu (▼≡).

4. Si le panneau Contrôle est ancré en bas, faites-le glisser vers le haut de la fenêtre de document. Lorsque le pointeur atteint le bord supérieur (au-dessus de l'onglet du document brochure.ai), la ligne bleue apparaît pour indiquer la zone de dépôt. Le panneau sera ancré quand vous relâcherez.

5. Choisissez Sélection > Désélectionner pour que le tracé ne soit plus sélectionné.

▶ **Astuce :** Pour replacer le panneau Contrôle en haut de la page, vous pouvez aussi choisir Fenêtre > Espace de travail > Les indispensables. Cette commande réinitialise l'espace de travail.

Utiliser les panneaux

Les panneaux, qui se trouvent dans le menu Fenêtre, offrent un accès rapide à de nombreux outils, ce qui facilite la modification des illustrations. Par défaut, certains sont ancrés et apparaissent comme des icônes sur le côté droit de l'espace de travail.

Vous allez masquer, fermer et ouvrir des panneaux.

1. Choisissez Les indispensables dans le commutateur d'espace de travail de la barre d'application (à gauche du champ de recherche) pour remettre les panneaux à leurs emplacements initiaux.

▶ **Astuce :** Vous pouvez également choisir Fenêtre > Espace de travail > Les indispensables pour réinitialiser les panneaux.

2. Ouvrez le panneau Nuancier en cliquant sur son icône (▦) à droite de l'espace de travail, ou choisissez Fenêtre > Nuancier. Vous remarquerez que le panneau Nuancier apparaît avec deux autres panneaux (Formes et Symboles). Ils font tous partie du même groupe. Cliquez sur l'onglet du panneau Symboles pour l'afficher.

3. Cliquez sur l'icône du panneau Couleur (). Vous remarquerez que l'apparition d'un nouveau groupe ferme celui qui contient le panneau Nuancier.

4. Cliquez sur l'icône du panneau Couleur () pour réduire le groupe de panneaux.

▶ **Astuce :** Pour trouver un panneau masqué, choisissez son nom dans le menu Fenêtre. S'il est coché, cela signifie que le panneau est déjà ouvert et qu'il se trouve devant tous les autres panneaux de son groupe. Si vous sélectionnez le nom d'un panneau déjà ouvert dans le menu Fenêtre, vous fermez le panneau et son groupe.

▶ **Astuce :** Pour réduire un panneau en icône, cliquez sur son onglet, sur son icône ou sur la double flèche qui se trouve dans sa barre de titre.

5. Cliquez sur la double flèche qui se trouve en haut du dock pour développer les panneaux. Cliquez de nouveau dessus pour les réduire. Utilisez cette méthode pour afficher plusieurs groupes de panneaux à la fois.

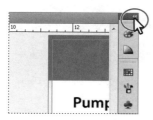

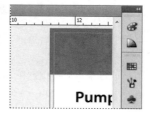

Cliquez pour développer.   Cliquez pour réduire.

6. Pour augmenter la largeur de tous les panneaux d'un dock, faites glisser vers la gauche le bord gauche des panneaux ancrés jusqu'à ce que du texte apparaisse. Pour la réduire, cliquez de nouveau sur le bord gauche des panneaux ancrés et faites-le glisser vers la droite jusqu'à ce que le texte disparaisse.

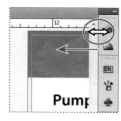
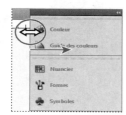

Vous allez à présent réorganiser un groupe de panneaux.

7. Choisissez Fenêtre > Espace de travail > Les indispensables pour réinitialiser les panneaux.

8. Faites glisser l'icône du panneau Nuancier (▦) pour retirer le panneau du dock et le rendre flottant. Notez que le panneau reste réduit sous forme d'icône lorsqu'il est flottant. Cliquez sur la double flèche dans la barre de titre du panneau Nuancier pour le développer et voir son contenu.

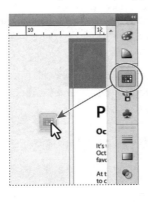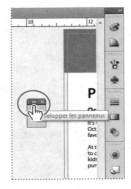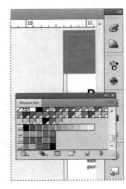

Vous pouvez également déplacer des panneaux d'un groupe vers un autre afin de créer des groupes des panneaux les plus employés.

9. Faites glisser le panneau Nuancier – en utilisant son onglet, sa barre de titre ou la zone derrière son onglet – vers les icônes des panneaux Formes et Symboles. Relâchez lorsque vous voyez une bordure bleue entourer le groupe de panneaux Formes.

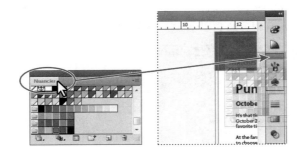

Vous allez à présent réorganiser les panneaux afin de disposer d'une zone de travail plus importante.

10. Choisissez Les indispensables dans le commutateur d'espace de travail de la barre d'application pour que tous les panneaux soient réinitialisés.

11. Cliquez sur la double flèche en haut du dock pour développer les panneaux. Cliquez sur l'onglet du panneau Couleur pour le sélectionner, puis double-cliquez sur l'onglet afin d'en réduire la taille. En double-cliquant de nouveau sur l'onglet, vous réduisez complètement le panneau. Cette procédure fonctionne également lorsqu'un panneau est flottant.

▶ **Astuce :** Si vous double-cliquez une nouvelle fois, le panneau est à nouveau intégralement développé.

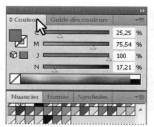 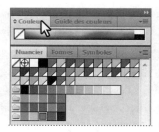 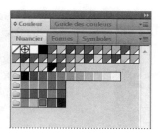

Double-cliquez sur l'onglet du panneau.

Double-cliquez de nouveau.

► **Astuce :** Pour réduire et augmenter la taille d'un panneau, vous pouvez, au lieu de double-cliquer, cliquer sur l'icône de petite flèche située à gauche du nom du panneau dans son onglet.

12. Cliquez sur l'onglet du panneau Aspect pour le développer. Selon la résolution de votre écran, il peut être déjà développé.

Vous allez à présent redimensionner un groupe de panneaux afin de mieux visualiser les panneaux les plus importants.

13. Cliquez sur l'onglet du panneau Symboles et faites glisser la ligne de séparation entre les groupes de panneaux Symboles et Contour pour redimensionner le groupe du panneau Symboles.

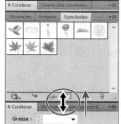 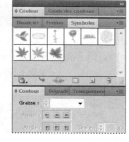

14. Choisissez Les indispensables dans le commutateur d'espace de travail de la barre d'application.

● **Note :** Il est possible que vous ne puissiez pas déplacer beaucoup la ligne de séparation. En effet, cela dépend de la taille et de la résolution de votre écran, ainsi que du nombre de panneaux développés.

Vous allez à présent réorganiser les groupes de panneaux. Ils peuvent être ancrés et détachés ou organisés, qu'ils soient réduits ou développés.

15. Choisissez Fenêtre > Alignement pour ouvrir le groupe de panneaux Alignement. Faites glisser la barre de titre de ce panneau au-dessus des panneaux ancrés sur le côté droit de l'espace de travail. Positionnez le pointeur juste en dessous de l'icône du panneau Symboles (♣) jusqu'à ce qu'une ligne bleue apparaisse. Relâchez pour ajouter le groupe au dock.

● **Note :** Si vous faites glisser un groupe dans le dock et si vous le déposez sur un groupe existant, les deux groupes fusionnent. Lorsque cela arrive, réinitialisez l'espace de travail et ouvrez de nouveau le groupe de panneaux.

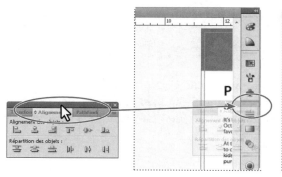 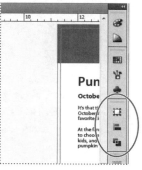

Vous allez maintenant faire glisser un panneau depuis un groupe vers un autre dans les panneaux ancrés.

Astuce : Vous pouvez également réorganiser les groupes de panneaux dans le dock en faisant glisser la double ligne grise de chaque panneau vers le haut ou le bas.

16. Faites glisser l'icône du panneau Transformation (⬚) juste en dessous de l'icône du panneau Couleur (🎨). Une ligne bleue apparaît autour du groupe du panneau Couleur. Relâchez le bouton de la souris.

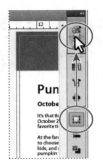

En organisant ainsi les panneaux dans des groupes appropriés, vous pouvez travailler plus rapidement.

Réinitialiser et enregistrer l'espace de travail

Vous pouvez replacer tous les panneaux, dont le panneau Outils, à leurs emplacements par défaut. Vous avez également la possibilité d'enregistrer les emplacements des panneaux et d'y revenir à tout moment en créant un espace de travail. Les étapes suivantes expliquent comment créer un espace de travail permettant d'accéder à un groupe de panneaux fréquemment utilisé.

Astuce : Une bonne manière de gagner de la place consiste à ancrer les panneaux les uns à côté des autres sur le côté droit de l'espace de travail. Un panneau ancré peut également être réduit et redimensionné afin d'augmenter la place disponible.

1. Choisissez Les indispensables dans le commutateur d'espace de travail de la barre d'application.

2. Choisissez Fenêtre > Pathfinder. Cliquez sur l'onglet du panneau Pathfinder et faites-le glisser vers le côté droit de l'espace de travail. Lorsque le pointeur approche du bord droit des panneaux ancrés, une ligne bleue apparaît. Relâchez pour ancrer le panneau. Cliquez sur la croix (Windows) ou sur le bouton de fermeture (Mac OS) pour fermer le groupe, qui, à présent, contient uniquement les panneaux Alignement et Transformation.

3. Choisissez Fenêtre > Espace de travail > Enregistrer l'espace de travail. La boîte de dialogue Enregistrer l'espace de travail s'affiche. Saisissez le nom **Navigation**, puis cliquez sur OK. L'espace de travail Navigation est sauvegardé dans Illustrator, jusqu'à ce que vous le supprimiez.

4. Revenez à la disposition par défaut des panneaux en choisissant Fenêtre > Espace de travail > Les indispensables. Vous remarquerez que les panneaux se replacent dans leurs positions initiales. Choisissez Fenêtre > Espace de travail > Navigation. Pour passer d'un espace de travail à l'autre, servez-vous de la commande Fenêtre > Espace de travail et sélectionnez l'espace souhaité. Revenez dans l'espace de travail Les indispensables avant de passer à l'exercice suivant.

Note : Pour supprimer des espaces de travail enregistrés, choisissez Fenêtre > Espace de travail > Gérer les espaces de travail. Sélectionnez le nom de l'espace de travail, puis cliquez sur le bouton Supprimer l'espace de travail.

▶ **Astuce :** Pour modifier un espace de travail enregistré, réorganisez les panneaux comme vous le souhaitez et choisissez ensuite Fenêtre > Espace de travail > Enregistrer l'espace de travail. Dans la boîte de dialogue Enregistrer l'espace de travail, indiquez le nom de l'espace de travail enregistré, puis cliquez sur OK. Dans la boîte de dialogue qui vous demande si vous souhaitez remplacer l'espace de travail existant, cliquez sur Oui.

Les menus des panneaux

La plupart des panneaux proposent un menu placé dans leur coin supérieur droit. En cliquant sur le bouton correspondant (▾≡), vous ouvrez un menu qui offre des commandes et des options supplémentaires propres au panneau sélectionné. Ce menu permet aussi de modifier l'affichage du panneau.

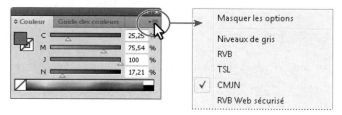

Vous allez à présent modifier l'affichage du panneau Symboles.

1. Affichez le panneau Symboles en cliquant sur son icône (♣) à droite de l'espace de travail ou en choisissant Fenêtre > Symboles.

2. Dans le coin supérieur droit du panneau Symboles, cliquez sur le menu du panneau (▾≡).

3. Sélectionnez l'option Liste de petites vignettes. Les symboles s'affichent sous forme d'une liste de noms, chacun accompagné d'une vignette. Puisque les commandes du menu d'un panneau s'appliquent uniquement à ce panneau, ici, seul le panneau Symboles est affecté.

4. Cliquez sur le menu du panneau Symboles et choisissez Affichage par vignettes pour revenir à la présentation initiale des symboles. Cliquez sur l'icône du panneau Symboles (♣) pour le masquer.

   Outre les menus des panneaux, vous pouvez faire appel aux menus contextuels pour afficher les commandes associées à l'outil, à la sélection ou au panneau actif.

Pour afficher un menu contextuel, placez le pointeur au-dessus de la fenêtre de document ou d'un panneau. Cliquez ensuite du bouton droit (Windows) ou en appuyant sur Ctrl (Mac OS). Le menu contextuel ci-contre s'affiche ainsi lorsque vous cliquez sur le plan de travail avec une sélection vide.

Un menu contextuel

Modification de l'affichage

Lorsque vous travaillerez sur des fichiers, vous devrez certainement changer le taux d'agrandissement et vous déplacer parmi les plans de travail. Le niveau de zoom, compris entre 3,13 % et 6 400 %, est affiché dans la barre de titre (ou l'onglet du document), à côté du nom du fichier, ainsi que dans l'angle inférieur gauche de la fenêtre de document. Quand vous vous servez d'un outil ou d'une commande d'affichage, sachez que seul l'affichage de l'illustration est affecté, non sa taille réelle.

Les commandes d'affichage

Pour agrandir ou pour réduire la vue d'une illustration à l'aide du menu Affichage, procédez comme suit :

▶ **Astuce :** Ctrl++ (Windows) ou Cmd++ (Mac OS) augmente le niveau de zoom.

▶ **Astuce :** Ctrl+− (Windows) ou Cmd+− (Mac OS) réduit le niveau de zoom.

- Choisissez Affichage > Zoom avant pour agrandir l'affichage de l'illustration brochure.ai.
- Choisissez Affichage > Zoom arrière pour réduire l'affichage de l'illustration brochure.ai.

Chaque fois que vous employez une commande Zoom, la vue de l'illustration est redimensionnée au niveau de zoom prédéfini le plus proche. Des niveaux de zoom prédéfinis sont disponibles dans le menu situé dans le coin inférieur gauche de la fenêtre de document, signalé par un triangle placé à côté du pourcentage.

Le menu Affichage permet aussi d'ajuster l'illustration du plan de travail actif à l'écran, d'ajuster tous les plans de travail à la zone d'affichage ou de visualiser l'illustration à sa taille réelle.

1. Choisissez Affichage > Ajuster le plan de travail à la fenêtre. Une vue réduite du plan de travail actif s'affiche dans la fenêtre.

● **Note :** Avec un plan de travail qui peut atteindre environ 578 × 578 cm, il est facile de perdre de vue l'illustration. En cliquant sur Affichage > Ajuster le plan de travail à la fenêtre ou en appuyant sur les touches Ctrl+0 (Windows) ou Cmd+0 (Mac OS), vous recentrez immédiatement l'illustration dans la zone d'affichage.

▶ **Astuce :** Dans le panneau Outils, double-cliquez sur l'outil Main pour ajuster le plan de travail à la fenêtre.

2. Pour afficher l'image à sa taille réelle, choisissez Affichage > Taille réelle. L'image s'affiche à 100 %. La taille réelle de votre image définit la part qui peut en être affichée à l'écran à 100 %.

3. Choisissez Affichage > Tout ajuster à la fenêtre. Vous voyez alors dans la fenêtre tous les plans de travail définis. Pour de plus amples informations concernant la navigation dans les plans de travail, consultez la section "Naviguer entre plusieurs plans de travail" plus loin dans cette leçon.

4. Choisissez Affichage > Ajuster le plan de travail à la fenêtre avant de passer à l'exercice suivant.

▶ **Astuce :** Dans le panneau Outils, double-cliquez sur l'outil Main pour afficher l'illustration à 100 %.

L'outil Zoom

En plus des commandes Affichage, l'outil Zoom (🔍) est très utile pour agrandir ou réduire la vue d'une illustration. Servez-vous du menu Affichage pour sélectionner des niveaux de zoom prédéfinis ou pour ajuster votre illustration à la fenêtre de document.

1. Dans le panneau Outils, cliquez sur l'outil Zoom (🔍) pour le sélectionner puis placez le pointeur dans la fenêtre de document. Un signe plus (+) apparaît au centre du pointeur de l'outil Zoom.

2. Positionnez l'outil Zoom sur le texte "Created with..." au centre de l'illustration puis cliquez une fois. L'illustration s'affiche avec un taux d'agrandissement supérieur.

3. Cliquez deux autres fois sur le texte "Created with...". La vue est encore agrandie, et vous voyez que la zone dans laquelle vous avez cliqué est agrandie.

Vous allez à présent réduire la vue de l'illustration.

4. En conservant l'outil Zoom sélectionné, amenez le pointeur sur le texte "Created with...", puis appuyez sur la touche Alt (Windows) ou Option (Mac OS). Un signe moins (−) s'affiche au centre du pointeur de l'outil Zoom. Gardez la touche enfoncée pour l'étape suivante.

5. Tout en appuyant sur la touche Alt ou Option, cliquez deux fois sur l'illustration pour réduire la vue de l'image.

Pour un zoom plus précis, vous pouvez également tracer un rectangle de sélection autour d'une zone de l'illustration. Ainsi, seule la zone sélectionnée est agrandie.

6. Choisissez Affichage > Ajuster le plan de travail à la fenêtre.

● **Note :** Le pourcentage d'agrandissement de la zone est déterminé par les dimensions du rectangle de sélection que vous tracez avec l'outil Zoom (plus le rectangle est petit, plus le taux d'agrandissement est élevé).

7. L'outil Zoom étant toujours sélectionné, cliquez et tracez un rectangle autour du logo Uncle Henry's Farm dans le coin inférieur droit du plan de travail. Lorsque le rectangle apparaît autour de la zone que vous souhaitez agrandir, relâchez. La zone définie est alors agrandie de manière à correspondre à la taille de la fenêtre de document.

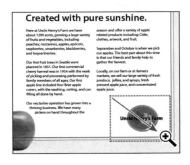 

8. Dans le panneau Outils, double-cliquez sur l'outil Main (🖐) pour ajuster le plan de travail à la fenêtre de document.

L'outil Zoom est employé très fréquemment pendant les opérations d'édition. Aussi, vous apprécierez de pouvoir le sélectionner à partir du clavier à tout moment sans désélectionner un autre outil en cours d'utilisation.

9. Avant de sélectionner l'outil Zoom à partir du clavier, activez un autre outil dans le panneau Outils et placez le pointeur dans la fenêtre de document.

● **Note :** Avec certaines versions de Mac OS, les raccourcis clavier de l'outil Zoom ouvrent Spotlight ou Finder. Pour pouvoir les employer dans Illustrator, vous devrez d'abord les désactiver ou les modifier dans les Préférences Système de Mac OS.

10. Appuyez sur les touches Ctrl+barre d'espacement (Windows) ou Cmd+barre d'espacement (Mac OS) pour activer l'outil Zoom. Agrandissez une zone quelconque de l'illustration, puis relâchez les touches.

11. Pour réduire l'affichage à partir du clavier, appuyez sur les touches Ctrl+Alt+barre d'espacement (Windows) ou Cmd+Option+barre d'espacement (Mac OS). Cliquez sur une zone, puis relâchez les touches.

12. Dans le panneau Outils, double-cliquez sur l'outil Main pour ajuster le plan de travail à la fenêtre de document.

Faire défiler le contenu d'un document

Servez-vous de l'outil Main (🖐) pour atteindre différentes zones d'un document en le faisant défiler. Grâce à cet outil, vous pouvez déplacer le document à la manière d'une feuille de papier sur votre bureau.

1. Dans le panneau Outils, cliquez sur l'outil Main (🖐).

2. Faites-le glisser vers le bas dans la fenêtre de document. L'illustration défile à mesure que vous déplacez la main.

Comme pour l'outil Zoom (🔍), vous pouvez sélectionner l'outil Main à l'aide d'un raccourci clavier sans désélectionner l'outil actif.

3. Dans le panneau Outils, cliquez sur un outil quelconque, à l'exception de l'outil Texte (T), et amenez le pointeur dans la fenêtre de document.

4. Appuyez sur la barre d'espacement pour sélectionner l'outil Main, puis faites glisser la main pour afficher à nouveau l'illustration au centre de l'écran.

5. Double-cliquez sur l'outil Main pour ajuster le plan de travail actif à la fenêtre.

Afficher une illustration

Lorsque vous ouvrez un fichier, il est automatiquement affiché en mode Aperçu. Ce mode présente l'illustration telle qu'elle sera imprimée. Si vous travaillez avec de grandes illustrations complexes, vous souhaiterez peut-être afficher uniquement les tracés des objets (ou mode Fil de fer) afin que l'illustration ne soit pas intégralement redessinée chaque fois que vous apportez une modification. Le mode Tracés se révèle également utile lors de la sélection des objets, comme vous le verrez à la Leçon 2, "Sélections et alignement".

1. Choisissez Affichage > Logo Zoom (en bas du menu Affichage) pour zoomer sur une zone prédéfinie de l'image. Cette vue personnalisée a été enregistrée avec le document.

2. Choisissez Affichage > Tracés. Seuls les contours des objets sont à présent affichés. En utilisant cette vue, vous pouvez rechercher des objets qui ne seraient peut-être pas visibles en mode Aperçu.

3. Avec Affichage > Aperçu, affichez tous les attributs de l'illustration.

Si vous préférez employer des raccourcis clavier, Ctrl+Y (Windows) et Cmd+Y (Mac OS) permettent de passer d'un mode à l'autre.

4. Choisissez Affichage > Aperçu de la surimpression pour afficher les lignes ou les formes qui sont marquées pour la surimpression.

Cette vue sera utile à ceux qui ont besoin de connaître l'interaction des encres lors d'une surimpression. Il est possible que vous ne constatiez pas de changement dans l'affichage du logo quand vous passez dans ce mode.

● **Note :** Lorsque vous changez de mode d'affichage, les changements visuels ne sont pas toujours immédiatement visibles. Essayez alors de passer temporairement par un zoom (Affichage > Zoom avant et Affichage > Zoom arrière) pour rendre les différences plus notables.

● **Note :** La barre d'espacement ne fonctionne pas lorsque l'outil Texte est actif et que le curseur est positionné dans la zone d'édition.

▶ **Astuce :** Pour gagner du temps lorsque vous travaillez avec un document volumineux ou complexe, créez-y vos propres vues personnalisées. Vous pourrez ainsi sauter rapidement à des zones et à des niveaux de zoom prédéfinis. Configurez l'affichage que vous souhaitez enregistrer, puis choisissez Affichage > Nouvelle vue. Nommez la vue, qui est enregistrée avec le document.

5. Choisissez Affichage > Aperçu en pixels pour voir ce que donnera l'illustration une fois convertie en image bitmap et affichée dans un navigateur web. Choisissez à nouveau Affichage > Aperçu en pixels pour désactiver ce mode.

Affichage Aperçu   Affichage Tracés   Affichage Aperçu de   Affichage Aperçu en pixels
                                                    la surimpression

6. Choisissez Affichage > Ajuster le plan de travail à la fenêtre pour visualiser l'ensemble de l'illustration.

Navigation entre plusieurs plans de travail

Illustrator permet de définir plusieurs plans de travail au sein d'un même fichier. Cette fonctionnalité est parfaitement adaptée à la création d'un document sur plusieurs pages car vous concevez ainsi plusieurs éléments en parallèle, par exemple une brochure, une carte postale et une carte de visite, dans le même document. Cela permet également de partager très facilement du contenu entre plusieurs éléments, de créer des fichiers PDF de plusieurs pages et d'imprimer de nombreuses pages.

L'ajout de plusieurs plans de travail se fait lors de la création initiale d'un document Illustrator (Fichier > Nouveau). Mais, avec l'outil Plan de travail disponible dans le panneau Outils, vous pouvez aussi ajouter et supprimer des plans de travail une fois le document créé.

Vous allez ici apprendre à naviguer efficacement au sein d'un document contenant plusieurs plans de travail.

1. Dans le panneau Outils, activez l'outil Sélection (⬉).

2. Choisissez Affichage > Tout ajuster à la fenêtre. Notez que le document comprend deux plans de travail.

Les plans de travail d'un document peuvent être agencés dans n'importe quel ordre, orientation ou taille, et même se chevaucher. Supposons que vous souhaitiez créer une brochure de quatre pages. Chaque page peut être un plan de travail différent, et tous les plans de travail peuvent avoir les mêmes taille et orientation. Ils peuvent être organisés horizontalement, verticalement ou de la manière qui vous convient.

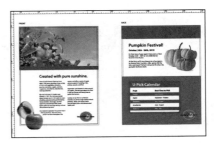

Le document brochure.ai contient deux plans de travail, qui correspondent au recto et au verso d'un dépliant en couleurs.

3. Appuyez sur Ctrl+− (Windows) ou Cmd+− (Mac OS) jusqu'à voir apparaître le logo situé dans le coin supérieur gauche de la zone de travail, en dehors des plans de travail.

4. Choisissez Affichage > Ajuster le plan de travail à la fenêtre. Cette commande adapte la taille du plan de travail actif à la fenêtre. Pour connaître le plan de travail actif, consultez le menu Navigation dans le plan de travail situé dans le coin inférieur gauche de la fenêtre de document.

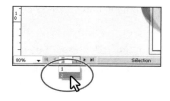

Note : Les Leçons 3, "Création de formes", et 4, "Transformation d'objets", expliquent comment numéroter, ajouter et modifier des plans de travail.

5. Choisissez 2 dans le menu Navigation dans le plan de travail. Le recto du dépliant apparaît alors dans la fenêtre de document.

6. Choisissez Affichage > Zoom arrière. Remarquez que le zoom concerne uniquement le plan de travail actif.

Notez les flèches placées à gauche et à droite du menu Navigation dans le plan de travail. Vous pouvez les utiliser pour naviguer vers le premier plan de travail (⏮), le précédent (◀), le suivant (▶) et le dernier (⏭).

7. Cliquez sur le bouton Précédent pour afficher le plan de travail précédent (Artboard #1) dans la fenêtre de document.

Note : Puisque le document comprend uniquement deux plans de travail, vous pouvez également cliquer sur le bouton Premier (⏮).

8. Choisissez Affichage > Ajuster le plan de travail à la fenêtre pour que le premier plan de travail (Artboard #1) corresponde parfaitement à la fenêtre de document.

Pour naviguer dans les multiples plans de travail, vous pouvez également utiliser le panneau Plans de travail. Vous allez l'ouvrir et naviguer dans le document.

9. Choisissez Les indispensables dans le commutateur d'espace de travail de la barre d'application de manière à réinitialiser l'espace de travail.

10. Choisissez Fenêtre > Plans de travail pour ouvrir ce panneau sur le côté droit de l'espace de travail.

Le panneau Plans de travail recense tous les plans de travail qui existent dans le document. Il permet de naviguer parmi les plans de travail, de les renommer, d'ajouter et de supprimer des plans de travail, de modifier les paramètres d'un plan de travail, etc.

Nous allons nous intéresser à la navigation dans le document intermédiaire de ce panneau.

11. Dans le panneau Plans de travail, double-cliquez sur le nom "Artboard 2". Cette opération ajuste le second plan de travail dans la fenêtre de document.

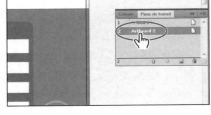

12. Choisissez Affichage > Zoom avant pour zoomer sur le second plan de travail.

13. Dans le panneau Plans de travail, double-cliquez sur le nom "Artboard 1" pour afficher le premier plan de travail dans la fenêtre de document.

   Notez qu'en double-cliquant sur le nom d'un plan de travail vous l'ajustez à la fenêtre de document.

14. Cliquez sur l'icône du panneau Plans de travail (🗂) pour réduire ce panneau dans le dock.

Le panneau Navigation

Le panneau Navigation permet de parcourir un document au sein d'un même plan de travail ou de plusieurs plans. Cette fonction est utile lorsque vous avez besoin de visualiser tous les plans de travail d'un document dans une fenêtre et d'en modifier un dans une vue zoomée.

1. Choisissez Fenêtre > Navigation pour ouvrir le panneau Navigation. Il flotte dans l'espace de travail.

2. Dans le panneau Navigation, faites glisser le curseur vers la droite jusqu'à environ 50 % pour modifier le niveau de zoom. À mesure que vous déplacez le curseur, le cadre rouge, dans la zone de vignette du panneau Navigation, s'élargit, montrant la zone du document ciblée.

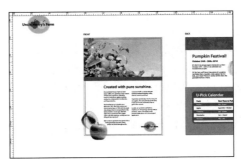

3. Dans le coin inférieur droit du panneau Navigation, cliquez plusieurs fois sur l'icône en forme de grandes montagnes () pour zoomer sur la brochure jusqu'à ce que le pourcentage affiché dans le panneau Navigation indique 150 %.

4. Dans le panneau Navigation, placez le pointeur dans la zone de vignette (le cadre rouge) : il se transforme en main (🖐).

5. Dans la zone de vignette, faites glisser la main vers différentes parties de l'illustration. Déplacez le cadre rouge au-dessus du logo dans le coin inférieur droit du recto du dépliant.

6. Dans le panneau Navigation, déplacez le pointeur hors de la zone de vignette et cliquez. Le cadre rouge est déplacé et une zone différente de l'illustration est affichée dans la fenêtre de document.

7. Le pointeur (la main) étant toujours positionné dans le panneau Navigation, appuyez sur la touche Ctrl (Windows) ou Cmd (Mac OS). Lorsque la main devient une loupe, encadrez une zone de l'illustration. Plus ce cadre est petit, plus le niveau d'agrandissement de la fenêtre de document est élevé.

▶ **Astuce :** L'entrée Options de panneau du menu du panneau Navigation permet de personnaliser celui-ci, notamment en changeant la couleur de la fenêtre d'aperçu.

8. Choisissez Affichage > Ajuster le plan de travail à la fenêtre.

9. Décochez Afficher le contenu du plan de travail seulement dans le menu du panneau Navigation (▼≡).Vous voyez ainsi toute illustration qui se trouve dans la zone de travail, comme le logo.

● **Note :** Vous devrez peut-être ajuster le curseur du panneau Navigation pour voir apparaître le logo dans la zone de vignette.

● **Note :** Le pourcentage et la zone de vignette de votre panneau Navigation peuvent être différents, mais ce n'est pas un problème.

10. Fermez le groupe du panneau Navigation en cliquant sur la croix (Windows) ou sur le bouton de fermeture (Mac OS) de la barre de titre.

Les règles

Les règles vous aident à placer et à mesurer précisément des objets dans votre document. Horizontale et verticale, elles s'affichent par défaut dans chaque document sur les côtés supérieur et gauche de chaque fenêtre de document. La position du 0 sur chaque règle correspond à l'origine de la règle.

Vous allez manipuler les règles, en les activant et en les désactivant, et en notant l'emplacement de l'origine sur chaque plan de travail.

1. Désactivez les règles en choisissant Affichage > Règles > Masquer les règles.

2. Choisissez Affichage > Règles > Afficher les règles pour les activer à nouveau.

Vous remarquerez que le 0 de la règle horizontale est aligné avec le bord gauche du premier plan de travail, tandis que le 0 de la règle verticale (sur le côté gauche de la fenêtre de document) est aligné avec le bord supérieur du plan de travail.

3. Allez sur le second plan de travail en choisissant 2 dans le menu Navigation dans le plan de travail.

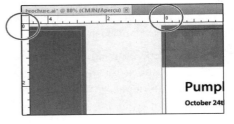

Vous remarquerez que les règles commencent également à 0 dans le coin supérieur gauche de ce second plan de travail. Chaque plan de travail possède son propre système de règles, avec les points d'origine des règles horizontale et verticale situés dans le coin supérieur gauche. Vous apprendrez à modifier le point d'origine et les autres options des règles à la Leçon 4, "Transformation d'objets".

4. Revenez sur le premier plan de travail en choisissant 1 dans le menu Navigation dans le plan de travail.

Agencer les documents multiples

Chaque fichier ouvert par Illustrator crée un nouvel onglet pour une fenêtre de document. Vous pouvez agencer les documents ouverts de différentes manières, dont la disposition côte à côte pour les comparer, ou déplacer des éléments d'un document à l'autre. Le menu Réorganiser les documents permet aussi d'afficher rapidement les documents ouverts dans différentes configurations.

Vous allez ouvrir plusieurs documents.

1. Choisissez Fichier > Ouvrir et, dans le dossier Lesson01, cliquez tout en appuyant sur Maj sur les fichiers L1start_2.ai et L1start_3.ai pour les sélectionner. Cliquez sur Ouvrir pour les ouvrir tous les deux à la fois.

   Vous devez à présent avoir trois fichiers Illustrator ouverts : brochure.ai, L1start_2.ai et L1start_3.ai. Chacun d'eux possède son propre onglet en haut de la fenêtre de document. Ces documents constituent un groupe de fenêtres de document. Vous pouvez créer plusieurs groupes de documents afin d'associer des fichiers lorsqu'ils sont ouverts.

2. Affichez la fenêtre du document brochure.ai en cliquant sur son onglet.

3. Cliquez sur l'onglet du document brochure.ai et faites-le glisser vers la droite afin qu'il se trouve entre les onglets des documents L1start_2.ai et L1start_3.ai.

● **Note :** Vos onglets sont peut-être dans un ordre différent. Ce n'est pas un problème. Faites attention à bien faire glisser vers la droite car, sinon, vous pourriez détacher la fenêtre de document et créer un nouveau groupe. Si cela se produit, choisissez Fenêtre > Disposition > Intégrer toutes les fenêtres.

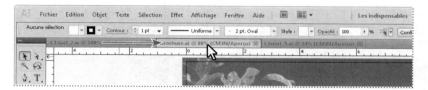

En déplaçant les onglets, vous pouvez modifier l'ordre des documents. Cela sera très utile si vous employez les raccourcis de navigation entre les documents :

- Ctrl+F6 (document suivant), Ctrl+Maj+F6 (document précédent) [Windows] ;
- Cmd+` (document suivant), Maj+Cmd+` (document précédent) [Mac OS].

4. Déplacez les onglets afin d'organiser les documents de gauche à droite, dans l'ordre brochure.ai, L1start_2.ai, L1start_3.ai.

   Les trois documents actuellement ouverts sont des versions des éléments de marketing. Pour les voir tous à la fois, organisez les fenêtres de document en cascade ou en mosaïque. La disposition en cascade (pile) crée différents groupes de documents ; elle est détaillée à la section suivante. La disposition en mosaïque présente plusieurs fenêtres de document à la fois sous différents agencements.

Vous allez à présent disposer les documents ouverts en mosaïque afin de visualiser tout le contenu à la fois.

5. Sous Mac OS (les utilisateurs de Windows peuvent passer à l'étape suivante), choisissez Fenêtre > Cadre de l'application.

   Les utilisateurs de Mac OS peuvent se servir du cadre de l'application pour regrouper tous les éléments de l'espace de travail en une seule fenêtre intégrée comparable à celle présente sous Windows. Si vous déplacez ou redimensionnez le cadre de l'application, les éléments coopèrent pour ne pas se chevaucher.

6. Choisissez Fenêtre > Disposition > Mosaïque.

Les trois fenêtres de document sont disposées selon un certain motif.

Note : Vos documents peuvent être disposés dans un ordre différent. Ce n'est pas gênant.

7. Cliquez dans chacune des fenêtres de document pour activer individuellement le document correspondant. Choisissez Affichage > Ajuster le plan de travail à la fenêtre pour chaque document. Vérifiez également que le plan de travail 1 de chaque document est affiché dans la fenêtre de document.

Les documents sous forme de mosaïque

Les documents étant organisés sous forme de mosaïque, il est possible, si besoin, de déplacer les lignes de séparation entre leurs fenêtres pour révéler une partie plus ou moins importante de l'un d'entre eux. Vous pouvez également faire glisser des objets entre les documents afin de les copier de l'un à l'autre.

8. Cliquez sur la fenêtre du document L1start_3.ai. Avec l'outil Sélection, faites glisser l'image de la roue de chariot (derrière la citrouille sur le plan de travail) vers la fenêtre du document L1start_2.ai puis relâchez. L'image est copiée de L1start_3. ai vers L1start_2.ai.

Note : Après avoir copié le dessin, vous remarquerez que l'onglet du document L1start_2.ai affiche à présent un astérisque à droite du nom du fichier. Cela indique que le fichier doit être enregistré.

Note : Lorsque vous faites glisser du contenu entre des documents disposés en mosaïque, un symbole plus (+) apparaît à côté du pointeur (Windows uniquement), comme l'illustre la figure ci-dessous.

Pour modifier l'ordre des fenêtres en mosaïque, vous pouvez déplacer les onglets des documents, mais vous risquez de rencontrer quelques difficultés. La fenêtre Réorganiser les documents vous aide dans cette opération.

9. Dans la barre d'application, cliquez sur le bouton Réorganiser les documents (▣ ▾) pour afficher la fenêtre du même nom. Cliquez sur le bouton Tout disposer en mosaïque verticale (▥) pour agencer les documents verticalement.

10. Dans la fenêtre Réorganiser les documents, cliquez sur le bouton 2 vignettes (▣).

Notez que deux des documents apparaissent sous forme d'onglets dans l'une des zones de la mosaïque.

11. Sélectionnez l'onglet de L1start_2.ai, puis cliquez sur la croix qui se trouve sur le côté droit de cet onglet afin de fermer ce document. Si une boîte de dialogue vous propose d'enregistrer le document, cliquez sur Non.

12. Dans la barre d'application, cliquez sur le bouton Réorganiser les documents (▣ ▾) puis sur le bouton Tout intégrer (▣). Les deux documents reprennent leur disposition sous forme d'onglets dans le même groupe. Gardez les documents brochure.ai et L1start_3.ai ouverts.

● **Note :** Sous Mac OS, la barre de menu se trouve au-dessus de la barre d'application. Par ailleurs, selon la résolution de votre écran, les menus Fenêtre peuvent apparaître dans la barre d'application.

▶ **Astuce :** Vous pouvez également choisir Fenêtre > Disposition > Tout intégrer pour replacer les deux documents dans le même groupe.

Les groupes de documents

Par défaut, les documents ouverts dans Illustrator sont organisés sous forme d'on-glets dans un seul groupe de fenêtres. Vous avez la possibilité de créer plusieurs groupes de fichiers, afin de simplifier la navigation, et d'associer temporairement les fichiers. Cela peut se révéler utile si vous travaillez sur un grand projet qui demande de créer et de modifier plusieurs parties. Les groupes de documents peuvent être rendus flottants afin de les séparer de la fenêtre (Windows) ou de l'écran (Mac OS) de l'application.

Dans la suite de cette section, vous allez créer et travailler avec deux groupes de fichiers.

1. Sélectionnez l'onglet du fichier L1start_3.ai.

2. Choisissez Fenêtre > Disposition > Tout faire flotter dans les fenêtres. Vous créez ainsi des groupes distincts pour chaque document ouvert. Par défaut, les groupes sont disposés en cascade, l'un par-dessus l'autre.

Fenêtres de document flottant dans des groupes distincts

Note : Si vous ne pouvez pas sélectionner l'onglet brochure.ai, choisissez Fenêtre > brochure.ai (en bas du menu Fenêtre).

3. Cliquez sur la barre de titre de brochure.ai et notez la disparition de L1start_3.ai. En réalité, il se trouve désormais derrière brochure.ai.

4. Choisissez Fichier > Ouvrir et, à partir du dossier Lesson01, sélectionnez le fichier L1start_2.ai. Cliquez sur Ouvrir. Vous remarquerez que le nouveau docu-ment ouvert est ajouté sous forme d'onglet de document au groupe qui contient brochure.ai.

Note : Lorsque vous ouvrez ou créez un document, il est ajouté au groupe présentement sélectionné.

5. Choisissez Fenêtre > Disposition > Cascade pour révéler les deux groupes.

6. Cliquez sur le bouton de réduction dans le coin supérieur droit (Windows) ou dans le coin supérieur gauche (Mac OS) du groupe de L1start_3.ai. Sous Windows, le groupe est réduit par défaut dans la Barre des tâches. Sous Mac OS, la fenêtre est placée dans le Dock du système d'exploitation.

7. Cliquez sur la vignette du document dans la Barre des tâches pour afficher le groupe réduit (Windows) ou sur la vignette du document dans le Dock (Mac OS).

8. Cliquez sur le bouton de fermeture dans le coin supérieur droit (Windows) ou dans le coin supérieur gauche (Mac OS) pour fermer le groupe de L1start_3.ai.

9. Faites glisser l'onglet du document L1start_2.ai vers le bas jusqu'à ce que le document semble flotter librement. Voilà une autre méthode pour créer un groupe flottant de documents.

10. Fermez le fichier L1start_2.ai et laissez brochure.ai ouvert.

11. Sous Windows (les utilisateurs de Mac OS peuvent passer à l'étape suivante), choisissez Fenêtre > Disposition > Intégrer toutes les fenêtres.

12. Sous Mac OS, choisissez Fenêtre > Cadre de l'application, pour désélectionner le cadre de l'application, puis cliquez sur le bouton vert qui se trouve dans le coin supérieur gauche de la fenêtre de document afin que la fenêtre occupe tout l'espace disponible.

13. Choisissez Affichage > Ajuster le plan de travail à la fenêtre pour ajuster le premier plan de travail de brochure.ai à la fenêtre de document.

Ressources sur Illustrator

Pour des informations exhaustives et des mises à jour sur l'utilisation des panneaux, des outils et des autres fonctionnalités d'Illustrator, rendez-vous sur le site web d'Adobe. Choisissez Aide > Aide d'Illustrator. Vous êtes alors connecté au site web Aide à la communauté Adobe, où vous pouvez faire des recherches dans l'Aide et dans d'autres documents, ainsi que sur d'autres sites web d'utilisateurs d'Illustrator. Vous pouvez cibler les résultats de votre recherche sur l'Aide d'Adobe et sur les documents complémentaires.

Si vous prévoyez d'utiliser Illustrator sans être connecté à Internet, téléchargez la version PDF la plus récente de l'Aide d'Illustrator à partir de **www.adobe.com/support/documentation/fr/**.

Pour des ressources complémentaires, comme des astuces et des techniques, ainsi que les dernières informations produit, consultez la page : **http://community.adobe.com/help/main**.

● **Note :** Si Illustrator détecte que vous n'êtes pas connecté à Internet lorsque l'application démarre, la commande Aide > Aide d'Illustrator ouvre les pages d'aide HTML installées avec le logiciel. Pour plus d'informations, consultez les fichiers d'Aide en ligne ou téléchargez la référence au format PDF.

Rechercher un sujet dans la zone de recherche d'aide

Vous pouvez utiliser la zone de recherche d'aide située sur le côté droit de la barre d'application pour rechercher des rubriques d'aide et des informations en ligne. Si vous êtes connecté à Internet, vous pouvez accéder à tous les renseignements proposés sur le site web Aide à la communauté. En revanche, si vous recherchez de l'aide sans être connecté, les résultats se limitent à l'aide fournie avec la version installée d'Illustrator.

1. Dans la zone de recherche d'aide de la barre d'application, saisissez **plan de travail** et appuyez sur Entrée.

   Si vous êtes connecté à Internet, la fenêtre Adobe Community Help s'affiche. À partir de là, vous pouvez explorer les différents sujets d'aide disponibles.

2. Fermez la fenêtre et revenez à Illustrator.

3. Fermez le fichier ouvert en choisissant Fichier > Fermer.

Mises à jour

● **Note :** Pour indiquer vos préférences quant aux futures mises à jour, cliquez sur Préférences. Vous pouvez alors choisir les applications concernées et si vous devez être averti des mises à jour disponibles. Cliquez sur Terminé pour accepter les nouveaux paramètres.

Adobe fournit périodiquement des mises à jour de ses logiciels. Si vous êtes connecté, vous pouvez les obtenir très facilement par l'intermédiaire d'Adobe Updater.

1. Dans Illustrator, choisissez Aide > Mises à jour. Adobe Updater vérifie automatiquement si des mises à jour sont disponibles pour votre logiciel Adobe.

2. Dans la boîte de dialogue Adobe Application Manager, sélectionnez les mises à jour qui vous intéressent, puis cliquez sur Télécharger et installer les mises à jour.

3. Lorsque vous avez terminé la recherche des mises à jour, fermez la fenêtre et revenez à Illustrator.

À vous de jouer

Ouvrez un des fichiers d'exemple d'Adobe Illustrator CS5 et explorez certains des outils de navigation et d'organisation découverts dans cette leçon.

1. Ouvrez le fichier L1start_2.ai du dossier Lesson01.

2. Dans ce document :

Note : Une boîte de dialogue annonçant un profil manquant peut apparaître. Cliquez sur OK pour continuer.

   • Exercez-vous au zoom avant et arrière. Notez que, selon le niveau du zoom, le texte est "grisé", apparaissant alors sous la forme d'une barre grise. Augmentez le zoom pour qu'il s'affiche correctement.

   • Enregistrez des vues zoomées à l'aide de la commande Affichage > Nouvelle vue pour différentes zones de l'image, comme le recto (plan de travail 1) et le verso (plan de travail 2) de la carte postale.

   • Créez une vue zoomée de la citrouille en mode Tracés.

   • Agrandissez le panneau Navigation et utilisez-le pour naviguer dans les plans de travail ou zoomer.

   • Déplacez-vous parmi les plans de travail à l'aide du menu Navigation dans le plan de travail et des boutons présents dans le coin inférieur gauche de la fenêtre de document.

   • Déplacez-vous parmi les plans de travail à l'aide du panneau Plans de travail.

   • Enregistrez un espace de travail (Fenêtre > Espace de travail > Enregistrer l'espace de travail) montrant uniquement le panneau Outils, le panneau Contrôle et le panneau Calques.

3. Choisissez Fichier > Fermer, sans enregistrer le fichier.

Révisions

Questions

1. Décrivez au moins deux manières de modifier l'affichage d'un document.
2. Comment sélectionne-t-on des outils dans Illustrator ?
3. Décrivez au moins trois manières de naviguer entre les plans de travail.
4. Comment enregistrer l'emplacement des panneaux et les préférences de visibilité ?
5. Expliquez en quoi la disposition des fenêtres de document peut être utile.

Réponses

1. On peut choisir des commandes dans le menu Affichage pour agrandir ou réduire un document ou encore l'ajuster à l'écran. On peut aussi activer l'outil Zoom du panneau Outils et cliquer sur un document pour agrandir ou réduire son affichage, ou encore employer les raccourcis clavier. Le panneau Navigation permet également de faire défiler une illustration ou de modifier son taux d'agrandissement sans avoir recours à la fenêtre de document.

2. Pour sélectionner un outil, il suffit soit de cliquer sur l'outil en question dans le panneau Outils, soit d'appuyer sur son raccourci clavier. Ainsi, en appuyant sur la touche V, on choisit l'outil Sélection. L'outil sélectionné reste actif tant qu'on ne clique pas sur un autre outil.

3. a) Choisir le numéro du plan de travail dans le menu Navigation dans le plan de travail situé dans la partie inférieure gauche de la fenêtre de document ; b) utiliser les flèches de navigation dans le plan de travail pour aller au premier plan de travail, au suivant, au précédent et au dernier ; c) double-cliquer sur le nom d'un plan de travail dans le panneau Plans de travail ; d) se servir du panneau Navigation pour faire glisser la zone de vignette sur le plan de travail souhaité.

4. Il faut choisir Fenêtre > Espace de travail > Enregistrer l'espace de travail. On mémorise ainsi des zones de travail qui facilitent la mise à disposition des contrôles dont on a besoin.

5. Réorganiser les documents permet d'afficher des groupes de documents en cascade ou en mosaïque. Cela peut se révéler utile si on travaille sur plusieurs fichiers Illustrator et qu'on doive les comparer ou partager du contenu entre eux.

Dans Adobe Illustrator CS5, la sélection du contenu fait partie
des opérations essentielles. Cette leçon vous apprendra à localiser
et à sélectionner des objets à l'aide des outils de sélection. Vous
verrez également comment protéger des objets en les masquant
ou en les verrouillant. D'autre part, vous apprendrez à aligner des
objets les uns par rapport aux autres et par rapport au plan de travail.

Sélections
et alignement

2

Au cours de cette leçon, vous apprendrez à :

- utiliser à bon escient les différents outils de sélection ;

- employer les repères commentés ;

- dupliquer des éléments avec l'outil Sélection ;

- verrouiller et masquer des objets pour une meilleure gestion de vos travaux ;

- enregistrer des sélections en vue d'une utilisation ultérieure ;

- grouper et dissocier des objets ;

- travailler en mode Isolation ;

- aligner des formes et des points, entre eux et par rapport au plan de travail ;

- organiser du contenu ;

- sélectionner du contenu en arrière-plan.

 Cette leçon vous prendra environ une heure. Si nécessaire, supprimez le dossier de la leçon précédente de votre disque dur et copiez le dossier Lesson02.

Mise en route

La sélection précède toute modification de couleur ou de taille et tout ajout d'effets ou d'attributs. Dans cette leçon, vous apprendrez les bases des outils de sélection. Des techniques de sélection avancées, fondées sur les calques, seront expliquées à la Leçon 8, "Les calques".

1. Pour vous assurer que les outils et les panneaux fonctionneront exactement comme ils sont décrits au fil de cette leçon, supprimez ou désactivez (en le renommant) le fichier des préférences d'Adobe Illustrator CS5 (pour en savoir plus, reportez-vous à la section "Rétablissement des préférences par défaut" de l'Introduction).

2. Lancez Adobe Illustrator CS5.

3. Choisissez Fichier > Ouvrir. Sélectionnez le fichier L2start_1.ai, qui se trouve dans le dossier Lesson02 sur votre disque dur. Choisissez Affichage > Adapter le plan de travail à la fenêtre.

4. Choisissez Fenêtre > Espace de travail > Les indispensables.

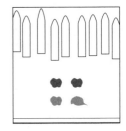

Note : Si vous n'avez pas encore copié les fichiers de cette leçon sur votre disque dur à partir du dossier Lesson02 du CD-ROM *Adobe Illustrator CS5 Classroom in a Book*, faites-le maintenant. Pour savoir comment procéder, consultez la section "Copie des fichiers d'exercices de *Classroom in a Book*" à la page 2.

Sélection d'objets

Que vous commenciez une nouvelle illustration ou que vous modifiiez une illustration existante, vous devez vous familiariser avec la sélection des objets. Illustrator propose de nombreuses méthodes de sélection. Dans cette section, vous allez découvrir les principaux outils de sélection, notamment Sélection et Sélection directe.

L'outil Sélection

L'outil Sélection disponible dans le panneau Outils permet de sélectionner des objets complets.

1. Dans le panneau Outils, activez l'outil Sélection (▶). Placez le pointeur sur les différentes formes sans cliquer dessus. Vous observez alors une modification du pointeur (▶.). Cela indique que l'objet placé sous le pointeur peut être sélectionné. Lorsque vous survolez un objet, il est dessiné en bleu.

2. Dans le panneau Outils, activez l'outil Zoom (🔍) et tracez un rectangle de sélection autour des quatre formes colorées (les pommes et le chapeau) situées au centre de la page afin d'agrandir leur affichage.

3. Avec l'outil Sélection, déplacez le pointeur au-dessus du bord de la pomme rouge de gauche. Un mot, comme "tracé" ou "point d'ancrage", peut apparaître car les repères commentés sont actifs par défaut. Les repères commentés sont des guides

qui vous aident à aligner, à modifier et à transformer des objets ou des plans de travail. Nous y reviendrons en détail à la Leçon 3, "Création de formes".

4. Avec l'outil Sélection, cliquez sur la pomme rouge de gauche, sur un bord ou à l'intérieur. Un cadre de sélection muni de huit poignées apparaît.

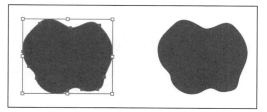

Le cadre de sélection est employé pour modifier les objets, par exemple pour les redimensionner ou les faire pivoter. Il indique également que l'objet est sélectionné et prêt à être modifié. La couleur du cadre de sélection indique également le calque sur lequel se trouve l'objet. Les calques sont détaillés à la Leçon 8, "Les calques".

5. Avec l'outil Sélection, cliquez sur la pomme rouge de droite. Vous observez qu'elle se trouve sélectionnée tandis que la première pomme est automatiquement désélectionnée.

● **Note :** Lorsque vous sélectionnez un objet sans fond, vous devez cliquer sur son contour (sa bordure).

6. Ajoutez la pomme rouge de gauche à la sélection en cliquant dessus tout en appuyant sur la touche Maj. Les deux pommes rouges sont à présent sélectionnées.

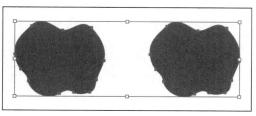

▶ **Astuce :** Pour sélectionner tous les objets, choisissez Sélection > Tout. Pour sélectionner tous les objets dans un seul plan de travail, choisissez Sélection > Tout dans le plan de travail. Pour de plus amples informations sur les plans de travail, consultez la Leçon 3, "Création de formes".

7. Déplacez les pommes à n'importe quel endroit du document en cliquant au centre de l'une d'elles et en faisant glisser la sélection. Puisque les deux pommes sont sélectionnées, elles se déplacent ensemble.

Pendant que vous faites glisser la sélection, des lignes vertes peuvent apparaître. Il s'agit des repères d'alignement visibles car les repères commentés sont actifs (Affichage > Repères commentés). Au cours du déplacement, les objets sont alignés sur les autres objets du plan de travail. Notez également la boîte grise, appelée "libellés des dimensions", qui affiche la distance d'un objet par rapport à sa position d'origine. Les libellés des dimensions apparaissent lorsque les repères commentés sont actifs.

▶ **Astuce :** Lorsque vous ne souhaitez pas vous servir des repères commentés, désactivez-les en choisissant Affichage > Repères commentés.

8. Désélectionnez les pommes en cliquant sur une zone vide du plan de travail ou en choisissant Sélection > Désélectionner.

9. Pour revenir à l'état de l'illustration lors de sa dernière sauvegarde, appuyez sur la touche F12 ou choisissez Fichier > Version précédente. Dans la boîte de dialogue qui apparaît, cliquez sur le bouton Version précédente.

L'outil Sélection directe

L'outil Sélection directe permet de sélectionner des points ou des segments de tracés dans un objet afin de modifier sa forme. Vous allez vous en servir maintenant.

1. Choisissez Affichage > Ajuster le plan de travail à la fenêtre.

2. Dans le panneau Outils, activez l'outil Sélection directe (⟡). Sans cliquer, positionnez le pointeur sur le sommet de l'un des poteaux de la barrière qui se trouvent au-dessus des pommes rouges.

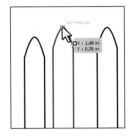

Lorsque l'outil Sélection directe se trouve sur un point d'ancrage d'un tracé ou d'un objet, un libellé, comme le mot "point d'ancrage" ou "tracé", s'affiche. Cela se produit parce que les repères commentés sont actifs.

3. Cliquez sur le point supérieur du même poteau. Vous constatez que seul ce point devient plein, indiquant qu'il est sélectionné, tandis que les autres points restent vides, non sélectionnés.

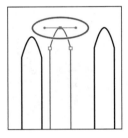

Notez les lignes directrices qui partent du point d'ancrage. À leur extrémité se trouvent les points directeurs. L'angle et la longueur des lignes directrices déterminent la forme et la taille des segments incurvés. En déplaçant les points directeurs, vous modifiez la forme des courbes.

▶ **Astuce :** En appuyant sur la touche Maj, vous pouvez sélectionner plusieurs points d'ancrage pour les déplacer ensemble.

4. L'outil Sélection directe toujours actif, cliquez sur le point et faites-le glisser vers le bas afin de modifier la forme de l'objet. Cliquez sur d'autres points : le point précédent est désélectionné.

● **Note :** Les libellés des dimensions qui apparaissent lorsque vous faites glisser le point d'ancrage affichent les valeurs dX et dY. dX indique la distance de déplacement du pointeur le long de l'axe X (horizontal) et dY indique la distance de déplacement du pointeur le long de l'axe Y (vertical).

5. Revenez à la version enregistrée en choisissant Fichier > Version précédente. Dans la boîte de dialogue qui apparaît, cliquez sur Version précédente.

Préférences de la sélection et des points d'ancrage

La boîte de dialogue Préférences permet de modifier vos préférences de sélection et la manière dont les points d'ancrage apparaissent.

Choisissez Édition > Préférences > Sélection et affichage des points d'ancrage (Windows) ou Illustrator > Préférences > Sélection et affichage des points d'ancrage (Mac OS). Vous pouvez alors modifier la taille des points d'ancrage et l'affichage des lignes directrices (appelées poignées).

Vous pouvez également désactiver la mise en surbrillance des points d'ancrage lors de leur survol par le pointeur. La mise en exergue des points d'ancrage survolés par le poin-

Le rectangle de sélection

Certaines sélections sont plus faciles à réaliser si on trace un rectangle de sélection sur les objets concernés.

1. Choisissez Affichage > Ajuster le plan de travail à la fenêtre.

2. Dans le même fichier, activez l'outil Sélection (). Au lieu d'appuyer sur la touche Maj et de cliquer pour sélectionner plusieurs objets, positionnez le pointeur au-dessus et à gauche de la pomme rouge supérieure gauche, puis tracez vers le bas et la droite un rectangle de sélection qui chevauche uniquement la partie supérieure des pommes.

> **Astuce :** Lorsque vous tracez un rectangle de sélection avec l'outil Sélection, il n'est pas nécessaire d'englober l'intégralité des objets pour les sélectionner.

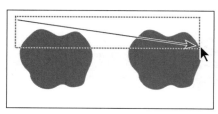
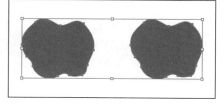

3. Choisissez Sélection > Désélectionner ou cliquez à un endroit vide.

Vous allez à présent activer l'outil Sélection directe (⌖) pour sélectionner plusieurs points dans des objets.

4. Cliquez à côté du sommet de l'un des poteaux, au-dessus des pommes rouges, et tracez un rectangle de sélection qui recouvre uniquement la pointe de deux poteaux dans la rangée supérieure.

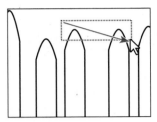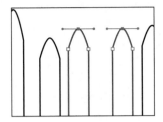

Avec l'outil Sélection directe, tracez le rectangle de sélection sur la pointe des poteaux pour sélectionner uniquement ces points.

Note : La sélection des points à l'aide de cette méthode requiert une certaine pratique. Vous devez tracer le rectangle de sélection uniquement sur les points à sélectionner afin d'éviter que d'autres le soient également. Vous pouvez toujours cliquer hors des objets pour annuler la sélection et recommencer.

Seuls les points supérieurs sont sélectionnés. Cliquez sur l'un des points d'ancrage et faites-le glisser : tous les points d'ancrage se déplacent ensemble. Vous pouvez suivre cette méthode pour sélectionner des points sans avoir à cliquer précisément sur le point d'ancrage à modifier.

5. Choisissez Sélection > Désélectionner.

6. Avec l'outil Sélection directe, tracez un rectangle de sélection sur la partie supérieure des pommes rouges. Notez le nombre de points sélectionnés dans chaque pomme.

7. Choisissez Sélection > Désélectionner.

L'outil Baguette magique

L'outil Baguette magique permet de sélectionner tous les objets d'un document dont la couleur de fond ou le motif de remplissage est identique.

Astuce : Personnalisez l'outil Baguette magique pour qu'il sélectionne les objets en fonction de l'épaisseur ou de la couleur du contour, de l'opacité ou du mode de fusion. Pour cela, double-cliquez dessus dans le panneau Outils. Vous pouvez en outre modifier les tolérances qui servent à identifier les objets semblables.

1. Dans le panneau Outils, activez l'outil Baguette magique (⚲). Si vous cliquez sur la pomme orange, vous constatez que le chapeau orange est également sélectionné. Le cadre de sélection n'apparaît pas car l'outil Baguette magique est toujours actif.

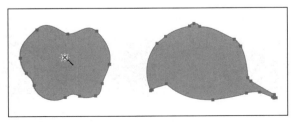

L'outil Baguette magique sélectionne les objets ayant une couleur de fond semblable.

2. Cliquez ensuite sur l'une des pommes rouges. Les deux pommes rouges sont sélectionnées, mais la pomme et le poisson orange sont désélectionnés.

3. Appuyez sur la touche Maj et cliquez à nouveau sur le chapeau orange. Cet objet et la pomme orange sont alors ajoutés à la sélection car ils ont tous les deux la même couleur de fond (orange). L'outil Baguette magique étant toujours actif, appuyez sur la touche Alt (Windows) ou Option (Mac OS) et cliquez en même temps sur le chapeau orange pour désélectionner tous les objets orange. Relâchez la touche.

4. Choisissez Sélection > Désélectionner ou cliquez hors de tout objet.

Sélectionner des objets semblables

Illustrator permet également de sélectionner des objets en fonction de la couleur de fond ou de contour, de l'épaisseur du contour et d'autres attributs.

Dans cette section, vous sélectionnerez plusieurs objets ayant la même couleur de contour.

1. Avec l'outil Sélection (⬆), sélectionnez l'un des poteaux blancs dans la partie supérieure de l'illustration.

2. Dans le panneau Contrôle, cliquez sur la flèche à droite du bouton Sélectionner des objets simi-laires (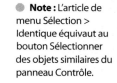) afin d'afficher le menu. Choisissez Couleur de fond pour sélectionner tous les objets du plan de travail qui ont la même couleur de fond (blanc).

   Notez que tous les poteaux sont sélectionnés, ainsi que le rectangle blanc situé en bas de l'illustration.

3. Choisissez Sélection > Désélectionner.

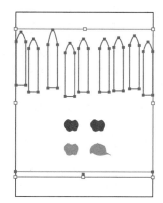

4. Sélectionnez à nouveau l'un des poteaux blancs dans la partie supérieure de l'illustration, puis choisissez Sélection > Identique > Épaisseur de contour.

   Puisque toutes les formes des poteaux ont un contour de 1 pt, elles sont à présent sélectionnées.

5. La sélection étant toujours active, choisissez Sélection > Mémoriser la sélection. Nommez-la **Barrière** et cliquez sur OK. Vous pourrez reprendre ultérieurement cette sélection.

6. Choisissez Sélection > Désélectionner.

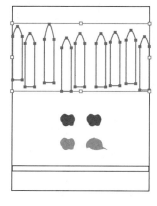

● **Note :** L'article de menu Sélection > Identique équivaut au bouton Sélectionner des objets similaires du panneau Contrôle.

▶ **Astuce :** Il peut être utile de nommer les sélections selon leur utilisation ou leur fonction. À l'étape 5, si vous nommez la sélection "Contour 1 pt", par exemple, vous risquez d'être trompé par la suite si vous modifiez l'épaisseur de contour de l'objet.

Alignement d'objets

Vous souhaiterez parfois aligner ou répartir des objets les uns par rapport aux autres, par rapport au plan de travail ou à un objet clé. Dans cette section, vous allez découvrir les possibilités d'alignement des objets et des points.

Aligner des objets les uns par rapport aux autres

1. Choisissez Sélection > Barrière pour sélectionner l'ensemble des poteaux.

2. Dans le panneau Contrôle, cliquez sur le bouton Aligner sur (⬚) et choisissez Aligner sur une sélection. Ainsi, les objets seront alignés les uns par rapport aux autres.

3. Dans le panneau Contrôle, cliquez sur le bouton Alignement vertical en bas (▣).

   Notez que tous les poteaux se déplacent pour que leurs bords inférieurs soient alignés avec celui du poteau le plus bas.

● **Note :** Si les options d'alignement n'apparaissent pas dans le panneau Contrôle, il est possible qu'un seul objet soit sélectionné. Vous pouvez également ouvrir le panneau Alignement en choisissant Fenêtre > Alignement.

4. Choisissez Édition > Annuler Alignement pour remettre les objets à leur position d'origine. Gardez-les sélectionnés pour la section suivante.

Aligner sur un objet clé

Un objet clé est un objet qui sert de référence pour l'alignement d'autres objets. Pour le désigner, il suffit de sélectionner tous les objets à aligner, y compris l'objet clé, puis de cliquer sur ce dernier. Une fois sélectionné, l'objet clé présente un contour bleu épais, et l'icône Aligner sur un objet clé (⬚) apparaît dans les panneaux Contrôle et Alignement.

1. Les poteaux étant toujours sélectionnés, cliquez sur celui situé à l'extrême gauche avec l'outil Sélection (▶).

   Le contour bleu épais indique qu'il s'agit de l'objet clé sur lequel les autres objets s'aligneront.

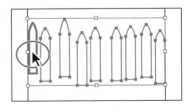

2. Dans les options d'alignement des panneaux Contrôle ou Alignement, cliquez sur le bouton Alignement vertical en bas (▣). Tous les poteaux se déplacent pour s'aligner avec le bord inférieur de l'objet clé.

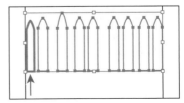

3. Choisissez Sélection > Désélectionner.

Aligner des points

Vous allez à présent aligner deux points, en vous servant du panneau Alignement.

1. Avec l'outil Sélection directe (⟨⟩), cliquez sur le coin supérieur gauche du plus grand poteau, puis appuyez sur la touche Maj et cliquez pour sélectionner le point supérieur de n'importe quel autre poteau. Sur la figure, nous avons choisi le poteau à droite du plus grand.

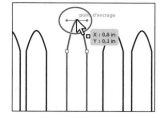
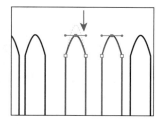

Sélectionnez le premier point.   Sélectionnez le second point.   Alignez les points.

La sélection des points se fait dans un certain ordre car le dernier point d'ancrage sélectionné devient le point clé sur lequel seront alignés les autres points.

2. Dans le panneau Contrôle, cliquez sur le bouton Alignement vertical en haut (▉▫). Le premier point sélectionné s'aligne sur le second.

3. Choisissez Sélection > Désélectionner.

Répartir des objets

La répartition des objets avec le panneau Alignement permet de sélectionner plusieurs objets et de répartir de manière égale l'espace qui les sépare. C'est ce que vous allez faire, à présent, pour l'espace qui sépare les poteaux de la barrière.

1. Dans le panneau Outils, activez l'outil Sélection (▶). Choisissez Sélection > Barrière pour sélectionner à nouveau tous les poteaux.

2. Dans le panneau Contrôle, cliquez sur le bouton Distribution horizontale au centre (▮▮).

    Cette opération déplace tous les poteaux afin que leurs *centres* soient espacés de la même distance.

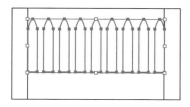

3. Choisissez Sélection > Désélectionner.

4. Appuyez sur la touche Maj et, avec l'outil Sélection (▶), faites glisser le poteau placé à l'extrême droite légèrement vers la droite afin qu'il reste aligné verticalement avec les autres poteaux.

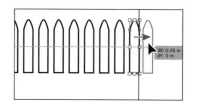

● **Note :** Si vous ne voyez pas les options d'alignement, cliquez sur le mot Alignement dans le panneau Contrôle afin d'afficher le panneau Alignement.

● **Note :** Les boutons de distribution horizontale ou verticale au centre répartissent l'espace de manière égale par rapport aux centres des objets. Si les objets sélectionnés ne sont pas de taille identique, des résultats inattendus peuvent se produire.

5. Choisissez Sélection > Barrière, pour sélectionner à nouveau tous les poteaux de la barrière, puis cliquez sur le bouton Distribution horizontale au centre (▮▮). Notez que, le poteau de droite ayant été repositionné, les autres poteaux se déplacent afin de répartir l'espace entre eux.

● **Note :** Lorsque vous répartissez des objets horizontalement à l'aide du panneau Alignement, vérifiez tout d'abord que les objets des extrémités gauche et droite se trouvent à l'emplacement souhaité. Pour la distribution verticale, positionnez les objets aux extrémités haute et basse puis répartissez-les.

6. Choisissez Sélection > Désélectionner.

Aligner sur le plan de travail

Il est également possible d'aligner du contenu relativement au plan de travail plutôt qu'à d'autres objets. Avec cette méthode, chaque objet individuel est aligné séparément sur le plan de travail. Vous alignerez ici la forme des feuilles au centre du plan de travail.

1. Cliquez sur le bouton Suivant (▶) dans le coin inférieur gauche de la fenêtre de document pour aller au plan de travail suivant, qui contient un arbre.

2. Avec l'outil Sélection, sélectionnez la forme verte qui représente les feuilles de l'arbre.

● **Note :** Les options d'alignement n'apparaissent peut-être pas dans le panneau Contrôle, mais elles sont alors disponibles à partir du mot Alignement. Illustrator place autant d'options que possible dans le panneau Contrôle, en fonction de la résolution de l'écran.

3. Cliquez sur le bouton Aligner sur une sélection (▦) et choisissez Aligner sur le plan de travail dans le menu qui s'affiche. Ainsi, tous les futurs alignements se feront par rapport au plan de travail. Cliquez sur le bouton Alignement horizontal au centre (▤) pour aligner le groupe relativement au centre horizontal du plan de travail.

● **Note :** Lorsque vous souhaitez aligner tout le contenu d'une illustration, par exemple, au centre du plan de travail, le regroupement des objets est une étape importante. Cette opération déplace les objets ensemble, comme un seul objet, relativement au plan de travail. Si les objets sélectionnés ne forment pas un groupe, leur centrage horizontal les déplace tous au centre, indépendamment les uns des autres.

4. Avec l'outil Sélection, sélectionnez la forme marron qui représente le tronc de l'arbre.

5. Cliquez sur le bouton Alignement horizontal au centre (▤), puis sur le bouton Alignement vertical en bas (▮▮) pour aligner le bas du tronc relativement au bas du plan de travail.

   Gardez le tronc sélectionné pour l'étape suivante.

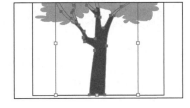

Options d'alignement

Le panneau Alignement offre de nombreuses possibilités très utiles dans Illustrator. Vous pouvez non seulement aligner des objets, mais également les distribuer. Sélectionnez les objets à aligner ou à distribuer puis, dans le panneau Alignement, réalisez les opérations suivantes :

- Pour que l'alignement ou la distribution se fasse par rapport au cadre de sélection de tous les objets sélectionnés, cliquez sur le bouton correspondant au type d'alignement ou de distribution souhaité.

- Pour que l'alignement ou la distribution se fasse par rapport à l'un des objets sélectionnés (objet clé), cliquez de nouveau sur cet objet (il est inutile d'appuyer sur la touche Maj). Ensuite, cliquez sur le bouton correspondant au type d'alignement ou de distribution souhaité.

Note : Pour arrêter l'alignement et la distribution par rapport à un objet, cliquez à nouveau sur l'objet afin de retirer l'entourage bleu ou choisissez Annuler l'objet clé dans le menu du panneau Alignement.

- Pour que l'alignement se fasse par rapport au plan de travail, cliquez sur le bouton Aligner sur le plan de travail (🔲) ou choisissez Aligner sur le plan de travail dans le menu Alignement (la flèche à droite du bouton Aligner sur le plan de travail). Ensuite, cliquez sur le bouton correspondant au type d'alignement souhaité.

- Pour que l'alignement se fasse par rapport à un point d'ancrage, activez l'outil Sélection directe, appuyez sur la touche Maj et sélectionnez les points d'ancrage que vous souhaitez aligner ou répartir. Le dernier point d'ancrage sélectionné devient le point d'ancrage clé.

Extrait de l'Aide d'Illustrator

Travail avec les groupes

Vous pouvez grouper des objets qui seront alors traités comme une entité unique. Vous pouvez ainsi déplacer et transformer des objets sans modifier leurs propriétés et leurs positions relatives.

Groupes d'éléments

Vous allez à présent sélectionner plusieurs objets et les réunir dans un groupe.

1. Activez l'outil Sélection (▶). Cliquez sur les feuilles de l'arbre tout en appuyant sur la touche Maj pour les ajouter à la sélection qui comprend déjà le tronc.

2. Cliquez sur Objet > Associer puis sur Sélection > Désélectionner.

3. Avec l'outil Sélection, cliquez sur le tronc marron. Le tronc et les feuilles formant un groupe, ces deux objets sont sélectionnés. Notez que le panneau Contrôle affiche "Groupe" dans sa partie gauche.

▶ **Astuce :** Pour sélectionner séparément les objets d'un groupe, sélectionnez le groupe puis choisissez Objet > Dissocier. Les objets sont alors définitivement retirés du groupe.

4. Choisissez Sélection > Désélectionner.

Le mode Isolation

Le mode Isolation permet d'isoler des groupes ou des sous-calques afin que vous puissiez sélectionner et modifier facilement des objets ou des parties d'objets. Lorsque vous travaillez dans ce mode, vous n'avez pas besoin de vous occuper du calque sur lequel se trouve un objet, ni de verrouiller ou de masquer manuellement les objets non concernés par les modifications. Tous les objets hors du groupe isolé sont verrouillés afin qu'ils ne soient pas affectés par vos modifications. Un objet isolé est affiché en couleurs réelles, tandis que le reste de l'illustration semble estompé. Vous connaissez ainsi l'objet qui est en cours d'édition.

▶ **Astuce :** Pour entrer dans le mode Isolation, vous pouvez également sélectionner un groupe avec l'outil Sélection puis, dans le panneau Contrôle, cliquer sur le bouton Isoler l'objet sélectionné (⬚).

1. Activez l'outil Sélection (▶) et cliquez sur les feuilles ou sur le tronc pour sélectionner le groupe.

2. Double-cliquez sur le tronc pour passer en mode Isolation.

3. Choisissez Affichage > Tout ajuster à la fenêtre. Notez que le reste du document apparaît alors estompé (vous ne pouvez pas le sélectionner).

Dans la partie supérieure de la fenêtre de document, une flèche grise apparaît à côté des mots Layer 1 et <Groupe>. Cela indique que vous avez isolé un groupe d'objets qui se trouve sur le calque 1. Pour en savoir plus sur les calques, consultez la Leçon 8, "Les calques".

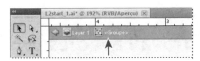

4. Faites glisser le tronc légèrement vers la droite tout en appuyant sur la touche Maj. Cela assure un déplacement horizontal.

Lorsque vous entrez dans le mode Isolation, les groupes sont temporairement dissociés. Vous pouvez donc modifier des objets du groupe sans avoir à les dissocier.

▶ **Astuce :** Pour quitter le mode Isolation, vous pouvez aussi cliquer sur la flèche grise dans le coin supérieur gauche de la fenêtre de document jusqu'à ce que le mode Isolation disparaisse ou sur le bouton Quitter le mode Isolation (⬚) dans le panneau Contrôle.

5. Double-cliquez en dehors des objets pour sortir du mode Isolation.

6. Sélectionnez la forme des feuilles. Elle est toujours associée au tronc et vous pouvez désormais sélectionner les autres objets de la page.

7. Choisissez Sélection > Désélectionner puis Affichage > Ajuster le plan de travail à la fenêtre.

Ajouter des objets à un groupe

Les groupes peuvent également être imbriqués. Autrement dit, il est possible d'associer des groupes ou des objets à d'autres groupes pour en former de plus grands. Dans cette section, vous allez expérimenter l'ajout d'objets à un groupe existant.

1. Cliquez sur le bouton Précédent (◀) dans le coin inférieur gauche de la fenêtre de document pour aller au plan de travail précédent, qui contient les objets de la barrière.

2. Avec l'outil Sélection (▶), tracez un rectangle de sélection sur les poteaux afin de les sélectionner tous.

3. Choisissez Objet > Associer.

4. Vérifiez que l'option Aligner sur le plan de travail est sélectionnée dans le menu du bouton Aligner sur (⊡), puis cliquez sur Alignement horizontal au centre (⊥). Vous alignez ainsi le groupe relativement au centre horizontal du plan de travail. Choisissez Sélection > Désélectionner.

5. Appuyez sur la touche Maj et, avec l'outil Sélection, faites glisser le rectangle blanc situé en bas de l'illustration au-dessus du groupe des poteaux. L'alignement n'est pas important.

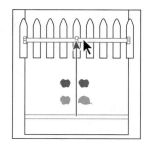

6. Avec l'outil Sélection, cliquez sur un poteau tout en appuyant sur Maj pour sélectionner également le groupe.

7. Choisissez Objet > Associer.

   Vous venez de créer un groupe imbriqué, c'est-à-dire un groupe dans un groupe. Cette technique est couramment employée en conception graphique. Elle est parfaite pour garder du contenu ensemble.

8. Choisissez Sélection > Désélectionner.

9. Activez l'outil Sélection et cliquez sur l'un des objets regroupés. Ils sont tous sélectionnés.

10. Cliquez sur une zone vide du plan de travail pour les désélectionner.

11. Dans le panneau Outils, cliquez et maintenez sur l'outil Sélection directe (▷) pour accéder à l'outil Sélection directe progressive (▷⁺). Cet outil permet d'ajouter les groupes parents de l'objet à la sélection en cours.

12. Cliquez une fois sur le poteau à l'extrême gauche pour le sélectionner. Cliquez à nouveau pour sélectionner le groupe parent de l'objet (le groupe des poteaux). L'outil Sélection directe progressive ajoute chaque groupe à la sélection dans l'ordre de regroupement.

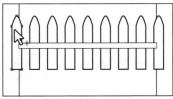

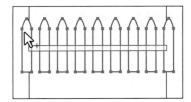

Cliquez une fois pour sélectionner un poteau.

Cliquez une deuxième fois pour sélectionner le groupe parent.

13. Choisissez Sélection > Désélectionner.

● **Note :** Pour dissocier tous les objets sélectionnés, même les poteaux de la barrière, choisissez deux fois Objet > Dissocier.

14. Avec l'outil Sélection, cliquez sur n'importe quel objet pour sélectionner le groupe. Choisissez Objet > Dissocier pour dissocier les objets. Choisissez Sélection > Désélectionner.

15. Cliquez pour sélectionner les poteaux. Notez qu'ils sont toujours groupés.

16. Choisissez Sélection > Désélectionner.

Disposition des objets

Au fur et à mesure que vous créez des objets, Illustrator les empile dans l'ordre sur le plan de travail, en commençant par le premier objet créé. L'ordre dans lequel les objets sont superposés (appelé ordre de superposition) détermine leur affichage lorsqu'ils se chevauchent. Vous pouvez à tout moment le modifier en utilisant le panneau Calques ou les commandes Objet > Disposition.

Ordonner les objets

Dans cette section, vous allez utiliser les commandes Disposition pour modifier l'ordre de superposition des objets.

1. L'outil Sélection étant actif (⬉), positionnez le pointeur au-dessus d'une pomme rouge et cliquez pour la sélectionner.

2. Choisissez Affichage > Tout ajuster à la fenêtre pour voir les deux plans de travail du document.

3. Faites glisser la pomme rouge sélectionnée sur les feuilles de l'arbre, puis relâchez. Notez que la pomme disparaît derrière l'arbre, mais qu'elle reste sélectionnée.

Elle est placée derrière l'arbre, car elle était probablement créée avant celui-ci et se trouve donc avant lui dans la pile des formes.

4. La pomme étant toujours sélectionnée, choisissez Objet > Disposition > Premier plan. La pomme est alors placée au début de la pile et devient le premier objet.

Disposition des objets

Lorsque vous créez des illustrations complexes, vous pouvez avoir besoin de placer du contenu derrière ou devant un autre. Pour cela, utilisez l'une des méthodes suivantes :

- Pour faire passer un objet au premier plan ou à l'arrière-plan dans son groupe ou calque, sélectionnez-le puis choisissez la commande Objet > Disposition > Premier plan ou Objet > Disposition > Arrière-plan.

- Pour déplacer un objet d'un niveau vers l'avant ou vers l'arrière dans une pile, sélectionnez-le puis choisissez la commande Objet > Disposition > En avant ou Objet > Disposition > En arrière.

Extrait de l'Aide d'Illustrator

Sélectionner des objets situés en arrière

Lorsque des objets sont superposés, on a parfois des difficultés à sélectionner ceux qui se trouvent à l'arrière. Dans cette section, vous apprendrez à sélectionner un objet dans une pile d'objets.

1. Avec l'outil Sélection ( ), déplacez la seconde pomme rouge du plan de travail de gauche vers les feuilles de l'arbre.

   Vous remarquerez que la pomme semble à nouveau disparaître. Elle est placée derrière les feuilles, mais elle est toujours sélectionnée. Cette fois-ci, vous allez la désélectionner puis la resélectionner par une sélection successive des objets.

2. Cliquez sur la pomme rouge. À la place de la pomme, vous venez de sélectionner l'objet qui se trouve sur le dessus, c'est-à-dire le groupe de l'arbre.

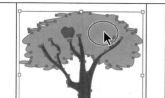

3. Le pointeur étant toujours placé au-dessus de l'emplacement de la pomme, derrière l'arbre, appuyez sur la touche Ctrl (Windows) ou Cmd (Mac OS) et cliquez. Notez le symbole inférieur à (<) affiché à côté du pointeur ( ). Cliquez à nouveau pour sélectionner la pomme au travers de la pomme.

4. Choisissez Objet > Disposition > Premier plan pour amener la pomme devant l'arbre.

5. Choisissez Sélection > Désélectionner.

Note : Pour sélectionner la pomme cachée, faites en sorte de cliquer là où la pomme et l'arbre se chevauchent. Sinon rien ne se produira.

Note : Vous pouvez également voir un symbole plus (+) à côté du pointeur lorsque la sélection débute. Ce n'est pas un problème.

Masquage d'objets

Les illustrations complexes rendent difficile le contrôle des sélections. Dans cette section, vous allez combiner les techniques de sélection déjà étudiées avec des fonctions avancées qui facilitent le travail.

1. Avec l'outil Sélection ( ), tracez un rectangle de sélection sur les poteaux et le rectangle blanc de la barrière pour les sélectionner. Faites glisser l'ensemble vers la partie inférieure du plan de travail de droite dans lequel se trouve l'arbre.

2. Choisissez Objet > Disposition > Premier plan.

3. Choisissez Affichage > Ajuster le plan de travail à la fenêtre.

4. Cliquez n'importe où pour désélectionner les objets puis sélectionnez le rectangle blanc qui se trouve devant le groupe des poteaux. Choisissez Objet > Disposition > En arrière une ou plusieurs fois de manière à amener le rectangle derrière les poteaux. Choisissez Sélection > Désélectionner.

5. Avec l'outil Sélection ( ), sélectionnez le groupe des poteaux et choisissez Objet > Masquer > Sélection ou appuyez sur Ctrl+3 (Windows) ou Cmd+3 (Mac OS). Le groupe des poteaux est alors masqué afin qu'il soit plus facile de sélectionner d'autres objets.

6. Sélectionnez le rectangle blanc et, en maintenant la touche Alt (Windows) ou Option (Mac OS), faites-le glisser vers le bas, de manière à en créer une copie.

7. Choisissez Objet > Tout afficher pour faire réapparaître le groupe des poteaux.

8. Choisissez Fichier > Enregistrer puis Fichier > Fermer.

Application des techniques de sélection

Nous l'avons indiqué précédemment, la sélection des objets est un élément important du travail avec Illustrator. Dans cette partie de la leçon, vous allez pratiquer la plupart des techniques décrites et en apprendre de nouvelles.

1. Ouvrez le fichier L2start_3.ai, qui se trouve dans le dossier Lesson02 sur votre disque dur.

2. Choisissez Affichage > Tout ajuster à la fenêtre. Le second plan de travail (celui de droite) présente l'illustration finale. Le premier plan de travail (celui de gauche) contient l'illustration en cours de modification, que vous devez terminer.

3. Choisissez Affichage > Ajuster le plan de travail à la fenêtre pour ajuster le plan de travail 1 à la fenêtre de document. Choisissez Affichage > Repères commentés pour désactiver temporairement les repères commentés.

4. Avec l'outil Sélection (▸), faites glisser le rectangle arrondi noir, situé dans le coin supérieur gauche du plan de travail, vers le devant du bus (voir figure).

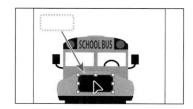

5. Sélectionnez les formes des phares (les cercles) situées dans le coin inférieur droit du plan de travail en traçant un rectangle de sélection. Choisissez Objet > Associer.

6. Faites glisser le centre du groupe du phare pour le placer sur la droite du rectangle arrondi nouvellement aligné.

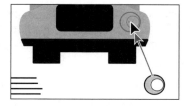

Note : Faites glisser depuis le centre afin d'éviter de cliquer sur une poignée du cadre de sélection et de redimensionner involontairement les formes.

7. Double-cliquez au centre du groupe du phare de manière à passer en mode Isolation. Sélectionnez la forme blanche et déplacez-la pour qu'elle se trouve visuellement au centre des autres formes. Choisissez Sélection > Désélectionner.

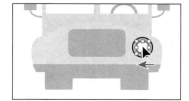

8. Appuyez sur la touche Échap pour quitter le mode Isolation.

9. Appuyez sur les touches Alt+Maj (Windows) ou Option+Maj (Mac OS) et, avec l'outil Sélection, faites glisser le phare vers la gauche pour le dupliquer. Relâchez le bouton de la souris, puis les touches de modification.

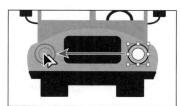

10. Appuyez sur la touche Maj et cliquez sur le rectangle arrondi et sur le phare droit pour sélectionner les trois objets.

11. Dans le panneau Contrôle, choisissez Aligner sur la sélection dans le menu du bouton Aligner sur (⊞), puis cliquez sur le bouton Distribution horizontale au centre (▮▮).

12. Choisissez Objet > Associer.

13. Appuyez sur la touche Maj et cliquez sur la forme orange située derrière le groupe sélectionné. Cliquez à nouveau sur la forme orange pour en faire l'objet clé. Cliquez sur le bouton Alignement horizontal au centre (⬓), puis sur Alignement vertical au centre (◨) pour aligner le rectangle arrondi sur la forme orange. Choisissez Sélection > Désélectionner.

▶ **Astuce :** Le verrouillage des objets est une bonne manière d'éviter de sélectionner ou de modifier du contenu ; il peut être associé au masquage des objets.

14. Avec l'outil Sélection, cliquez sur le groupe d'objets qui contient les phares. Choisissez Objet > Verrouiller > Sélection pour les garder en position. Vous ne pourrez pas sélectionner ces formes tant que vous n'aurez pas choisi Objet > Tout déverrouiller. Laissez-les verrouillées.

15. Dans le panneau Outils, activez l'outil Zoom (🔍) et cliquez trois fois sur le dôme situé sur le toit du bus, au-dessus du texte "SCHOOL BUS".

16. Avec l'outil Sélection directe (▷), sélectionnez le point d'ancrage supérieur du dôme et faites-le glisser vers le haut pour agrandir le dôme.

17. Double-cliquez sur l'outil Main (✋) pour ajuster le plan de travail à la fenêtre de document.

18. Activez l'outil Zoom (🔍) et cliquez trois fois sur les quatre lignes situées dans le coin inférieur gauche afin d'agrandir la vue.

19. Avec l'outil Sélection (▶), tracez un rectangle de sélection sur les quatre lignes pour les sélectionner toutes.

● **Note :** Si vous ne voyez pas les options d'alignement, cliquez sur le mot Alignement dans le panneau Contrôle ou choisissez Fenêtre > Alignement.

20. Dans le panneau Contrôle, cliquez sur le bouton Alignement horizontal à gauche (▤).

21. Choisissez Affichage > Repères commentés pour les réactiver.

22. Avec l'outil Sélection directe (κ), cliquez sur l'extrémité droite de la ligne supérieure la plus courte pour sélectionner le point d'ancrage puis faites glisser vers la droite jusqu'à ce que le point d'ancrage soit aligné avec les autres lignes.

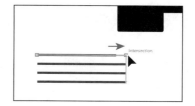

23. Avec l'outil Sélection, tracez un rectangle de sélection autour des lignes. Choisissez Objet > Associer pour les associer.

24. Double-cliquez sur l'outil Main ($\mathcal{U}$) pour ajuster le plan de travail à la fenêtre de document.

25. Avec l'outil Sélection, faites glisser le groupe des lignes à sa position sur le rectangle arrondi, entre les phares. Pour cela, vous devez placer le pointeur sur l'une des lignes, non entre les lignes.

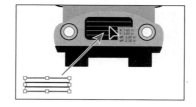

Note : Vous pouvez désactiver les repères commentés (Affichage > Repères commentés) afin de faciliter le déplacement du groupe sur le bus. Vous pouvez ensuite aligner ce groupe avec l'autre contenu.

26. Choisissez Sélection > Désélectionner.

27. Choisissez Fichier > Enregistrer puis Fichier > Fermer.

À vous de jouer

1. Choisissez Fichier > Ouvrir et sélectionnez le fichier L2start_3.ai dans le dossier Lesson02 sur votre disque dur.

2. Essayez de dupliquer plusieurs fois une étoile, en utilisant la touche Alt (Windows) ou Option (Mac OS).

3. Appliquez différentes couleurs et différents contours aux formes. Sélectionnez-les à nouveau à l'aide de la commande Sélection > Identique ou du bouton Sélectionner des objets similaires ($\boxed{\blacksquare\lor}$) du panneau Contrôle.

4. Sélectionnez trois étoiles et testez différentes options de répartition des objets dans le panneau Alignement.

5. Sélectionnez trois étoiles et cliquez sur l'une d'elles afin d'en faire l'objet clé. Alignez les autres étoiles sélectionnées sur l'objet clé en utilisant les options du panneau Alignement.

6. Les étoiles étant sélectionnées, choisissez Objet > Associer.

7. Avec l'outil Sélection, double-cliquez sur l'une des étoiles du groupe pour entrer dans le mode Isolation. Redimensionnez plusieurs étoiles en faisant glisser le cadre de sélection de chaque étoile. Appuyez sur Échap pour sortir du mode Isolation.

8. Fermez le fichier sans l'enregistrer.

Révisions

Questions

1. Comment sélectionne-t-on un objet sans fond ?

2. Indiquez deux manières de sélectionner un élément d'un groupe sans passer par Objet > Dissocier.

3. Comment modifie-t-on la forme d'un objet ?

4. Que faut-il faire après avoir passé du temps à créer une sélection qui sera réutilisée plusieurs fois ?

5. Indiquez deux manières de sélectionner un objet alors que quelque chose gêne cette sélection.

6. Pour aligner des objets par rapport au plan de travail, que faut-il sélectionner dans le panneau Alignement ou dans le panneau Contrôle avant de choisir une option d'alignement ?

Réponses

1. On peut sélectionner les éléments sans fond en cliquant sur leur contour ou en traçant un rectangle de sélection sur eux.

2. a) Cliquer une fois, avec l'outil Sélection directe progressive, sur un objet du groupe pour ne sélectionner que cet objet, puis cliquer de nouveau dessus pour ajouter les éléments groupés suivants à cette sélection (voir la Leçon 8, "Les calques", pour savoir comment employer les calques dans les sélections complexes) ; b) double-cliquer sur le groupe pour entrer dans le mode Isolation, modifier les formes, puis quitter le mode Isolation en appuyant sur Échap ou en double-cliquant en dehors du groupe.

3. Avec l'outil Sélection directe, on sélectionne un ou plusieurs points d'ancrage et on modifie ainsi la forme d'un objet.

4. Lorsqu'une sélection doit être réutilisée, on peut la mémoriser (Sélection > Mémoriser la sélection) puis la nommer afin d'y recourir à volonté en passant par le menu Sélection.

5. a) Si un élément empêche d'accéder à un objet, il faut sélectionner cet élément puis choisir Objet > Masquer > Sélection. L'objet n'est pas effacé mais rendu invisible jusqu'à ce qu'on choisisse Objet > Tout afficher ; b) pour sélectionner du contenu masqué : activer l'outil Sélection, appuyer sur la touche Ctrl (Windows) ou Cmd (Mac OS) et cliquer sur les objets qui se chevauchent.

6. Pour aligner des objets sur le plan de travail, il faut commencer par sélectionner l'option Aligner sur le plan de travail.

Vous avez la possibilité de créer des documents contenant plusieurs plans de travail et de nombreux objets en commençant par des formes simples, puis en les modifiant pour en obtenir de nouvelles. Au cours de cette leçon, vous ajouterez et modifierez des plans de travail, puis vous créerez et modifierez des formes de base pour un manuel technique.

Création de formes **3**

Au cours de cette leçon, vous apprendrez à :

- créer un document contenant plusieurs plans de travail ;
- employer des outils et des commandes pour créer des formes de base ;
- travailler avec les modes de dessin ;
- utiliser les règles et les repères commentés comme aides au dessin ;
- redimensionner et dupliquer des objets ;
- joindre et vectoriser des objets ;
- modifier des contours avec l'outil Largeur ;
- exploiter l'outil Concepteur de forme ;
- employer les commandes Pathfinder pour créer des formes ;
- travailler avec l'outil Vectorisation dynamique.

 Cette leçon vous prendra environ une heure et demie. Si nécessaire, supprimez le dossier de la leçon précédente de votre disque dur et copiez le dossier Lesson03.

Mise en route

Vous allez créer plusieurs illustrations destinées à un manuel technique.

1. Pour vous assurer que les outils et les panneaux fonctionneront exactement comme décrits au fil de cette leçon, supprimez ou désactivez (en le renommant) le fichier des préférences d'Adobe Illustrator CS5 (pour en savoir plus, reportez-vous à la section "Rétablissement des préférences par défaut" de l'Introduction).

2. Lancez Adobe Illustrator CS5.

3. Choisissez Fichier > Ouvrir. Sélectionnez le fichier L3end_1.ai, qui se trouve dans le dossier Lesson03 sur votre disque dur. Il correspond à l'illustration terminée que vous allez créer. Choisissez Affichage > Tout ajuster à la fenêtre et laissez le fichier ouvert comme référence ou choisissez Fichier > Fermer.

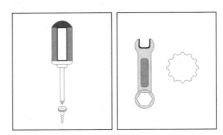

Note : Si vous n'avez pas encore copié les fichiers de cette leçon sur votre disque dur à partir du dossier Lesson03 du CD-ROM *Adobe Illustrator CS5 Classroom in a Book*, faites-le maintenant. Pour savoir comment procéder, consultez la section "Copie des fichiers d'exercices de *Classroom in a Book*" à la page 2.

Création d'un document à plans de travail multiples

Vous allez créer deux illustrations pour un manuel technique. Le document contiendra plusieurs plans de travail.

Note du traducteur : Nous conservons le pouce comme unité afin de préserver la cohérence du texte et des illustrations fournies sur le CD-ROM de l'ouvrage.

1. Choisissez Fichier > Nouveau pour créer un document sans titre. Dans la boîte de dialogue Nouveau document, saisissez le nom **outils**, choisissez Impression comme Nouveau profil de document (si ce n'est pas déjà le cas) et changez la valeur d'Unités en pouces. Lorsque vous modifiez les unités, le Nouveau profil de document devient [Personnalisé]. Gardez la boîte de dialogue ouverte pour l'étape suivante.

   En utilisant les profils de document, vous pouvez configurer un document destiné à différents types de supports, comme l'impression, le Web, la vidéo et d'autres. Par exemple, si vous créez la maquette d'une page web, vous pouvez employer le profil de document web, qui utilise automatiquement les pixels pour la taille de pages et les unités, sélectionne le mode de couleur RVB et fixe la résolution de l'écran (72 points par pouce).

Note : La valeur d'espacement correspond à la distance entre chaque plan de travail.

2. Fixez Nombre de plans de travail à **2** afin de créer deux plans de travail. Cliquez sur le bouton Réorganiser par rangée (⊞) et vérifiez que la flèche Passer à une disposition de droite à gauche (→) est affichée. Dans le champ de texte Espacement,

saisissez **1**. Saisissez **7** dans le champ Largeur et **8** dans le champ Hauteur. Cliquez sur OK.

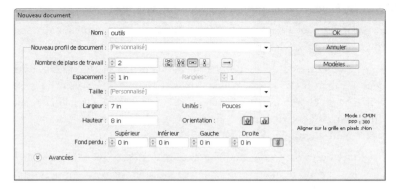

3. Choisissez Fichier > Enregistrer sous. Dans la boîte de dialogue Enregistrer sous, vérifiez que le nom du fichier est outils.ai et sélectionnez le dossier Lesson03. Choisissez Adobe Illustrator (*.AI) dans le menu Type (Windows) ou Adobe Illustrator (ai) dans le menu Format (Mac OS), puis cliquez sur Enregistrer. Dans la boîte de dialogue Options Illustrator, gardez les options par défaut et cliquez sur OK.

Configurer plusieurs plans de travail

Illustrator permet de créer de multiples plans de travail. Pour les configurer, il faut d'abord comprendre les paramètres initiaux des plans de travail de la boîte de dialogue Nouveau document. Après avoir indiqué le nombre de plans de travail de votre document, vous pouvez fixer l'ordre dans lequel ils seront agencés à l'écran. Voici les différentes options :

- **Grille par rangée.** Organise les plans de travail selon le nombre de rangées indiqué. Choisissez ce nombre dans le menu correspondant. La valeur par défaut crée l'aspect le plus carré possible selon le nombre de plans de travail indiqué.

- **Grille par colonne.** Organise les plans de travail selon le nombre de colonnes indiqué. Choisissez ce nombre dans le menu correspondant. La valeur par défaut crée l'aspect le plus carré possible selon le nombre de plans de travail indiqué.

- **Réorganiser par rangée.** Organise les plans de travail dans une rangée.

- **Réorganiser par colonne.** Organise les plans de travail dans une colonne.

- **Passer à une disposition de droite à gauche.** Organise les plans de travail selon le format de rangées ou de colonnes défini, en les affichant de droite à gauche.

Extrait de l'Aide d'Illustrator

4. Choisissez Sélection > Désélectionner (si cette entrée n'est pas grisée) afin d'être certain que rien n'est sélectionné dans aucun plan de travail. Ensuite, dans le panneau Contrôle, cliquez sur le bouton Configuration du document.

   Après la création du document, cliquez sur ce bouton pour modifier, entre autres, la taille du plan de travail, les unités ou les fonds perdus.

5. Dans la partie Fond perdu de la boîte de dialogue Format de document, donnez à Supérieur la valeur **0,125 in** en cliquant une fois sur la flèche vers le haut qui se trouve à gauche du champ ou en saisissant directement la valeur. Cliquez dans le champ Inférieur ou appuyez sur la touche Tab pour que tous les paramètres de fond perdu soient identiques. Cliquez sur OK.

   Vous voyez une ligne rouge qui s'affiche autour des deux plans de travail. Elle indique la zone de fond perdu. En général, les fonds perdus pour l'impression ont une taille d'environ 18 points.

À propos du fond perdu

Le fond perdu désigne la zone de l'illustration située en dehors du cadre d'impression ou en dehors des traits et des marques de coupe. Il représente en quelque sorte votre marge d'erreur afin de garantir que l'encre s'imprime toujours jusqu'au bord une fois la page rognée, ou que le positionnement de l'illustration respecte un filet technique défini sur la page.

Extrait de l'Aide d'Illustrator

Création de formes simples

Dans la première partie de cette leçon, vous créerez un tournevis à l'aide de formes de base, comme des rectangles, des ellipses, des rectangles arrondis et des polygones. L'exercice commence par la configuration de l'espace de travail.

1. Choisissez Fenêtre > Espace de travail > Les indispensables.

2. Choisissez Affichage > Règles > Afficher les règles, ou appuyez sur Ctrl+R (Windows) ou Cmd+R (Mac OS), pour afficher les règles le long des bords haut et gauche de la fenêtre, si ce n'est pas déjà le cas.

L'unité des règles est le pouce, car il s'agit de l'unité que nous avons choisie dans la boîte de dialogue Nouveau document. Vous pouvez la modifier pour tous les documents ou uniquement pour le document en cours. L'unité de la règle est employée pour mesurer, déplacer ou transformer des objets, ajuster l'espacement des grilles et des repères et créer des formes. Elle n'affecte pas les unités employées dans les panneaux Caractère, Paragraphe et Contour, lesquels sont contrôlés par les options indiquées dans la catégorie Unités des préférences du programme (Édition > Préférences [Windows] ou Illustrator > Préférences [Mac OS]).

Accéder aux outils de formes simples

Les outils de formes se trouvent sous l'outil Rectangle. Vous pouvez détacher ce groupe du panneau Outils pour l'afficher dans son propre panneau flottant.

1. Cliquez et maintenez sur l'outil Rectangle (▢) jusqu'à ce qu'un groupe d'outils apparaisse, puis faites glisser le pointeur jusqu'au petit triangle placé à l'extrémité et relâchez.

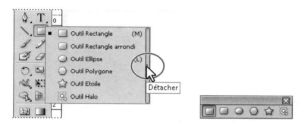

Note : En fonction de la résolution de l'écran, votre panneau Outils peut être sur une ou deux colonnes. Pour le faire passer d'une à deux colonnes, cliquez sur la double flèche située dans sa barre de titre.

2. Éloignez le groupe d'outils Rectangle du panneau Outils.

Les modes de dessin

Avant de commencer à dessiner des formes dans Illustrator, vous devez comprendre les trois modes de dessin disponibles au bas du panneau Outils : Dessin normal, Dessin arrière et Dessin intérieur.

Chaque mode de dessin permet de tracer des formes de manière différente.

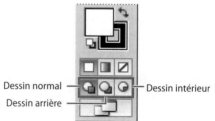

Dessin normal — Dessin intérieur
Dessin arrière

Note : Votre panneau Outils peut se trouver sur une colonne. Dans ce cas, pour sélectionner un mode de dessin, cliquez sur le bouton Modes de dessin (▣) situé au bas du panneau Outils et faites un choix dans le menu qui s'affiche.

- **Dessin normal**. C'est le mode de dessin par défaut pour chaque document ; les formes tracées se superposent les unes aux autres.

- **Dessin arrière.** Ce mode de dessin permet de dessiner des objets derrière d'autres objets sans choisir des calques ou sans prêter attention à l'ordre de superposition.

- **Dessin intérieur.** Ce mode de dessin permet de dessiner des objets ou de placer des images à l'intérieur d'autres objets, y compris du texte dynamique, ce qui crée automatiquement un masque d'écrêtage à partir de l'objet sélectionné.

Lorsque vous créerez des formes au fil des sections suivantes, vous emploierez les différents modes de dessin et vous verrez comment ils affectent les formes.

Note : Pour de plus amples informations sur les masques d'écrêtage, consultez la Leçon 15, "Graphiques Illustrator et autres applications Adobe".

Créer des rectangles

Vous allez commencer par dessiner une série de rectangles. Vous utiliserez les repères commentés pour aligner votre dessin et vous travaillerez avec deux modes de dessin.

1. Choisissez Affichage > Ajuster le plan de travail à la fenêtre.

2. Vérifiez que le champ Navigation dans le plan de travail, situé dans le coin inférieur gauche de la fenêtre de document, affiche "1". Cela indique que le premier plan de travail est sélectionné.

3. Choisissez Fenêtre > Transformation pour afficher le panneau du même nom.

   Le panneau Transformation permet de modifier les propriétés, comme la largeur et la hauteur, d'une forme existante.

4. Sélectionnez l'outil Rectangle (▭) et faites-le glisser à partir d'un point situé vers le centre supérieur du plan de travail, en allant vers le bas et la droite. Pendant cette opération, notez les informations qui s'affichent dans une boîte grise. Elles indiquent la largeur et la hauteur de la forme que vous dessinez ; il s'agit des libellés des dimensions, qui font partie des repères commentés. Faites glisser jusqu'à ce que le rectangle fasse 0,75 pouce de long et 2,5 pouces de haut.

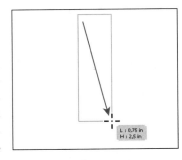

Ce rectangle représentera le manche du tournevis. Lorsque vous relâchez, le rectangle est automatiquement sélectionné et son point central s'affiche. Tous les objets créés avec l'un des outils de forme possèdent un point central utile pour les déplacer et les aligner en fonction d'autres éléments de l'illustration.

Note : On peut rendre le point central visible ou invisible à partir du panneau Options d'objet, mais on ne peut pas le supprimer.

5. Dans le panneau Transformation, notez les dimensions du rectangle. Si nécessaire, saisissez **0,75 in** (pouce) dans le champ de largeur (L) et **2,5 in** pour la hauteur (H).

6. Fermez le groupe du panneau Transformation en cliquant sur la croix dans le coin supérieur droit de la barre de titre (Windows) ou sur le point dans le coin supérieur gauche (Mac OS).

Vous allez à présent tracer un autre rectangle derrière celui que vous venez de dessiner, le premier étant centré sur le second, pour continuer le manche du tournevis.

Note : Si votre panneau Outils se trouve sur une colonne, cliquez sur le bouton Modes de dessin (▣) situé en bas de ce panneau pour choisir un mode de dessin dans le menu qui s'affiche.

7. Cliquez sur le bouton Dessin arrière situé en bas du panneau Outils. Tant que ce mode de dessin est sélectionné, chaque forme créée se trouvera derrière toutes les autres formes de la page.

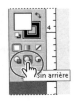

8. Avec l'outil Rectangle, amenez le pointeur sur le point central du premier rectangle : le mot "centre" apparaît à côté de lui. Appuyez sur la touche Alt (Windows) ou Option (Mac OS) et éloignez le pointeur du point central en diagonale vers le bas et la droite pour tracer un second rectangle. Lorsque les libellés des dimensions indiquent une hauteur de 2,5 in et une largeur d'environ 1,5 in, et qu'une ligne verte apparaît pour indiquer que vous êtes aligné sur le bas du rectangle existant, relâchez le bouton de la souris, puis la touche Alt ou Option.

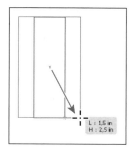

Lorsque vous faites glisser l'outil Rectangle tout en appuyant sur la touche Alt ou Option, vous tracez le rectangle à partir de son point central, non à partir de son angle supérieur gauche. Les repères commentés indiquent à quel moment vous êtes parfaitement aligné sur le bord du premier rectangle en affichant le texte "tracé". La nouvelle forme que vous venez de dessiner se trouve derrière la forme précédente.

À propos des repères commentés

Les repères commentés sont des repères temporaires qui s'affichent lorsque vous créez ou manipulez des objets ou des plans de travail. Ils permettent d'aligner, de modifier et de transformer des objets ou des plans de travail par rapport à d'autres objets et/ou d'autres plans de travail en les alignant et en affichant des emplacements X, Y et des valeurs de référence.

Vous pouvez utiliser les repères commentés de plusieurs manières :

- Lorsque vous créez un objet à l'aide des outils Plume ou Forme, aidez-vous des repères commentés pour insérer les points d'ancrage du nouvel objet par rapport à un objet existant. Lorsque vous créez un plan de travail, vous pouvez également les utiliser pour le positionner en fonction d'un autre plan de travail ou d'un objet.

- Lorsque vous créez un objet à l'aide des outils Plume ou Forme, ou lorsque vous transformez un objet, aidez-vous des repères commentés de construction pour insérer des points d'ancrage selon des angles prédéfinis, comme 45° ou 90°. Définissez ces angles dans les préférences de repères commentés.

- Lorsque vous déplacez un objet ou un plan de travail, utilisez les repères commentés pour aligner l'objet ou le plan sélectionné sur d'autres objets ou plans de travail. L'alignement repose sur la géométrie des objets et des plans de travail. Les repères apparaissent lorsque l'objet approche du bord ou du centre d'un autre objet.

- Lorsque vous faites pivoter ou déplacez un élément, les repères commentés vous serviront à l'aligner sur le dernier angle employé ou l'option d'alignement la plus proche.

- Lorsque vous transformez un objet, les repères commentés apparaissent automatiquement pour faciliter l'opération. Vous pouvez modifier leurs paramètres d'affichage dans les préférences des repères commentés.

Extrait de l'Aide d'Illustrator

9. Le nouveau rectangle étant toujours sélectionné, cliquez sur la couleur Fond (⬜▾) dans le panneau Contrôle et choisissez une nuance orange (survolez les nuances jusqu'à ce que l'info-bulle affiche C = **0**, M = **50**, J = **100**, N = **0**). La nouvelle forme, qui se trouve derrière le rectangle plus petit, est alors remplie.

Vous pouvez non seulement faire glisser un outil sur le plan de travail pour dessiner une forme, mais également le sélectionner puis cliquer sur le plan de travail pour ouvrir une boîte de dialogue présentant ses options. Vous allez à présent créer un rectangle arrondi à partir de cette méthode.

● **Note :** Puisque le nuancier a été affiché dans le panneau Contrôle à l'étape précédente, vous devrez peut-être cliquer deux fois sur le plan de travail pour voir la boîte de dialogue Rectangle.

10. L'outil Rectangle étant toujours sélectionné, positionnez le pointeur à gauche des autres rectangles et cliquez. La boîte de dialogue Rectangle s'affiche alors.

11. Dans la boîte de dialogue de l'outil, saisissez **0,3 in** dans le champ Largeur, appuyez sur la touche Tab et saisissez **3 in** dans le champ Hauteur. Cliquez sur OK.

12. Le nouveau rectangle étant sélectionné, cliquez sur la couleur Fond (▥▾) dans le panneau Contrôle et choisissez la nuance blanche.

13. Avec l'outil Sélection (▶), faites glisser le nouveau rectangle à partir de son centre de manière à aligner son bord supérieur sur le bord inférieur des autres rectangles et à l'aligner horizontalement avec eux. Le mot "intersection" apparaît.

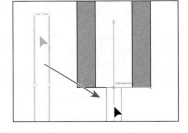

14. Choisissez Sélection > Désélectionner puis Fichier > Enregistrer.

Créer des rectangles arrondis

Vous allez ajouter un rectangle arrondi pour une autre partie de l'illustration en fixant des options dans une boîte de dialogue. Puisque le mode Dessin arrière est toujours actif, la prochaine forme sera dessinée derrière les formes présentes sur le plan de travail.

● **Note :** Lorsque vous saisissez des valeurs, si l'unité appropriée apparaît, par exemple in (inches) pour pouces, vous n'avez pas besoin de la saisir. En revanche, si l'unité affichée n'est pas correcte, vous devez la préciser et la conversion aura lieu.

1. Activez l'outil Rectangle arrondi (◻) et cliquez sur le plan de travail pour ouvrir la boîte de dialogue de l'outil. Saisissez **1,5** dans le champ Largeur, appuyez sur la touche Tab et saisissez **0,5** dans le champ Hauteur. Appuyez de nouveau sur Tab et tapez **0,2** dans le champ Rayon (le rayon indique la courbure des coins). Cliquez sur OK.

Par défaut, les formes sont remplies de blanc et leur contour est noir. Pour sélectionner et déplacer une forme dont le fond est coloré, il suffit de positionner le pointeur n'importe où à l'intérieur de la forme. Vous allez à présent utiliser les repères commentés pour aligner la forme que vous venez de dessiner avec les formes existantes.

2. Avec l'outil Sélection ( ), cliquez à l'intérieur du rectangle arrondi et faites-le glisser de manière à l'aligner horizontalement et verticalement au centre avec le bord inférieur du rectangle le plus large (voir figure). Lorsque le mot "intersection" et les lignes vertes s'affichent, relâchez.

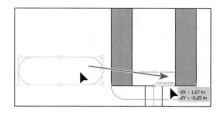

Astuce : La couleur des repères commentés est modifiable dans Édition > Préférences > Repères commentés (Windows) ou Illustrator > Préférences > Repères commentés (Mac OS).

3. Choisissez Sélection > Désélectionner.

Vous remarquerez que le rectangle se trouve derrière les autres rectangles que vous avez déjà créés. Vous placerez le rectangle du manche derrière le rectangle arrondi plus loin.

Vous avez travaillé en mode Aperçu, qui permet de voir comment les objets sont peints (dans notre cas, avec un fond blanc et un contour noir). Il peut toutefois arriver que les attributs de peinture soient gênants. Choisissez alors de travailler en mode Tracés.

4. Choisissez Affichage > Tracés pour passer du mode Aperçu au mode Tracés.

Vous allez ajouter une autre forme en dupliquant le rectangle arrondi.

5. Activez l'outil Sélection ( ), appuyez sur la touche Alt (Windows) ou Option (Mac OS) et faites glisser le bord inférieur (non un point) du rectangle arrondi vers le bas pour le dupliquer. Continuer jusqu'à ce que le mot "intersection" apparaisse pour indiquer que le centre de la forme est aligné avec le bas du premier rectangle arrondi. Relâchez le bouton de la souris, puis la touche.

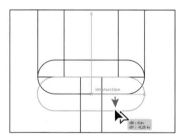

Note : La boîte grise qui apparaît lors du déplacement de la forme indique la distance du déplacement du pointeur par rapport aux axes X et Y.

Note : Le mode Tracés retire tous les attributs de peinture, comme le fond et le contour colorés, pour accélérer la sélection et l'actualisation de l'illustration. Vous ne pouvez pas sélectionner ou faire glisser des formes en cliquant dans leur milieu car le remplissage a temporairement disparu.

6. Tout en appuyant sur la touche Alt (Windows) ou Option (Mac OS), cliquez avec l'outil Sélection et faites glisser le point de sélection droit du deuxième rectangle arrondi vers le centre de la forme, jusqu'à ce que son bord droit soit aligné avec le bord droit du premier rectangle dessiné. Le mot "intersection" et une ligne verte apparaissent pour indiquer l'alignement avec le rectangle.

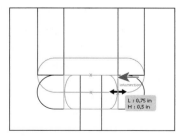

Le dessin avec les repères commentés peut être très pratique, notamment lorsque la précision est nécessaire. Si vous ne les trouvez pas utiles, vous pouvez les désactiver en choisissant Affichage > Repères commentés.

La grille de document

La grille qui s'affiche derrière l'illustration, et sur laquelle des objets peuvent être accolés, permet de travailler plus précisément dans la fenêtre de document. Elle n'apparaît pas à l'impression. Pour tirer parti de ses fonctionnalités, procédez de la manière suivante :

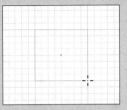

- Pour afficher la grille, choisissez la commande Affichage > Afficher la grille.

- Pour masquer la grille, choisissez la commande Affichage > Masquer la grille.

- Pour accoler un objet aux lignes de la grille, choisissez la commande Affichage > Magnétisme de la grille, sélectionnez l'objet à déplacer et faites-le glisser vers l'emplacement souhaité. Lorsqu'un côté de l'objet est à moins de deux pixels d'une ligne de la grille, il y est automatiquement accolé.

- Pour spécifier l'espacement entre les lignes de la grille, le style de la grille (lignes ou points), la couleur de la grille ou pour indiquer si les grilles doivent apparaître au premier plan ou à l'arrière-plan d'une illustration, choisissez la commande Édition > Préférences > Repères et grille (Windows) ou Illustrator > Préférences > Repères et grille (Mac OS).

Note : *Lorsque l'option Magnétisme de la grille est activée, vous ne pouvez pas utiliser les repères commentés (même si l'article de menu est coché).*

Extrait de l'Aide d'Illustrator

Créer des ellipses

Vous pouvez contrôler la forme des polygones, des étoiles et des ellipses en appuyant sur certaines touches pendant le dessin. Vous allez maintenant dessiner une ellipse pour représenter la partie supérieure du tournevis. Puisque le mode Dessin arrière est toujours actif, l'ellipse sera tracée derrière les autres formes.

1. Sélectionnez l'outil Ellipse ( ) dans le groupe de l'outil Rectangle. Positionnez le pointeur au-dessus du coin supérieur gauche du rectangle le plus large. Les mots "point d'ancrage" apparaissent. Commencez à faire glisser le pointeur vers le bas et la droite. Ne relâchez pas encore.

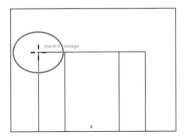

2. Déplacez le pointeur vers le bas et la droite jusqu'à ce qu'il arrive sur le bord droit du rectangle le plus large et que le mot "tracé" apparaisse. Sans relâcher, déplacez légèrement le pointeur vers le haut ou le bas jusqu'à ce que la hauteur soit égale à 1 pouce dans les libellés des dimensions affichés. Ne relâchez toujours pas.

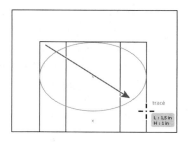

3. Appuyez sur la barre d'espacement et faites glisser l'ellipse légèrement vers le haut, tout en vous assurant que le mot "tracé" reste affiché. Cela permet de garantir que l'ellipse est toujours alignée sur le côté droit du rectangle le plus large. Relâchez le bouton de la souris lorsque la position et la taille sont conformes à celles données par la figure ci-contre, puis relâchez la barre d'espacement.

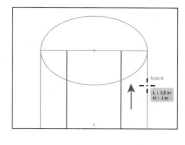

▶ **Astuce :** Pendant que vous tracez des formes, appuyez sur la touche Maj afin de contraindre les proportions. Dans le cas de l'ellipse, cela permet de créer un cercle parfait.

4. Choisissez Fenêtre > Transformation. Activez l'outil Sélection (▶) et cliquez sur le bord de l'ellipse pour la sélectionner. Notez la largeur indiquée dans le panneau Transformation. Cliquez ensuite sur le rectangle le plus large et vérifiez que les deux largeurs sont identiques. Dans le cas contraire, corrigez l'ellipse en saisissant la largeur de ce rectangle et en appuyant sur Entrée ou Retour.

5. Choisissez Sélection > Tout sur le plan de travail actif pour sélectionner uniquement les formes présentes sur ce plan de travail. Choisissez Objet > Associer pour les grouper.

6. Choisissez Sélection > Désélectionner puis Fichier > Enregistrer.

● **Note :** Si vous modifiez sa largeur dans le panneau Transformation, l'ellipse ne sera peut-être plus alignée avec les rectangles. Dans ce cas, avec l'outil Sélection, faites-la glisser horizontalement pour corriger son alignement.

Créer des polygones

Avec l'outil Polygone, vous allez à présent créer deux triangles pour l'extrémité du tournevis. Par défaut, les polygones sont dessinés à partir de leur centre, ce qui diffère des autres outils que vous avez utilisés jusqu'à présent.

1. Activez l'outil Zoom (🔍) et cliquez trois fois sur la partie inférieure du tournevis pour agrandir son affichage.

2. Activez l'outil Polygone (⬡) dans le groupe de l'outil Rectangle et positionnez le pointeur au-dessus du point central du rectangle (le mot "intersection" s'affiche, tout comme les repères d'alignement).

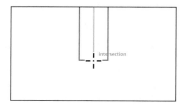

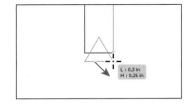

Astuce : Lorsque vous employez l'outil Polygone, les touches Flèche haut et Flèche bas permettent de modifier le nombre de côtés. Si vous souhaitez changer rapidement ce nombre tout en dessinant un polygone, appuyez sur l'une de ces touches pendant que vous faites glisser la forme.

3. Faites glisser l'outil pour commencer à dessiner un polygone mais ne relâchez pas. Appuyez trois fois sur la touche Flèche bas afin de réduire le nombre de côtés du polygone et obtenir un triangle. Appuyez ensuite sur la touche Maj afin de redresser le triangle. Sans relâcher la touche Maj, faites glisser le pointeur vers le bas et la droite jusqu'à ce que les libellés des dimensions indiquent que la largeur est égale à 0,3 pouce. Relâchez le bouton de la souris, puis la touche Maj.

4. La forme étant sélectionnée, dans le panneau Outils, double-cliquez sur l'outil Rotation (⟳) pour ouvrir la boîte de dialogue Rotation. Saisissez la valeur **180** pour l'angle, puis cliquez sur OK. Laissez la forme sélectionnée.

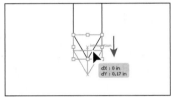

5. Avec l'outil Sélection (➤), faites glisser le bord supérieur du triangle, non un point, vers le bas de manière à le positionner sous le rectangle. Le mot "intersection" s'affiche lorsque l'alignement est correct.

Note : Puisque le mode Tracés est actif, vous devrez probablement tracer un rectangle de sélection sur les objets sélectionnés ou cliquer sur leur contour.

6. Maintenez la touche Maj et, avec l'outil Sélection, cliquez sur le bord des objets associés pour sélectionner le groupe et le triangle.

7. Dans le panneau Contrôle, cliquez sur le bouton Alignement horizontal au centre (⊞) pour aligner les objets les uns par rapport aux autres.

Note : Si vous ne voyez pas les options d'alignement dans le panneau Contrôle, cliquez sur le mot Alignement, ou choisissez Fenêtre > Alignement pour ouvrir le panneau du même nom.

8. Choisissez Sélection > Désélectionner puis Affichage > Aperçu.

Mode Dessin intérieur

Vous allez à présent apprendre à dessiner une forme à l'intérieur d'une autre en utilisant le mode de dessin Dessin intérieur.

Note : Si le panneau Outils se trouve sur une colonne, cliquez sur le bouton Modes de dessin situé en bas de ce panneau pour choisir un mode de dessin dans le menu qui s'affiche.

1. Sélectionnez à nouveau le triangle. Cliquez sur le bouton Dessin intérieur, qui se trouve au bas du panneau Outils.

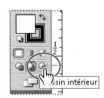

Ce bouton est actif lorsqu'une forme est sélectionnée. Il permet de dessiner à l'intérieur de celle-ci uniquement. Chaque nouvelle forme créée sera à présent tracée à l'intérieur de la forme sélectionnée.

2. Activez l'outil Ellipse (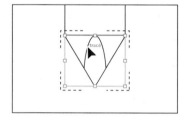). Vous allez tracer une forme à l'intérieur du triangle.

3. Positionnez le pointeur au-dessus du point inférieur du triangle. Tout en appuyant sur la touche Alt (Windows) ou Option (Mac OS), faites glisser vers le bas et la droite pour créer une ellipse dont la largeur est d'environ 0,18 pouce et dont le bord supérieur touche le bord supérieur du triangle. La précision n'est pas indispensable. Relâchez le bouton de la souris, puis la touche de modification.

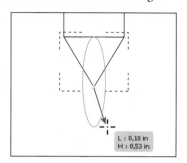

● **Note :** Si vous dessinez une forme en dehors du triangle, elle semblera disparaître. En effet, le triangle masque toutes les formes ajoutées et donc seules celles tracées à l'intérieur apparaissent.

4. Choisissez Sélection > Désélectionner.

Après avoir désélectionné la forme, vous noterez que seule une partie de l'ellipse est affichée. En effet, elle est masquée par le triangle. Ce dernier est également entouré de lignes pointillées. Elles indiquent que le mode Dessin intérieur est toujours actif et que le triangle est la forme à l'intérieur de laquelle se fait le dessin.

● **Note :** Le triangle masque une partie de l'ellipse et joue donc le rôle d'un masque d'écrêtage. Pour de plus amples informations concernant les masques d'écrêtage, consultez la Leçon 15, "Graphiques Illustrator et autres applications Adobe".

Vous allez à présent modifier l'ellipse qui se trouve à l'intérieur du triangle.

5. Avec l'outil Sélection (▶), cliquez sur l'ellipse. Notez que le triangle est sélectionné, non l'ellipse.

Pour sélectionner des formes à l'intérieur d'une autre forme, il faut tout d'abord passer par l'étape suivante.

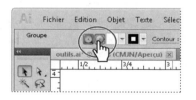

▶ **Astuce :** Vous pouvez retirer l'ellipse de l'intérieur du triangle en sélectionnant le triangle avec l'outil Sélection et en choisissant Objet > Masque d'écrêtage > Annuler. Cette opération produit deux formes séparées, l'une au-dessus de l'autre.

6. Le triangle étant sélectionné, cliquez sur le bouton Modifier le contenu (●) situé à gauche du panneau Contrôle.

Cela permet de modifier la forme de l'ellipse, à présent sélectionnée, qui se trouve à l'intérieur du rectangle.

7. Choisissez Affichage > Masquer le cadre de sélection.

Lorsque vous masquez le cadre de sélection, vous pouvez faire glisser une forme à partir de son bord sans craindre de déplacer une poignée du cadre de sélection et de la modifier.

8. Avec l'outil Sélection, faites glisser le point inférieur de l'ellipse, jusqu'à ce qu'il soit aligné sur le point inférieur du triangle.

9. Choisissez Affichage > Afficher le cadre de sélection.

▶ **Astuce :** Vous pouvez continuer à dessiner à l'intérieur du triangle. Vous pouvez également modifier le triangle et l'ellipse en double-cliquant sur le triangle avec l'outil Sélection de manière à passer en mode Isolation. À partir de là, vous pouvez modifier les deux formes indépendamment. Pour de plus amples informations sur le mode Isolation, consultez la Leçon 2, "Sélections et alignement".

10. Appuyez sur la touche Alt (Windows) ou Option (Mac OS) et faites glisser le point de sélection central droit de l'ellipse vers la gauche (vers le centre) pour la rendre plus étroite. Lorsque les libellés des dimensions affichent une largeur d'environ 0,1 pouce, relâchez le bouton de la souris, puis la touche de modification.

11. L'ellipse étant toujours sélectionnée, cliquez sur le bouton Modifier le masque d'écrêtage (◻) situé sur la gauche du panneau Contrôle. Cette opération entraîne la sélection de la forme du triangle, et vous ne pouvez plus sélectionner l'ellipse.

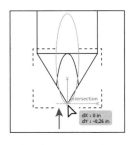 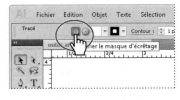

Faites glisser l'ellipse vers le haut. Redimensionnez l'ellipse. Arrêtez la modification de l'ellipse.

12. Choisissez Sélection > Désélectionner.

13. Cliquez sur le bouton Dessin normal, qui se trouve dans la partie inférieure du panneau Outils.

▶ **Astuce :** Si un objet est sélectionné et si le mode Dessin intérieur est actif, vous pouvez placer des images ou coller des objets à l'intérieur de l'objet sélectionné.

14. Choisissez Affichage > Ajuster le plan de travail à la fenêtre.

15. Avec l'outil Sélection, cliquez sur le rectangle situé entre le groupe du manche et le triangle inférieur. Notez qu'il fait partie d'un groupe.

16. Choisissez Objet > Dissocier puis Sélection > Désélectionner.

● **Note :** Pour de plus amples informations concernant la disposition des objets, consultez la Leçon 2, "Sélections et alignement".

17. Sélectionnez le rectangle situé entre le groupe du manche et le triangle inférieur.

18. Choisissez Objet > Disposition > Arrière-plan.

19. Choisissez Fichier > Enregistrer.

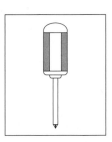

Modifier l'épaisseur et l'alignement d'un contour

Par défaut, les formes sont créées avec un contour d'épaisseur de 1 pt. Vous pouvez facilement modifier cette valeur pour rendre le contour plus fin ou plus épais. Les contours sont également, par défaut, alignés sur le centre d'un tracé, mais vous pouvez facilement changer cet alignement à l'aide du panneau Contour.

Vous allez à présent modifier l'épaisseur et l'alignement du contour du rectangle le plus petit du manche.

1. Avec l'outil Sélection (➤), cliquez pour sélectionner le plus petit rectangle au centre du manche.

2. Dans le panneau Outils, activez l'outil Zoom (🔍) et cliquez trois fois sur la partie supérieure de la forme sélectionnée.

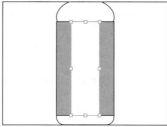

3. Ouvrez le panneau Contour en cliquant sur son icône (▤) à droite de l'espace de travail ou en cliquant sur le mot Contour dans le panneau Contrôle.

4. Dans le panneau Contour, choisissez **4 pt** dans le menu Graisse.

Vous remarquerez que le contour du rectangle blanc annule l'alignement des bords supérieurs et inférieurs des deux rectangles. En effet, un contour est centré par défaut sur le bord de la forme.

5. Dans le panneau Contour, cliquez sur le bouton Contour aligné sur l'intérieur (▣). Ainsi, le contour est aligné sur le bord intérieur de la forme.

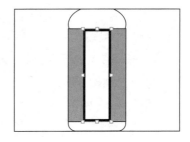

Le contour est fixé à l'intérieur du rectangle blanc afin que les bords supérieurs et inférieurs des rectangles orange et du rectangle blanc restent visuellement alignés.

6. Choisissez Affichage > Ajuster le plan de travail à la fenêtre.

7. Choisissez Sélection > Tout sur le plan de travail actif puis Objet > Associer.

8. Choisissez Fichier > Enregistrer.

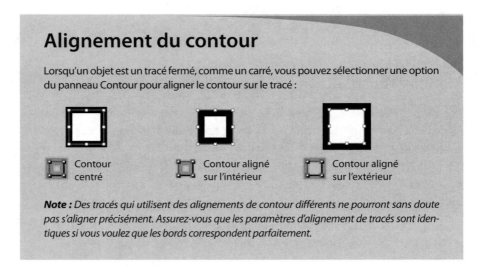

Alignement du contour

Lorsqu'un objet est un tracé fermé, comme un carré, vous pouvez sélectionner une option du panneau Contour pour aligner le contour sur le tracé :

Contour centré

Contour aligné sur l'intérieur

Contour aligné sur l'extérieur

Note : Des tracés qui utilisent des alignements de contour différents ne pourront sans doute pas s'aligner précisément. Assurez-vous que les paramètres d'alignement de tracés sont identiques si vous voulez que les bords correspondent parfaitement.

Manipuler les segments de ligne

Vous allez à présent manipuler les lignes droites et les segments de ligne, ou tracés ouverts, afin de créer une vis pour le tournevis. Des formes peuvent être créées de nombreuses manières, la plus simple étant souvent la meilleure.

● **Note :** Vous devrez peut-être déplacer le groupe de formes avec l'outil Sélection si vous manquez de place pour continuer le dessin.

1. Dans le panneau Outils, activez l'outil Zoom (🔍) et cliquez quatre fois sous l'extrémité du tournevis.

2. Cliquez sur Les indispensables dans le commutateur d'espace de travail de la barre d'application.

3. Sélectionnez l'outil Ellipse (⬤). Dessinez une ellipse de 0,6 pouce de largeur et de 0,3 pouce de hauteur, approximativement centrée sur la pointe du tournevis (aidez-vous des libellés des dimensions).

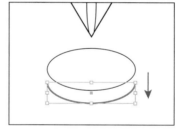

▶ **Astuce :** Grâce au zoom sur le plan de travail, vous disposez d'un contrôle plus fin sur la taille de la forme que vous dessinez.

4. Dans le panneau Contrôle, cliquez sur la couleur de fond (▢▾) et choisissez [Sans] (⬚). Vérifiez également que l'épaisseur du contour est de 1 pt. Laissez l'ellipse sélectionnée.

5. Avec l'outil Sélection directe (▷), tracez le rectangle de sélection au travers de la partie inférieure de l'ellipse afin d'en sélectionner la moitié inférieure.

● **Note :** Lorsque vous tracez le rectangle de sélection, assurez-vous de ne pas inclure les points aux extrémités gauche et droite de l'ellipse.

▶ **Astuce :** Pour masquer le menu Nuancier qui s'affiche dans le panneau Contrôle lorsque vous changez la couleur de fond, appuyez sur la touche Échap.

6. Choisissez Édition > Copier puis Édition > Coller devant pour obtenir un nouveau tracé qui se trouve directement sur l'original.

   Seule la moitié inférieure de l'ellipse est copiée-collée comme un seul tracé car vous l'avez sélectionnée avec l'outil Sélection directe.

7. Activez l'outil Sélection et appuyez huit fois sur la touche Flèche bas pour déplacer vers le bas le nouveau tracé.

   Vous pouvez également le faire glisser, mais cette méthode donne un meilleur contrôle.

8. Dans le panneau Outils, sélectionnez l'outil Trait (╲). Appuyez sur la touche Maj pendant que vous tracez une ligne à partir du point d'ancrage gauche de l'ellipse vers le point d'ancrage gauche du nouveau tracé. Les points d'ancrage sont mis en surbrillance lorsque le trait s'y attache. Relâchez le bouton de la souris et la touche de modification. Répétez la même opération sur le côté droit de l'ellipse.

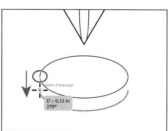

9. Choisissez Sélection > Désélectionner.

10. Choisissez Fichier > Enregistrer.

Vous allez ensuite prendre les trois segments de ligne qui composent la tête de la vis et les joindre pour qu'ils forment un seul tracé.

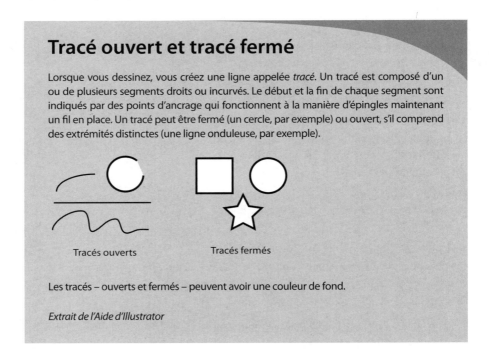

Tracé ouvert et tracé fermé

Lorsque vous dessinez, vous créez une ligne appelée *tracé*. Un tracé est composé d'un ou de plusieurs segments droits ou incurvés. Le début et la fin de chaque segment sont indiqués par des points d'ancrage qui fonctionnent à la manière d'épingles maintenant un fil en place. Un tracé peut être fermé (un cercle, par exemple) ou ouvert, s'il comprend des extrémités distinctes (une ligne onduleuse, par exemple).

Tracés ouverts   Tracés fermés

Les tracés – ouverts et fermés – peuvent avoir une couleur de fond.

Extrait de l'Aide d'Illustrator

Joindre des tracés

Lorsque plusieurs tracés ouverts sont sélectionnés, vous pouvez les joindre afin de créer un tracé fermé, comme un cercle. Vous pouvez également joindre les extrémités de deux tracés séparés.

Vous allez à présent joindre les trois tracés afin de créer un seul tracé ouvert.

1. Dans le panneau Outils, activez l'outil Sélection ( ).

2. Appuyez sur la touche Maj et cliquez sur les trois tracés pour les sélectionner tous.

> **Astuce :** Après avoir sélectionné les tracés, vous pouvez également les joindre en appuyant sur Ctrl+J (Windows) ou Cmd+J (Mac OS).

3. Choisissez Objet > Tracé > Joindre.

Les trois tracés sont convertis en un seul. Illustrator identifie les points d'ancrage aux extrémités de chacun d'eux et joint les points les plus proches. Pour tester ce fonctionnement, désélectionnez la forme, sélectionnez-la

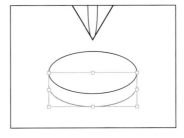

de nouveau, puis éloignez-la vers le bas. Si vous faites ce test, choisissez Édition > Annuler Déplacement.

4. Le tracé étant sélectionné, choisissez à nouveau Objet > Tracé > Joindre. En connectant les deux extrémités du tracé, vous créez un tracé fermé.

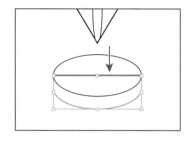

Si vous sélectionnez un seul tracé ouvert et choisissez Objet > Tracé > Joindre, Illustrator crée un segment entre les extrémités du tracé ouvert de manière à créer un tracé fermé.

● **Note :** Si vous souhaitez uniquement remplir la forme avec une couleur, il n'est pas indispensable de joindre les points pour créer un tracé fermé. En effet, un tracé ouvert peut avoir une couleur de fond. En revanche, cette opération est indispensable si vous souhaitez qu'un contour apparaisse autour de la zone remplie.

5. Depuis le panneau Contrôle, choisissez une couleur de fond gris clair (N = **20**).

6. Choisissez Objet > Disposition > Arrière-plan.

7. Cliquez sur le tracé de l'ellipse afin de la sélectionner. Dans le panneau Contrôle, cliquez sur la couleur de fond (⬚) et choisissez Blanc. Ainsi, la forme que vous venez de placer à l'arrière-plan est recouverte.

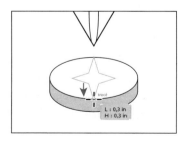

● **Note :** Pour sélectionner un tracé sans remplissage, vous devez cliquer dessus ou utiliser un rectangle de sélection.

8. Appuyez sur la touche Maj et, avec l'outil Sélection, cliquez sur la forme grise sous l'ellipse sélectionnée pour l'ajouter à la sélection. Choisissez Objet > Associer.

9. Le groupe étant toujours sélectionné, choisissez Objet > Verrouiller > Sélection. Cette opération verrouille temporairement le groupe afin qu'il ne puisse pas être sélectionné par mégarde.

Créer des étoiles

Vous allez à présent utiliser l'outil Étoile pour créer une étoile qui représentera la forme de la tête de la vis.

1. Sélectionnez l'outil Étoile (☆) dans le groupe de l'outil Ellipse (⬤) du panneau Outils. Placez le pointeur au centre de l'ellipse. Notez l'affichage du mot "centre".

Cliquez et faites glisser vers la droite afin de créer une étoile. Sans relâcher le bouton de la souris, appuyez une fois sur la touche Flèche bas pour obtenir quatre branches.

▶ **Astuce :** Cette étape fait appel à plusieurs commandes au clavier pour dessiner l'étoile. Réalisez-la lentement et comprenez chaque commande de dessin.

Ensuite, appuyez sur la touche Ctrl (Windows) ou Cmd (Mac OS) et continuez à faire glisser vers la droite. Ainsi, le rayon intérieur reste constant. Maintenez appuyé le bouton de la souris, relâchez la touche Ctrl ou Cmd puis appuyez sur la touche Maj. Redimensionnez l'étoile jusqu'à ce qu'elle soit ajustée à l'ellipse (environ 0,3 pouce de large et de haut). Relâchez le bouton de la souris, puis la touche Maj.

2. Activez l'outil Sélection. Appuyez sur la touche Alt (Windows) ou Option (Mac OS), cliquez sur le point d'ancrage supérieur central et faites-le glisser vers le bas jusqu'à ce que la hauteur de l'étoile soit d'environ 0,2 pouce. Cette opération redimensionne les deux côtés de l'étoile, lui donnant un aspect plus réaliste. Relâchez le bouton de la souris, puis la touche de modification.

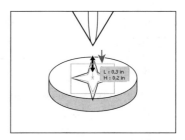

3. Dans le panneau Contrôle, sélectionnez l'épaisseur de contour 0,5 pt. Cliquez sur la couleur de fond et choisissez la nuance Blanc.

4. Choisissez Objet > Tout déverrouiller.

5. Choisissez Sélection > Désélectionner puis Fichier > Enregistrer.

L'outil Gomme

L'outil Gomme permet d'effacer n'importe quelle partie de l'illustration, quelle que soit sa structure. Vous pouvez l'employer sur des tracés, des tracés transparents, des tracés à l'intérieur des groupes de peinture dynamique et des masques.

1. Dans le panneau Outils, activez l'outil Zoom (🔍) et cliquez deux fois sur l'étoile que vous venez de créer.

2. Sélectionnez l'étoile avec l'outil Sélection (▶).

   En sélectionnant l'étoile, vous effacerez uniquement la forme de départ et rien d'autre. Si la sélection est vide, vous pouvez effacer tout objet que l'outil touchera.

3. Dans le panneau Outils, activez l'outil Gomme (✐). Le pointeur étant positionné sur le plan de travail, appuyez plusieurs fois sur la touche Crochet ouvrant ([) pour réduire le diamètre de la gomme.

Note : Si rien ne semble se produire lorsque vous opérez, effacez une zone plus importante de l'étoile en bas et en haut. Agrandissez l'affichage pour faciliter l'opération.

4. Positionnez le pointeur à gauche du point inférieur de l'étoile. Appuyez sur Maj et faites glisser le long du point inférieur de l'étoile afin d'effacer le bout de la branche. Répétez la même opération pour le point supérieur de l'étoile. Le tracé reste fermé (les extrémités effacées sont reliées).

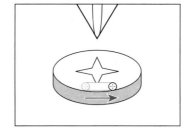

5. Choisissez Sélection > Désélectionner.

6. Choisissez Affichage > Ajuster le plan de travail à la fenêtre.

7. Choisissez Fichier > Enregistrer.

L'outil Largeur

Vous pouvez ajuster non seulement l'épaisseur et l'alignement d'un contour, mais également modifier la largeur d'un contour normal avec l'outil Largeur (🖋) ou en lui appliquant des profils. Cela permet de faire varier le contour d'un tracé.

Vous allez à présent employer l'outil Largeur pour terminer l'illustration.

1. Dans le panneau Outils, activez l'outil Zoom (🔍), puis cliquez trois fois sur l'ellipse qui se trouve dans la partie supérieure du manche du tournevis.

2. Avec l'outil Sélection (▶), double-cliquez sur le groupe qui contient le rectangle orange de manière à passer en mode Isolation. Sélectionnez l'ellipse et appuyez sur la touche Suppr pour la supprimer.

   Vous allez vous servir de l'outil Largeur pour simplifier le dessin.

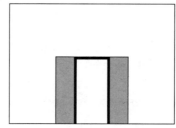

3. Sélectionnez le plus petit rectangle blanc et choisissez Objet > Masquer > Sélection pour le masquer temporairement.

Avec l'outil Largeur, vous allez modifier la largeur du contour supérieur du rectangle orange. Ainsi, vous créerez la partie arrondie du manche (constitué précédemment de l'ellipse) en faisant simplement glisser le contour du rectangle.

4. Sélectionnez le rectangle orange.

5. Dans le panneau Outils, activez l'outil Largeur (🖋).

6. Positionnez le pointeur à droite du coin supérieur gauche du rectangle orange (sur le bord supérieur). Notez le symbole plus (+) à côté du pointeur (▶₊).

7. Faites glisser le pointeur en l'éloignant du rectangle orange. Pendant cette opération, notez que le contour s'élargit vers le haut et le bas de manière égale. Relâchez lorsque les libellés des dimensions affichent la valeur 0,5 pouce pour Côté 1 et Côté 2.

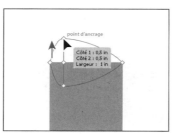
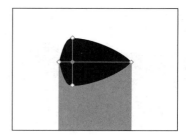

Note : Avec l'outil Largeur, vous modifiez uniquement le contour de l'objet.

8. Choisissez Édition > Annuler Remplacement du point de largeur pour revenir aux paramètres d'épaisseur de contour précédents.

9. Positionnez le pointeur au-dessus du même point du bord supérieur du rectangle orange, à côté mais non sur l'angle supérieur gauche. Cette fois-ci, appuyez sur la touche Alt (Windows) ou Option (Mac OS) et éloignez le pointeur d'environ 0,5 pouce du bord supérieur. Relâchez le bouton de la souris, puis la touche de modification.

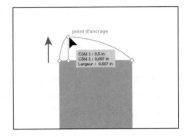

La touche de modification permet de modifier un côté du contour non les deux, comme c'était le cas précédemment.

▶ **Astuce :** Pour ajuster le contour que vous avez éloigné du bord supérieur du rectangle orange, faites glisser le point supérieur du contour à l'aide de l'outil Largeur.

10. Positionnez le pointeur au-dessus du nouveau point au sommet du rectangle orange (entouré sur la figure) et faites-le glisser vers la droite jusqu'à voir apparaître le mot "intersection".

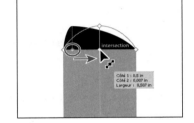

Vous alignez ainsi le point avec le centre des formes et obtenez un contour équilibré.

11. Choisissez Sélection > Désélectionner.

12. Positionnez le pointeur à environ mi-chemin du point que vous venez de déplacer et du coin supérieur droit du rectangle orange. Notez le symbole plus (+) à côté du pointeur (▶+). Il indique que vous ajoutez un autre point. Faites glisser le nouveau point et remodelez le contour.

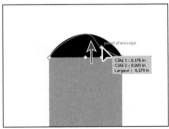

Vous pouvez ajouter plusieurs points au contour pour le remodeler. Chaque fois que vous faites glisser vers le haut ou le bas depuis le contour, vous ajoutez un point qui peut ensuite être modifié. Notez la présence d'un nouveau point bleu sur la bordure du rectangle orange.

Vous allez à présent supprimer ce point.

▶ **Astuce :** Pour annuler toutes les modifications du contour, vous pouvez choisir Uniforme dans le menu Profil de largeur variable du panneau Contrôle.

13. Normalement, le point du tracé doit toujours être sélectionné. Appuyez sur Suppr pour le supprimer.

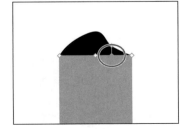

Note : Si vous devez à nouveau sélectionner le point avant de le supprimer, cliquez dessus avec l'outil Largeur.

14. Dans le panneau Outils, activez l'outil Sélection (▶) et assurez-vous que le rectangle orange est sélectionné. Dans le panneau Contrôle, cliquez sur la couleur de contour (■▾) et choisissez un gris foncé (C = **0**, M = **0**, J = **0**, N = **80**). Le contour de la bordure du rectangle orange, y compris le contour que vous venez de modifier, prend alors cette couleur gris foncé.

15. Choisissez Sélection > Désélectionner.

16. Appuyez sur la touche Échap pour quitter le mode Isolation.

17. Choisissez Affichage > Ajuster le plan de travail à la fenêtre puis Objet > Tout afficher.

Vous allez à présent créer le corps de la vis dans la partie inférieure du plan de travail en traçant un trait et en employant l'outil Largeur.

1. Dans le panneau Outils, activez l'outil Zoom (🔍) et cliquez trois fois juste au-dessus de la tête de vis qui se trouve dans la partie inférieure du plan de travail.

2. Choisissez l'outil Trait (╲) et positionnez le pointeur dans la partie inférieure et au centre de la tête de la vis. Appuyez sur la touche Maj et faites glisser tout droit vers le bas pour créer un trait d'environ 0,75 pouce de long. Relâchez le bouton de la souris, puis la touche de modification.

3. À partir du panneau Contrôle, changez la couleur de fond du trait à Noir.

4. Dans le panneau Outils, activez l'outil Largeur (🖌). Juste en dessous de la tête de vis, positionnez le pointeur sur le trait et faites glisser vers la droite pour étendre le contour du trait. Continuez jusqu'à ce que les libellés des dimensions affichent une largeur d'environ 0,25 pouce.

5. Double-cliquez sur le nouveau point (sur le trait) pour ouvrir la boîte de dialogue Modification du point de largeur. Cela vous permet d'ajuster les côtés, ensemble ou séparément, de manière plus précise. Cliquez sur le bouton Ajuster la largeur proportionnellement (▯) pour lier Côté 1 et Côté 2 (il doit apparaître de la manière suivante : ▮). Fixez Largeur totale à **0,2 in**. Cliquez sur OK. Notez que la case Ajuster les points de largeur adjacents permet d'ajuster également les autres points de largeur qui se trouvent sur le contour.

▶ **Astuce :** Vous pouvez utiliser la boîte de dialogue Modification du point de largeur pour être certain que les points de largeur seront identiques.

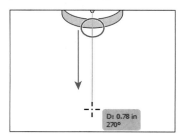

Tracez le trait.

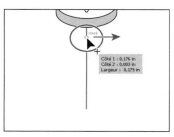

Faites glisser pour modifier le contour.

Modifiez le point de largeur.

Note : Vous voudrez peut-être agrandir l'affichage pour les prochaines étapes.

6. L'outil Largeur étant sélectionné, positionnez le pointeur au-dessus du point de largeur que vous venez de créer. Appuyez sur la touche Alt (Windows) ou Option (Mac OS) et faites glisser le point jusqu'à atteindre l'extrémité du trait. Relâchez le bouton de la souris, puis la touche.

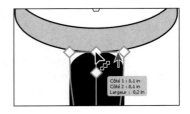

En faisant glisser un point de largeur avec cette touche de modification, vous créez une copie et un segment de ligne plus droit.

7. Positionnez le pointeur sous le premier point créé, juste à droite du centre du trait. Un symbole plus se trouve à côté du pointeur (▶₊). Faites glisser vers la gauche ou la droite pour créer un nouveau point, jusqu'à atteindre une largeur d'environ 0,06 pouce.

Astuce : Après avoir créé un nouveau point, vous pouvez le déplacer pour le repositionner sur le trait avec l'outil Largeur ou le supprimer en le sélectionnant et en appuyant sur Suppr.

8. Sous le point de largeur de 0,06 pouce que vous venez de créer, faites glisser à nouveau vers la droite pour élargir le contour. Répétez cette procédure tout le long du trait vers le bas, en alternant des contours larges et étroits. Réduisez les largeurs à mesure que vous progressez vers l'extrémité du trait (voir figure).

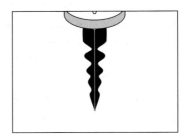

Astuce : Vous pouvez faire glisser un point de largeur au-dessus d'un autre pour créer un point de largeur discontinu. Si vous double-cliquez sur un point de largeur discontinu, la boîte de dialogue Modification du point de largeur permet de modifier les deux points de largeur.

9. Appuyez sur la touche Maj et, avec l'outil Largeur, faites glisser légèrement le deuxième point de largeur vers le bas. Notez que tous les points de largeur se déplacent ensemble et proportionnellement. Relâchez le bouton de la souris, puis la touche de modification.

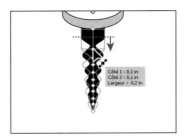

10. Dans le panneau Outils, activez l'outil Sélection et laissez le trait sélectionné.

Voilà l'une des nombreuses méthodes pour créer une forme complexe : à partir d'une forme simple et avec l'outil Largeur.

11. Choisissez Fichier > Enregistrer.

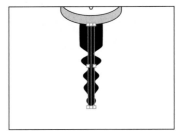

Vectoriser des contours

Par défaut, les tracés, comme les traits, peuvent avoir une couleur de contour mais pas de couleur de fond. Si vous créez un trait dans Illustrator et si vous souhaitez lui appliquer un contour et un fond, vous devez le vectoriser afin de le convertir en une forme fermée (ou tracé transparent).

Vous allez vectoriser le contour de la vis que vous venez de créer.

1. Le trait étant toujours sélectionné, choisissez [Sans] dans la couleur de fond (⟋▾) du panneau Contrôle, si elle n'est pas déjà activée.

2. Choisissez Objet > Tracé > Vectoriser le contour. Cette opération crée une forme pleine qui correspond à un tracé.

3. La nouvelle forme étant sélectionnée, cliquez sur la couleur de fond (■▾) dans le panneau Contrôle et changez-la en Blanc. Ensuite, cliquez sur la couleur de contour (⟋▾) et choisissez Noir.

4. Choisissez Objet > Disposition > Arrière-plan.

5. Appuyez plusieurs fois sur la touche Flèche haut pour déplacer la forme sous la tête de vis.

6. Choisissez Affichage > Ajuster le plan de travail à la fenêtre.

7. Choisissez Sélection > Désélectionner puis Fichier > Enregistrer.

▶ **Astuce :** En vectorisant un contour, vous pouvez lui ajouter un dégradé ou le séparer et remplir deux objets distincts.

● **Note :** Si le trait possède initialement une couleur de fond, un groupe plus complexe est créé lorsque vous choisissez Vectoriser le contour.

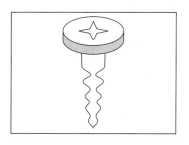

Combinaison et modification de formes

Dans Illustrator, vous pouvez combiner des objets vectoriels de différentes manières. Les tracés ou les formes résultantes diffèrent selon la méthode employée pour combiner les tracés. La première méthode qui sera présentée se fonde sur l'outil Concepteur de forme (). Il permet de fusionner, de supprimer, de remplir et de modifier des formes et des tracés superposés directement sur le plan de travail, cela de manière visuelle et intuitive.

L'outil Concepteur de forme

Vous allez terminer l'illustration d'une clé en utilisant des formes et l'outil Concepteur de forme.

1. Cliquez sur le bouton Suivant (▸) dans le coin inférieur gauche de la fenêtre de document de manière à passer au second plan de travail.

2. Choisissez Fichier > Ouvrir et sélectionnez le fichier wrench.ai dans le dossier Lesson03 sur votre disque dur.

3. Dans le panneau Outils, activez l'outil Sélection (▸), puis choisissez Sélection > Tout.

4. Choisissez Édition > Copier puis Fichier > Fermer pour fermer le fichier wrench.ai.

5. Dans le document outils.ai, choisissez Édition > Coller puis Sélection > Désélectionner.

Dans la partie supérieure de la clé, vous trouvez quatre formes grises : une ellipse, deux rectangles arrondis et un rectangle placé devant. Vous allez les utiliser pour créer l'extrémité de la clé.

6. Dans le panneau Outils, activez l'outil Zoom (🔍) et cliquez trois fois sur ces formes grises pour agrandir l'affichage.

7. Avec l'outil Sélection, tracez un rectangle de sélection sur les quatre formes grises.

8. Les formes étant sélectionnées, choisissez l'outil Concepteur de forme () dans le panneau outils.

Avec l'outil Concepteur de forme, vous allez à présent combiner, supprimer et peindre ces formes.

▶ **Astuce :** Si vous augmentez le facteur de zoom, vous verrez mieux les formes que vous combinez.

9. Positionnez le pointeur au-dessus de la partie gauche du grand cercle gris qui se trouve sous les formes sélectionnées (voir la croix rouge sur la figure). Faites glisser jusqu'à ce que le pointeur touche une partie de la forme rectangulaire. Servez-vous de la figure comme guide. Relâchez pour combiner les formes.

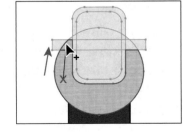

Lorsque vous activez l'outil Concepteur de forme alors que des formes sont sélectionnées, les formes superposées sont temporairement divisées en objets séparés. Lorsque vous faites glisser depuis une partie vers une autre, un contour rouge apparaît afin de révéler la forme finale qui sera obtenue par la fusion des formes.

10. Sur le côté droit des formes grises, faites glisser l'outil Concepteur de forme depuis le cercle jusqu'à ce que le pointeur touche le côté droit du rectangle (voir figure).

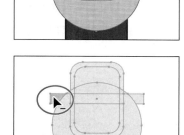

Vous avez combiné les parties principales de l'extrémité de la clé. Vous allez à présent supprimer les formes inutiles.

11. Les formes étant toujours sélectionnées, appuyez sur la touche Alt (Windows) ou Option (Mac OS) et cliquez sur la partie gauche du rectangle pour la supprimer.

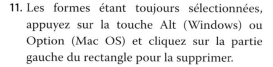

Vous aurez noté que, lorsque vous appuyez sur la touche de modification, un symbole moins (–) apparaît sur le pointeur (▶_).

12. Répétez la procédure pour supprimer l'extrémité droite du rectangle.

Vous allez à présent supprimer un ensemble de formes à l'aide de l'outil Concepteur de forme.

13. L'outil Concepteur de forme étant actif, positionnez le pointeur dans la partie inférieure du rectangle arrondi. Appuyez sur la touche Alt (Windows) ou Option (Mac OS) et faites glisser vers la forme supérieure pour la supprimer. Relâchez le bouton de la souris, puis la touche de modification.

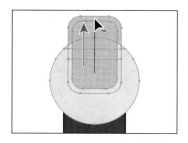

Notez que toutes les formes qui seront supprimées sont repérées pendant que vous faites glisser.

14. Appuyez sur les touches Maj+Alt (Windows) ou Maj+Option (Mac OS) et, avec l'outil Concepteur de forme, tracez un rectangle de sélection sur les quatre formes supérieures qui créent les pointes de la clé. Cette opération va les supprimer. Commencez par relâcher le bouton de la souris, puis les touches de modification.

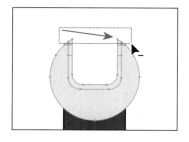

La touche Maj permet de tracer un rectangle de sélection autour des formes au lieu de faire glisser au travers.

15. Les formes étant toujours sélectionnées, depuis le panneau Contrôle, fixez la couleur de fond (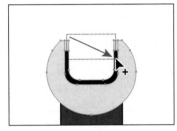) à Noir. Rien n'est modifié sur le plan de travail.

La prochaine forme sur laquelle vous cliquerez avec l'outil Concepteur de forme aura un fond noir.

Vous allez à présent combiner les formes restantes.

16. Avec l'outil Concepteur de forme, cliquez sur la forme en U : son fond devient noir.

Vous pouvez appliquer un fond à n'importe quelle forme en commençant par sélectionner la couleur de fond, puis en cliquant sur la forme.

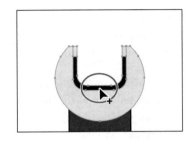

▶ **Astuce :** Cette sélection nécessite une certaine précision. Vous pouvez donc utiliser le zoom pour agrandir l'affichage. Si vous obtenez des résultats inattendus, choisissez Édition > Annuler Fusion et recommencez.

17. Appuyez sur la touche Maj et tracez un rectangle de sélection sur les formes intérieures pour les fusionner. Relâchez tout d'abord le bouton de la souris, puis la touche.

18. Dans le panneau Outils, double-cliquez sur l'outil Concepteur de forme afin d'ouvrir la boîte de dialogue Options de l'outil Concepteur de forme.

▶ **Astuce :** Pour de plus amples informations concernant l'outil Concepteur de forme et les options disponibles dans sa boîte de dialogue, consultez la rubrique "Concepteur de forme" dans l'Aide d'Illustrator.

19. Dans la boîte de dialogue Options de l'outil Concepteur de forme, choisissez Illustration dans le menu Sélectionner une couleur à partir de. Ce paramètre spécifie que, lorsque vous fusionnerez des formes, la première forme sur laquelle vous ferez glisser déterminera la couleur de fond de la forme finale. Cliquez sur OK.

20. Choisissez Sélection > Tout sur le plan de travail actif. Notez que la couleur de fond dans le panneau Contrôle passe à Noir.

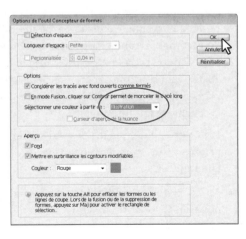

21. Faites glisser l'outil Concepteur de forme depuis la forme circulaire grise supérieure vers le rectangle gris foncé inférieur (au-dessus de la forme orange). Cette opération fusionne l'extrémité et le corps de la clé afin de créer une seule forme.

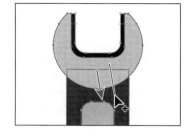

Notez que la forme résultante prend la couleur gris clair de l'extrémité de la clé. En effet, vous avez choisi Sélectionner une couleur à partir de l'illustration dans la boîte de dialogue Options de l'outil Concepteur de formes.

22. Choisissez Sélection > Désélectionner puis Fichier > Enregistrer.

Les effets Pathfinder

Dans le panneau Pathfinder, les effets Pathfinder permettent de combiner des formes de différentes manières afin de créer des tracés ou des groupes de tracés par défaut. Lorsqu'un effet Pathfinder est appliqué, par exemple Fusion, les objets d'origine sélectionnés sont transformés de manière permanente. Si le résultat de l'effet produit plusieurs formes, elles sont automatiquement associées.

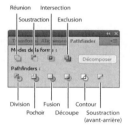

À présent, vous allez créer l'autre extrémité de la clé à l'aide des effets Pathfinder.

1. Choisissez Affichage > Ajuster le plan de travail à la fenêtre.

2. Choisissez Fenêtre > Pathfinder pour ouvrir le panneau correspondant.

3. Dans le panneau Outils, activez l'outil Polygone (⬡). Cliquez sur le plan de travail afin d'ouvrir la boîte de dialogue Polygone. Saisissez **0,4 in** dans le champ Rayon et **6** dans le champ Côtés. Cliquez sur OK.

4. Activez l'outil Sélection (▶), appuyez sur la touche Maj et cliquez sur le cercle inférieur de la clé. Relâchez la touche Maj, puis cliquez à nouveau sur le cercle pour en faire l'objet clé. Dans le panneau Contrôle, cliquez sur le bouton Alignement horizontal au centre (⬓) et sur le bouton Alignement vertical au centre (⬒) pour aligner les objets l'un par rapport à l'autre.

> **Note :** Si les options d'alignement ne sont pas visibles, cliquez sur le mot Alignement dans le panneau Contrôle de manière à ouvrir le panneau Alignement. Vous pouvez également choisir Fenêtre > Alignement.

5. Les formes étant sélectionnées, dans le panneau Pathfinder, cliquez sur le bouton Soustraction (⬚). La nouvelle forme étant sélectionnée, remarquez les mots "tracés transparents" sur le côté gauche du panneau Contrôle.

6. Avec l'outil Zoom (🔍), cliquez deux fois sur le contenu sélectionné pour agrandir l'affichage.

Astuce : Pour entrer dans le mode Isolation, une autre méthode consiste à sélectionner l'objet et, dans le panneau Contrôle, à cliquer sur le bouton Isoler l'objet sélectionné (⬚).

7. À l'aide de l'outil Sélection, double-cliquez sur le nouveau tracé transparent afin d'entrer en mode Isolation. Le tracé transparent est temporairement dissocié afin que vous puissiez sélectionner chacune de ses composantes. Cliquez sur le bord supérieur du polygone afin de le sélectionner. Appuyez sur les touches Maj+Alt (Windows) ou Maj+Option (Mac OS) et faites glisser la poignée de sélection supérieure vers le haut de manière à donner à la forme une hauteur d'environ 1 pouce. Relâchez le bouton de la souris, puis les touches de modification.

8. Appuyez sur Échap pour quitter le mode Isolation, puis choisissez Sélection > Tout sur le plan de travail actif.

9. Activez l'outil Concepteur de forme (🔍) et, tout en appuyant sur la touche Alt (Windows) ou Option (Mac OS), cliquez sur la forme gris foncé qui apparaît derrière l'extrémité de la clé pour la supprimer.

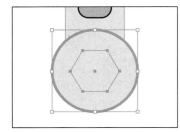

Alignez les formes.

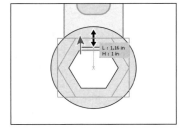

Redimensionnez la forme centrale.

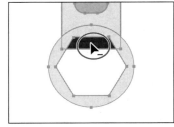

Supprimez la forme gris foncé.

10. Les formes étant toujours sélectionnées, choisissez Objet > Associer.

11. À l'aide de l'outil Sélection (▶), faites glisser le groupe d'objets sur la partie gauche du plan de travail.

12. Choisissez Sélection > Désélectionner puis Fichier > Enregistrer.

Utiliser les modes de la forme

À l'instar des effets Pathfinder, les modes de la forme créent des tracés, mais ils peuvent également servir à créer des formes composées. Lorsque plusieurs formes sont sélectionnées, cliquez sur un mode de la forme tout en appuyant sur la touche Alt (Windows) ou Option (Mac OS) crée une forme composée à la place d'un tracé. Les objets sous-jacents d'origine sont conservés. Par conséquent, il est toujours possible de sélectionner chaque objet d'une forme composée.

Vous allez à présent utiliser les modes de la forme pour créer une roue dentée.

1. Dans le panneau Outils, activez l'outil Étoile (⭐). Cliquez sur le côté droit du plan de travail et faites glisser pour créer une étoile. Sans relâcher, appuyez sur la touche Flèche haut jusqu'à ce que l'étoile possède 12 branches. Appuyez sur la touche Ctrl (Windows) ou Cmd (Mac OS) et faites glisser vers le centre de l'étoile afin que le rayon corresponde à celui de la figure. Relâchez la touche de

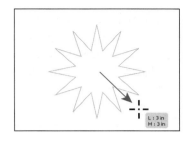

   modification, mais gardez le bouton de la souris appuyé. Appuyez sur la touche Maj et faites glisser vers l'intérieur ou l'extérieur afin d'obtenir une largeur et une hauteur d'approximativement 3 pouces, comme indiqué dans les libellés des dimensions. Relâchez le bouton de la souris, puis la touche de modification.

2. Dans le panneau Contrôle, cliquez sur la couleur de fond et choisissez Blanc dans le panneau Nuancier qui s'affiche.

3. Dans le panneau Outils, activez l'outil Ellipse (⬭). Tout en appuyant sur Alt (Windows) ou Option (Mac OS), cliquez au centre de l'étoile que vous venez de créer (le mot "centre" apparaît). Dans la boîte de dialogue Ellipse, saisissez **2 in** dans les champs Largeur et Hauteur puis cliquez sur OK.

   Dans cette opération, la touche de modification permet de dessiner un cercle à partir du centre où vous avez cliqué.

4. Sélectionnez l'ellipse et l'étoile avec l'outil Sélection et en appuyant sur Maj.

5. Les objets étant sélectionnés, cliquez sur le bouton Fusion (⬚) dans le panneau Pathfinder (Fenêtre > Pathfinder).

   Les formes sont combinées, mais le contour disparaît. La nouvelle forme étant sélectionnée, cliquez sur la couleur de contour dans le panneau Contrôle et choisissez Noir.

6. Choisissez Sélection > Désélectionner.

7. Dans le panneau Outils, activez l'outil Ellipse (⬭) et cliquez au centre de la forme fusionnée. Dans la boîte de dialogue Ellipse, fixez la largeur et la hauteur à **2,5 in** puis cliquez sur OK.

8. Sélectionnez l'ellipse et l'étoile avec l'outil Sélection et en appuyant sur Maj. Dans le panneau Contrôle, cliquez sur le bouton Alignement horizontal au centre (⬒) et sur le bouton Alignement vertical au centre (⬛▫) pour aligner ces deux objets l'un sur l'autre.

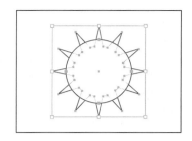

À ce stade, deux formes sont sélectionnées et leur combinaison crée une roue dentée.

9. Appuyez sur la touche Alt (Windows) ou Option (Mac OS) et cliquez sur le bouton Intersection (⬛) dans le panneau Pathfinder.

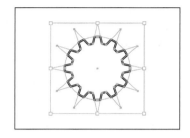

Cette opération crée une forme composée qui dessine le contour de la zone de chevauchement des deux objets. Cela signifie également que vous pouvez toujours modifier séparément l'ellipse et l'étoile.

● **Note :** Sur la figure, l'épaisseur du contour de la roue dentée a été exagérée afin qu'il soit bien visible.

▶ **Astuce :** Pour modifier les formes d'origine qui constituent une forme composée, comme la roue dentée, vous pouvez aussi les sélectionner individuellement avec l'outil Sélection directe (▷).

10. Activez l'outil Sélection et double-cliquez sur la roue dentée pour passer en mode Isolation.

11. Choisissez Affichage > Tracés afin de voir les deux éléments (le cercle et l'étoile). Cliquez de manière à sélectionner le cercle si ce n'est pas déjà le cas.

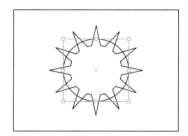

● **Note :** Pour redimensionner précisément une forme, on a intérêt à augmenter le facteur de zoom ou à modifier la largeur et la hauteur de la forme sélectionnée dans le panneau Transformation.

12. Tout en appuyant sur Maj+Alt (Windows) ou Maj+Option (Mac OS), cliquez et faites glisser un coin du cadre de sélection du cercle vers son centre afin de le réduire. Cette méthode permet de redimensionner l'ellipse à partir du centre. Essayez d'obtenir une largeur et une hauteur d'environ 2,3 pouces dans les libellés des dimensions. Relâchez le bouton de la souris, puis les touches.

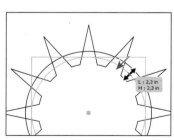

13. Choisissez Affichage > Aperçu.

14. Avec l'outil Sélection, double-cliquez en dehors de la roue dentée pour quitter le mode Isolation.

Vous allez à présent décomposer la roue dentée. La décomposition d'une forme composée permet d'en conserver la forme mais empêche alors de sélectionner ou de modifier les objets d'origine.

15. Sélectionnez la roue dentée. Dans le panneau Pathfinder, cliquez sur le bouton Décomposer. Fermez le groupe du panneau Pathfinder.

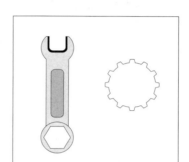

16. Choisissez Sélection > Désélectionner.

17. Avec l'outil Sélection, faites glisser la roue dentée afin qu'elle se trouve sur le côté droit du plan de travail.

18. Choisissez Affichage > Ajuster le plan de travail à la fenêtre.

    Vous pouvez positionner la clé et la roue dentée afin que votre illustration ressemble à celle de la figure ci-contre.

19. Choisissez Fichier > Enregistrer puis Fichier > Fermer.

À la prochaine section, vous apprendrez à vous servir de l'outil Vectorisation dynamique.

L'outil Vectorisation dynamique

Vous allez voir ici le fonctionnement de l'outil Vectorisation dynamique. Il permet de créer le tracé d'une illustration existante, par exemple une image provenant de Photoshop, qui peut, ensuite, être converti en un tracé vectoriel ou en un objet de peinture dynamique.

1. Choisissez Fichier > Ouvrir et chargez le fichier L3start_2.ai, qui se trouve dans le dossier Lesson03.

2. Choisissez Fichier > Enregistrer sous. Dans la boîte de dialogue, nommez le fichier **surfeur.ai** et sélectionnez le dossier Lesson03. Choisissez Adobe Illustrator (*.AI) dans le menu Type (Windows) ou Adobe Illustrator (ai) dans le menu Format (Mac OS), puis cliquez sur Enregistrer. Dans la boîte de dialogue Options Illustrator, acceptez les paramètres par défaut en cliquant sur OK.

   ● **Note :** Une boîte de dialogue annonçant un profil manquant peut apparaître. Cliquez sur OK pour poursuivre.

3. Choisissez Affichage > Ajuster le plan de travail à la fenêtre.

4. Avec l'outil Sélection (▶), sélectionnez l'image du surfeur.

Vous remarquerez que les options du panneau Contrôle changent lorsque l'image scannée est activée. Il affiche Image sur le côté gauche, ainsi que la résolution de l'image (PPP : 150).

5. Dans le panneau Contrôle, cliquez sur le bouton Vectorisation dynamique. L'image est alors convertie du format bitmap au format vectoriel.

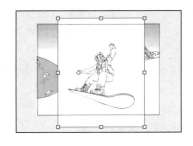

Avec l'outil Vectorisation dynamique, vous pouvez voir le résultat de vos modifications. Lorsque vous changez les réglages ou l'image d'origine, les modifications sont immédiatement propagées.

▶ **Astuce :** Dans la boîte de dialogue Options de vectorisation, l'option Ignorer le blanc permet de ne pas vectoriser les zones qui contiennent un fond blanc. Les zones blanches deviennent transparentes, ce qui se révèle particulièrement utile lors de la vectorisation d'une image dont l'arrière-plan est blanc.

6. Dans le panneau Contrôle, cliquez sur le bouton ouvrant la boîte de dialogue Options de vectorisation (📊). Choisissez Bandes dessinées dans le menu Paramètre prédéfini. Cochez Aperçu pour expérimenter les différents paramètres prédéfinis et les options. Gardez la boîte de dialogue Options de vectorisation ouverte.

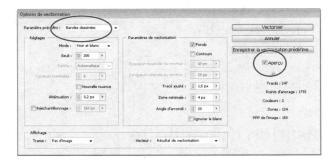

▶ **Note :** Pour en savoir plus sur la fonction Vectorisation dynamique, consultez la rubrique "Vectorisation d'illustrations" dans l'Aide d'Illustrator.

Vous le constatez dans la boîte de dialogue Options de vectorisation, la fonction Vectorisation automatique sait interpréter les croquis en noir et blanc, ainsi que les images en couleurs.

● **Note :** Le seuil indique une valeur pour obtenir la vectorisation en noir et blanc de l'image d'origine. Tous les pixels plus clairs que la valeur de seuil sont convertis en blanc, et tous les pixels plus foncés que cette valeur sont convertis en noir.

7. Dans la boîte de dialogue Options de vectorisation, réglez le seuil à **220**. Après avoir testé d'autres réglages de la boîte de dialogue Options de vectorisation, vérifiez que Bandes dessinées est sélectionné puis cliquez sur Vectoriser.

Le surfeur devient alors un objet vectoriel. Cependant, les points d'ancrage et les tracés ne sont pas encore modifiables. Pour pouvoir modifier le contenu, vous devez décomposer l'objet vectorisé.

8. Le surfeur étant toujours sélectionné, cliquez sur le bouton Décomposer dans le panneau Contrôle.

9. Choisissez Objet > Dissocier puis Sélection > Désélectionner.

10. Activez l'outil Sélection (), puis cliquez sur l'arrière-plan blanc qui entoure le surfeur. Appuyez sur la touche Suppr pour supprimer la forme blanche.

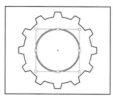

Note : Si certaines surfaces blanches supprimées ne devaient pas l'être, annulez autant d'étapes que nécessaire dans Édition > Annuler. Recommencez la vectorisation en ajustant la valeur de Seuil dans la boîte de dialogue Options de vectorisation. Essayez avec des valeurs allant jusqu'à 220 et même plus.

11. Avec l'outil Sélection, essayez de sélectionner d'autres parties du surfeur. Vous remarquerez qu'il est constitué de nombreuses formes et de nombreux tracés.

12. Choisissez Fichier > Enregistrer puis fermez le fichier.

À vous de jouer

Vous allez à présent pratiquer les outils présentés dans la leçon.

1. Ouvrez le fichier outils.ai. Sélectionnez les formes d'une roue dentée et créez une ellipse centrée sur la roue. Sélectionnez la roue dentée et l'ellipse puis cliquez sur le bouton Soustraction (![icon]) dans le panneau Pathfinder pour créer un tracé transparent.

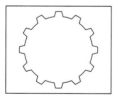

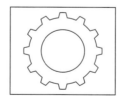

La roue dentée initiale.   Créez l'ellipse.   Créez le tracé transparent.

2. Avec l'outil Sélection, faites glisser la forme de la roue dentée au-dessus de la clé de manière à voir le trou au milieu de la roue.

3. Dans le document outils.ai, choisissez Fichier > Importer et placer une image bitmap. Sélectionnez cette image puis, dans le panneau Contrôle, cliquez sur le bouton Vectorisation dynamique. Choisissez une configuration à partir du menu Choisir la vectorisation prédéfinie dans le panneau Contrôle.

4. Pratiquez la création des formes en traçant un cercle, une étoile ou un rectangle. Dupliquez les formes en utilisant la touche Alt (Windows) ou Option (Mac OS).

5. Choisissez Fichier > Fermer sans enregistrer le fichier.

Révisions

Questions

1. Quels sont les outils de formes géométriques de base ? Expliquez comment faire pour détacher ou séparer un groupe d'outils de forme du panneau Outils.

2. Comment sélectionne-t-on une forme sans fond ?

3. Comment dessinez-vous un carré ?

4. Comment modifie-t-on le nombre de côtés d'un polygone pendant son tracé ?

5. Décrivez deux manières de combiner plusieurs formes en une seule ?

6. Comment convertissez-vous une image bitmap en formes vectorielles modifiables ?

Réponses

1. Il existe six outils de formes géométriques élémentaires : Rectangle, Rectangle arrondi, Ellipse, Polygone, Étoile et Spirale. Pour détacher un groupe d'outils du panneau Outils, positionnez le pointeur sur l'outil qui s'affiche dans le panneau Outils et maintenir appuyé dessus pour faire apparaître le groupe d'outils. Ensuite, sans relâcher, faire glisser le pointeur jusqu'au triangle placé à l'extrémité du groupe avant de relâcher pour détacher ce groupe.

2. En cliquant sur son contour.

3. Dans le panneau Outils, on sélectionne l'outil Rectangle qu'on fait glisser tout en appuyant sur la touche Maj. On peut également cliquer n'importe où sur le plan de travail et donner une même valeur à la largeur et à la hauteur dans la boîte de dialogue Rectangle.

4. Il faut sélectionner l'outil Polygone dans le panneau Outils, on commence ensuite le dessin de la forme, puis on appuie sur la touche Flèche bas pour diminuer le nombre de côtés ou sur la touche Flèche haut pour l'augmenter.

5. a) Avec l'outil Concepteur de forme, qui permet, visuellement et intuitivement, de fusionner, supprimer, remplir et modifier des zones et des tracés qui se chevauchent dans l'illustration ; b) avec les effets Pathfinder : on crée de nouvelles formes à partir d'objets superposés, qu'il suffit d'appliquer à partir du menu Effet ou du panneau Pathfinder.

6. Il faut commencer par vectoriser l'image bitmap. Ensuite, pour obtenir le tracé correspondant, on clique sur Décomposer dans le panneau Contrôle ou on choisit Objet > Vectorisation dynamique > Décomposer. Cette méthode est employée pour manipuler les éléments de l'image vectorisée comme des objets individuels. Le tracé qui en résulte forme un groupe.

Lorsque vous créez une illustration, plusieurs moyens s'offrent à vous pour modifier des objets et pour contrôler aisément et précisément leur taille, leur forme et leur orientation. Au cours de cette leçon, vous étudierez la création et la modification des plans de travail, les différentes commandes du panneau Transformation, ainsi que des outils spécialisés, en créant plusieurs éléments d'une illustration.

Transformation d'objets 4

Au cours de cette leçon, vous apprendrez à :

- ajouter, modifier, renommer et réorganiser des plans de travail dans un document existant ;

- naviguer dans les plans de travail ;

- sélectionner des objets individuels, des objets faisant partie d'un groupe et des parties d'un objet ;

- déplacer, redimensionner et faire pivoter des objets de différentes façons ;

- travailler avec les repères commentés ;

- appliquer une symétrie, une déformation et une distorsion à un objet ;

- régler la perspective d'un objet ;

- déformer des objets à l'aide d'un filtre ;

- positionner des objets précisément ;

- répéter rapidement et aisément des transformations ;

- copier des objets vers plusieurs plans de travail.

 Cette leçon vous prendra environ une heure. Si nécessaire, supprimez le dossier de la leçon précédente de votre disque dur et copiez le dossier Lesson04.

Mise en route

Vous allez créer du contenu et l'utiliser dans trois parties d'une illustration pour réaliser un modèle de papier à en-tête, une enveloppe et une carte de visite. Avant de commencer, restaurez les préférences par défaut d'Adobe Illustrator, puis ouvrez un fichier contenant une composition du document terminé : vous aurez ainsi une idée de ce que vous allez créer.

1. Pour vous assurer que les outils et les panneaux fonctionneront exactement comme ils sont décrits au fil de cette leçon, supprimez ou désactivez (en le renommant) le fichier des préférences d'Adobe Illustrator CS5 (pour en savoir plus, reportez-vous à la section "Rétablissement des préférences par défaut" de l'Introduction).

2. Lancez Adobe Illustrator CS5.

● **Note :** Si vous n'avez pas encore copié les fichiers de cette leçon sur votre disque dur à partir du dossier Lesson04 du CD-ROM *Adobe Illustrator CS5 Classroom in a Book*, faites-le maintenant. Pour savoir comment procéder, consultez la section "Copie des fichiers d'exercices de *Classroom in a Book*" à la page 2.

3. Choisissez Fichier > Ouvrir et chargez le fichier L4end_1.ai, qui se trouve dans le dossier Lesson04 sur votre disque dur.

   Ce fichier contient les trois éléments graphiques de l'illustration terminée : un modèle de papier à en-tête, une carte de visite (recto et verso) et une enveloppe.

4. Choisissez Affichage > Tout ajuster à la fenêtre et laissez l'illustration affichée à l'écran pendant que vous travaillez. Servez-vous de l'outil Main (🖐) pour placer l'image dans la fenêtre. Si vous ne souhaitez pas conserver l'illustration ouverte, choisissez Fichier > Fermer.

Pour commencer, vous allez ouvrir un fichier image existant préparé pour le papier à en-tête.

5. Choisissez Fichier > Ouvrir et chargez le fichier L4start_1.ai situé dans le dossier Lesson04. Ce fichier a été enregistré avec des règles affichées et des repères bleus que vous utiliserez pour le dimensionnement des objets.

6. Choisissez Fichier > Enregistrer sous, nommez le fichier **green_glow.ai** et sélectionnez le dossier Lesson04. Choisissez Adobe Illustrator (*.AI) dans le menu Type (Windows) ou Adobe Illustrator (ai) dans le menu Format (Mac OS), puis cliquez sur Enregistrer. Dans la boîte de dialogue Options Illustrator, gardez les options par défaut et cliquez sur OK.

7. Choisissez Fenêtre > Espace de travail > Les indispensables.

Manipulation des plans de travail

Un plan de travail représente la totalité d'une surface imprimable, à la manière des pages dans Adobe InDesign. Vous pouvez utiliser les plans de travail pour recadrer des zones d'impression ou repositionner des éléments. En employer plusieurs permet de réaliser tout un éventail de créations telles que PDF multipages, impressions de pages avec différentes tailles ou divers composants, éléments indépendants à destination de sites web, story-boards vidéo ou éléments individuels pour des animations.

Ajouter des plans de travail au document

Illustrator permet d'ajouter et de supprimer des plans de travail à tout moment, pendant que vous travaillez dans un document. Vous pouvez les créer de différentes tailles, les redimensionner à l'aide de l'outil Plan de travail ou du panneau Plans de travail, et les placer où bon vous semble dans la fenêtre de document. Tous les plans de travail sont numérotés et nommés dans leur coin supérieur gauche. Le numéro et le nom sont visibles lorsque l'outil Plan de travail est actif.

À l'origine, le document possède un plan de travail pour le papier à en-tête. Vous allez en ajouter d'autres pour créer la carte de visite et l'enveloppe.

1. Choisissez Affichage > Ajuster le plan de travail à la fenêtre. Ce plan de travail a le numéro 1.

2. Appuyez deux fois sur Ctrl++ (Windows) ou Cmd++ (Mac OS) pour augmenter le facteur de zoom.

3. Appuyez sur la barre d'espacement pour accéder temporairement à l'outil Main (✋). Faites glisser le plan de travail vers la gauche et le bas jusqu'à ce que la zone de travail apparaisse en haut à droite du plan de travail.

4. Sélectionnez l'outil Plan de travail (▢) et, à droite du plan de travail existant, alignez le pointeur avec le bord supérieur de ce plan de travail jusqu'à ce qu'un repère d'alignement vert apparaisse. Faites glisser vers le bas et la droite afin de créer un plan de travail de 3,5 pouces de largeur et de 2 pouces de hauteur. Les libellés des dimensions indiquent la taille courante du plan de travail.

> ▶ **Astuce :** Si vous augmentez le facteur de zoom d'un plan de travail, les libellés des dimensions ont un pas d'incrémentation plus faible.

5. Dans le panneau Contrôle, cliquez sur le bouton Nouveau plan de travail (▣). Cette opération crée une copie du dernier plan de travail sélectionné.

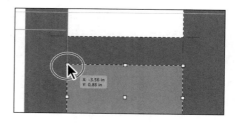

6. Positionnez le pointeur sous le nouveau plan de travail et alignez-le avec son bord gauche. Lorsqu'un repère d'alignement vertical vert apparaît, cliquez pour créer la copie du plan de travail. Elle a le numéro 3.

7. Dans le panneau Outils, activez l'outil Sélection (➤).

8. Ouvrez le panneau Plans de travail en cliquant sur son icône (📄) à droite de l'espace de travail.

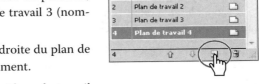

Notez que Plan de travail 3 est sélectionné dans le panneau, car il s'agit du plan de travail actif.

Le panneau Plans de travail permet de voir le nombre de plans de travail actuellement définis dans le document. Vous pouvez l'utiliser pour réorganiser, renommer, ajouter et supprimer les plans de travail, mais également pour choisir diverses options les concernant.

Vous allez à présent créer une copie du plan de travail 3 en utilisant ce panneau.

▶ **Astuce :** Vous pouvez également copier des plans de travail avec l'outil Plan de travail. Pour cela, appuyez sur la touche Alt (Windows) ou Option (Mac OS) et faites glisser un plan de travail jusqu'à ce que la copie ne chevauche plus l'original. Les nouveaux plans de travail peuvent être placés n'importe où ; ils peuvent même se superposer.

9. Cliquez sur le bouton Nouveau plan de travail (📄), placé dans la partie inférieure du panneau, pour créer une copie du plan de travail 3 (nommée Plan de travail 4).

Notez que la copie est placée à droite du plan de travail 2 dans la fenêtre de document.

10. Cliquez sur l'icône du panneau Plans de travail pour le fermer.

11. Choisissez Affichage > Tout ajuster à la fenêtre.

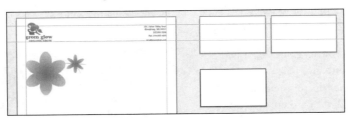

Modifier des plans de travail

Vous pouvez modifier ou supprimer un plan de travail à tout moment avec l'outil Plan de travail, les commandes du menu ou le panneau Plans de travail. Vous allez repositionner et changer la taille de plusieurs plans de travail en employant différentes méthodes.

1. Dans le panneau Outils, activez l'outil Plan de travail (🔲) et cliquez sur le plan de travail du bas à droite pour le sélectionner.

Vous allez redimensionner un plan de travail en saisissant sa taille dans le panneau Contrôle.

2. Sélectionnez le point supérieur gauche dans le localisateur de point de référence (▦).

   Cela vous permet de redimensionner le plan de travail à partir de son coin supérieur gauche. Par défaut, le redimensionnement des plans de travail se fait par rapport à leur centre.

3. Le plan de travail 03 – Plan de travail 3 étant sélectionné, notez les points de sélection et le rectangle en pointillés. Dans le panneau Contrôle, fixez la largeur à **9,5 in** et la hauteur à **4 in**.

   Entre les champs Largeur et Hauteur du panneau Contrôle, se trouve le bouton Conserver les proportions en largeur et en hauteur (▯). Lorsqu'il est sélectionné, les deux champs varient proportionnellement l'un par rapport à l'autre.

● **Note :** Si les champs Largeur et Hauteur ne sont pas visibles dans le panneau Contrôle, cliquez sur le bouton Options du plan de travail (▦) et saisissez les valeurs dans la boîte de dialogue qui s'affiche.

Pour redimensionner un plan de travail, vous pouvez également faire glisser ses poignées en utilisant l'outil Plan de travail :

4. L'outil Plan de travail étant actif et le plan de travail inférieur droit étant sélectionné, faites glisser le point de sélection central inférieur du plan de travail vers le bas jusqu'à ce que la hauteur indiquée par les libellés des dimensions soit de 4,25 pouces.

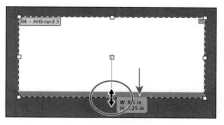

▶ **Astuce :** Pour supprimer un plan de travail, sélectionnez-le avec l'outil Plan de travail puis, au choix, appuyez sur la touche Suppr, cliquez sur le bouton Supprimer le plan de travail (▣) ou sur l'icône Supprimer (▨) dans l'angle supérieur droit du plan de travail. Vous pouvez supprimer tous les plans de travail à l'exception du dernier.

5. Avec l'outil Plan de travail, cliquez sur le plan de travail supérieur droit (04 – Plan de travail 4). Dans le panneau Contrôle, cliquez sur le bouton Afficher le repère du centre (▣) pour afficher un repère au centre du plan de travail actif uniquement.

6. Activez l'outil Sélection (▸) pour voir le repère central. Notez également le contour noir autour du plan de travail. Il indique qu'il s'agit du plan de travail actif.

   Le repère central peut servir de nombreux objectifs, comme la manipulation d'un contenu vidéo.

● **Note :** Lorsque l'outil Plan de travail est actif, le fait de cliquer sur le bouton Options du plan de travail dans le panneau Contrôle affiche également le repère central d'un plan de travail.

7. Ouvrez le panneau Plans de travail en cliquant sur son icône (▤). Cliquez sur le nom "Artboard 1" pour activer ce plan de travail, qui est celui d'origine. Un contour noir l'entoure dans la fenêtre de document, indiquant ainsi qu'il s'agit du plan de travail actif.

   Il ne peut y avoir qu'un seul plan de travail actif à la fois. Les commandes, comme Affichage > Ajuster le plan de travail à la fenêtre, s'appliquent à celui-ci.

Vous allez à présent modifier la taille du plan de travail actif en choisissant des valeurs prédéfinies.

Astuce : Vous aurez noté que ce bouton est placé à droite de chaque plan de travail. Il donne accès aux options du plan de travail mais il montre également son orientation.

8. Dans le panneau Plans de travail, cliquez sur le bouton Options du plan de travail (⬚) placé en regard du nom "Artboard 1". Vous ouvrez ainsi la boîte de dialogue Options du plan de travail.

9. Sous la rubrique Position, trouvez le localisateur de point de référence (⬚) et vérifiez que le point supérieur gauche est sélectionné.

Cela vous permet de redimensionner le plan de travail à partir de son coin supérieur gauche.

10. Dans le menu Paramètres prédéfinis de la boîte de dialogue Options du plan de travail, choisissez Lettre.

Le menu Paramètres prédéfinis permet de donner une taille prédéfinie au plan de travail sélectionné. Ce menu

propose notamment des tailles pour le Web (par exemple 800 × 600) et la vidéo (par exemple NTSC DV). Vous pouvez également ajuster le plan de travail aux limites de l'illustration ou à l'illustration sélectionnée, opération intéressante, par exemple, pour un logo. Cliquez sur OK.

11. Dans le panneau Contrôle, cliquez sur le bouton Configuration du document.

▶ **Astuce :** Pour ouvrir la boîte de dialogue Format de document, choisissez aussi Fichier > Format de document.

▶ **Astuce :** Pour de plus amples informations sur la boîte de dialogue Format de document, recherchez "configuration du document" dans l'Aide d'Illustrator.

12. Dans la boîte de dialogue Format de document, fixez l'option de fond perdu supérieur à 0,125 pouce en cliquant sur la flèche vers le haut à gauche du champ. Notez que toutes les valeurs changent en même temps, car l'option Uniformiser tous les paramètres (⬚) est sélectionnée. Cliquez sur OK.

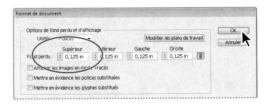

Cette boîte de dialogue propose de nombreuses options pour le document en cours, notamment les unités, les options de texte, les paramètres de transparence, etc.

● **Note :** Toutes les modifications effectuées dans la boîte de dialogue Format de document sont appliquées à l'ensemble du document, c'est-à-dire à tous les plans de travail.

13. Dans le panneau Outils, activez l'outil Plan de travail (▣).

14. Cliquez sur le plan de travail supérieur droit et faites-le glisser de manière que les deux plus petits plans de travail soient plus éloignés et que les repères de fond perdu soient espacés.

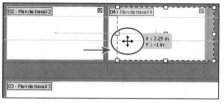

● **Note :** Par défaut, lorsque vous faites glisser un plan de travail avec du contenu, l'illustration se déplace également. Si vous souhaitez déplacer un plan de travail sans son contenu, activez l'outil Plan de travail, puis désélectionnez Déplacer/Copier l'illustration avec le plan de travail (➡).

Vous pouvez déplacer des plans de travail comme bon vous semble et même les faire se chevaucher si nécessaire.

15. Dans le panneau Outils, activez l'outil Sélection (▶).

16. Choisissez Fenêtre > Espace de travail > Les indispensables.

17. Choisissez Fichier > Enregistrer.

Renommer les plans de travail

Les plans de travail reçoivent un numéro et un nom par défaut. Lorsque vous vous déplacez dans les plans de travail d'un document, ces noms génériques ne simplifient pas leur identification.

Vous allez à présent changer les noms des plans de travail afin qu'ils soient plus utiles.

1. Ouvrez le panneau Plans de travail en cliquant sur son icône (▣).

2. Dans ce panneau, double-cliquez sur le nom "Artboard 1" pour l'activer et l'ajuster à la fenêtre de document.

3. Cliquez sur le bouton Options du plan de travail (▣) qui se trouve à droite du nom Artboard 1. La boîte de dialogue Options du plan de travail s'affiche alors.

4. Dans le champ Nom, saisissez **PapierEntête**, puis cliquez sur OK.

▶ **Astuce :** Vous pouvez également ouvrir la boîte de dialogue Options du plan de travail en double-cliquant sur l'outil Plan de travail dans le panneau Outils ; elle concerne alors le plan de travail actif. Pour activer un plan de travail, cliquez dessus à l'aide de l'outil Sélection.

Vous allez à présent renommer les autres plans de travail.

5. Dans le panneau Plans de travail, cliquez sur le nom Plan de travail 2 puis sur le bouton Options du plan de travail (▣) qui se trouve à droite du nom.

6. Changez le champ Nom à **CV – Recto** puis cliquez sur OK.

7. Faites de même pour les deux autres plans de travail, en renommant Plan de travail 3 en **Enveloppe** et Plan de travail 4 en **CV – Verso**.

8. Choisissez Fichier > Enregistrer et laissez le panneau Plans de travail ouvert pour les étapes suivantes.

Réorganiser les plans de travail

Lorsque vous naviguez dans votre document, l'ordre dans lequel les plans de travail apparaissent peut être important, en particulier si vous vous déplacez à l'aide des boutons Précédent et Suivant de la navigation dans les plans de travail. Par défaut, ils sont organisés selon l'ordre dans lequel ils sont créés, ordre que vous pouvez modifier. Vous allez à présent réorganiser les plans de travail afin que les deux faces de la carte de visite soient dans l'ordre approprié.

1. Dans le panneau Plans de travail toujours ouvert, cliquez sur le nom Enveloppe. Le plan de travail Enveloppe devient alors le plan de travail actif.

2. Choisissez Affichage > Tout ajuster à la fenêtre.

3. Cliquez sur le bouton Déplacer vers le bas qui se trouve dans la partie inférieure du panneau.

   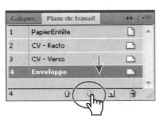

   Cette action déplace le plan de travail vers le bas afin d'en faire le dernier de la liste (le numéro 4). Notez qu'elle n'affecte en rien les plans de travail dans la fenêtre de document.

4. Dans le panneau Plans de travail, double-cliquez sur CV – Recto pour ajuster ce plan de travail à la fenêtre de document.

5. Cliquez sur le bouton Suivant (▶) dans la zone Navigation dans les plans de travail située dans le coin inférieur gauche de la fenêtre de document. Vous passez au plan de travail suivant (CV – Verso), qui est alors ajusté à la fenêtre de document.

   Si vous n'aviez pas changé l'ordre des plans de travail, le suivant aurait été l'enveloppe.

Les plans de travail étant configurés, vous allez à présent vous concentrer sur la transformation d'une illustration pour créer le contenu des plans de travail.

Transformation de contenu

La transformation du contenu permet d'appliquer un déplacement, une rotation, une symétrie, une mise à l'échelle ou une déformation à des objets. Vous pouvez transformer du contenu en employant le panneau Transformation, les outils de sélection, les outils spécialisés, les commandes de transformation, les repères et les repères commentés. Vous découvrirez ces méthodes dans cette partie de la leçon.

Utiliser les règles et les repères

Les règles aident à positionner et à mesurer les objets précisément. L'emplacement du point 0 dans chaque règle est appelé *origine* de la règle, que certains dénomment *zéro* ou *point zéro*. L'origine d'une règle peut être réinitialisée en fonction du plan de travail actif. Deux types de règles sont disponibles : les règles de document et les règles de plan de travail, lesquelles sont employées par défaut. Autrement dit, lorsqu'un plan de travail est activé, le zéro de chaque règle est fixé dans l'angle supérieur gauche de ce plan de travail.

Les repères sont des lignes non imprimables qui servent à aligner des objets. Vous créez des repères horizontaux et verticaux en les faisant glisser à partir des règles.

Dans la suite, vous allez afficher les règles, réinitialiser leur origine et créer un repère.

1. Dans le panneau Plans de travail, double-cliquez sur le nom CV – Verso pour aller dans ce plan de travail.

2. Cliquez sur l'icône du panneau Calques (🌑) à droite de l'espace de travail. Cliquez sur l'icône de visibilité à gauche du calque nommé Business card. Cliquez sur le nom du calque Business card pour le sélectionner.

   Tout nouveau contenu, y compris les repères, est placé sur le calque sélectionné.

▶ **Astuce :** Pour de plus amples informations sur les calques, consultez la Leçon 8, "Les calques".

3. Tout en appuyant sur la touche Maj, à partir de la règle verticale, faites glisser vers la droite un repère vertical jusqu'au point 1/4 pouce sur la règle horizontale. La touche Maj permet de contraindre le repère sur les unités de la règle. Relâchez le bouton de la souris, puis la touche Maj.

4. Choisissez Affichage > Repères > Verrouiller les repères pour éviter qu'ils soient déplacés par mégarde.

5. Cliquez à nouveau sur l'icône du panneau Calques (🌑) pour le fermer. Choisissez Fichier > Enregistrer.

● **Note :** Par défaut, l'origine des règles se trouve dans le coin supérieur gauche du plan de travail actif, mais vous pouvez la modifier si nécessaire.

● **Note :** Si le point 0,0 n'apparaît pas dans l'angle supérieur gauche du plan de travail, choisissez Affichage > Règles et vérifiez que Passer aux règles du plan de travail est visible. Dans la négative, sélectionne-le.

▶ **Astuce :** Pour modifier les unités d'un document, choisissez Fichier > Format de document ou, lorsque la sélection est vide, cliquez sur le bouton Configuration du document dans le panneau Contrôle, ou encore cliquez du bouton droit (Windows) ou appuyez sur Option (Mac OS) sur une règle pour changer son unité.

Redimensionner des objets

Vous redimensionnez des objets en les agrandissant ou en les réduisant horizontalement (sur l'axe des X) et verticalement (sur l'axe des Y) par rapport à un point de référence fixe. Vous devez désigner ce point d'origine, sinon les objets sont redimensionnés à partir de leur point central. Vous allez appliquer trois méthodes pour les objets qui composeront les éléments de la carte de visite.

Vous définirez d'abord les préférences pour redimensionner les contours et effets, puis vous modifierez le logo d'arrière-plan en faisant glisser son cadre de sélection et en l'alignant sur les repères fournis.

1. Choisissez Édition > Préférences > Général (Windows) ou Illustrator > Préférences > Général (Mac OS) et cochez la case Mise à l'échelle des contours et des effets. Le contour de tout objet redimensionné dans cette leçon le sera également. Cliquez sur OK.

2. Dans le panneau Outils, activez l'outil Rectangle (■). Positionnez le pointeur dans le coin supérieur gauche des repères rouges de fond perdu et cliquez lorsque le mot "intersection" et les repères d'alignement verts apparaissent.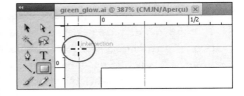

3. Dans la boîte de dialogue Rectangle, fixez la largeur à **3,75 in** et la hauteur à **2,25 in**. Cliquez sur OK.

4. Dans le panneau Contrôle, cliquez sur la couleur de fond et choisissez la nuance business card. Une info-bulle s'affiche lorsque vous survolez les nuances dans le panneau Nuancier.

5. Le rectangle étant toujours sélectionné, choisissez Objet > Masquer > Sélection. Vous aurez ainsi plus de facilité pour modifier le contenu.

6. Activez l'outil Rectangle arrondi (■) qui se trouve dans le groupe de l'outil Rectangle, puis positionnez le pointeur sur le repère vertical et en alignement du repère central (croix verte), jusqu'à ce qu'un repère d'alignement horizontal apparaisse. Faites glisser vers le bas et la droite, de manière que le bord inférieur de la forme soit aligné avec le repère horizontal inférieur et que son bord droit soit aligné avec le repère central. Les libellés des dimensions indiquent une largeur de 1,5 pouce.

 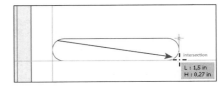

7. Dans le panneau Contrôle, choisissez la couleur de fond Noir.

8. Avec l'outil Sélection (▶), faites glisser, tout en appuyant sur la touche Maj, le coin inférieur droit du cadre de sélection de l'objet vers le haut et la gauche jusqu'à ce que la largeur indiquée par les

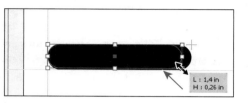

Note : Appuyez sur Maj pendant que vous faites glisser pour que l'objet soit redimensionné proportionnellement.

libellés des dimensions soit d'environ 1,4 pouce. Relâchez le bouton de la souris, puis la touche Maj.

● **Note :** Si vous ne voyez pas le cadre de sélection, choisissez Affichage > Afficher le cadre de sélection.

9. L'objet étant toujours sélectionné, faites glisser vers le bas, tout en appuyant sur la touche Alt (Windows) ou Option (Mac OS), le point de sélection inférieur central. Allez juste en dessous du repère horizontal inférieur. Vous

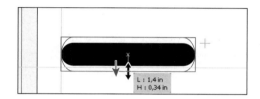

n'avez pas besoin d'être précis. Relâchez le bouton de la souris, puis la touche de modification.

10. Dans le menu Navigation dans le plan de travail, qui se trouve dans la barre d'état, choisissez 1 PapierEntête.

11. Choisissez Affichage > Tracés.

12. Activez l'outil Sélection et tracez un rectangle de sélection sur le texte qui se trouve en dessous de la grande fleur de manière à sélectionner l'ensemble. Choisissez Édition > Couper.

13. Dans le menu Navigation dans le plan de travail pour revenir au plan de travail de la carte de visite, choisissez 3 CV – Verso.

14. Choisissez Édition > Coller puis Sélection > Désélectionner.

15. Faites glisser, tout en appuyant sur la touche Maj, un repère vertical à partir de la règle verticale jusqu'à la position 1½ sur la règle horizontale.

16. Avec l'outil Sélection, sélectionnez le texte "Order Online" et faites-le glisser pour que son bord droit s'aligne au mieux avec le nouveau repère. Alignez verticalement au centre le texte du rectangle arrondi. Gardez-le sélectionné et choisissez Affichage > Aperçu.

17. Dans le panneau Contrôle, cliquez sur le mot Transformation. Dans le panneau Transformation qui s'affiche, cliquez sur le point de référence central droit du localisateur de point de référence (▦) afin de fixer le point de référence. Cliquez sur l'icône Conserver les proportions en largeur et en hauteur (▯) située entre les champs L et H du panneau Transformation. Fixez la largeur à **1,1 in**, puis appuyez sur Entrée ou Retour pour diminuer la taille du texte.

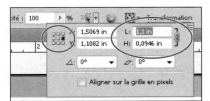 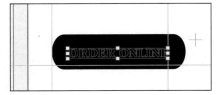

Vous allez à présent utiliser l'outil Mise à l'échelle pour redimensionner et copier le rectangle arrondi.

18. Avec l'outil Sélection, sélectionnez le rectangle arrondi.

19. Dans le panneau Outils, double-cliquez sur l'outil Mise à l'échelle (▦).

20. Dans la boîte de dialogue Mise à l'échelle, cochez la case Aperçu. Fixez Verticale à **80 %** et cliquez sur Copier pour créer une copie plus petite devant le rectangle arrondi.

21. Dans le panneau Contrôle, changez la couleur de fond à Blanc.

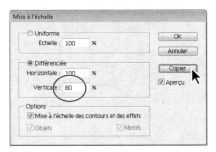 

Créer des objets symétriques

Illustrator crée le symétrique d'un objet selon un axe vertical ou horizontal invisible. Si vous copiez un objet tout en créant un symétrique, vous réalisez une image miroir de cet objet à partir d'un point. De même que pour les opérations de mise à l'échelle et de rotation, vous devez soit désigner un point de référence à partir duquel la symétrie de l'objet sera effectuée, soit utiliser le point central de l'objet par défaut. Vous allez placer un symbole sur le plan de travail, puis employer l'outil Miroir pour réaliser une symétrie du symbole et le copier avec un angle de 90° par rapport à l'axe vertical. Ensuite, vous redimensionnerez et ferez pivoter la copie sur place.

1. Cliquez sur l'icône du panneau Symboles (♣) à droite de l'espace de travail. Faites glisser le symbole Floral sur le plan de travail CV – Verso.

2. Cliquez à nouveau sur l'icône du panneau Symboles (♣) pour le fermer.

3. Le symbole étant sélectionné, double-cliquez sur l'outil Mise à l'échelle (⬚) dans le panneau Outils.

4. Dans la boîte de dialogue Mise à l'échelle, fixez l'échelle uniforme à **30 %**, puis cliquez sur OK.

5. Choisissez Affichage > Repères commentés pour les désactiver temporairement.

6. Activez l'outil Sélection (▶) et faites glisser le symbole sous le texte "Order Online", en alignant son bord gauche avec le repère placé à 1/4 de pouce. Vous n'avez pas besoin d'être précis.

7. Choisissez Affichage > Repères commentés pour les activer.

▶ **Astuce :** Pour en savoir plus sur les symboles, consultez la Leçon 14, "Les symboles".

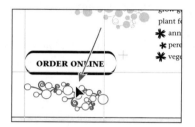

8. Le symbole étant sélectionné, choisissez Édition > Copier et Édition > Coller devant pour placer la copie directement devant le symbole.

9. Dans le panneau Outils, activez l'outil Miroir (🪞) qui se trouve avec l'outil Rotation (↻). Ensuite, cliquez sur le bord droit du symbole (le mot "contour" apparaîtra peut-être).

    Cette opération fixe le point de symétrie sur le bord droit à la place du centre (par défaut).

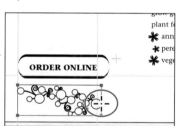

▶ **Astuce :** Pour créer une copie symétrique en une seule opération, cliquez, tout en appuyant sur la touche Alt (Windows) ou Option (Mac OS), avec l'outil Miroir pour indiquer le point de symétrie. Sélectionnez Vertical dans la boîte de dialogue Miroir, puis cliquez sur Copier.

10. La copie du symbole étant sélectionnée, positionnez le pointeur en dehors du bord droit du symbole et faites glisser dans le sens inverse des aiguilles d'une montre. Pendant cette opération, appuyez sur la touche Maj. Lorsque les libellés des dimensions affichent −90°, relâchez le bouton de la souris, puis la touche.

    La touche Maj contraint la rotation à 45°.

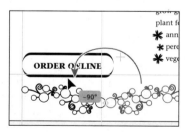

Faire pivoter des objets

La rotation d'objets consiste à les faire pivoter autour d'un point de référence défini. Affichez leur cadre de sélection et placez le curseur sur l'une des poignées d'angle. Lorsque le pointeur de rotation apparaît, cliquez et faites pivoter l'objet autour de son centre. Vous pouvez également vous servir du panneau Transformation pour préciser le point de référence et l'angle de rotation.

Vous allez faire pivoter les deux symboles en employant l'outil Rotation.

1. Avec l'outil Sélection (▶), sélectionnez le symbole de gauche. Dans le panneau Outils, activez l'outil Rotation (◌) qui se trouve avec l'outil Miroir (🔏). Double-cliquez sur l'outil Rotation (◌). Notez que le point de référence du symbole (✥) est son centre.

2. Dans la boîte de dialogue Rotation, vérifiez que Aperçu est coché. Changez l'angle à **20°**, puis cliquez sur OK pour faire pivoter le symbole autour du point de référence.

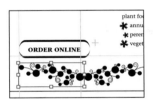  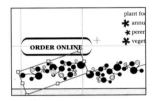

● **Note :** Pour fixer un point de référence et ouvrir la boîte de dialogue Rotation quand vous sélectionnez un objet puis activez l'outil Rotation, appuyez sur Alt (Windows) ou Option (Mac OS) et cliquez n'importe où sur l'objet (ou sur un plan de travail).

3. Activez l'outil Sélection puis cliquez sur le symbole de droite. Répétez les étapes précédentes pour faire pivoter ce symbole, en précisant cette fois-ci un angle de **−20°**.

4. À l'aide de l'outil Sélection, cliquez tout en appuyant sur Maj pour ajouter le symbole de gauche à la sélection courante. Choisissez Objet > Associer.

5. Choisissez Affichage > Zoom arrière.

6. Activez l'outil Rotation. Cliquez sur le bord inférieur droit du groupe afin de définir le point de référence (✥). Faites glisser vers le haut et la droite à partir du bord gauche du groupe. Notez que le mouvement est contraint de suivre une rotation en cercle autour du point de référence. Pendant l'opération, appuyez sur la touche Maj pour contraindre la rotation à 45°. Lorsque le groupe est vertical et que les libellés des dimensions affichent −90°, relâchez le bouton de la souris, puis la touche.

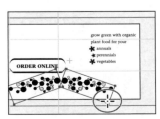 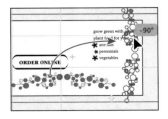

7. Avec l'outil Sélection, faites glisser le groupe vers le bord droit du plan de travail et centrez-le verticalement sur le plan de travail. La position n'a pas besoin d'être précise.

8. Tout en appuyant sur Maj, faites glisser vers la droite le point de sélection central gauche du groupe afin de redimensionner celui-ci jusqu'à ce qu'il soit ajusté aux repères de fond perdu haut et bas.

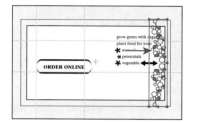

9. Le groupe étant toujours sélectionné, cliquez sur le mot Opacité dans le panneau Contrôle pour afficher le panneau Transparence. Dans ce panneau, cliquez sur le mot Normale et choisissez Superposition dans le menu.

▶ **Astuce :** Pour de plus amples informations sur les modes de fusion, consultez la rubrique "À propos des modes de fusion" dans l'Aide d'Illustrator.

10. Choisissez Objet > Tout afficher pour voir l'arrière-plan de la carte de visite.

11. Choisissez Affichage > Repères > Masquer les repères.

12. Choisissez Fichier > Enregistrer.

Modifier la forme des objets

Nombre d'outils et de filtres permettent de modifier de plusieurs façons la forme d'origine des objets. Avec l'outil Torsion, vous allez créer une fleur à partir d'une étoile, puis lui appliquer le filtre de distorsion Contraction et dilatation pour transformer son cœur.

1. Cliquez sur le bouton Premier (◄◄) dans la barre d'état afin d'aller sur le plan de travail 1.

2. Choisissez Affichage > Repères > Afficher les repères.

3. Avec l'outil Sélection (▶), sélectionnez la grande forme de fleur sous le logo Green Glow.

4. Choisissez Effet > Déformation > Torsion. Cochez Aperçu dans la boîte de dialogue Options de déformation. Fixez l'inflexion à **60 %** puis cliquez sur OK.

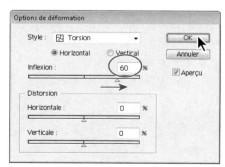

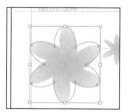

La torsion est appliquée comme un effet, ce qui conserve la forme d'origine et permet de supprimer ou de modifier l'effet à tout moment dans le panneau Aspect. Pour en savoir plus sur les effets, consultez la Leçon 12, "Application d'effets".

À présent, vous allez dessiner le cœur de la fleur qui est centré devant elle.

5. La fleur étant sélectionnée, choisissez Fenêtre > Options d'objet pour ouvrir le panneau du même nom. Choisissez Tout afficher dans le menu du panneau (▾≡). Cliquez sur le bouton Afficher le centre (▣) pour afficher le point central de la fleur.

6. Fermez le groupe du panneau Options d'objet.

7. Sélectionnez l'outil Zoom (🔍) et cliquez deux fois sur la fleur.

8. Activez l'outil Étoile (☆), qui se trouve avec l'outil Rectangle arrondi, puis faites glisser à partir du point central de manière à dessiner une étoile devant le centre de la fleur. Appuyez une fois sur la touche Flèche haut pour ajouter une branche à l'étoile (six au total). Appuyez sur la touche Maj et faites glisser jusqu'à obtenir une hauteur d'environ 0,8 pouce dans les libellés des dimensions. Relâchez le bouton de la souris, puis la touche Maj. Gardez l'étoile sélectionnée.

9. Dans le panneau Contrôle, cliquez sur la couleur de fond et choisissez la nuance vert clair (C = **12**, M = **0**, J = **47**, N = **0**). Fermez le panneau Nuancier en appuyant sur la touche Échap.

Vous allez déformer l'étoile au premier plan en employant l'effet Contraction et dilatation. Cet effet déforme les objets vers l'intérieur et vers l'extérieur à partir de leurs points d'ancrage.

10. L'étoile centrale étant sélectionnée, choisissez Effet > Distorsion et transformation > Contraction et dilatation.

11. Dans la boîte de dialogue Contraction et dilatation, cochez Aperçu puis déplacez le curseur vers la gauche afin de fixer la valeur à environ **−80 %**. Cliquez sur OK.

12. Choisissez Affichage > Repères commentés pour désactiver les repères commentés.

13. Avec l'outil Sélection, positionnez le pointeur à côté du coin inférieur droit du cadre de sélection de l'étoile pour faire apparaître des flèches de rotation (↻). Faites glisser vers le bas et la gauche jusqu'à ce que les branches de l'étoile soient alignées avec les pétales de la fleur.

   Lorsque vous faites pivoter ou lorsque vous déformez des objets, le cadre de sélection subit les mêmes transformations. Si nécessaire, réinitialisez-le afin qu'il soit à nouveau carré autour de l'objet.

14. La forme étant toujours sélectionnée, choisissez Objet > Transformation > Réinitialiser le cadre de sélection.

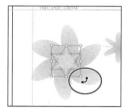  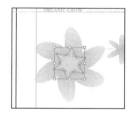

Positionnez le pointeur. Faites pivoter l'objet. Réinitialisez le cadre de sélection.

15. Activez l'outil Sélection, appuyez sur la touche Maj et cliquez sur la fleur et sur la petite fleur à droite afin que les trois formes soient sélectionnées. Choisissez Objet > Associer.

16. Dans le panneau Contrôle, fixez l'opacité à **20 %**.

17. Choisissez Sélection > Désélectionner puis Fichier > Enregistrer.

Déformer des objets

Déformer un objet consiste à en incliner, de côté ou de biais, ses côtés le long de l'axe que vous indiquez tout en maintenant les côtés opposés parallèles de façon à le rendre asymétrique.

Vous allez à présent copier et déformer la forme du logo.

1. Choisissez Affichage > Ajuster le plan de travail à la fenêtre.

2. Choisissez Affichage > Repères commentés pour activer les repères commentés.

3. Dans le panneau Outils, activez l'outil Zoom (🔍) et tracez un rectangle de sélection autour du logo Green Glow dans le coin supérieur gauche du plan de travail.

4. Activez l'outil Sélection (▶) et cliquez sur la forme de fleur qui se trouve au-dessus du texte "green glow".

5. Choisissez Édition > Copier, puis Édition > Coller devant pour coller une copie de la forme directement devant l'original.

6. Dans le panneau Outils, activez l'outil Déformation () qui se trouve avec l'outil Mise à l'échelle (). Positionnez le pointeur sur le bord inférieur de la forme de fleur et cliquez pour définir le point de référence. Tout en appuyant sur la touche Maj, faites glisser la forme de fleur à partir du centre vers la gauche et arrêtez-vous lorsqu'elle atteint le bord du plan de travail. Relâchez le bouton de la souris, puis la touche Maj.

7. Dans le panneau Contrôle, fixez l'opacité à **20 %**.

▶ **Astuce :** Vous pouvez également modifier l'échelle, la rotation et la transformation, ainsi que la position sur les axes X et Y à partir du panneau Transformation.

8. Choisissez Objet > Disposition > Arrière-plan pour placer la copie derrière la forme de fleur d'origine.

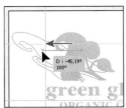

9. Avec l'outil Sélection, tracez un rectangle de sélection autour des deux formes de fleur, du texte "green glow" et du texte "organic grow" pour sélectionner tous les éléments du logo. Faites attention à ne pas sélectionner la ligne en pointillés à droite du logo. Choisissez Objet > Associer.

10. Choisissez Édition > Copier puis Sélection > Désélectionner.

Positionnement précis des objets

Les repères commentés et le panneau Transformation permettent de déplacer des objets vers des coordonnées précises sur les axes X et Y de la page et de contrôler leur positionnement par rapport au bord du plan de travail.

Vous allez ajouter du contenu à l'enveloppe en collant une copie du logo dans l'illustration de l'enveloppe, puis en indiquant les coordonnées exactes.

1. Choisissez Affichage > Tout ajuster à la fenêtre pour voir tous les plans de travail.

2. Choisissez 2 CV – Recto dans le menu Navigation dans le plan de travail situé dans le coin inférieur gauche de la fenêtre de document.

3. Choisissez Édition > Coller sur place. Cette action positionne le groupe à la même position relativement à l'angle supérieur gauche du plan de travail.

● **Note :** Le libellé dY : –0,18 apparaît comme une mesure négative à l'étape 4 car l'origine des règles (0,0) se trouve dans le coin supérieur gauche du plan de travail. En faisant glisser du contenu vers le haut dans le plan de travail, vous obtenez par défaut une valeur négative.

4. Avec l'outil Sélection et tout en appuyant sur la touche Maj, faites glisser le groupe du logo vers le haut. Lorsque les libellés des dimensions affichent dX : 0 in et dY : –0,18 in, relâchez le bouton de la souris, puis la touche Maj.

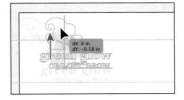

Le libellé dY indique la distance de déplacement le long de l'axe Y (verticalement).

5. Le groupe étant toujours sélectionné, choisissez Édition > Copier.

6. Choisissez Sélection > Désélectionner.

7. Choisissez 4 Enveloppe dans le menu Navigation dans le plan de travail afin d'aller à l'enveloppe. Choisissez Édition > Coller sur place.

8. Choisissez 3 CV – Verso dans le menu Navigation dans le plan de travail pour afficher la carte de visite.

9. Avec l'outil Sélection, tout en appuyant sur la touche Maj, cliquez sur le texte et sur les petites fleurs qui se trouvent dans le coin supérieur droit de la carte de visite.

10. Choisissez Objet > Associer puis Édition > Copier.

11. Choisissez 4 Enveloppe dans le menu Navigation dans le plan de travail pour revenir au plan de travail de l'enveloppe. Choisissez Édition > Coller.

12. Dans le panneau Contrôle, cliquez sur le mot Transformation, puis sur le point de référence central gauche (⊟) dans le panneau Transformation. Fixez la valeur X à **0,45 in** et la valeur Y à **1,7 in**. Appuyez sur Entrée ou Retour pour appliquer ces paramètres. Si le texte est trop proche du logo, utilisez les touches fléchées pour le positionner plus précisément.

● **Note :** En fonction de la résolution de votre écran, il est possible que le mot Transformation n'apparaisse pas dans le panneau Contrôle et soit remplacé par les options de transformation. Vous pouvez également choisir Fenêtre > Transformation.

13. Cliquez en dehors de l'illustration pour la désélectionner et choisissez Fichier > Enregistrer.

Modifier la perspective

Vous allez à présent vous servir de l'outil Transformation manuelle pour modifier la perspective du texte. Cet outil a plusieurs usages. Outre la modification de la perspective d'un objet, il combine les fonctions de mise à l'échelle, de déformation, de symétrie et de rotation.

1. Avec l'outil Sélection (▶), double-cliquez sur le logo Green Glow situé dans le coin supérieur gauche. Il est ainsi placé en mode Isolation.

2. Sélectionnez le texte "organic grow" et choisissez Édition > Copier.

3. Double-cliquez sur une zone vide du plan de travail afin de quitter le mode Isolation.

4. Choisissez Édition > Coller. Faites glisser le texte vers le bas du plan de travail, à environ un pouce du bord gauche. Gardez "organic grow" sélectionné.

5. Dans le panneau Outils, activez l'outil Mise à l'échelle (🔲), qui se trouve avec l'outil Déformation (🖐), puis fixez le point d'origine (Alt+clic [Windows] ou Option+clic [Mac OS]) sur le côté gauche du texte "organic grow". Dans la boîte de dialogue Mise à l'échelle, cochez Aperçu et fixez l'échelle uniforme à **300 %**. Cliquez sur OK.

6. Le texte étant sélectionné, activez l'outil Transformation manuelle (⊹) dans le panneau Outils.

● **Note :** Si vous vous servez des touches de modification en même temps que vous cliquez pour sélectionner, vous désactivez la fonctionnalité de perspective.

7. Positionnez le pointeur à double flèche (◄╎►) sur l'angle supérieur droit du cadre de sélection de l'objet. La prochaine étape nécessite de la précision. Faites glisser la poignée supérieure droite lentement vers le haut. Pendant cette opération, appuyez sur les touches Maj+Alt+Ctrl (Windows) ou Maj+Option+Cmd (Mac OS)

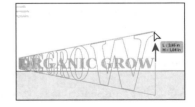

pour modifier la perspective de l'objet. Relâchez le bouton de la souris, puis les touches.

Si vous appuyez sur la touche Maj pendant que vous faites glisser, les objets sont redimensionnés proportionnellement ; si vous appuyez sur la touche Alt (Windows) ou Option (Mac OS), ils le sont à partir du point central ; si vous appuyez sur la touche Ctrl (Windows) ou Cmd (Mac OS), ils sont déformés à partir du point d'ancrage ou de la poignée du cadre de sélection que vous faites glisser.

8. Double-cliquez sur l'outil Rotation (⟳), cochez Aperçu et saisissez **10°** pour Angle. Cliquez sur OK.

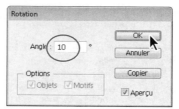

● **Note :** Après la rotation, la partie inférieure du texte doit se trouver au-dessus du bord inférieur du plan de travail. Si ce n'est pas le cas, essayez une valeur différente dans la boîte de dialogue Rotation.

9. Si nécessaire, avec l'outil Sélection, déplacez le texte vers le haut jusqu'à ce que son bord inférieur se trouve au-dessus du bord inférieur du plan de travail.

10. Le texte "organic grow" étant toujours sélectionné, dans le panneau Contrôle, fixez l'opacité à **30 %**.

11. Choisissez Sélection > Désélectionner.

12. Choisissez Fichier > Enregistrer.

Réaliser de multiples transformations

Vous allez à présent appliquer plusieurs fois une transformation.

1. Dans le menu Navigation dans le plan de travail, choisissez 2 CV – Recto.

2. Avec l'outil Sélection, double-cliquez sur le logo Green Glow. Sélectionnez la forme de la fleur verte et choisissez Édition > Copier.

3. Quittez le mode Isolation en appuyant sur la touche Échap, puis choisissez Édition > Coller.

4. Déplacez la forme afin qu'elle soit alignée avec les bords gauche et bas du plan de travail.

5. Dans le panneau Contrôle, cliquez sur le mot Transformation pour afficher ce panneau. Cliquez sur le point inférieur gauche dans le localisateur du point de référence (▦). Vérifiez que le bouton Conserver les proportions en largeur et en hauteur (▦) est sélectionné, puis fixez Hauteur à **0,3 in**. Appuyez sur Entrée ou Retour pour valider.

● **Note :** En fonction de la résolution de votre écran, il est possible que le mot Transformation n'apparaisse pas dans le panneau Contrôle et soit remplacé par les options de transformation. Vous pouvez également choisir Fenêtre > Transformation.

6. Choisissez Objet > Transformation > Transformation répartie. Dans la boîte de dialogue Transformation répartie, cochez Aperçu. Cochez Miroir sur l'axe X pour créer un symétrique de la forme par rapport à cet axe. Saisissez **0,4 in** dans le champ Déplacement horizontal. Conservez les autres réglages et cliquez sur Copier (ne cliquez pas sur OK).

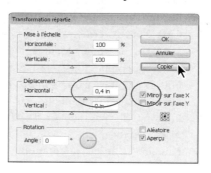

Les options de la boîte de dialogue Transformation répartie permettent d'appliquer plusieurs types de transformation de manière aléatoire.

▶ **Astuce :** Vous pouvez également appliquer de multiples transformations en tant qu'effets, qu'il s'agisse de mise à l'échelle, de déplacement, de rotation ou de symétrie. Après avoir sélectionné les objets, choisissez Effet > Distorsion et transformation > Transformation. La boîte de dialogue Transformation ressemble à la boîte de dialogue Transformation répartie. L'avantage des transformations sous forme d'effets est qu'elles peuvent être modifiées ou annulées à tout moment.

7. Choisissez Objet > Transformation > Répéter la transformation pour créer une nouvelle fleur.

Vous allez à présent répéter les transformations en passant par le clavier.

8. Appuyez sur Ctrl+D (Windows) ou Cmd+D (Mac OS) pour recommencer la transformation. Vous créez ainsi un total de neuf fleurs le long du bord inférieur.

9. Avec l'outil Sélection, tracez un rectangle de sélection sur les formes de fleur.

10. Choisissez Objet > Associer.

11. Choisissez Fichier > Enregistrer et laissez le fichier ouvert si vous prévoyez d'effectuer les tâches proposées dans la section "À vous de jouer".

L'effet Distorsion manuelle

Vous allez explorer une manière légèrement différente de déformer des objets, grâce à l'effet Distorsion manuelle. Il permet de déformer une sélection par le déplacement de ses quatre poignées d'angle.

1. Choisissez Fichier > Ouvrir et chargez le fichier L4start_2.ai à partir du dossier Lesson04 sur votre disque dur. Le contenu de ce document sera copié dans un autre fichier que vous allez créer.

2. Choisissez Fichier > Nouveau.

3. Dans la boîte de dialogue Nouveau document, nommez le fichier **CarteVisite**, vérifiez que l'option Nouveau profil de document est sur Impression, choisissez Pouces pour les unités, fixez Nombre de plans de travail à **8**, cliquez sur le bouton Grille par rangée ([image]), définissez l'espacement à **0 in**, le nombre de colonnes à **2**, la largeur à **3,25 in**, la hauteur à **2 in** et l'orientation à Paysage ([image]). Cliquez sur la flèche vers le haut

à gauche du champ Fond perdu afin que toutes les valeurs de fond perdu soient égales à **0,125 in**. Cliquez sur OK.

4. Avec l'outil Sélection (▶), cliquez sur le plan de travail supérieur gauche afin de l'activer.

5. Choisissez Fichier > Enregistrer sous. Dans la boîte de dialogue, gardez le nom CarteVisite.ai et allez dans le dossier Lesson04. Laissez l'option Type à Adobe Illustrator (*.AI) [Windows] ou l'option Format à Adobe Illustrator (ai) [Mac OS], puis cliquez sur Enregistrer. Dans la boîte de dialogue Options Illustrator, gardez les options par défaut et cliquez sur OK.

6. Dans la barre d'application, cliquez sur le bouton Réorganiser les documents (▦ ▾) et choisissez 2 vignettes dans le menu afin de disposer les documents côte à côte.

7. Cliquez dans la fenêtre CarteVisite.ai puis choisissez Affichage > Ajuster le plan de travail à la fenêtre. Ajustez de même la fenêtre L4start_2.ai.

8. Choisissez Sélection > Tout, de manière à sélectionner le contenu du plan de travail L4start_2.ai.

9. Choisissez Objet > Associer puis Édition > Copier.

10. Fermez le document L4start_2.ai sans l'enregistrer.

11. Choisissez Tout intégrer à partir du bouton Réorganiser les documents de la barre d'application.

12. Choisissez Affichage > Ajuster le plan de travail à la fenêtre pour que le plan de travail 1 soit ajusté à la fenêtre.

13. Choisissez Édition > Coller.

14. Double-cliquez avec l'outil Sélection sur le groupe des objets afin de passer en mode Isolation. Sélectionnez les sandales.

15. Choisissez Effet > Distorsion et transformation > Distorsion manuelle.

16. Dans la boîte de dialogue Distorsion manuelle, faites glisser une ou plusieurs poignées afin de déformer la sélection. Nous avons déplacé les points d'ancrage supérieurs vers l'extérieur et les points inférieurs vers le centre. Cliquez sur OK.

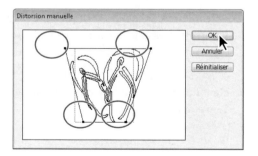

17. Double-cliquez en dehors de l'illustration pour quitter le mode Isolation et la désélectionner.

Vous allez à présent créer plusieurs copies de la carte de visite.

18. Choisissez Sélection > Tout sur le plan de travail actif.

19. Choisissez Édition > Couper.

20. Choisissez Affichage > Tout ajuster à la fenêtre puis Édition > Coller dans tous les plans de travail.

21. Choisissez Sélection > Désélectionner. Choisissez ensuite Affichage > Repères > Masquer les repères pour masquer les repères rouges de fond perdu.

22. Choisissez Fichier > Enregistrer puis Fichier > Fermer.

▶ **Astuce :** Pour imprimer les cartes de visite sur une seule page, choisissez Fichier > Imprimer et cochez Ignorer les plans de travail pour que tous les plans de travail se trouvent sur une même page.

À vous de jouer

1. Dans le projet de papier à en-tête, sur le plan de travail 2 CV – Recto, transformez le logo afin que sa largeur soit de 0,5 pouce et redimensionnez-le à partir de l'angle supérieur gauche.

2. Copiez le contenu restant, y compris le bouton Order Online du plan de travail 2 CV – Verso, sur le plan de travail 2 CV – Recto.

3. Essayez de basculer la fleur dans le logo Green Glow après avoir double-cliqué sur celui-ci pour entrer en mode Isolation.

● **Note :** En fonction de la résolution de votre écran, il est possible que le mot Transformation n'apparaisse pas dans le panneau Contrôle et soit remplacé par les options de transformation. Vous pouvez également choisir Fenêtre > Transformation.

4. Sélectionnez la fleur et cliquez sur le mot Transformation dans le panneau Contrôle pour afficher le panneau Transformation (ou cliquez sur X, Y, L ou H). Sélectionnez le point de référence central et choisissez Symétrie axe horizontal dans le menu du panneau Transformation (▼≡).

5. Renommez certains plans de travail et ajoutez un autre plan de travail pour l'enveloppe.

Révisions

Questions

1. Indiquez deux manières de modifier la taille d'un plan de travail existant.

2. Comment pouvez-vous renommer un plan de travail ?

3. Comment sélectionne-t-on et manipule-t-on des objets individuels dans un groupe (comme décrit dans ce chapitre) ?

4. Comment redimensionnez-vous un objet ?

5. Quels types de transformations pouvez-vous réaliser à partir du panneau Transformation ?

6. Que signale le diagramme carré (⊞) affiché dans le panneau Transformation et comment affecte-t-il les transformations ?

Réponses

1. a) Double-cliquer sur l'outil Plan de travail et modifier les dimensions du plan de travail actif dans la boîte de dialogue Options du plan de travail ; b) sélectionner l'outil Plan de travail, positionner le pointeur sur le bord ou l'angle du plan de travail, puis faire glisser pour le redimensionner.

2. Il faut activer l'outil Plan de travail et sélectionner ce plan de travail. Ensuite, on modifie son nom dans le champ Nom du panneau Contrôle. On peut aussi cliquer sur le bouton Options du plan de travail dans le panneau Plans de travail pour saisir le nom dans la boîte de dialogue Options du plan de travail.

3. En double-cliquant sur le groupe avec l'outil Sélection pour entrer en mode Isolation. Cette opération dissocie temporairement le groupe afin qu'on puisse modifier les objets d'un groupe sans réellement le dissocier.

4. De plusieurs manières : en le sélectionnant puis en faisant glisser les poignées de son cadre de sélection ; avec l'outil Mise à l'échelle ou le panneau Transformation ; en choisissant l'option Objet > Transformation > Mise à l'échelle pour définir des dimensions précises. On peut aussi choisir Effet > Distorsion et transformation > Transformation.

5. Le panneau Transformation permet d'effectuer les transformations suivantes : déplacer ou positionner précisément des objets dans une illustration (en définissant les coordonnées X et Y et le point de référence), mettre à l'échelle des objets, faire pivoter des objets, déformer des objets et créer des symétriques des objets.

6. Le diagramme carré du panneau Transformation représente le cadre de sélection des objets sélectionnés. Sélectionner un point de référence dans ce carré permet de définir le point à partir duquel les objets seront déplacés, mis à l'échelle, pivotés, déformés ou soumis à une symétrie.

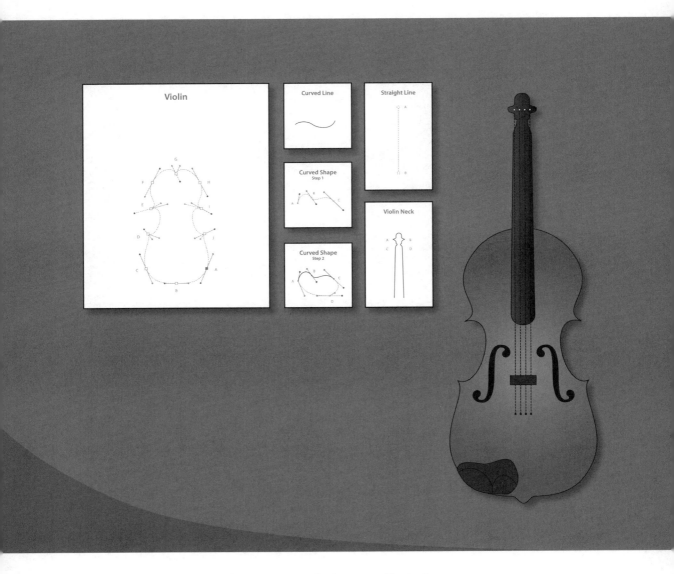

Si l'outil Crayon est plus pratique pour dessiner et modifier les lignes de forme libre, l'outil Plume est parfaitement adapté au dessin précis, par exemple de lignes droites, de courbes de Bézier et de figures complexes. Vous allez vous entraîner à l'utiliser sur un plan de travail vierge, puis vous l'utiliserez pour dessiner un violon.

Dessin avec les outils Plume et Crayon

5

Au cours de cette leçon, vous apprendrez à :

• tracer des lignes courbes ;

• tracer des lignes droites ;

• utiliser des calques de gabarit ;

• terminer des segments de tracés et des lignes brisées ;

• sélectionner et ajuster des segments de courbes ;

• créer des lignes en pointillés et ajouter des flèches ;

• dessiner et modifier des tracés avec l'outil Crayon.

Cette leçon vous prendra environ une heure et demie. Si nécessaire, supprimez le dossier de la leçon précédente de votre disque dur et copiez le dossier Lesson05.

Mise en route

La première partie de cette leçon vous permettra de manipuler l'outil Plume sur un plan de travail vide.

● **Note :** Si vous n'avez pas encore copié les fichiers de cette leçon sur votre disque dur à partir du dossier Lesson05 du CD-ROM *Adobe Illustrator CS5 Classroom in a Book*, faites-le maintenant. Pour savoir comment procéder, consultez la section "Copie des fichiers d'exercices de *Classroom in a Book*" à la page 2.

1. Pour vous assurer que les outils et les panneaux fonctionneront exactement comme ils sont décrits au fil de cette leçon, supprimez ou désactivez (en le renommant) le fichier des préférences d'Adobe Illustrator CS5 (pour en savoir plus, reportez-vous à la section "Rétablissement des préférences par défaut" de l'Introduction.

2. Lancez Adobe Illustrator CS5.

3. Ouvrez le fichier L5start_1.ai, qui se trouve dans le dossier Lesson05 sur votre disque dur. La partie supérieure du plan de travail montre le tracé que vous allez créer. Réservez la partie inférieure du plan de travail à cet exercice.

4. Choisissez Fichier > Enregistrer sous, nommez le fichier **tracé1.ai** et sélectionnez le dossier Lesson05. Choisissez Adobe Illustrator (*.AI) dans le menu Type (Windows) ou Adobe Illustrator (ai) dans le menu Format (Mac OS). Dans la boîte de dialogue Options Illustrator, gardez les options par défaut et cliquez sur OK.

5. Appuyez sur les touches Ctrl+0 (Windows) ou Cmd+0 (Mac OS) pour adapter le plan de travail à la fenêtre. Ensuite, appuyez une fois sur Maj+Tab pour fermer tous les panneaux, à l'exception du panneau Outils. Vous n'avez pas besoin des autres panneaux pour le moment.

6. Choisissez Affichage > Repères commentés pour désactiver les repères commentés.

7. Dans le panneau Contrôle, cliquez sur la couleur de fond et sélectionnez la nuance [Sans] (⊘). Cliquez ensuite sur la couleur de contour et vérifiez que la nuance Noir est sélectionnée.

8. Dans le panneau Contrôle, vérifiez que l'épaisseur de contour est fixée à 1 pt.

Il vaut mieux, lorsque l'outil Plume est en service, que le tracé créé n'ait pas de fond. Vous pourrez toujours l'ajouter ultérieurement si nécessaire.

● **Note :** Si un réticule s'affiche à la place de l'icône de la plume, c'est que la touche de verrouillage des majuscules est activée. Les pointeurs des outils sont alors transformés de la sorte afin d'indiquer que le pointeur de précision est actif.

9. Dans le panneau Outils, sélectionnez l'outil Plume (✎). Notez le "x" qui apparaît à droite de la plume (✎x). Il indique que vous commencez un tracé. Cliquez dans la partie inférieure du plan de travail pour définir le premier point, puis éloignez le pointeur du point d'ancrage d'origine, le "x" disparaît.

10. Déplacez le curseur vers la droite et le bas du point original et cliquez pour créer un deuxième point d'ancrage sur le tracé.

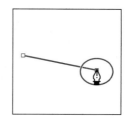

● **Note :** Le premier segment dessiné ne sera visible que lorsque vous cliquerez pour insérer le deuxième point d'ancrage. Si des lignes directrices apparaissent, cela signifie que vous avez accidentellement fait glisser l'outil Plume. Choisissez alors Édition > Annuler et cliquez de nouveau.

11. Cliquez de nouveau sous le point d'ancrage initial pour créer un motif en zigzag. Celui-ci sera terminé après la création de six points d'ancrage, c'est-à-dire après que vous aurez cliqué six fois sur le plan de travail.

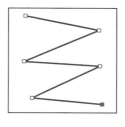

Parmi ses nombreux avantages, l'outil Plume permet de créer des tracés personnalisés tout en autorisant ensuite la modification des points d'ancrage qui les composent.

À présent, vous allez voir les relations entre les outils de sélection et l'outil Plume.

12. Dans le panneau Outils, activez l'outil Sélection (▶) et cliquez sur le tracé du zigzag. Remarquez que les points d'ancrage sont pleins, ce qui signifie qu'ils sont tous sélectionnés. Faites glisser le tracé vers un nouvel emplacement sur le plan de travail. Tous les points se déplacent ensemble, en conservant la forme du zigzag.

13. Désélectionnez le tracé du zigzag de l'une des manières suivantes :

- Avec l'outil Sélection, cliquez sur une zone vide du plan de travail.
- Choisissez Sélection > Désélectionner.
- Appuyez sur la touche Ctrl (Windows) ou Cmd (Mac OS) et cliquez en dehors du tracé avec l'outil Plume. L'outil Sélection apparaît temporairement. Une fois la touche Ctrl ou Cmd relâchée, l'outil Plume réapparaît.
- Cliquez une fois sur l'outil Plume. Même si le tracé semble toujours actif, il ne sera pas relié au prochain point d'ancrage.

14. Dans le panneau Outils, choisissez l'outil Sélection directe (▷) et cliquez sur n'importe quel point du zigzag ou tracez un rectangle de sélection autour d'un point d'ancrage. Le point d'ancrage sélectionné devient plein, tandis que les autres restent vides.

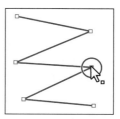

15. Le point d'ancrage étant sélectionné, faites-le glisser pour le repositionner. Seul ce point d'ancrage se déplace. Employez cette technique pour modifier un tracé.

Note : Si l'intégralité du tracé du zigzag disparaît, choisissez Édition > Annuler Effacer et recommencez.

16. Choisissez Sélection > Désélectionner.

17. À l'aide de l'outil Sélection directe, cliquez sur l'un des segments situés entre deux points d'ancrage et choisissez Édition > Couper.

    Cette opération coupe uniquement le tracé sélectionné dans le zigzag.

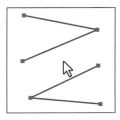

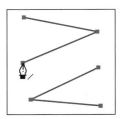

18. Revenez à l'outil Plume et positionnez le pointeur sur l'un des points d'ancrage qui était relié au segment que vous venez de supprimer. Vous remarquerez que l'icône de la plume affiche une barre oblique (/) à sa droite, ce qui indique qu'un tracé existant se poursuit. Lorsque vous cliquez sur le point, il devient plein. Seuls les points actifs sont pleins.

19. Positionnez le pointeur sur le deuxième point qui était relié au segment d'origine. L'icône est accompagnée d'un symbole de fusion (♨). Cela signifie que vous reliez l'élément actuel à un autre tracé. Cliquez sur le point pour connecter les tracés.

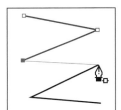

20. Choisissez Fichier > Enregistrer puis Fichier > Fermer.

Création de lignes droites

À la Leçon 4, "Transformation d'objets", vous avez vu que vous pouviez utiliser la touche Maj et les repères commentés en association avec des outils pour contraindre la forme des objets créés. Employée avec l'outil Plume, la touche Maj contraint les tracés selon des multiples de 45°.

Au cours de cet exercice, vous apprendrez à dessiner des lignes droites et des angles contraints.

1. Ouvrez le fichier L5start_2.ai, qui se trouve dans le dossier Lesson05 sur votre disque dur. La partie supérieure du plan de travail montre le tracé que vous allez créer. Utilisez la partie inférieure pour cet exercice.

2. Choisissez Fichier > Enregistrer sous, nommez le fichier **tracé2.ai** et sélectionnez le dossier Lesson05. Choisissez Adobe Illustrator (*.AI) dans le menu Type (Windows) ou Adobe Illustrator (ai) dans le menu Format (Mac OS). Dans la boîte de dialogue Options Illustrator, gardez les options par défaut et cliquez sur OK.

3. Choisissez Affichage > Repères commentés pour activer les repères commentés.

4. Dans le panneau Outils, choisissez l'outil Plume (✒) et cliquez une fois dans la zone de travail de la page.

5. Déplacez le pointeur vers la droite du point d'ancrage d'origine, à 1,5 pouce comme l'indiquent les libellés des dimensions. Vous n'avez pas besoin d'être exact. Un repère de construction vert apparaît lorsque le pointeur est aligné verticalement avec le point d'ancrage précédent. Cliquez pour placer le deuxième point d'ancrage.

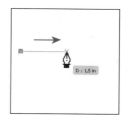

Les libellés des dimensions et les repères de construction font partie des repères commentés.

▶ **Astuce :** Si les repères commentés ne sont pas actifs, les libellés des dimensions et les repères de construction n'apparaîtront pas. Sans les repères commentés, vous pouvez appuyer sur Maj et cliquer pour créer des lignes droites.

6. Placez quatre points supplémentaires en cliquant de manière à créer la même forme que dans la partie supérieure du plan de travail. Appuyez sur la touche Maj, déplacez le pointeur vers la droite et le bas, jusqu'à ce qu'il soit aligné avec les deux points inférieurs. Cliquez pour définir le point d'ancrage, puis relâchez la touche de modification.

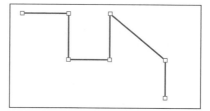

Note : Les points que vous définissez n'ont pas besoin d'être exactement au même emplacement que dans le modèle.

En appuyant sur la touche Maj, vous créez des lignes d'angle contraintes sur 45°. Les repères commentés affichent un repère de construction lorsque le pointeur est aligné avec des points existants. Cette aide sera très utile pour tracer des lignes droites.

7. Positionnez le pointeur sous le dernier point et cliquez pour positionner le dernier point d'ancrage de la forme.

8. Choisissez Fichier > Enregistrer et fermer le fichier.

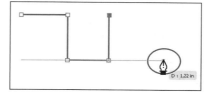

Création de tracés incurvés

Dans cette partie de la leçon, vous apprendrez à dessiner des lignes doucement incurvées à l'aide de l'outil Plume. Les programmes de dessin vectoriel comme Illustrator permettent de tracer des courbes contenant des points de contrôle et appelées *courbes de Bézier*. En définissant des points d'ancrage et en faisant glisser les poignées de direction, vous êtes en mesure de définir la forme de la courbe. Cette méthode est un peu longue à maîtriser, mais elle offre un meilleur contrôle et plus de souplesse lors de la création des tracés.

1. Ouvrez le fichier L5start_3.ai, qui se trouve dans le dossier Lesson05 sur votre disque dur. Il contient un calque de gabarit pour vous habituer à dessiner avec l'outil Plume (✒). (Consultez la Leçon 8, "Les calques", pour en savoir plus sur la création des calques.) La zone de travail située sous le tracé vous permettra ensuite de vous entraîner.

2. Choisissez Fichier > Enregistrer sous, nommez le fichier **tracé3.ai** et sélectionnez le dossier Lesson05. Choisissez Adobe Illustrator (*.AI) dans le menu Type (Windows) ou Adobe Illustrator (ai) dans le menu Format (Mac OS). Dans la boîte de dialogue Options Illustrator, gardez les options par défaut et cliquez sur OK.

3. Choisissez Affichage > Tout ajuster à la fenêtre.

4. Dans le panneau Contrôle, cliquez sur la couleur de fond et sélectionnez la nuance [Sans] (⊠). Cliquez ensuite sur la couleur de contour et vérifiez que la nuance Noir est sélectionnée.

5. Dans le panneau Contrôle, vérifiez que l'épaisseur de contour est fixée à 1 pt.

6. Avec l'outil Plume (✒), cliquez n'importe où sur la page pour créer le premier point d'ancrage. Cliquez ensuite ailleurs sur la page et faites glisser le pointeur pour créer un tracé incurvé.

   Répétez ces opérations à plusieurs endroits sur la page. L'objectif n'est pas de créer un dessin précis, mais de vous habituer aux courbes de Bézier.

   Lorsque vous cliquez et faites glisser le pointeur, des poignées de direction apparaissent. Elles sont constituées de lignes directrices qui se terminent par des points directeurs arrondis. L'angle et la longueur de ces poignées déterminent la forme et la taille des segments incurvés. Les poignées de direction ne s'impriment pas et ne sont pas visibles lorsque le point d'ancrage est inactif.

7. Choisissez Sélection > Désélectionner.

8. Activez l'outil Sélection directe (▷) et cliquez sur un segment incurvé pour afficher de nouveau les poignées de direction. Si les repères commentés sont activés, le mot "tracé" apparaît lorsque vous cliquez. En déplaçant les poignées de direction, vous modifiez la forme de la courbe.

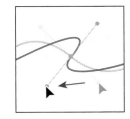

9. Gardez le fichier ouvert pour la section suivante.

Éléments d'un tracé

Lorsque vous dessinez, vous créez une ligne appelée *tracé*. Un tracé est composé d'un ou de plusieurs segments droits ou incurvés. Le début et la fin de chaque segment sont indiqués par des points d'ancrage qui fonctionnent à la manière d'épingles maintenant un fil en place. Un tracé peut être fermé (un cercle, par exemple) ou ouvert, s'il comporte des extrémités distinctes (une ligne onduleuse, par exemple). Pour modifier la forme d'un tracé, vous pouvez faire glisser ses points d'ancrage, les points directeurs à l'extrémité des lignes directrices qui apparaissent aux points d'ancrage ou le segment du tracé lui-même.

Les tracés peuvent avoir deux types de point d'ancrage : les sommets et les points d'inflexion. Au niveau d'un sommet, un tracé change brusquement de sens. Au niveau d'un point d'inflexion, les segments de tracé sont reliés en une courbe continue.

Lorsque vous dessinez un tracé, vous pouvez mélanger à votre guise les sommets et les points d'inflexion. Vous pouvez toujours transformer un sommet en point d'inflexion, et inversement.

Extrait de l'Aide d'Illustrator

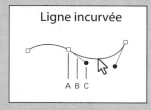

Ligne incurvée

A B C

A. Point d'ancrage
B. Ligne directe
C. Poignée de direction
(ou point directeur)

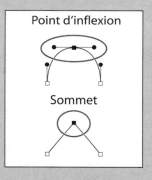

Point d'inflexion

Sommet

Créer une courbe

Dans cette partie de la leçon, vous apprendrez à maîtriser les poignées de direction afin de contrôler les courbes. Vous utiliserez le plan de travail supérieur pour tracer des formes.

1. Appuyez sur la touche Z, pour activer l'outil Zoom (🔍), et dessinez un rectangle de sélection autour de la courbe marquée A.

2. Choisissez Affichage > Repères commentés pour les désactiver.

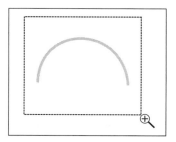

Note : Il se peut que le plan de travail défile lorsque vous faites glisser le point d'ancrage. Si vous perdez la courbe de vue, choisissez Affichage > Zoom arrière jusqu'à ce que vous la voyiez à nouveau, ainsi que le point d'ancrage. Appuyez sur la barre d'espacement pour obtenir temporairement l'outil Main et repositionner l'illustration.

3. Dans le panneau Outils, activez l'outil Plume (🖋). Cliquez sur la base du côté gauche de l'arc et faites glisser le pointeur vers le haut pour créer une ligne directrice allant dans la même direction que l'arc. N'oubliez pas de toujours suivre la direction de la courbe. Relâchez lorsque la ligne directrice arrive légèrement au-dessus de l'arc.

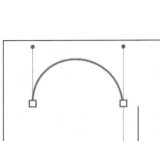

▶ **Astuce :** Si vous faites une erreur pendant que vous dessinez avec l'outil Plume, choisissez Édition > Annuler Plume pour annuler des points.

4. Cliquez sur la base inférieure droite du tracé de l'arc et faites glisser le pointeur vers le bas. Relâchez lorsque votre tracé correspond à l'arc.

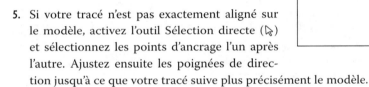

● **Note :** Plus vous tirez sur la poignée de direction, plus vous accentuez la courbure du tracé.

5. Si votre tracé n'est pas exactement aligné sur le modèle, activez l'outil Sélection directe (▷) et sélectionnez les points d'ancrage l'un après l'autre. Ajustez ensuite les poignées de direction jusqu'à ce que votre tracé suive plus précisément le modèle.

6. Avec l'outil Sélection (▶), cliquez dans une zone vide du plan de travail ou choisissez Sélection > Désélectionner. Si le tracé A est toujours actif lorsque vous cliquez avec l'outil Plume, il sera lié au prochain point que vous placerez. En désélectionnant le premier tracé, vous pourrez commencer un nouveau tracé.

▶ **Astuce :** Pour désélectionner des objets, appuyez sur la touche Ctrl (Windows) ou Cmd (Mac OS) pour passer temporairement à l'outil Sélection ou Sélection directe, selon le dernier employé, et cliquez sur une zone vide du plan de travail.

7. Choisissez Fichier > Enregistrer.

8. Réduisez le facteur de zoom de manière à voir le tracé B.

9. Avec l'outil Plume, cliquez et faites glisser le pointeur à la base gauche du tracé B, dans la direction de l'arc. Cliquez et faites glisser vers le bas jusqu'au carré suivant, en ajustant l'arc avec la poignée de direction avant de relâcher.

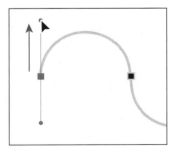

● **Note :** Ne vous inquiétez pas si votre tracé n'est pas exact. Vous le corrigerez avec l'outil Sélection directe lorsqu'il sera terminé.

10. Continuez le long du tracé, en alternant clics et glissements vers le haut et vers le bas. Placez des points d'ancrage uniquement lorsque vous voyez les carrés. Si vous vous trompez en traçant, vous pouvez annuler votre travail en choisissant Édition > Annuler Plume.

11. Une fois le tracé terminé, choisissez l'outil Sélection directe et sélectionnez un point d'ancrage. Les poignées de direction apparaissent et vous pouvez réajuster la pente du tracé.

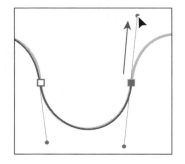

● **Note :** Vous pouvez annuler une suite d'actions, dont le nombre est seulement limité par la capacité mémoire de votre ordinateur. Pour cela, choisissez Édition > Annuler ou appuyez sur Ctrl+Z (Windows) ou Cmd+Z (Mac OS) autant de fois que nécessaire.

12. Entraînez-vous à répéter ces tracés sur la zone de travail prévue à cet effet.

13. Choisissez Fichier > Enregistrer puis Fichier > Fermer.

Convertir des points d'inflexion en sommets

Lors de la création des courbes, les poignées de direction aident à déterminer la courbure du tracé. Revenir à un sommet exige un petit effort supplémentaire. Vous allez donc vous entraîner à transformer les points d'inflexion en sommets.

1. Ouvrez le fichier L5start_4.ai, situé dans le dossier Lesson05. Dans le plan de travail supérieur, vous voyez les tracés que vous allez créer. Utilisez ce plan de travail comme modèle et réalisez vos tracés directement sur ceux qui y sont dessinés. La zone de travail inférieure vous permettra de vous entraîner plus avant.

2. Choisissez Fichier > Enregistrer sous, nommez le fichier **tracé4.ai** et sélectionnez le dossier Lesson05. Choisissez Adobe Illustrator (*.AI) dans le menu Type (Windows) ou Adobe Illustrator (ai) dans le menu Format (Mac OS). Dans la boîte de dialogue Options Illustrator, gardez les options par défaut et cliquez sur OK.

3. Choisissez Affichage > Tout ajuster à la fenêtre.

4. Dans le plan de travail supérieur, activez l'outil Zoom (🔍) et créez un rectangle de sélection autour du tracé A.

5. Dans le panneau Contrôle, cliquez sur la couleur de fond et sélectionnez la nuance [Sans] (⬜). Cliquez ensuite sur la couleur de contour et vérifiez que la nuance Noir est sélectionnée.

6. Dans le panneau Contrôle, vérifiez que l'épaisseur de contour est fixée à 1 pt.

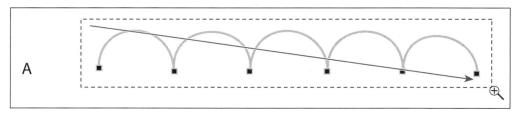

Note : En appuyant sur la touche Maj pendant le déplacement, vous contraignez l'angle de la poignée sur une ligne droite.

7. Choisissez l'outil Plume (✐), appuyez sur la touche Maj et cliquez sur le premier point d'ancrage et faites-le glisser vers le haut. Relâchez le bouton de la souris, puis la touche Maj, lorsque la ligne directrice se trouve légèrement au-dessus de l'arc. Cliquez ensuite sur le deuxième point d'ancrage, toujours avec la touche Maj appuyée, et faites glisser le pointeur vers le bas, sans relâcher le bouton de la souris. Lorsque la courbe vous semble correcte, relâchez le bouton de la souris, puis la touche Maj.

Vous allez à présent couper les lignes directrices afin de convertir un point d'inflexion en un sommet.

Astuce : Après avoir dessiné un tracé, vous pouvez également sélectionner un ou plusieurs points d'ancrage et cliquer, dans le panneau Contrôle, sur le bouton Convertir les points d'ancrage sélectionnés en angles (⌐) ou Convertir les points d'ancrage sélectionnés en arrondis (⌐).

8. Appuyez sur la touche Alt (Windows) ou Option (Mac OS) et pointez sur le dernier point d'ancrage créé ou sur son point directeur inférieur. Lorsque le symbole flèche (^) apparaît, cliquez et faites glisser le pointeur **vers le haut. Relâchez le bouton de la souris, puis la touche Alt ou** Option. Si le symbole flèche (^) n'est pas visible, vous allez créer un arc supplémentaire.

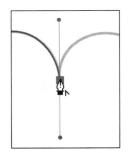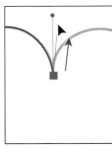

Note : Si vous ne cliquez pas précisément sur le point d'ancrage ou sur le point directeur à l'extrémité de la ligne directrice, une boîte d'avertissement s'affiche. Cliquez sur OK et essayez de nouveau.

Entraînez-vous à ajuster les poignées de direction avec l'outil Sélection directe une fois le tracé terminé.

9. Cliquez sur le carré suivant et faites glisser vers le bas. Relâchez lorsque le tracé semble correct.

10. Appuyez sur la touche Alt (Windows) ou Option (Mac OS) et, après que le symbole flèche (^) est apparu, tirez le dernier point d'ancrage ou le dernier point directeur vers le haut en prévision de la prochaine courbe. Relâchez le bouton de la souris, puis la touche de modification.

Astuce : Les étapes 11 et 12 montrent une manière de découper des lignes directrices sans relâcher le bouton de la souris.

11. Pour le troisième point d'ancrage, cliquez sur le carré suivant et faites glisser vers le bas jusqu'à ce que le tracé semble correct. Ne relâchez pas le bouton de la souris.

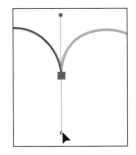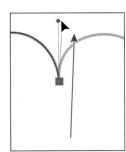

Étape #11   Étape #12

12. Appuyez à nouveau sur la touche Alt (Windows) ou Option (Mac OS) et faites glisser vers le haut en prévision de la prochaine courbe. Relâchez le bouton de la souris, puis la touche de modification.

13. Poursuivez cette procédure en utilisant la touche Alt (Windows) ou Option (Mac OS) pour créer les sommets jusqu'à ce que le tracé soit terminé. Servez-vous de l'outil Sélection directe (☛) pour affiner le tracé, puis désélectionnez ce dernier.

14. Choisissez Fichier > Enregistrer.

Vous allez à présent convertir une courbe en une ligne droite.

1. Choisissez Affichage > Ajuster le plan de travail à la fenêtre. Vous pouvez également employer le raccourci clavier Ctrl+0 (Windows) ou Cmd+0 (Mac OS). Avec l'outil Zoom, tracez un cadre de sélection autour du tracé B pour agrandir l'affichage.

2. Avec l'outil Plume, cliquez sur le premier point d'ancrage et faites glisser le pointeur vers la gauche et le haut. Ensuite, faites glisser le deuxième point d'ancrage et relâchez lorsque votre arc correspond au modèle. Vous devriez maintenant être familiarisé avec cette méthode de création d'un arc. Vous passez donc d'une courbe à une ligne 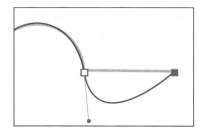 droite. Le fait d'appuyer sur la touche Maj et de cliquer ne produira pas une ligne droite, puisque le dernier point est un point d'ancrage arrondi.

La figure qui illustre cette étape montre l'aspect du tracé si vous cliquez simplement avec l'outil Plume sur le dernier point.

3. Pour continuer le tracé sous forme de ligne droite, cliquez sur le dernier point créé de manière à supprimer une ligne directrice du tracé (voir figure). Ensuite, appuyez sur la touche Maj et cliquez sur le point suivant à droite pour créer un segment droit.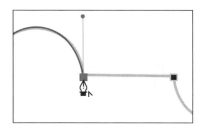

4. Pour l'arc suivant, positionnez le pointeur au-dessus du dernier point créé (notez l'apparition du symbole de flèche), puis cliquez et faites glisser vers le bas à partir de ce point. Vous créez une nouvelle ligne directrice.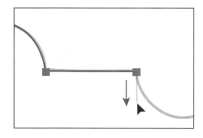

5. Cliquez sur le point suivant et faites glisser le pointeur vers le haut pour terminer l'arc descendant. Cliquez sur le dernier point d'ancrage de l'arc pour supprimer la ligne directrice.

6. Appuyez sur la touche Maj et cliquez sur le point suivant pour créer un deuxième segment droit.

7. Cliquez et faites glisser vers le haut à partir du dernier point créé, puis cliquez et faites glisser vers le bas pour créer le dernier arc. Entraînez-vous à répéter ces tracés dans le plan de travail inférieur du document. Si nécessaire, servez-vous de l'outil Sélection directe pour ajuster le tracé.

8. Choisissez Fichier > Enregistrer puis Fichier > Fermer.

Création de l'illustration du violon

Dans cette partie de la leçon, vous allez réaliser le dessin d'un violon. Cette procédure fait appel aux techniques que vous avez apprises auparavant et vous révélera, en outre, quelques techniques supplémentaires mettant en œuvre l'outil Plume.

1. Choisissez Fichier > Ouvrir et chargez le fichier L5end_5.ai, qui se trouve dans le dossier Lesson05.

2. Choisissez Affichage > Tout ajuster à la fenêtre pour voir l'illustration terminée. Avec l'outil Main (✋), déplacez l'illustration là où vous le souhaitez. Si vous ne voulez pas garder l'image ouverte, choisissez Fichier > Fermer.

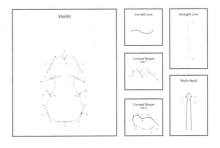

3. Choisissez Fichier > Ouvrir et chargez le fichier L5start_5.ai, qui se trouve dans le dossier Lesson05.

4. Choisissez Fichier > Enregistrer sous, nommez le fichier **violon.ai** et sélectionnez le dossier Lesson05. Choisissez Adobe Illustrator (*.AI) dans le menu Type (Windows) ou Adobe Illustrator (ai) dans le menu Format (Mac OS). Dans la boîte de dialogue Options Illustrator, gardez les options par défaut et cliquez sur OK.

5. Dans le panneau Contrôle, cliquez sur la couleur de fond et sélectionnez la nuance [Sans] (⊘). Cliquez ensuite sur la couleur de contour et vérifiez que la nuance Noir est sélectionnée.

6. Dans le panneau Contrôle, vérifiez que l'épaisseur de contour est fixée à 1 pt.

Traçage de courbes

Vous étudierez ici le tracé de courbes en dessinant le violon, son manche, les cordes et une ligne incurvée. Vous commencerez par observer une première courbe, puis vous en tracerez plusieurs en vous aidant des instructions fournies avec le gabarit.

Sélectionner une courbe

1. Choisissez 2 Curved Line (ligne incurvée) dans le menu Navigation dans le plan de travail, qui se trouve dans le coin inférieur gauche de la fenêtre de document.

2. Avec l'outil Sélection directe (⟨⟩), cliquez sur l'un des segments de la courbe pour afficher ses points d'ancrage et les poignées de direction qui partent des points. L'outil Sélection directe permet de sélectionner et de modifier des segments individuels de la courbe.

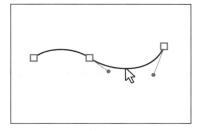

En sélectionnant une courbe, vous sélectionnez également son contour et son fond, de sorte que la prochaine ligne que vous dessinerez aura les mêmes attributs. Pour en savoir plus sur ces attributs, consultez la Leçon 6, "Couleurs et peinture".

Tracer une forme courbée

Vous allez à présent tracer la première courbe de la forme incurvée.

1. Choisissez 3 Curved Shape step 1 (forme courbée étape 1) dans le menu Navigation dans le plan de travail qui se trouve dans le coin inférieur gauche de la fenêtre de document.

Au lieu de faire glisser l'outil Plume (⟨⟩) pour tracer une courbe, vous allez le faire glisser pour définir le point de départ et la direction de la courbe.

2. Sélectionnez l'outil Plume et positionnez-le au-dessus du point A du gabarit. Faites glisser du point A vers le point rouge.

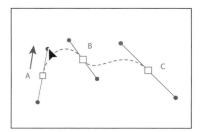

Vous allez à présent définir le deuxième point d'ancrage et ses poignées de direction.

3. Faites glisser l'outil Plume (✒) du point B vers le point rouge suivant. Les deux points d'ancrage sont reliés par une courbe qui suit les poignées de direction que vous avez créées. Notez que si vous modifiez l'angle de glissement, vous modifiez également la courbure.

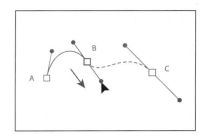

4. Pour boucler la ligne incurvée, faites glisser l'outil Plume du point C vers le dernier point rouge.

5. Cliquez en appuyant sur la touche Ctrl (Windows) ou Cmd (Mac OS) en dehors de la ligne pour terminer le tracé.

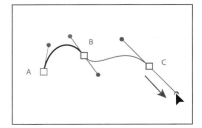

▶ **Astuce :** Pour terminer un tracé, vous pouvez, au choix, cliquer sur l'outil Plume, appuyer sur la touche P (raccourci clavier de l'outil Plume) ou choisir Sélection > Désélectionner.

Tracer différents types de courbes

Vous terminerez le tracé de la forme incurvée en ajoutant un élément à une courbe existante. Même quand un tracé est bouclé, vous pouvez revenir dessus et le modifier. Appuyez sur la touche Alt (Windows) ou Option (Mac OS) pour définir le type de courbe.

1. Choisissez 4 Curved Shape step 2 dans le menu Navigation dans le plan de travail, qui se trouve dans le coin inférieur gauche de la fenêtre de document.

Vous allez ajouter un sommet au tracé, ce qui vous permettra de modifier la direction de la courbe. Un point d'inflexion permet de dessiner une courbe continue.

2. Positionnez l'outil Plume (✒) sur l'extrémité de la ligne au point A. La barre oblique (/) affichée à côté de l'outil Plume indique que vous êtes aligné avec un point d'ancrage et que vous allez poursuivre le tracé de la ligne, non en commencer une nouvelle.

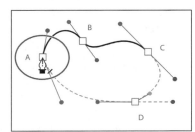

3. Appuyez sur la touche Alt (Windows) ou Option (Mac OS). Notez que la barre d'état affiche "Plume : créer un angle". Maintenez la touche Alt (Windows) ou Option (Mac OS) et faites glisser l'outil Plume du point d'ancrage A au point gris. Relâchez le bouton de la souris, puis la touche Alt ou Option.

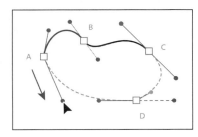

Jusque-là, toutes les courbes que vous avez dessinées présentaient des tracés ouverts. Vous allez réaliser maintenant un tracé fermé dans lequel le point d'ancrage final sera placé sur le premier point d'ancrage. Les ovales et les rectangles sont des exemples de tracés fermés.

Vous allez refermer le tracé à l'aide d'un point d'inflexion.

4. Faites glisser l'outil Plume depuis le point D jusqu'au point rouge. Appuyez sur Alt (Windows) ou Option (Mac OS) et faites glisser la poignée de direction depuis le point rouge jusqu'au point doré. Relâchez le bouton de la souris, puis la touche.

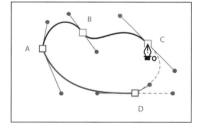

5. Positionnez le pointeur sur le point d'ancrage C du gabarit. Un petit cercle vide s'affiche à côté de l'outil Plume (⌀₀) pour indiquer qu'un clic refermera le tracé. Cliquez et faites glisser le pointeur de ce point jusqu'au point gris sur B. Pendant que vous faites glisser, prêtez attention aux segments des deux côtés du point C.

● **Note :** Les lignes en pointillés du gabarit ne sont que des guides. Les formes que vous créez n'ont pas à les respecter précisément.

Les poignées de direction qui apparaissent sur les deux côtés d'un point d'inflexion à partir duquel vous fermez le tracé sont alignées avec le même angle.

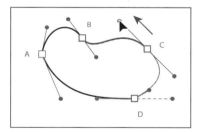

6. Cliquez tout en appuyant sur Ctrl (Windows) ou sur Cmd (Mac OS) en dehors de la ligne et choisissez Fichier > Enregistrer.

Tracer la forme du violon

Vous allez à présent dessiner un tracé continu unique qui comprend des points d'inflexion et des sommets. Chaque fois que vous souhaitez modifier la direction d'une courbe à un point donné, vous devez appuyer sur la touche Alt (Windows) ou Option (Mac OS) pour créer un sommet.

1. Choisissez Affichage > Violin pour afficher une vue agrandie du violon.

Vous allez d'abord tracer la partie inférieure droite du violon en créant des sommets et des points d'inflexion.

Note : Pour tracer cette forme, vous n'êtes pas obligé de partir du point bleu (point A). Avec l'outil Plume, vous pouvez fixer les points d'ancrage d'un tracé en allant dans le sens des aiguilles d'une montre ou dans le sens inverse.

2. Dans le panneau Outils, activez l'outil Plume (⟁). En commençant au carré bleu (point A), cliquez et faites glisser du point A jusqu'au point rouge pour définir le point d'ancrage de départ et la direction de la première courbe.

3. Avec l'outil Plume et tout en appuyant sur la touche Maj, faites glisser du point B jusqu'au point rouge à gauche. Lorsque vous atteignez ce point, relâchez le bouton de la souris, puis la touche Maj.

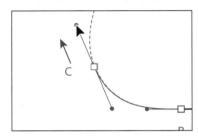

4. Faites glisser depuis le point C jusqu'au point rouge.

> **Astuce :** À l'étape 5, vous ferez tout d'abord glisser le pointeur vers le point rouge. Cela définit la courbe précédente. Lorsque la courbe correspond au gabarit, appuyez sur Alt ou Option pour couper les lignes directrices et faire glisser la ligne directrice suivante de manière à contrôler la forme de la courbe suivante.

5. Cliquez et faites glisser du point D jusqu'au point rouge. Lorsque le pointeur arrive sur ce point, appuyez sur la touche Alt (Windows) ou Option (Mac OS) et faites glisser depuis le point rouge jusqu'au point doré. Relâchez le bouton de la souris, puis la touche de modification. Vous coupez ainsi les poignées de direction.

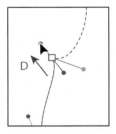 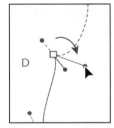

6. Avec l'outil Plume, faites glisser du point E jusqu'au point rouge. Tout en appuyant sur la touche Alt (Windows) ou Option (Mac OS), faites glisser la poignée de direction à partir du point rouge vers le point doré.

7. Faites glisser depuis le point F jusqu'au point rouge.

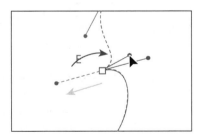

8. Avec l'outil Plume, faites glisser depuis le point G jusqu'au point rouge. Ne relâchez pas, appuyez sur la touche Alt (Windows) ou Option (Mac OS) et faites glisser la poignée de direction à partir du point rouge vers le point doré.

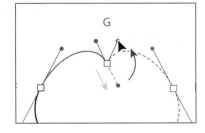

9. Faites glisser depuis le point H jusqu'au point rouge.

10. Poursuivez le tracé avec les points I et J en faisant d'abord glisser l'outil du point d'ancrage jusqu'au point rouge puis, tout en appuyant sur la touche Alt (Windows) ou Option (Mac OS), en faisant glisser la poignée de direction du point rouge jusqu'au point doré.

Maintenant, vous allez terminer le tracé du violon en fermant le tracé.

11. Positionnez l'outil Plume sur le point A. Notez qu'un petit cercle vide vient s'afficher à côté de la plume. Il signale que le tracé sera refermé lorsque vous aurez cliqué.

12. Cliquez et faites glisser vers le bas et la gauche en direction du point rouge sous le point A. Lorsque vous faites glisser vers le bas, la nouvelle ligne directrice apparaît au-dessus du point. Par cette opération, vous modifiez la forme du tracé.

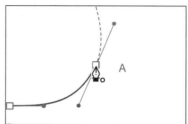

13. Désélectionnez le tracé (Ctrl+clic [Windows] ou Cmd+clic [Mac OS] en dehors du tracé), puis choisissez Fichier > Enregistrer.

► **Astuce :** La pratique de l'outil Plume est importante et encouragée. Cependant, pour accélérer la procédure de dessin d'objets parfaitement symétriques, vous pouvez également tracer la moitié de l'objet puis créer et joindre une copie symétrique. Pour de plus amples informations sur les symétriques, consultez la Leçon 4, "Transformation d'objets".

Créer les cordes

Il existe de nombreuses façons de créer des tracés droits, y compris avec l'outil Plume. Vous verrez ici comment employer cet outil pour dessiner des lignes droites qui représentent les cordes du violon. Le document comprend un calque de gabarit qui permet de dessiner directement sur l'illustration.

1. Choisissez 5 Strings dans le menu Navigation dans le plan de travail, qui se trouve dans le coin inférieur gauche de la fenêtre de document.

2. Choisissez Fenêtre > Espace de travail > Les indispensables.

3. Dans le panneau Contrôle, vérifiez que la couleur de fond est [Sans] (⊘) et que la couleur de contour est Noir. Assurez-vous également que l'épaisseur de contour est à 1 pt.

4. Choisissez Affichage > Masquer le cadre de sélection pour masquer le cadre des objets sélectionnés. Activez l'outil Plume (✎) et placez-le au milieu du cercle (point A) dans le plan de travail. Remarquez le petit "x" à côté du pointeur. Il indique qu'un clic commencera un nouveau tracé.

5. Cliquez sur le point A pour créer le point d'ancrage de départ. Il est indiqué par un petit carré plein.

● **Note :** Avec l'outil Plume, il peut être plus facile de réaliser les tracés sans fond. Vous avez le loisir de modifier le fond et d'autres caractéristiques du tracé après avoir commencé le dessin.

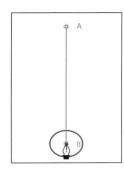

6. Tout en appuyant sur la touche Maj, cliquez sur le point B pour créer le point d'ancrage final. La touche Maj contraint le placement du point d'ancrage à des multiples de 45°.

Une fois que vous avez cliqué pour créer le point B, un symbole de flèche (^) apparaît près de l'outil Plume si vous le positionnez au-dessus du nouveau point. Il indique que vous pouvez créer une ligne directrice pour une courbe en cliquant et en faisant glisser l'outil Plume à partir de ce point d'ancrage. Ce symbole disparaît lorsque vous éloignez l'outil Plume du point d'ancrage.

Note : Si, dans le panneau Contrôle, vous ne voyez pas l'option Épaisseur de contour, cliquez à nouveau sur la ligne, même si elle semble sélectionnée. Vous indiquez ainsi à Illustrator que vous ne poursuivez pas le dessin. Vous pouvez également ouvrir le panneau Contour en cliquant sur son icône dans la partie droite de l'espace de travail.

7. Appuyez sur la touche V pour activer l'outil Sélection (⬆). La ligne droite reste sélectionnée. Cliquez dans une zone vierge pour désélectionner cette ligne avant de pouvoir tracer d'autres lignes déconnectées de ce tracé.

Vous allez à présent épaissir la ligne en modifiant son contour.

8. Avec l'outil Sélection, cliquez sur la ligne que vous venez de dessiner. Dans le panneau Contrôle, fixez Épaisseur de contour à **3 pt**. Conservez le segment de ligne sélectionné.

Couper un tracé

Pour poursuivre le tracé des cordes, vous allez couper le tracé de la ligne droite à l'aide de l'outil Ciseaux et ajuster les segments.

Note : Si vous cliquez avec l'outil Ciseaux sur le contour d'une forme fermée, comme un cercle, le tracé est simplement coupé pour devenir ouvert (un tracé avec deux points d'extrémité).

1. La ligne droite étant sélectionnée, cliquez et maintenez sur l'outil Gomme (◢) dans le panneau Outils afin de sélectionner l'outil Ciseaux (✂). Ensuite, cliquez aux 2/3 de la ligne à partir du bas pour la couper.

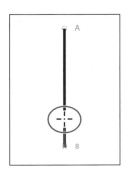

Les coupes réalisées avec l'outil Ciseaux doivent se faire sur une ligne ou une courbe, non à une extrémité.

À l'endroit où vous cliquez, vous voyez s'afficher un nouveau point d'ancrage sélectionné. L'outil Ciseaux crée en fait deux points d'ancrage chaque fois que vous cliquez, mais comme ils sont superposés, vous n'en voyez qu'un.

2. Activez l'outil Sélection directe (⬇) et cliquez sur le segment supérieur du tracé, à présent coupé, pour le sélectionner et révéler ses points d'ancrage. Cliquez sur le point d'ancrage inférieur. Faites-le glisser vers le haut, tout en appuyant sur la touche Maj, pour augmenter l'espace entre les deux segments coupés. Gardez le tracé supérieur sélectionné.

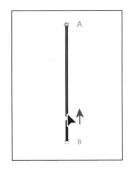

Ajouter les pointes de flèche

Vous pouvez ajouter des pointes et un empennage à un tracé en utilisant le panneau Contour. Illustrator propose de nombreux styles de pointes de flèche, ainsi que des options pour les modifier.

Vous allez à présent ajouter des pointes de flèche à des segments de ligne.

1. Le segment supérieur étant sélectionné, ouvrez le panneau Contour en cliquant sur son icône (▦) sur le côté droit de l'espace de travail.

2. Dans le panneau Contour, sélectionnez Flèche 24 dans le premier menu à droite de Flèches. Vous ajoutez ainsi une pointe de flèche au point de départ (supérieur) de la ligne.

3. Dans le panneau Contour, fixez Échelle (sous le menu de pointe de flèche pour le point de départ de la ligne) à **30 %** en saisissant cette valeur dans le champ. Appuyez sur Entrée ou Retour.

 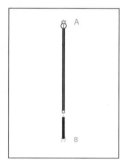

4. Avec l'outil Sélection (▸), cliquez sur la ligne inférieure plus courte. Dans le panneau Contour, sélectionnez Flèche 22 dans le deuxième menu à droite de Flèches. Vous ajoutez ainsi une pointe de flèche à la fin de la ligne (voir figure).

5. Dans le panneau Contour, fixez Échelle (sous le menu de pointe de flèche pour le point de fin de la ligne) à **40 %** en saisissant cette valeur dans le champ. Appuyez sur Entrée ou Retour.

   Notez que les pointes de flèche sont placées par défaut à l'intérieur des extrémités de la ligne. Vous allez à présent étendre les pointes de flèche à l'extérieur des tracés.

▶ **Astuce :** Cliquez sur le bouton Permuter les flèches de début et de fin (⇄) dans le panneau Contour pour échanger les pointes de flèches de début et de fin sur les lignes sélectionnées.

▶ **Astuce :** Dans le panneau Contour, le bouton Lier les échelles de flèche de départ et de fin (▯), situé à droite des valeurs Échelle, permet de lier les valeurs d'échelle afin qu'elles changent de manière proportionnelle si l'une d'elles est modifiée.

6. Activez l'outil Sélection, appuyez sur la touche Maj et cliquez sur le segment supérieur. Cliquez sur le bouton Étendre la pointe de la flèche au-delà de la fin du tracé (⇥), qui se trouve sous la valeur Échelle dans le panneau Contour.

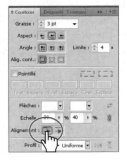 

Notez que les pointes de flèche se décalent légèrement au-delà des extrémités des segments.

Gardez les deux lignes sélectionnées pour les étapes suivantes.

Créer une ligne pointillée

Les lignes pointillées sont appliquées au contour d'un objet et peuvent être ajoutées à un tracé ouvert ou fermé. Vous les créez en précisant une suite de longueurs de pointillés et des distances qui les séparent.

Vous allez à présent ajouter des pointillés à un segment de ligne.

▶ **Astuce :** Le bouton Conserver les longueurs de tiret et d'espace avec exactitude (╔═╗) permet de maintenir l'apparence des pointillés sans alignement.

1. Les deux segments de ligne étant sélectionnés, vérifiez, dans le panneau Contour, que le bouton Extrémité carrée (▣), situé à droite d'Aspect, est sélectionné. Cochez la case Pointillé située au milieu du panneau.

Le motif répétitif de pointillés créé par défaut est fondé sur un tiret de 12 pt et un espace de 12 pt.

▶ **Astuce :** Pour de plus amples informations sur les options Aspect et Angle du panneau Contour, recherchez "Modification des sommets et des extrémités d'un trait" dans l'Aide d'Illustrator.

Vous allez modifier la taille des tirets.

2. Dans le panneau Contour, sélectionnez la valeur 12 pt du premier champ Tiret qui se trouve sous la case à cocher Pointillé. Fixez la valeur à **3** et appuyez sur Entrée ou Retour.

Vous créez ainsi un motif répétitif de pointillés fondé sur un tiret de 3 pt et un espace de 3 pt. Ajustez maintenant la taille des espaces entre chaque tiret.

3. Insérez le curseur dans le champ Espace à droite du premier champ Tiret. Saisissez **1** et appuyez sur Entrée ou Retour. Vous créez ainsi un motif de pointillés fondé sur un tiret de 3 pt et un espace de 1 pt.

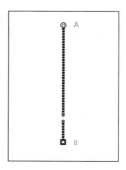

4. Les deux lignes étant sélectionnées, choisissez Objet > Associer.

5. Choisissez Sélection > Désélectionner puis Fichier > Enregistrer.

▶ **Astuce :** Si vous souhaitez créer un motif personnalisé avec des tailles de tirets et d'espaces différentes, ajoutez des valeurs dans les champs Tiret et Espace suivants du panneau Contour. Le motif sera répété dans le segment de ligne.

Modification de courbes

Dans cette partie de la leçon, vous ajusterez les courbes tracées en faisant glisser leurs points d'ancrage ou leurs poignées de direction. Vous pouvez également modifier une courbe en déplaçant la ligne. Vous allez masquer le calque du gabarit afin de pouvoir modifier le tracé réel.

1. Choisissez 4 Curved Shape step 2 dans le menu Navigation dans le plan de travail, qui se trouve dans le coin inférieur gauche de la fenêtre de document.

2. Choisissez Fenêtre > Espace de travail > Les indispensables. Ouvrez le panneau Calques (🖿) en cliquant sur son icône sur la droite de l'espace de travail. Masquez le calque Template (🗗) en cliquant sur son icône.

▶ **Astuce :** Pour de plus amples informations sur les calques, consultez la Leçon 8, "Les calques".

3. Activez l'outil Sélection directe (🔖) et cliquez sur le contour de la forme courbée. Tous les points apparaissent.

En cliquant avec l'outil Sélection directe, vous affichez les poignées de direction de la courbe qui permettent d'ajuster la forme des différents segments de la courbe. Si vous cliquez avec l'outil Sélection (▶), vous sélectionnez la totalité du tracé.

4. Cliquez sur le point d'ancrage supérieur, juste à gauche du centre de la courbe, pour le sélectionner. Appuyez trois fois sur la touche Flèche bas pour déplacer le point vers le bas.

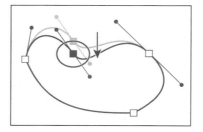

▶ **Astuce :** Appuyez sur la touche Maj puis sur une touche fléchée pour déplacer le point cinq fois plus loin.

● **Note :** L'outil Sélection directe permet aussi de déplacer le point d'ancrage.

Note : Si vous ne sélectionnez pas les points au premier essai, recommencez. Si vous avez sélectionné au moins l'un des points d'ancrage, vous pouvez cliquer avec l'outil Sélection directe sur l'autre point d'ancrage tout en appuyant sur la touche Maj pour l'ajouter à la sélection.

5. Avec l'outil Sélection directe, sélectionnez les deux points d'ancrage supérieurs.

   Notez que les poignées disparaissent lorsque les deux points sont sélectionnés.

6. Dans le panneau Contrôle, cliquez sur Afficher les poignées des multiples points d'ancrage sélectionnés (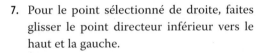), à droite de Poignées, pour afficher les lignes directrices des deux points. Vous pourrez ainsi modifier ensemble les poignées de direction des deux points d'ancrage sélectionnés.

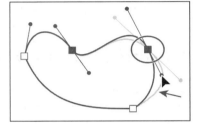

7. Pour le point sélectionné de droite, faites glisser le point directeur inférieur vers le haut et la gauche.

   Pendant cette opération, notez que les deux lignes directrices se déplacent. Notez également que vous pouvez contrôler la longueur de chaque ligne directrice.

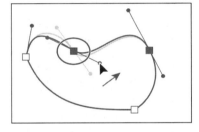

8. Pour le point sélectionné de gauche, faites glisser le point directeur inférieur vers le haut et la droite.

9. Choisissez Sélection > Désélectionner.

10. Choisissez Fichier > Enregistrer.

Supprimer et ajouter des points d'ancrage

Lorsque vous manipulez des tracés, il est préférable de ne pas ajouter plus de points d'ancrage que nécessaire. Moins le tracé contient de points, plus il est facile à modifier, à afficher et à imprimer. Vous pouvez réduire la complexité d'un tracé ou modifier sa forme globale en supprimant les points inutiles. Vous pouvez également remodeler un tracé en lui ajoutant des points.

Vous allez supprimer un point d'ancrage puis en ajouter.

1. Choisissez 1 Violin dans le menu Navigation dans le plan de travail, qui se trouve dans le coin inférieur gauche de la fenêtre de document.

2. Dans le panneau Outils, activez l'outil Zoom (🔍) et cliquez une fois au centre du violon pour agrandir son affichage. Vous devez voir l'intégralité de la forme du violon pour les étapes suivantes.

3. Activez l'outil Sélection directe (⇗), puis cliquez sur le bord du violon.

4. Positionnez le pointeur au-dessus du sommet supérieur du violon. Cliquez pour sélectionner le point d'ancrage.

5. Dans le panneau Contrôle, cliquez sur le bouton Supprimer les points d'ancrage sélectionnés (🖫).

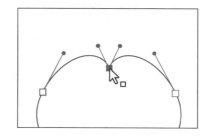

6. Avec l'outil Sélection directe, positionnez le pointeur au-dessus de la partie supérieure du tracé. Cliquez tout en appuyant sur la touche Maj et faites glisser le tracé vers le haut pour remodeler la courbe supérieure. Lorsque le tracé est correct, relâchez le bouton de la souris, puis la touche de modification. Conservez la forme sélectionnée.

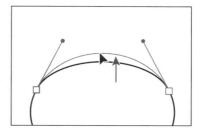

● **Note :** N'utilisez pas les touches Suppr ou Retour arrière ni les commandes Édition > Couper ou Édition > Effacer pour supprimer des points d'ancrage, car cela supprime aussi les segments de ligne connectés à ces points.

▶ **Astuce :** Pour supprimer un point d'ancrage, cliquez dessus avec l'outil Plume.

Vous allez à présent ajouter des points d'ancrage et remodeler le bas du violon.

1. Dans le panneau Outils, activez l'outil Zoom (🔍) et cliquez une fois sur la partie inférieure du violon pour agrandir son affichage.

2. Activez l'outil Plume (✒) et positionnez le pointeur au-dessus du tracé du violon, à droite du point d'ancrage inférieur. Lorsqu'un signe plus (+) apparaît à côté de l'outil Plume, cliquez de manière à placer un nouveau point d'ancrage.

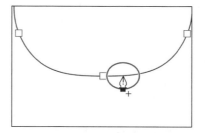

▶ **Astuce :** Pour ajouter des points d'ancrage, vous pouvez aussi activer l'outil Ajout de point d'ancrage (✒⁺) dans le panneau Outils, positionner le pointeur au-dessus d'un tracé et cliquer.

3. Positionnez le pointeur au-dessus du tracé, à gauche du point d'ancrage inférieur, jusqu'à ce qu'un signe plus (+) apparaisse à côté du pointeur. Cliquez de manière à placer un autre point d'ancrage. Vous devez avoir trois points alignés.

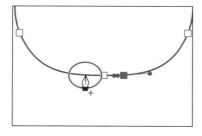

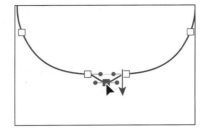

4. Avec l'outil Sélection directe, cliquez sur le point central inférieur. Commencez à le faire glisser vers le bas et, pendant cette opération, appuyez sur la touche Maj. Déplacez le point légèrement vers le bas. Relâchez le bouton de la souris, puis la touche de modification.

Vous devrez peut-être augmenter le zoom.

▶ **Astuce :** Lorsque vous ajouterez des points à une forme symétrique, vous aurez peut-être des difficultés à les placer à la même distance de part et d'autre du point central. Vous pouvez sélectionner les points et répartir leur espacement en fonction du point central. Pour de plus amples informations sur la distribution des points, consultez la Leçon 2, "Sélections et alignement".

5. Choisissez Sélection > Désélectionner puis Fichier > Enregistrer.

Convertir des points d'inflexion en sommets et *vice versa*

Vous allez à présent terminer le manche du violon en ajustant un tracé. Vous convertirez un point d'inflexion sur la courbe en un sommet et un sommet en un point d'inflexion.

1. Choisissez 6 Violin Neck dans le menu Navigation dans le plan de travail qui se trouve dans le coin inférieur gauche de la fenêtre de document.

2. Dans le panneau Calques, cliquez sur la case vide à gauche de l'icône de verrouillage du calque Template (🔒) pour que ce calque soit à nouveau visible.

● **Note :** Lorsque vous faites glisser une poignée de direction avec l'outil Sélection directe, les deux poignées restent parallèles, mais chacune peut être allongée ou rétrécie indépendamment de l'autre.

3. Avec l'outil Sélection directe (▷), positionnez le pointeur sur le point A sur le côté gauche de la courbe. Lorsqu'un carré vide s'affiche à côté du pointeur, cliquez sur le point d'ancrage afin de le sélectionner et afficher des poignées de direction rouges.

4. Le point étant sélectionné, cliquez sur le bouton Convertir les points d'ancrage sélectionnés en arrondis (ᴩ) dans le panneau Contrôle.

● **Note :** Vous devrez peut-être augmenter le zoom.

5. Avec l'outil Sélection directe et en appuyant sur la touche Maj, cliquez et faites glisser vers le bas la poignée de direction inférieure pour remodeler la moitié inférieure de la courbe. Relâchez le bouton de la souris, puis la touche.

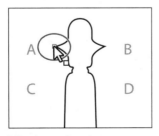
Sélectionnez le point.

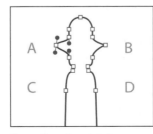
Convertissez le point d'ancrage.

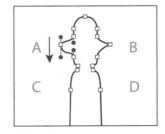
Faites glisser la poignée de sélection vers le bas.

6. Répétez les étapes 3 à 5 sur le point B, du côté droit de la forme.

7. Avec l'outil Sélection directe, cliquez sur le point situé à droite de la lettre C. Le point étant sélectionné, cliquez sur le bouton Convertir les points d'ancrage sélectionnés en angles (⊩) dans le panneau Contrôle.

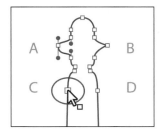 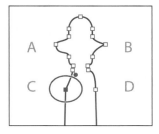

8. Répétez l'étape 7 sur le point D.

9. Avec l'outil Sélection directe (▷), sélectionnez le point supérieur de la forme du manche. Dans le panneau Contrôle, cliquez sur le bouton Couper le tracé aux points d'ancrage sélectionnés (✄). Choisissez Sélection > Désélectionner.

10. Avec l'outil Sélection (▶) et, en appuyant sur la touche Maj, faites glisser le côté droit du manche légèrement vers la droite. Relâchez le bouton de la souris, puis la touche de modification. Vous créez ainsi un espace entre les deux tracés ouverts.

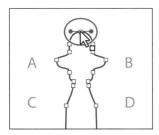 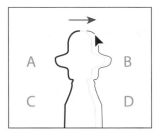

11. Avec l'outil Sélection directe, tracez un rectangle de sélection autour des deux points supérieurs des deux tracés. Cliquez ensuite, dans le panneau Contrôle, sur le bouton Relier les points d'extrémité sélectionnés (⌒). Une ligne droite est alors créée au sommet.

12. Dans le panneau Outils, activez l'outil Sélection et cliquez sur le tracé pour le sélectionner (même s'il semble déjà sélectionné). Choisissez Objet > Tracé > Joindre, pour rejoindre les extrémités ouvertes en bas du manche. Laissez la forme sélectionnée.

Vous allez à présent arrondir le bas de la forme en utilisant l'outil Conversion de point directeur.

13. Dans le panneau Outils, activez l'outil Conversion de point directeur (⊢), qui se trouve dans le groupe de l'outil Plume.

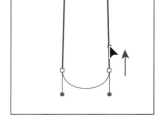

14. Faites glisser vers le bas le sommet inférieur gauche de la forme du manche. Pendant cette opération, appuyez sur Maj pour contraindre le mouvement. Relâchez le bouton de la souris, puis la touche Maj.

   L'outil Conversion de point directeur permet, entre autres, de convertir des points d'inflexion en sommets et inversement.

Note : Attention ! Appuyez sur la touche Maj seulement après avoir commencé à faire glisser vers l'extérieur à partir du point.

Note : Nous l'avons déjà signalé, si vous ne cliquez pas précisément sur le point, une boîte de dialogue peut apparaître.

15. Faites glisser vers le haut le sommet inférieur droit de la forme du manche, tout en appuyant sur Maj, pour le transformer en point d'inflexion. Le bas de la forme est ainsi arrondi. Relâchez le bouton de la souris, puis la touche de modification.

16. Choisissez Sélection > Désélectionner puis Fichier > Enregistrer.

Dessin avec l'outil Crayon

L'outil Crayon (✏) permet de réaliser des tracés ouverts et fermés comme si vous dessiniez avec un crayon sur une feuille de papier. Des points d'ancrage sont créés au fur et à mesure et placés sur le tracé là où Illustrator le juge nécessaire. Cependant, vous pouvez les ajuster une fois le tracé terminé. Le nombre de points d'ancrage est déterminé par la longueur et par la complexité du tracé, ainsi que par les paramètres de tolérance fixés dans la boîte de dialogue Préférences de l'outil Crayon. Cet outil se révèle plus intéressant pour le dessin à main levée et la création de formes organiques.

Vous allez à présent tracer quelques lignes qui formeront la mentonnière sur la forme courbée dessinée précédemment.

1. Choisissez 4 Curved Shape step 2 dans le menu Navigation dans le plan de travail, qui se trouve dans le coin inférieur gauche de la fenêtre de document.

2. Dans le panneau Calques, cliquez sur l'icône du calque Template (🔁) pour le masquer. Cliquez sur l'icône du panneau Calques pour masquer le panneau.

3. Dans le panneau Outils, double-cliquez sur l'outil Crayon (✏). Dans la boîte de dialogue Options de l'outil Crayon, déplacez le curseur de lissage vers la droite jusqu'à la valeur 100 %. Ainsi, les tracés créés à l'aide de l'outil Crayon contiennent moins de points et sont plus harmonieux. Cliquez sur OK.

4. L'outil Crayon étant sélectionné, cliquez sur la couleur de contour dans le panneau Contrôle et choisissez Noir dans le panneau Nuancier qui apparaît. Cliquez ensuite sur la couleur de fond et choisissez [Sans] (⬚).

● **Note :** Les paramètres par défaut correspondent peut-être déjà aux couleurs de contour et de fond indiquées à l'étape 4.

5. Positionnez le pointeur dans la forme courbée, sur son côté gauche. Lorsque vous voyez apparaître un "x" à côté du pointeur, faites glisser pour créer un arc à l'intérieur de la forme courbée, du côté gauche vers le côté droit. Servez-vous de la figure comme guide.

    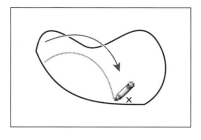

    Le "x" qui apparaît à droite du pointeur avant que vous ne commenciez à dessiner indique que vous allez réaliser un nouveau tracé. Si vous ne le voyez pas, cela signifie que vous allez redessiner une forme proche du pointeur. Si nécessaire, éloignez encore le pointeur du bord de la forme courbée.

▶ **Astuce :** Si vous voulez créer un tracé fermé, comme un cercle, cliquez et faites glisser l'outil Crayon, tout en appuyant sur la touche Alt (Windows) ou Option (Mac OS). Le pointeur de l'outil Crayon présente alors un petit cercle qui signale la création d'un tracé fermé. Lorsque la taille et la forme du tracé vous conviennent, relâchez le bouton de la souris, mais pas la touche Alt ou Option. Attendez pour cela que le tracé se ferme. Les points d'ancrage de départ et de fin sont reliés par la plus courte ligne possible.

Pendant que vous dessinez, le tracé peut ne pas vous sembler parfaitement lisse. Lorsque vous relâchez le bouton de la souris, il est lissé en fonction de la valeur donnée précédemment à Lissage dans la boîte de dialogue Options de l'outil Crayon.

6. Positionnez le pointeur au-dessus de l'extrémité droite du nouveau tracé. Le "x" a disparu. Cela signifie que, si vous faites glisser pour dessiner, vous modifierez le tracé au lieu d'en définir un nouveau.

Vous allez maintenant configurer d'autres options de l'outil Crayon puis tracer une autre courbe à droite de la précédente.

7. Dans le panneau Outils, double-cliquez sur l'outil Crayon.

8. Dans la boîte de dialogue Options de l'outil Crayon, décochez la case Modifier les tracés sélectionnés. Fixez la valeur Fidélité à **10 pixels**. Cliquez sur OK.

▶ **Astuce :** Plus la valeur de Fidélité est élevée, plus la distance entre les points d'ancrage est grande et plus le nombre de points d'ancrage créés est réduit. Lorsque les points d'ancrage sont moins nombreux, le tracé peut être plus lisse et moins complexe.

9. Avec l'outil Crayon, cliquez sur l'extrémité du tracé incurvé précédent et faites glisser vers la droite afin de dessiner un autre arc.

    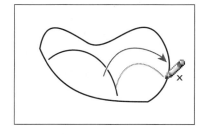

10. Choisissez Sélection > Désélectionner.

Modifier un tracé avec l'outil Crayon

Il est également possible de modifier tout type de tracé à l'aide de l'outil Crayon et d'ajouter des traits et des formes à main levée à n'importe quelle forme.

Vous allez maintenant modifier la forme courbée à l'aide de l'outil Crayon.

1. Avec l'outil Sélection (▶), cliquez sur le tracé incurvé fermé (non les arcs).

Astuce : Pour de plus amples informations sur les options de l'outil crayon, consultez la rubrique "Options de l'outil Crayon" dans l'Aide d'Illustrator.

2. Double-cliquez sur l'outil Crayon. Dans la boîte de dialogue qui s'affiche, cliquez sur Réinitialiser. Notez que l'option Modifier les tracés sélectionnés est cochée (ce point est important pour les étapes suivantes). Fixez Fidélité à **10** et Lissage à **30 %**, puis cliquez sur OK.

3. Positionnez l'outil Crayon sur la partie supérieure gauche de la forme courbée (non sur le point). Le "x" sur le pointeur a disparu. Cela indique que vous allez redessiner le tracé sélectionné.

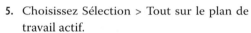

● **Note :** Selon l'endroit où vous commencez à redessiner le tracé et la direction dans laquelle vous faites glisser, les résultats peuvent être inattendus. Si cela se produit, essayez de reprendre le tracé.

Astuce : Si la forme ne vous paraît pas correcte, choisissez Édition > Annuler Crayon ou réessayez en faisant à nouveau glisser l'outil Crayon sur la même zone.

4. Faites glisser vers la droite pour modifier la courbe du tracé. Lorsque le pointeur revient sur le tracé, relâchez afin de visualiser la forme.

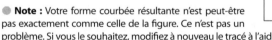

5. Choisissez Sélection > Tout sur le plan de travail actif.

● **Note :** Votre forme courbée résultante n'est peut-être pas exactement comme celle de la figure. Ce n'est pas un problème. Si vous le souhaitez, modifiez à nouveau le tracé à l'aide de l'outil Crayon.

6. Choisissez Objet > Associer.

7. Le groupe étant sélectionné, double-cliquez sur l'outil Mise à l'échelle (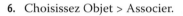) dans le panneau Outils. Dans la boîte de dialogue Mise à l'échelle qui apparaît, fixez l'échelle uniforme à **70 %** et cliquez sur OK.

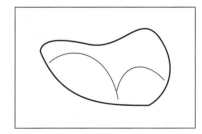

8. Choisissez Sélection > Désélectionner puis Fichier > Enregistrer.

Achèvement de l'illustration

Pour achever cette illustration, vous apporterez quelques modifications mineures et vous regrouperez les objets et les peindrez.

Assembler les éléments

1. Choisissez Affichage > Tout ajuster à la fenêtre. Choisissez Les indispensables dans le commutateur d'espace de travail de la barre d'application.

2. Choisissez Affichage > Afficher le cadre de sélection afin que vous puissiez voir les cadres de sélection des objets pendant leur transformation.

3. Dans le panneau Outils, activez l'outil Sélection (▶) et déplacez le groupe de la forme courbée vers la partie inférieure gauche du violon (voir figure).

4. Appuyez sur la touche Maj et cliquez sur la forme du violon pour l'ajouter à la sélection et choisissez ensuite Objet > Associer.

5. Choisissez Objet > Verrouiller > Sélection.

6. Avec l'outil Sélection, déplacez le manche du violon sur la caisse du violon. En vous servant des règles, positionnez le manche à environ un pouce du haut du plan de travail et alignez-le au mieux sur le centre de la caisse.

7. Le manche du violon étant sélectionné, choisissez Objet > Disposition > Premier plan.

8. Dans le panneau Outils, activez l'outil Sélection directe (▷). Faites glisser un rectangle de sélection sur la partie inférieure du manche. En maintenant la touche Maj enfoncée, faites glisser vers le bas l'un des points inférieurs de la forme du manche. Relâchez le bouton de la souris, puis la touche. Prenez la figure pour référence.

9. Choisissez Objet > Verrouiller > Sélection.

> ● **Note :** Puisque le groupe de la forme courbée n'a pas de fond, vous aurez peut-être plus de facilité à la faire glisser en partant d'un tracé dans le groupe au lieu d'essayer de la faire glisser à partir de son centre.

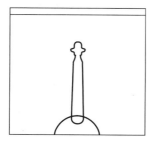
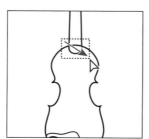
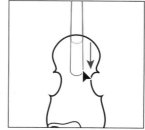

10. Avec l'outil Sélection, faites glisser le groupe de la ligne pointillée (à partir du plan de travail 5 Strings) au centre de la forme du violon. Faites en sorte que la partie basse de la ligne pointillée se trouve au-dessus de la forme courbée et sur le bord gauche de la forme du manche. Prenez la figure pour référence.

11. Choisissez Objet > Disposition > Premier plan.

12. Dans le panneau Outils, activez l'outil Sélection directe. Sélectionnez le point supérieur du groupe de la ligne pointillée. Commencez à le faire glisser vers le haut. Tout en appuyant sur la touche Maj, déplacez le point jusqu'à ce qu'il se trouve sous le haut du manche du violon. Relâchez le bouton de la souris, puis la touche.

13. Avec l'outil Sélection, cliquez sur le groupe de la ligne pointillée. Dans le panneau Outils, double-cliquez sur l'outil Sélection pour ouvrir la boîte de dialogue Déplacement.

14. Dans cette boîte de dialogue, fixez Horizontale à **0,1 in** et Verticale à **0**. Cliquez sur Copier de manière à copier et à déplacer le groupe de la ligne pointillée vers la droite.

15. Le groupe de la ligne pointillée étant toujours sélectionné, choisissez deux fois Objet > Transformation > Répéter la transformation. Vous créez ainsi quatre groupes de lignes pointillées.

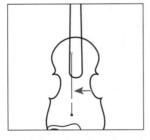

Faites glisser le groupe de la ligne à sa place.

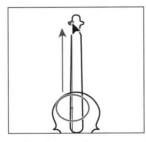

Remodelez la ligne.

Copiez le groupe de la ligne.

16. Choisissez Sélection > Tout sur le plan de travail actif puis Objet > Associer.

17. Dans le panneau Contrôle, fixez l'épaisseur de contour à **1 pt**.

18. Dans le panneau Outils, activez l'outil Zoom (🔍) et cliquez trois fois sur la partie basse des groupes de lignes pointillées.

19. Sélectionnez l'outil Rectangle. Cliquez n'importe où sur le plan de travail. Dans la boîte de dialogue Rectangle, fixez Largeur à **0,5 in** et Hauteur à **0,18 in**. Cliquez sur OK.

20. Le rectangle étant sélectionné sur la page, appuyez sur la touche D pour donner à la forme les couleurs de contour et de fond par défaut.

21. Avec l'outil Sélection, faites glisser le rectangle à l'endroit où les lignes pointillées ont été coupées. Prenez la figure comme référence.

22. Choisissez Affichage > Ajuster le plan de travail à la fenêtre.

23. Choisissez Objet > Tout déverrouiller puis Sélection > Tout sur le plan de travail actif.

● **Note :** Vous devrez peut-être ajuster la hauteur du rectangle pour qu'il corresponde exactement à l'espace qui sépare les lignes pointillées.

24. Dans le panneau Contrôle, choisissez Aligner sur le plan de travail (▣), puis cliquez sur Alignement horizontal au centre (♨).

● **Note :** Si les options d'alignement ne sont pas visibles, cliquez sur le mot Alignement dans le panneau Contrôle ou choisissez Fenêtre > Alignement.

25. Choisissez Sélection > Désélectionner puis Fichier > Enregistrer.

Ajouter des couleurs à l'illustration

Dans l'illustration en couleurs, les fonds sont peints avec des dégradés personnalisés appelés Violin (violon), Neck (manche) et Gray (gris), qui se trouvent dans le panneau Nuancier. Pour de plus amples informations sur les options de peinture dans Illustrator, consultez la Leçon 6, "Couleurs et peinture".

1. Avec l'outil Sélection (▶), sélectionnez un objet puis, dans le panneau Contrôle, cliquez sur Fond pour afficher le panneau Nuancier. Appliquez la nuance Violin à la forme du violon, la nuance Gray au groupe du rectangle et de la forme courbée, et la nuance Neck à la forme du manche.

2. Choisissez Fichier > Enregistrer et gardez le fichier ouvert si vous souhaitez aller jusqu'au bout de la section "À vous de jouer".

● **Note :** Pour changer la couleur de la forme courbée, passez en mode Isolation (double-cliquez sur la forme). Appuyez ensuite sur la touche Échap pour sortir de ce mode.

À vous de jouer

Pour compléter votre pratique de l'outil Plume, dessinez par-dessus des images. Plus vous l'utilisez, plus vous deviendrez expert dans le tracé des courbes et des formes.

1. Ouvrez le fichier practice.ai à partir du dossier Lesson05, qui se trouve dans le dossier Lessons sur votre disque dur.

2. Activez l'outil Plume (✍) et appliquez les techniques apprises dans cette leçon pour créer la forme en S (servez-vous de la forme grise comme guide).

3. Créez deux copies de la forme et copiez-les sur le violon. Appliquez une symétrie à l'une d'elles en la sélectionnant et en double-cliquant sur l'outil Miroir (🔁), qui fait partie du groupe de l'outil Rotation (⟳) dans le panneau Outils.

4. Choisissez Fichier > Enregistrer puis Fichier > Fermer.

Révisions

Questions

1. Expliquez comment tracer une ligne verticale, horizontale ou diagonale à l'aide de l'outil Plume.

2. Comment trace-t-on une courbe avec l'outil Plume ?

3. Comment trace-t-on un sommet sur une courbe ?

4. Donnez deux manières de transformer un point d'inflexion sur une courbe en sommet.

5. Quel outil faut-il employer pour modifier un segment d'une courbe ?

6. Comment modifie-t-on le comportement de l'outil Crayon ?

Réponses

1. Pour tracer une ligne droite, on clique deux fois avec l'outil Plume. Le premier clic défi-nit le point d'ancrage de départ et le second le point d'ancrage de l'extrémité de la ligne. Pour contraindre une ligne à être verticale, horizontale ou inclinée à 45°, il faut appuyer sur la touche Maj au moment de cliquer avec l'outil Plume.

2. Il faut cliquer avec l'outil Plume pour créer le point d'ancrage de départ, faire glisser pour définir la direction de la courbe et cliquer de nouveau pour terminer la courbe.

3. Il faut appuyer sur la touche Alt (Windows) ou Option (Mac OS) tout en faisant glisser la poignée de direction placée sur l'extrémité de la courbe pour modifier la direction du tracé. On continue ensuite à faire glisser le pointeur pour tracer l'arc de cercle suivant.

4. a) Avec l'outil Sélection directe : sélectionner le point d'ancrage puis, avec l'outil Conversion de point directeur, faire glisser une poignée de direction et modifier ainsi la direction ; b) choisir un ou plusieurs points avec l'outil Sélection directe et cliquer sur le bouton Convertir les points d'ancrage sélectionnés en angles (⌐) dans le panneau Contrôle.

5. L'outil Sélection directe avec lequel on fait glisser le segment, pour le déplacer, ou on fait glisser une poignée de direction du point d'ancrage, pour en ajuster la longueur et la forme.

6. Il faut ouvrir la boîte de dialogue Options de l'outil Crayon (d'un double-clic sur l'outil), pour y modifier, entre autres, les paramètres de fidélité et de lissage.

Pimentez vos illustrations de couleurs en tirant parti des nouvelles
fonctionnalités de couleurs d'Illustrator CS5. Cette leçon vous
montrera, entre autres, comment créer et peindre des fonds et
des contours, utiliser le panneau Guide des couleurs comme
source d'inspiration, employer les groupes de couleurs, redéfinir
les couleurs d'une illustration et créer des motifs.

Couleurs et peinture

6

Au cours de cette leçon, vous apprendrez à :

- manier les modes colorimétriques et les contrôles de couleur ;

- créer, modifier et peindre avec le panneau Contrôle et ses raccourcis ;

- nommer et enregistrer des couleurs, créer des groupes et une palette de couleurs ;

- utiliser le panneau Guide des couleurs et les fonctionnalités Modifier les couleurs/ Redéfinir les couleurs de l'illustration ;

- copier des attributs de peinture et d'aspect d'un objet à un autre ;

- peindre avec des dégradés et des motifs ;

- utiliser la fonction Peinture dynamique.

Cette leçon vous prendra environ une heure et demie. Si nécessaire, supprimez le dossier de la leçon précédente de votre disque dur et copiez le dossier Lesson06.

Mise en route

Au fil de cette leçon, vous découvrirez les principes fondamentaux des couleurs, de leur création et de leur modification, et vous vous servirez des panneaux Couleur et Nuancier.

1. Pour vous assurer que les outils et les panneaux fonctionneront exactement comme ils sont décrits au fil de cette leçon, supprimez ou désactivez (en le renommant) le fichier des préférences d'Adobe Illustrator CS5 (pour en savoir plus, reportez-vous à la section "Rétablissement des préférences par défaut" de l'Introduction).

● **Note :** Si vous n'avez pas encore copié les fichiers de cette leçon sur votre disque dur à partir du dossier Lesson06 du CD-ROM *Adobe Illustrator CS5 Classroom in a Book*, faites-le maintenant. Pour savoir comment procéder, consultez la section "Copie des fichiers d'exercices de *Classroom in a Book*" à la page 2.

2. Lancez Adobe Illustrator CS5.

3. Choisissez Fichier > Ouvrir et chargez le fichier L6end_1.ai, qui se trouve dans le dossier Lesson06. Il correspond à la version finale de l'étiquette que vous allez peindre. Gardez-le ouvert pour référence.

4. Choisissez Fichier > Ouvrir. Dans la boîte de dialogue Ouvrir, allez dans le dossier Lesson06 et chargez le fichier L6start_1.ai.

Ce fichier contient déjà quelques éléments. Vous allez créer et appliquer une couleur pour terminer l'étiquette.

5. Choisissez Fichier > Enregistrer sous, nommez le fichier **étiquette.ai** et sélectionnez le dossier Lesson06. Choisissez Adobe Illustrator (*.AI) dans le menu Type (Windows) ou Adobe Illustrator (ai) dans le menu Format (Mac OS), puis cliquez sur Enregistrer. Dans la boîte de dialogue Options Illustrator, gardez les options par défaut et cliquez sur OK.

À propos de la couleur

Pour travailler avec la couleur dans Illustrator, vous devez commencer par comprendre les modes colorimétriques (ou modèles de couleur). Lorsque vous appliquez une couleur à une illustration, pensez toujours au support final de publication de l'illustration (par exemple, impression ou Web) pour employer le bon modèle et les bonnes définitions de couleurs. Vous commencerez par examiner les modes colorimétriques, puis vous apprendrez les bases des contrôles de couleur.

Modes colorimétriques

Avant de commencer une nouvelle illustration, vous devez déterminer le mode colorimétrique employé par l'illustration, c'est-à-dire des couleurs CMJN ou RVB :

- **CMJN.** Cyan, magenta, jaune et noir sont les couleurs utilisées pour les impressions en quadrichromie. Elles sont combinées et superposées pour créer ce qui apparaît comme une multitude d'autres couleurs. Sélectionnez ce mode pour les impressions.

- **RVB.** Rouge, vert et bleu sont des couleurs combinées entre elles de différentes manières pour créer une table de couleurs. Sélectionnez ce mode si les images sont destinées à un affichage sur écran ou sur Internet.

Lors de la création d'un document (Fichier > Nouveau), vous sélectionnez un mode en choisissant le profil de document approprié, comme Impression, qui opte pour le mode CMJN. Pour changer de mode colorimétrique, affichez les options avancées en cliquant sur la flèche qui se trouve à gauche de l'intitulé Avancées, puis sélectionnez le mode.

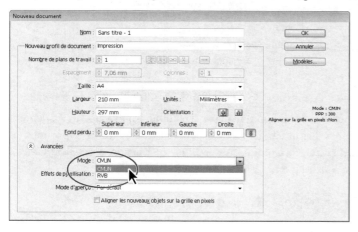

Lorsqu'un mode de couleur est sélectionné, Illustrator ouvre les panneaux correspondants, constitués de couleurs en mode CMJN ou RVB. Le mode de couleur d'un document peut être modifié après la création du fichier : il suffit de choisir Fichier > Mode colorimétrique du document puis de sélectionner Couleurs CMJN ou Couleurs RVB dans le menu.

Les contrôles de couleur

Au cours de cette leçon, vous découvrirez la méthode traditionnelle pour colorer des objets dans Illustrator. Cela consiste à les peindre avec des couleurs, des dégradés ou des motifs à l'aide d'une combinaison de panneaux et d'outils, dont les panneaux Contrôle, Couleur, Nuancier, Dégradé, Contour, Guide des couleurs, Sélecteur de couleurs et les boutons de peinture du panneau Outils. Vous commencerez par explorer une illustration terminée et déjà peinte.

1. Cliquez sur l'onglet du document L6end_1.ai situé dans la partie supérieure de la fenêtre de document.

2. Choisissez 1 dans le menu Navigation dans le plan de travail, qui se trouve dans le coin inférieur gauche de la fenêtre de document pour ajuster ce plan de travail à la fenêtre de document.

3. Activez l'outil Sélection (▶), puis cliquez sur la forme verte derrière le texte "Pizza Sauce".

Note : En fonction de la résolution de l'écran, votre panneau Outils peut être sur une ou deux colonnes.

Dans Illustrator, les objets peuvent avoir un fond, un contour ou les deux. Dans le panneau Outils, notez que la case Fond apparaît au premier plan, indiquant qu'elle est sélectionnée. C'est la configuration par défaut. Elle montre un remplissage vert pour cet objet. Derrière la case Fond, la case Contour présente un entourage jaune.

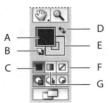

A. Case Fond

B. Bouton Fond et contour par défaut

C. Bouton Couleur

D. Bouton Permuter le fond et le contour

E. Case Contour

F. Bouton Sans

G. Bouton Dégradé

4. Cliquez sur l'icône du panneau Aspect (◉) sur la droite de l'espace de travail.

Les attributs de fond et de contour de l'objet sélectionné apparaissent également dans le panneau Aspect. Les attributs d'aspect peuvent être modifiés, supprimés ou enregistrés comme des styles graphiques et appliqués à d'autres objets, calques ou groupes. Nous utiliserons ce panneau dans la suite de cette leçon.

A. Objet sélectionné

B. Couleur de contour

C. Couleur de fond

Astuce : Dans le panneau Couleur, appuyez sur la touche Maj et cliquez sur le spectre de couleurs pour basculer entre les différents modes colorimétriques, comme CMJN et RVB.

5. Cliquez sur l'icône du panneau Couleur (🖌) sur la droite de l'espace de travail. Il affiche la couleur en cours pour le fond et le contour. Ses curseurs CMJN indiquent les pourcentages de cyan, magenta, jaune et noir. Au bas du panneau Couleur se trouve la barre du spectre de couleurs.

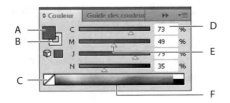

A. Case Fond

B. Case Contour

C. Case Sans

D. Valeur de couleur

E. Curseur de couleur

F. Barre du spectre de couleurs

Le spectre de couleurs permet de choisir rapidement une couleur de fond ou de contour, de même que le noir ou le blanc, d'un clic sur la case de couleur adéquate située à l'extrémité droite du spectre.

6. Cliquez sur l'icône du panneau Nuancier (▦) sur la droite de l'espace de travail. Vous pouvez y nommer et y enregistrer des couleurs, des dégradés et des motifs pour y accéder rapidement. Lorsque le fond ou le contour d'un objet portent une couleur, un dégradé, un motif ou une teinte du panneau Nuancier, la nuance appliquée est mise en surbrillance dans ce panneau.

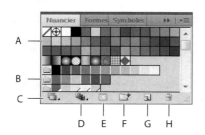

A. Nunace

B. Groupe de couleurs

C. Menu Bibliothèque de nuances

D. Afficher le menu de types de nuances

E. Options de nuances

F. Nouveau groupe de couleurs

G. Nouvelle nuance

H. Supprimer la nuance

7. Cliquez sur l'icône du panneau Guide des couleurs (◗) sur la droite de l'espace de travail. Cliquez sur la nuance verte placée dans le coin supérieur gauche du panneau afin de fixer la couleur de base à la couleur de l'objet sélectionné (marquée A dans la figure ci-après). Cliquez sur le menu Règles d'harmonie et choisissez Complémentaire 2.

Le panneau Guide des couleurs aide à trouver des teintes de couleur, des couleurs analogues, etc., lorsqu'on crée une illustration. Par ailleurs, il donne accès à la fonctionnalité Modifier ou appliquer les couleurs, qui permet de modifier et de créer des couleurs.

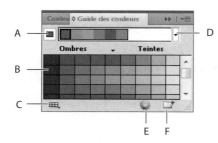

A. Définir la couleur de base sur la couleur actuelle

B. Nuances de couleurs

C. Limiter le groupe de couleurs aux couleurs d'une bibliothèque de nuances

D. Menu Règles d'harmonie et groupe de couleurs actif

E. Modifier ou appliquer les couleurs

F. Enregistrer le groupe de couleurs dans le panneau Nuancier

8. Cliquez sur l'icône du panneau Couleur (🎨) sur la droite de l'espace de travail. Avec l'outil Sélection (▶), cliquez sur différentes formes du document L6end_1.ai pour voir leurs attributs de peinture s'afficher dans le panneau.

9. Gardez le fichier L6end_1.ai ouvert pour référence ou choisissez Fichier > Fermer pour le fermer, sans l'enregistrer.

10. Si vous n'avez pas fermé le document L6end_1.ai, cliquez sur l'onglet du document étiquette.ai situé dans la partie supérieure de la fenêtre de document.

Création d'une couleur

L'illustration sur laquelle vous allez travailler est en mode colorimétrique CMJN. Cela signifie que vous pouvez définir votre propre couleur à partir de n'importe quelle combinaison de cyan, magenta, jaune, et noir. Vous pouvez créer une couleur de différentes manières, en fonction de l'illustration. Par exemple, si vous souhaitez disposer d'une couleur propre à votre entreprise, servez-vous d'une bibliothèque de nuances. Si vous souhaitez copier la couleur d'une illustration, utilisez l'outil Pipette pour lire la couleur ou le sélecteur de couleurs pour saisir des valeurs précises. Dans cette section, vous allez créer une couleur en suivant différentes méthodes, puis l'appliquerez à des objets.

Définir et enregistrer une couleur

Vous allez à présent créer une couleur à l'aide du panneau Couleur, puis l'enregistrer en tant que nuance dans le panneau Nuancier.

Note : Si un objet est sélectionné lorsque vous créez une couleur, celle-ci lui est appliquée.

1. Choisissez Sélection > Désélectionner pour être certain que la sélection est vide.

2. **Choisissez 1 dans le menu Navigation dans le plan de travail, qui se trouve dans le coin inférieur gauche de la fenêtre de document pour ajuster ce plan de travail à la fenêtre de document.**

3. Si le panneau Couleur n'est pas visible, cliquez sur son icône (🎨). Si les curseurs CMJN ne sont pas visibles, choisissez ce mode dans le menu du panneau (▾≡).

   Cliquez sur la case Fond et saisissez cette combinaison dans les champs CMJN : C = **19**, M = **88**, J = **78**, N = **22**.

   ▶ **Astuce :** Ces valeurs sont des pourcentages.

4. Cliquez sur l'icône du panneau Nuancier (▦) et choisissez Nouvelle nuance dans le menu du panneau (▾≡).

Astuce : Pour enregistrer une couleur que vous avez élaborée dans le panneau Couleur, cliquez sur le bouton Nouvelle nuance dans le panneau Nuancier afin d'ouvrir la boîte de dialogue Nouvelle nuance.

5. Dans la boîte de dialogue Nouvelle nuance, nommez la couleur **arrière-plan étiquette** et cliquez sur OK. Notez que la nuance est mise en exergue dans le panneau Nuancier.

   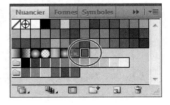

   Les nouvelles couleurs ajoutées au panneau Nuancier sont enregistrées dans le fichier en cours uniquement. L'ouverture d'un nouveau fichier affiche le jeu de nuances par défaut fourni avec Adobe Illustrator CS5.

   ▶ **Astuce :** Si vous souhaitez charger des nuances depuis un document enregistré vers un autre, cliquez sur le bouton Menu Bibliothèque de nuances (📖) en bas du panneau Nuancier et sélectionnez Autre bibliothèque. Localisez ensuite le document contenant les nuances que vous souhaitez importer.

6. Avec l'outil Sélection (⭢), cliquez sur la forme blanche d'arrière-plan. Dans le panneau Contrôle, cliquez sur la case Fond. Si le panneau Nuancier n'est pas affiché, cliquez sur son icône (▦) et sélectionnez la nuance arrière-plan étiquette. Choisissez Sélection > Désélectionner.

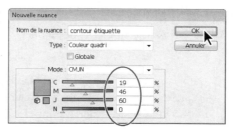

Note : Le nuancier qui apparaît lorsque vous cliquez sur la couleur de fond dans le panneau Contrôle est identique au panneau Nuancier.

Vous allez à présent créer une autre nuance en employant une méthode comparable.

7. Dans le bas du panneau Nuancier, cliquez sur le bouton Nouvelle nuance (◻). Vous créez ainsi une copie de la nuance sélectionnée et vous ouvrez la boîte de dialogue Nouvelle nuance.

8. Dans cette boîte de dialogue, changez le nom à **contour étiquette** et fixez les valeurs C = **19**, M = **46**, J = **60**, N = **0**. Cliquez sur OK.

Note : Si la forme était sélectionnée, elle serait remplie avec la nouvelle couleur.

9. Avec l'outil Sélection (⭢), cliquez sur la forme pour la sélectionner à nouveau. Dans le panneau Contrôle, cliquez sur la couleur de contour. Lorsque le nuancier s'affiche, choisissez la nuance contour étiquette.

10. Depuis le panneau Contrôle, fixez l'épaisseur de contour à **7 pt**. Laissez le panneau Nuancier ouvert.

Modifier une couleur

Après avoir créé une couleur et l'avoir enregistrée dans le panneau Nuancier, vous avez la possibilité de la modifier. C'est ce que vous allez faire à présent avec la nuance contour étiquette.

1. Dans le panneau Outils, sélectionnez la case Contour. Cela active le panneau Couleur. Ouvrez le panneau Nuancier en cliquant sur son icône (▦) sur la droite de l'espace de travail.

2. La forme étant sélectionnée, double-cliquez sur la nuance contour étiquette dans le panneau Nuancier. Dans la boîte de dialogue Options de nuance, changez les valeurs à C = **2**, M = **15**, J = **71**, N = **20**. Cochez Aperçu pour visualiser la modification sur le logo. Fixez la valeur de N à **0**, puis cliquez sur OK.

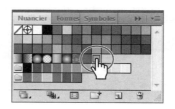

Astuce : Si vous positionnez le pointeur sur une nuance de couleur dans le panneau Nuancier, une info-bulle indiquant le nom de la nuance apparaît.

Lorsque vous créez une nuance puis que vous la modifiez, les objets auxquels elle est appliquée doivent être sélectionnés pour que la modification les affecte.

Vous allez maintenant convertir la nuance arrière-plan étiquette en couleur globale. La modification d'une couleur globale est automatiquement propagée à l'illustration, que les objets qui l'utilisent soient sélectionnés ou non.

3. La forme étant sélectionnée, cliquez sur la case Fond dans le panneau Outils.

4. Dans le panneau Nuancier, double-cliquez sur la nuance arrière-plan étiquette afin d'ouvrir la boîte de dialogue Options de nuances. Cochez la case Globale, puis cliquez sur OK.

5. Choisissez Sélection > Désélectionner.

● **Note :** Le triangle blanc qui apparaît dans le coin inférieur droit de l'icône de la nuance (▣) dans le panneau Nuancier indique qu'il s'agit d'une couleur globale.

6. Dans le panneau Nuancier, double-cliquez à nouveau sur la nuance arrière-plan étiquette afin d'ouvrir la boîte de dialogue Options de nuances. Changez la valeur de N à **70**. Cochez Aperçu pour visualiser la modification. Notez le changement du fond de la forme, même si elle n'est pas sélectionnée. Cliquez sur Annuler pour ne pas enregistrer la modification.

7. Choisissez Fichier > Enregistrer.

Les bibliothèques de nuances

● **Note :** La plupart des bibliothèques livrées avec Illustrator utilisent des couleurs CMJN.

Les bibliothèques de nuances sont des catalogues de couleurs prédéfinies, comme PANTONE® ou TOYO, ou des bibliothèques thématiques, comme Minérales et Crème glacée. Elles s'affichent sous forme de panneaux séparés et ne peuvent pas être modifiées. Lorsque vous appliquez à une illustration une couleur tirée d'une bibliothèque, cette couleur devient une nuance enregistrée dans le panneau Nuancier du document de l'illustration. Les bibliothèques constituent un bon point de départ pour la création de couleurs.

Vous allez à présent créer une couleur de tons directs jaune à partir de la bibliothèque PANTONE opaque couché. Elle sera appliquée à une autre forme de l'étiquette. Cette couleur peut être définie chaude, foncée ou claire. C'est pour cela que les fabricants d'imprimantes et les designers s'appuient sur un système de correspondance de couleurs, comme le système PANTONE, pour faciliter la cohérence des couleurs et offrir, dans certains cas, une plus grande diversité de couleurs.

Couleur de tons directs et couleur quadrichromique

Les couleurs de tons directs et les couleurs quadrichromiques correspondent aux deux principaux types d'encres employés en impression commerciale.

- Une couleur quadrichromique est imprimée à l'aide d'une combinaison des quatre encres quadri standard : cyan, magenta, jaune et noir (CMJN).

- Un ton direct est une encre spéciale prémélangée, employée à la place ou en complément d'encres quadrichromiques et qui nécessite sa propre plaque d'impression sur une presse.

Créer une couleur de tons directs

Dans cette section, vous apprendrez à charger une bibliothèque de couleurs, comme le système PANTONE, et à ajouter une couleur PANTONE (PMS, *Pantone Matching System*) au panneau Nuancier.

1. Dans le panneau Nuancier, cliquez sur le bouton Menu Bibliothèque de nuances (⬛). Choisissez Catalogues de couleurs > PANTONE opaque couché. La bibliothèque PANTONE opaque couché apparaît dans son propre panneau.

2. Dans le menu du panneau PANTONE opaque couché (⬛), choisissez Afficher le champ Rechercher. Saisissez la valeur **100** dans le champ Rechercher. La nuance PANTONE 100 C est alors surlignée. Cliquez dessus pour l'ajouter au panneau Nuancier. Fermez le panneau PANTONE opaque couché. La couleur PANTONE apparaît dans le panneau Nuancier.

● **Note :** Lorsque vous quittez Illustrator puis que vous l'ouvrez de nouveau, il est possible que le panneau de la bibliothèque PANTONE ne soit pas rouvert. Pour qu'il s'ouvre automatiquement au lancement d'Illustrator, cochez Permanente dans le menu du panneau PANTONE opaque couché.

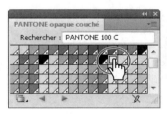
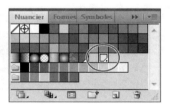

3. Positionnez le pointeur sur le plan de travail et, tout en appuyant sur la barre d'espacement, faites glisser vers la droite afin de révéler la forme blanche placée à gauche et le contenu du premier plan de travail.

4. Avec l'outil Sélection (🡤), cliquez sur la forme blanche située à gauche du plan de travail 1 pour la sélectionner. Dans le panneau Contrôle, à partir de la case Fond, choisissez la couleur PANTONE 100 C pour remplir la forme. Vérifiez que la valeur de contour est [Sans] (⬜).

5. La forme étant sélectionnée, appuyez sur la touche Maj et cliquez sur la forme de l'étiquette rouge d'origine, qui se trouve dans le premier plan de travail. Relâchez la touche Maj.

6. Choisissez Affichage > Ajuster le plan de travail à la fenêtre.

⬤ **Note :** Pour de plus amples informations sur les objets clés et leur utilisation, consultez la Leçon 2, "Sélections et alignement".

7. Avec l'outil Sélection, cliquez à nouveau sur la forme rouge pour en faire l'objet clé.

8. Dans le panneau Contrôle, cliquez sur les boutons Alignement horizontal au centre (🖫) et Alignement vertical au centre (🖼) pour aligner la forme jaune sur la forme de l'étiquette rouge.

⬤ **Note :** Si les options d'alignement ne sont pas visibles, cliquez sur le mot Alignement dans le panneau Contrôle de manière à ouvrir le panneau Alignement.

9. Choisissez Sélection > Désélectionner.

10. Choisissez Fichier > Enregistrer. Gardez le fichier ouvert.

Pourquoi mes nuances Pantone semblent-elles différentes des autres dans le panneau Nuancier ?

Dans le panneau Nuancier, vous reconnaissez le type d'une couleur par les icônes qui apparaissent à côté de son nom. Les couleurs de tons directs sont signalées par une icône particulière (🔘), lorsque le panneau affiche une liste, ou par un point dans le coin inférieur droit (◩) lorsque le panneau affiche des vignettes. Les couleurs quadrichromiques ne sont pas signalées.

Par défaut, la nuance PANTONE opaque couché est définie comme une couleur de tons directs. Une couleur de tons directs n'est pas une combinaison de cyan, magenta, jaune et noir (CMJN) mais une encre solide. Un imprimeur emploie une couleur PMS (*Pantone Matching System*) préparée pour sa presse, afin d'obtenir des couleurs plus cohérentes.

Le triangle indique que cette couleur est globale. Si vous la modifiez, toutes les références de couleur employées dans l'illustration sont mises à jour. Toutes les couleurs peuvent être globales, pas uniquement les PANTONE. Pour plus d'informations sur les couleurs de tons directs, recherchez "tons directs" dans l'Aide d'Illustrator.

Le sélecteur de couleurs

Avec le sélecteur de couleurs, vous pouvez sélectionner une couleur dans un champ de couleur et un spectre en définissant les couleurs de manière numérique ou en cliquant sur une nuance.

Vous allez créer une couleur à l'aide du sélecteur de couleurs, puis l'enregistrer en tant que nuance dans le panneau Nuancier.

1. Avec l'outil Sélection (▶), cliquez sur l'une des barres blanches dans la partie inférieure de l'étiquette pour sélectionner la forme blanche d'arrière-plan qui se trouve dans la moitié inférieure du plan de travail 1.

2. Dans le panneau Outils, double-cliquez sur la case Fond afin d'ouvrir le sélecteur de couleurs.

▶ **Astuce :** Double-cliquez sur la case Fond ou la case Contour dans le panneau Outils ou dans le panneau Couleur pour accéder au sélecteur de couleurs.

3. Dans la boîte de dialogue Sélecteur de couleurs, saisissez les valeurs suivantes : C = **0**, M = **11**, J = **54** et N = **0**.

   Vous voyez que le curseur dans le spectre des couleurs et le cercle dans le champ de couleur se sont déplacés après que vous avez modifié les valeurs CMJN. Le spectre des couleurs affiche la teinte, tandis que le cercle affiche la saturation (en horizontal) et la luminosité (en vertical).

▶ **Astuce :** Si vous travaillez avec Adobe Photoshop, vous connaissez probablement le sélecteur de couleurs car ce logiciel en dispose également.

4. Sélectionnez S (saturation) pour modifier le spectre des couleurs affiché par le sélecteur. Le spectre des couleurs devient la saturation de la couleur orange. Faites glisser son curseur vers le haut jusqu'à ce que la valeur S soit égale à 60 %. Cliquez sur OK.

   La forme blanche est remplie par la couleur orange que vous venez de choisir dans le sélecteur de couleurs.

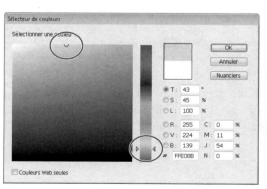
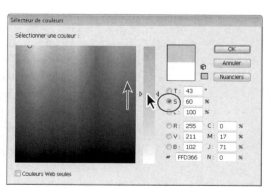

● **Note :** Dans le sélecteur de couleurs, le bouton Nuanciers affiche les nuances du panneau Nuancier et permet d'en sélectionner une. Revenez ensuite aux modèles de couleurs en cliquant sur le bouton Modèles et modifiez les valeurs de la nuance choisie.

5. Dans le panneau Contrôle, fixez la couleur de contour à [Sans] ().

Vous allez à présent enregistrer la couleur dans le panneau Nuancier.

6. Dans le panneau Outils, sélectionnez la case Fond. Ainsi, lorsque vous créez une nuance, vous êtes certain qu'elle est créée à partir de la couleur de fond de la forme sélectionnée.

7. Ouvrez le panneau Nuancier en cliquant sur son icône (▦).

8. Cliquez sur le bouton Nouvelle nuance (▨), en bas du panneau, puis nommez la couleur **jaune/orange** dans la boîte de dialogue Nouvelle nuance. Cochez la case Globale, puis cliquez sur OK pour voir la couleur apparaître en tant que nuance dans le panneau Nuancier.

9. Choisissez Sélection > Désélectionner puis Fichier > Enregistrer.

Créer et enregistrer une teinte de couleur

Une teinte est une variante plus claire d'une couleur. Vous pouvez créer une teinte à partir d'une couleur quadrichromique ou de tons directs globale.

Vous allez à présent créer une teinte de la nuance jaune/orange.

1. Avec l'outil Sélection, cliquez sur l'une des barres noires dans la moitié inférieure du plan de travail. Dans le panneau Contrôle, fixez la couleur de fond à la nuance jaune/orange que vous venez de créer.

2. Cliquez sur l'icône du panneau Couleur (🎨).

3. Vérifiez que la case Fond y est sélectionnée, puis faites glisser le curseur de teinte vers la gauche afin d'arriver à la valeur 20 %.

4. Cliquez sur l'icône du panneau Nuancier (▦) sur la droite de l'espace de travail. Cliquez sur le bouton Nouvelle nuance (▨) dans la partie inférieure du panneau afin d'enregistrer la teinte. Voyez la nouvelle vignette pour la teinte qui apparaît dans le panneau Nuancier. Placez le pointeur au-dessus de cette icône : le nom "jaune/orange 20 %" apparaît.

5. Choisissez Fichier > Enregistrer.

Copier des attributs

1. Avec l'outil Sélection ( ) sélectionnez l'une des barres noires non peintes. Ensuite, choisissez Sélection > Identique > Couleur de fond pour sélectionner tous les autres rectangles noirs.

2. Avec l'outil Pipette ( ), cliquez sur la barre peinte. Toutes les barres non colorées prennent les attributs de la barre peinte.

3. Avec l'outil Sélection, cliquez tout en appuyant sur la touche Maj pour ajouter la barre d'origine à la sélection.

4. Choisissez Objet > Associer.

5. Choisissez Sélection > Désélectionner puis Fichier > Enregistrer.

Créer des groupes de couleurs

Illustrator offre la possibilité d'enregistrer des couleurs dans des groupes, qui sont constitués de nuances de couleurs connexes dans le panneau Nuancier. Nous organisons nos couleurs en fonction de l'emploi que nous en faisons, par exemple toutes les couleurs d'un logo. Seules les couleurs de tons directs, les couleurs quadrichromiques et les couleurs globales peuvent être placées dans un groupe.

Vous allez à présent créer un groupe de couleurs à partir de celles créées pour l'étiquette.

1. Cliquez sur une zone vide du panneau Nuancier afin de désélectionner les nuances de couleur. Sélectionnez la nuance arrière-plan étiquette (rouge) et, tout en appuyant sur la touche Maj, cliquez sur la nuance jaune/orange à droite de manière à sélectionner quatre nuances de couleur.

2. Dans la partie inférieure du panneau Nuancier, cliquez sur le bouton Nouveau groupe de couleurs ( ) afin d'ouvrir la boîte de dialogue du même nom. Attribuez-lui le nom **base étiquette** puis cliquez sur OK pour l'enregistrer.

▶ **Astuce :** Pour sélectionner plusieurs couleurs qui ne sont pas adjacentes dans le panneau Nuancier, appuyez sur Ctrl (Windows) ou Cmd (Mac OS) et cliquez sur les nuances souhaitées.

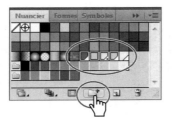

Vous allez modifier une couleur du groupe et y ajouter une autre couleur.

3. Avec l'outil Sélection (▶), cliquez sur une zone vide du panneau Nuancier afin de désélectionner le groupe de couleurs que vous venez de créer.

4. Dans le panneau Nuancier, double-cliquez sur la couleur jaune/orange dans le groupe de couleurs base éti-quette. La boîte de dialogue Options de nuance s'ouvre alors. Changez les valeurs à C = **0**, M = **12**, J = **54** et N = **0**. Cliquez sur OK.

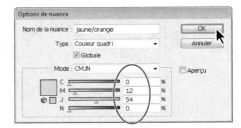

5. Cliquez sur la nuance jaune/orange 20 % et faites-la glisser entre les nuances PANTONE 100 C et jaune/orange dans le groupe de couleurs base étiquette.

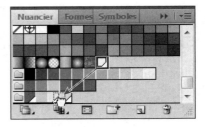

Vous pouvez toujours réordonner les nuances dans le groupe en les faisant glis-ser. Déplacez la nuance PANTONE 100 C à la droite de la nuance jaune/orange 20 %.

6. Choisissez Fichier > Enregistrer.

Les couleurs de l'étiquette sont désormais enregistrées dans le document en tant que groupe de couleurs. Vous verrez ultérieurement comment le modifier.

Le panneau Guide des couleurs

Le panneau Guide des couleurs vous servira d'outil d'inspiration lorsque vous crée-rez votre illustration. Il aide à choisir des règles d'harmonie, comme des teintes de couleurs ou des couleurs analogues. Il permet également d'accéder à la fonctionna-lité Modifier les couleurs/Redéfinir les couleurs de l'illustration, qui sert à modifier et à créer des couleurs.

Vous allez à présent l'employer afin de sélectionner des couleurs différentes pour une deuxième étiquette, puis les enregistrer en tant que groupe de nuances dans le panneau Nuancier.

1. Choisissez 2 dans le menu Navigation dans le plan de travail, qui se trouve dans le coin inférieur gauche de la fenêtre de document.

2. Avec l'outil Sélection (▸), cliquez sur la forme rouge d'arrière-plan de l'étiquette. Assurez-vous que la case Fond est sélectionnée dans le panneau Outils.

3. Ouvrez le panneau Guide des couleurs en cliquant sur son icône (▨) à droite de l'espace de travail. Cliquez sur le bouton Définir la couleur de base sur la couleur actuelle (▣).

   Cela permet au panneau Guide des couleurs de suggérer des couleurs en fonction de celle affichée dans le bouton Définir la couleur de base sur la couleur actuelle.

Note : Les couleurs que vous voyez dans le panneau Guide des couleurs peuvent être différentes de celles de la figure. Ce n'est pas un problème.

Vous allez maintenant faire des essais sur les couleurs de l'étiquette.

4. Dans le panneau Guide des couleurs, choisissez Complémentaires 2 dans le menu Règles d'harmonie qui se trouve à droite du bouton Définir la couleur de base sur la couleur actuelle.

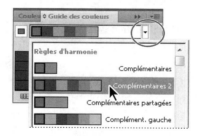

5. Cliquez sur le bouton Enregistrer le groupe de couleurs dans le panneau Nuancier (▣⁺) pour enregistrer les couleurs définies par la règle d'harmonie Complémentaires 2 dans le panneau Nuancier.

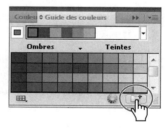

6. Cliquez sur l'icône du panneau Nuancier (▦). Faites-le défiler vers le bas afin de voir le nouveau groupe ajouté. Vous pouvez appliquer ces couleurs à l'illustration ou les modifier.

7. Ouvrez le panneau Guide des couleurs en cliquant sur son icône (▨).

Vous allez à présent vous entraîner à manipuler les couleurs.

Note : Si vous choisissez une variante de couleur différente de celle suggérée, votre couleur sera différente dans la suite de cette section.

8. Dans les propositions de couleurs du panneau Guide des couleurs, sélectionnez la cinquième à partir de la gauche, sur la deuxième ligne. Notez le changement de couleur de l'étiquette. Cliquez sur le bouton Définir la couleur de base sur la couleur actuelle (■) pour essayer un nouveau groupe de couleurs basées sur la règle d'harmonie Complémentaires 2. Dans le panneau Nuancier (■⁺), cliquez ensuite sur le bouton Enregistrer le groupe de couleurs.

  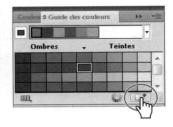

9. Choisissez Fichier > Enregistrer.

Modifier un groupe de couleurs

Illustrator dispose de nombreux outils de manipulation des couleurs. Lorsque vous créez des groupes de couleurs, que ce soit à l'aide du panneau Nuancier ou du panneau Guide des couleurs, vous pouvez les modifier individuellement ou en tant que groupe dans la boîte de dialogue Modifier les couleurs. Vous pouvez également renommer un groupe de couleurs, changer l'ordre des couleurs dans le groupe, ajouter ou supprimer des couleurs, etc. Dans cette section, vous modifierez les couleurs enregistrées dans un groupe à l'aide de la boîte de dialogue Modifier les couleurs.

1. Choisissez Sélection > Désélectionner puis cliquez sur l'icône du panneau Nuancier (▦).

Note : Si l'illustration est sélectionnée lorsque vous cliquez sur le bouton Modifier le groupe de couleurs dans le panneau Nuancier, le groupe de couleurs est appliqué à la sélection. La boîte de dialogue Redéfinir les couleurs de l'illustration s'affiche et vous permet de modifier les couleurs et de les appliquer aux objets sélectionnés.

2. Cliquez sur l'icône de dossier à gauche du dernier groupe de couleurs afin de le sélectionner (vous devrez peut-être faire défiler le panneau Nuancier vers le bas). Notez que le bouton Options de nuance (▣) devient le bouton Modifier le groupe de couleurs (◉) lorsque le groupe est sélectionné.

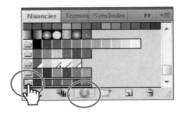

Le bouton Options de nuance (▣) vous permet de modifier la seule couleur sélectionnée.

▶ **Astuce :** Pour modifier un groupe de couleurs, vous pouvez aussi double-cliquer sur l'icône de dossier qui se trouve à gauche du groupe dans le panneau Nuancier.

3. Cliquez sur le bouton Modifier le groupe de couleurs (⚙) pour ouvrir la boîte de dialogue Modifier les couleurs.

Sur le côté droit de la boîte de dialogue Modifier les couleurs, sous la liste Groupes de couleurs, tous les groupes de couleurs existants dans le panneau Nuancier sont présentés. Sur le côté gauche, vous pouvez modifier les couleurs de chaque groupe, individuellement ou en groupe.

Vous allez à présent modifier les couleurs du groupe.

4. Le groupe en cours de modification est affiché en haut de la boîte de dialogue Modifier les couleurs. Sélectionnez Groupe de couleurs 2 dans le champ situé au-dessus du bouton Attribuer et renommez-le **étiquette 2**. Il s'agit du nom du groupe de couleurs que vous avez enregistré précédemment dans la leçon.

5. Dans la roue chromatique, les marqueurs (les cercles) représentent chaque couleur du groupe. Faites glisser vers le haut et la droite de la roue chromatique le grand marqueur rouge situé sur le côté droit.

6. Modifiez l'option Luminosité (☀) de toutes les couleurs à la fois en déplaçant le curseur Régler la luminosité vers la droite. Gardez ouverte la boîte de dialogue Modifier les couleurs.

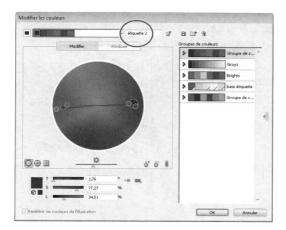

Renommez le groupe de couleurs.

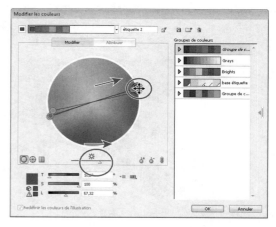

Modifiez la saturation et la luminosité des couleurs.

La case Redéfinir les couleurs de l'illustration dans la partie inférieure de la boîte de dialogue Modifier les couleurs est estompée car aucune illustration n'est sélectionnée. Si une illustration est sélectionnée au moment où vous ouvrez la boîte de dialogue, celle-ci se nomme Redéfinir les couleurs de l'illustration, et toute modification apportée affecte également l'illustration.

● **Note :** Le plus grand marqueur dans la roue chromatique, celui avec le double cercle, correspond à la couleur de base dans le groupe de couleurs.

Vous allez à présent modifier l'une des couleurs du groupe puis enregistrer les couleurs dans un nouveau groupe.

7. Cliquez sur le bouton Rompre les liens des couleurs de l'harmonie (🔘) pour modifier les couleurs de manière indépendante. Ce bouton doit alors être remplacé par le bouton Lier les couleurs de l'harmonie (🔘).

    Les lignes qui relient les marqueurs de couleurs (cercles) et le centre de la roue chromatique sont à présent en pointillés. Cela signifie que les couleurs peuvent être modifiées indépendamment.

8. Faites glisser le grand marqueur rouge vers le bas et la gauche, pour l'amener sur le bord de la roue chromatique sous les marqueurs verts. Vous changez ainsi la couleur rouge en couleur bleue.

    En éloignant les marqueurs du centre, vous augmentez la saturation. En les rapprochant du centre de la roue chromatique, vous diminuez la saturation. Lorsqu'un marqueur de couleur est sélectionné, vous pouvez modifier la couleur à l'aide des curseurs TSL (Teinte, Saturation, Luminosité) placés sous la roue chromatique.

9. Cliquez sur le bouton Mode de couleur (🔳) et choisissez CMJN dans le menu si les curseurs CMJN ne sont pas déjà visibles. Sélectionnez l'un des marqueurs verts dans la roue chromatique, comme l'illustre la figure ci-après à droite. Fixez les valeurs CMJN à C = **65**, M = **0**, J = **80**, N = **0**. Notez le déplacement du marqueur vert clair dans la roue chromatique.

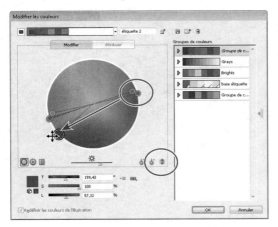

Modifiez une seule couleur.   Modifiez une autre couleur.

● **Note :** Les marqueurs de couleur dans votre boîte de dialogue Modifier les couleurs sont peut-être différents de ceux de la figure ci-dessus. Ce n'est pas un problème.

10. Cliquez sur le bouton Mode de couleur (🔳) et choisissez TSL dans le menu. La prochaine modification des couleurs se fera alors avec les curseurs TSL.

11. Cliquez sur le bouton Nouveau groupe de couleurs () pour enregistrer les couleurs modifiées dans un nouveau groupe nommé étiquette 2. Les groupes de couleurs présents dans le document apparaissent sur le côté droit de la boîte de dialogue Modifier les couleurs.

12. Cliquez sur OK pour fermer la boîte de dialogue Modifier les couleurs et enregistrer le groupe de couleurs étiquette 2 dans le panneau Nuancier. Si une boîte de dialogue apparaît, cliquez sur Oui pour enregistrer les modifications apportées au groupe de couleurs dans le panneau Nuancier.

13. Choisissez Fichier > Enregistrer.

> **Astuce :** Pour modifier un groupe de couleurs et enregistrer les changements sans créer un nouveau groupe, cliquez sur le bouton Enregistrer les modifications apportées au groupe de couleurs (🖫).

Modifier les options de couleur

Pour modifier une couleur, servez-vous des options situées dans la partie inférieure de la boîte de dialogue Modifier les couleurs. La figure suivante les décrit.

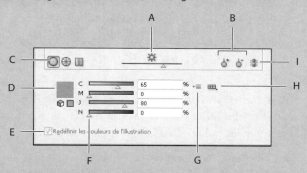

A. Afficher la saturation et la teinte sur la roue chromatique

B. Outils d'ajout et de suppression des marqueurs de couleur

C. Options d'affichage d'une couleur (roue chromatique sans segmentation, roue chromatique en mode segmenté, gammes de couleurs)

D. Couleur du marqueur de couleur sélectionné ou de la bande de couleur

E. Les couleurs de l'illustration sélectionnée sont redéfinies lorsque

cette case est cochée (elle est estompée lorsque aucune illustration n'est sélectionnée)

F. Curseurs de couleur

G. Bouton de sélection du mode colorimétrique

H. Limiter le groupe de couleurs aux couleurs d'une bibliothèque de nuances

I. Rompre les liens des couleurs de l'harmonie

Modifier les couleurs d'une illustration

Dans la boîte de dialogue Redéfinir les couleurs de l'illustration, vous pouvez modifier en une seule fois toutes les couleurs de l'illustration sélectionnée. Vous allez maintenant modifier les couleurs de la deuxième étiquette et enregistrer ces nouvelles couleurs dans un groupe de couleurs.

1. Choisissez Sélection > Tout sur le plan de travail actif.

2. Choisissez Édition > Modifier les couleurs > Redéfinir les couleurs de l'illustration pour ouvrir la boîte de dialogue correspondante.

   Dans la boîte de dialogue Redéfinir les couleurs de l'illustration, vous pouvez réattribuer ou réduire les couleurs dans votre illustration et créer et modifier des groupes de couleurs. Tous les groupes de couleurs créés pour un document apparaissent dans la zone Groupes de couleurs de cette boîte de dialogue et dans le panneau Nuancier. Vous pouvez sélectionner et utiliser ces groupes à tout moment.

3. Dans la boîte de dialogue Redéfinir les couleurs de l'illustration, cliquez sur l'icône Masquer le stockage du groupe de couleurs (◀) placée sur le côté droit.

4. Cliquez sur l'onglet Modifier, puis cliquez sur l'icône Lier les couleurs de l'harmonie (▦) pour modifier toutes les couleurs à la fois. Cette icône doit être remplacée par ▦.

5. Tout en appuyant sur la touche Maj, faites glisser le grand cercle rouge vers le bas en direction de la zone violette de la roue chromatique. Relâchez le bouton de la souris, puis la touche Maj. En faisant glisser avec la touche Maj appuyée, vous pouvez ajuster uniquement la couleur dans la roue, non la saturation.

   ▶ **Astuce :** Si vous voulez enregistrer les couleurs modifiées sous forme d'un groupe de couleurs, cliquez sur l'icône Afficher le stockage du groupe de couleurs (▶), sur le côté droit de la boîte de dialogue, puis sur le bouton Nouveau groupe de couleurs (▣+).

6. Faites glisser le curseur Régler la luminosité pour que les couleurs soient globalement plus foncées.

▶ **Astuce :** Vous pouvez également ouvrir la boîte de dialogue Redéfinir les couleurs de l'illustration en sélectionnant l'illustration et en cliquant sur le bouton Redéfinir les couleurs de l'illustration (▣) dans le panneau Contrôle.

▶ **Astuce :** Si vous souhaitez revenir aux couleurs d'origine de l'étiquette, cliquez sur le bouton Obtenir des couleurs à partir de l'illustration sélectionnée (▣).

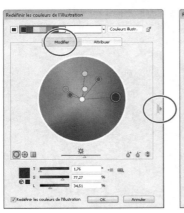
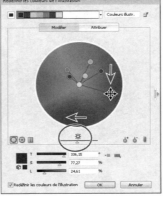

Les options de modification de la boîte de dialogue Redéfinir les couleurs de l'illustration sont identiques à celles de la boîte de dialogue Modifier les couleurs. Mais, au lieu de modifier une couleur et de créer des groupes de couleurs qui seront appliqués ultérieurement, vous modifiez dynamiquement les couleurs de l'illustration sélectionnée. Regardez la case Redéfinir les couleurs de l'illustration dans le coin inférieur gauche de la boîte de dialogue : lorsqu'elle est cochée, vous modifiez l'illustration sélectionnée.

7. Cliquez sur OK.

8. Choisissez Fichier > Enregistrer.

La suite du travail consistera à récupérer un groupe de couleurs à partir d'un autre document.

Importer un groupe de couleurs

La version anglaise d'Illustrator CS5 propose une extension, appelée panneau Kuler, qui représente un portail vers des groupes de couleurs thématiques, comme Crème glacée, créés par une communauté en ligne de graphistes. Vous pouvez parcourir un grand nombre de groupes et télécharger des thèmes pour les modifier ou les utiliser. Vous pouvez également créer des groupes de couleurs thématiques et les partager avec les autres utilisateurs.

Ce panneau n'étant pas disponible dans la version française d'Illustrator CS5, vous allez à présent importer un groupe de couleurs correspondant à un restaurant italien depuis la version finale de l'étiquette.

1. Choisissez Sélection > Désélectionner.

2. Cliquez sur l'icône du panneau Nuancier (▦) sur la droite de l'espace de travail.

3. Cliquez sur le bouton Menu Bibliothèque de nuances (▾≡) et choisissez Autre bibliothèque. Allez dans le dossier Lesson06 et ouvrez le fichier L6end_1.ai.

4. Faites défiler le panneau L6end_1 vers le bas de manière à voir le groupe de couleurs Italian Restaurant.

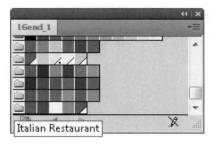

5. Cliquez sur l'icône de dossier qui se trouve à gauche de ce groupe de couleurs. Le groupe Italian Restaurant est alors ajouté au panneau Nuancier.

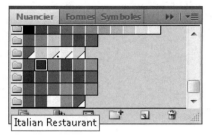

6. Fermez le panneau L6end_1.

7. Choisissez Fichier > Enregistrer.

Attribuer des couleurs à l'illustration

L'onglet Attribuer de la boîte de dialogue Redéfinir les couleurs de l'illustration permet d'attribuer à une illustration des couleurs issues d'un groupe de couleurs. Pour cela, vous pouvez procéder de plusieurs manières, notamment en utilisant un nouveau groupe de couleurs choisi dans le menu Règles d'harmonie. Dans cette section, vous allez attribuer de nouvelles couleurs à une troisième version de l'étiquette.

1. Choisissez 3 Artboard 3 dans le menu Navigation dans le plan de travail qui se trouve dans le coin inférieur gauche de la fenêtre de document.

2. Choisissez Sélection > Tout sur le plan de travail actif.

3. Choisissez Édition > Modifier les couleurs > Redéfinir les couleurs de l'illustration.

4. Cliquez sur l'icône Afficher le stockage du groupe de couleurs (▶) pour révéler les groupes de couleurs sur le côté droit de la boîte de dialogue (si ce n'est pas déjà le cas). Vérifiez que le bouton Attribuer est sélectionné.

Dans la boîte de dialogue Redéfinir les couleurs de l'illustration, vous remarquerez que les couleurs des étiquettes sont recensées dans la colonne Couleurs actuelles et sont triées selon le mode "Teinte – avant". Cela signifie qu'elles sont organisées, de haut en bas, dans l'ordre donné sur la roue chromatique : rouge, orange, jaune, vert, bleu, indigo et violet.

5. Sur la liste Groupes de couleurs, sélectionnez le groupe de couleurs Italian Restaurant importé précédemment.

Dans la boîte de dialogue Redéfinir les couleurs de l'illustration, vous remarquerez que de nouvelles couleurs sont affectées aux niveaux de gris du groupe Italian Restaurant. La colonne Couleurs actuelles montre les couleurs utilisées dans l'étiquette, tandis que la colonne Nouveau indique ce qu'elles sont devenues. Notez également que les deux couleurs jaunes dans l'étiquette d'origine sont à présent l'une à côté de l'autre et sont attribuées à une seule couleur. En effet, le groupe Italian Restaurant contient uniquement cinq couleurs alors que l'étiquette en utilise six.

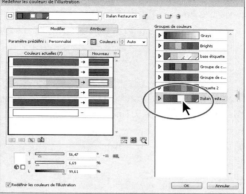

● **Note :** Si les couleurs de l'étiquette ne changent pas, vérifiez que la case Redéfinir les couleurs de l'illustration est cochée dans le coin inférieur gauche de la boîte de dialogue.

6. Cliquez sur l'icône Masquer le stockage du groupe de couleurs (◀) pour masquer les groupes de couleurs.

7. Dans la boîte de dialogue Redéfinir les couleurs de l'illustration, cliquez sur le rouge dans la colonne Nouveau et faites-le glisser sur le vert placé en dessous. Cette opération échange les couleurs vert et rouge dans l'illustration.

8. Remettez les couleurs dans l'ordre d'origine.

Les couleurs données dans la colonne Nouveau représentent ce que vous voyez dans l'illustration. Si vous cliquez sur l'une d'elles, les curseurs TSL placés dans la partie inférieure de la boîte de dialogue vous permettent de la modifier.

9. Double-cliquez sur la couleur marron foncé de la colonne Nouveau.

10. Dans le sélecteur de couleurs, cliquez sur le bouton Nuanciers pour afficher les nuances du document. Choisissez arrière-plan étiquette sur la liste. Cliquez sur OK pour revenir à la boîte de dialogue Redéfinir les couleurs de l'illustration.

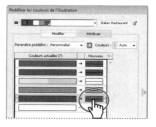
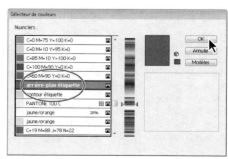

11. Si nécessaire, éloignez la boîte de dialogue de manière à voir l'illustration.

Vous allez maintenant apporter d'autres changements aux couleurs de l'étiquette, puis enregistrer ces modifications dans le groupe Italian Restaurant.

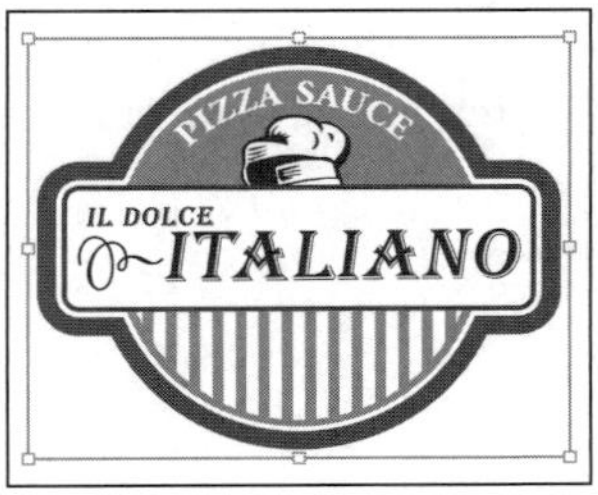

12. Cliquez sur la flèche qui se trouve entre le vert clair de la colonne Couleurs actuelles et le marron clair de la colonne Nouveau. Sur l'illustration, la couleur de l'étiquette peut changer légèrement.

    Lorsque vous cliquez sur la flèche placée entre une couleur actuelle et une nouvelle couleur, vous empêchez que la rangée de la couleur actuelle (le vert clair) soit remplacée par la nouvelle couleur (le marron clair).

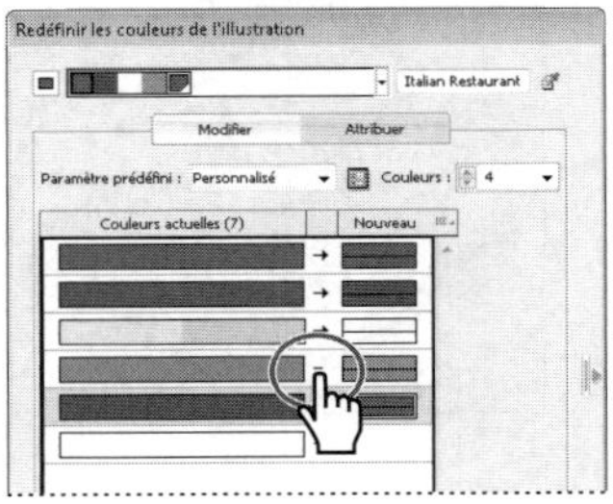

Note : Si vous voulez appliquer une couleur à l'illustration sélectionnée, vous pouvez choisir 1 dans le menu Couleurs qui se trouve au-dessus de la colonne Nouveau dans la boîte de dialogue Redéfinir les couleurs de l'illustration. Toutefois, veuillez d'abord terminer les étapes de cette leçon.

13. Faites glisser la bande vert clair sur la bande marron foncé qui se trouve au début de la liste des couleurs actuelles. Notez les changements dans l'illustration.

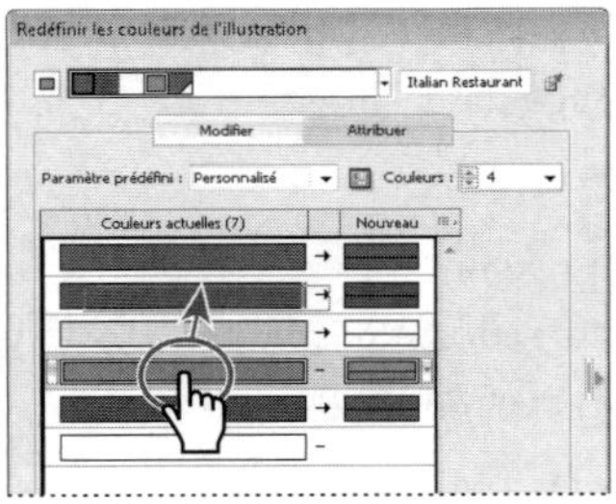

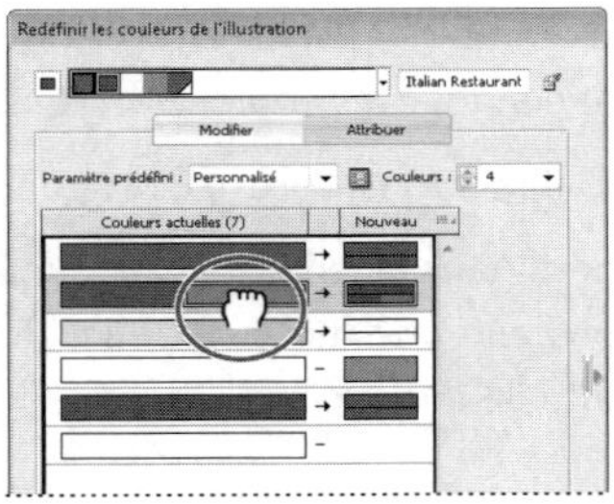

Lorsque vous faites glisser une couleur de la colonne Couleurs actuelles vers une autre rangée de la même colonne, vous demandez à Illustrator d'appliquer la même nouvelle couleur (vert, dans ce cas) aux deux couleurs. Le vert, dans la colonne Nouveau, est décomposé en trois sections différentes ( ). La couleur la plus foncée de la ligne (le gris-marron foncé) est remplacée par le vert. Le vert le plus clair est remplacé par une teinte proportionnellement plus claire du vert.

Note : La boîte de dialogue Redéfinir les couleurs de l'illustration autorise de nombreuses formes de modification des couleurs de l'illustration sélectionnée. Pour de plus amples informations, consultez la rubrique "Utilisation de groupes de couleurs" dans l'Aide d'Illustrator.

14. Cliquez sur l'icône Afficher le stockage du groupe de couleurs ( ) pour révéler les groupes de couleurs sur le côté droit de la boîte de dialogue. Cliquez sur le bouton Enregistrer les modifications apportées au groupe de couleurs ( ) pour que les modifications soient enregistrées dans le groupe de couleurs, sans fermer la boîte de dialogue.

15. Cliquez sur OK. Les changements apportés au groupe de couleurs sont enregistrés dans le panneau Nuancier.

16. Choisissez Sélection > Désélectionner puis Fichier > Enregistrer.

Réattribuer des couleurs à l'illustration sélectionnée

Pour réattribuer des couleurs à l'illustration sélectionnée, suivez l'une de ces méthodes :

- Si une rangée contient plusieurs couleurs et que vous vouliez toutes les déplacer, cliquez sur la barre du sélecteur à gauche de la rangée, puis déplacez-la vers le haut ou vers le bas.

- Pour attribuer une nouvelle couleur à une autre rangée de couleurs actuelles, déplacez la nouvelle couleur vers le haut ou vers le bas dans la colonne des nouvelles couleurs. (Pour ajouter une nouvelle couleur ou en supprimer une de la colonne Nouveau, cliquez du bouton droit et choisissez la commande Ajouter une couleur ou Supprimer la couleur.)

- Pour modifier une couleur de la colonne Nouveau, cliquez du bouton droit et utilisez le sélecteur de couleurs pour définir une nouvelle couleur.

- Pour exclure la réattribution d'une rangée de couleurs actuelles, cliquez sur la flèche entre les colonnes. Pour l'inclure de nouveau, cliquez sur le tiret.

- Pour exclure la réattribution d'une seule couleur active, cliquez du bouton droit sur cette couleur, puis choisissez la commande Exclure des couleurs ou cliquez sur l'icône.

- Pour réattribuer aléatoirement des couleurs, cliquez sur le bouton Modifier l'ordre des couleurs de façon aléatoire. Les nouvelles couleurs se déplacent aléatoirement vers d'autres rangées de couleurs actuelles.

- Pour ajouter une rangée à la colonne Couleurs actuelles, cliquez du bouton droit et choisissez la commande Ajouter une rangée ou cliquez sur l'icône.

Extrait de l'Aide d'Illustrator

Ajuster des couleurs

Vous allez à présent modifier l'étiquette d'origine du plan de travail 1 pour qu'elle utilise uniquement des couleurs CMJN. Le jaune PANTONE 100 C doit devenir une couleur CMJN.

1. Choisissez 1 dans le menu Navigation dans le plan de travail, qui se trouve dans le coin inférieur gauche de la fenêtre de document.

2. Choisissez Sélection > Tout sur le plan de travail actif.

● Note : Cette méthode de conversion dans le mode CMJN n'affecte pas les nuances de couleur dans le panneau Nuancier. Elle convertit simplement les couleurs de l'illustration sélectionnée en CMJN.

3. Choisissez Édition > Modifier les couleurs > Conversion en CMJN. Les couleurs de l'étiquette sélectionnée, y compris le jaune PANTONE 100 C, sont à présent en mode CMJN.

Le menu Édition > Modifier les couleurs propose d'autres options pour convertir les couleurs, dont Redéfinir les couleurs avec paramètre prédéfini. Cette commande permet de modifier la couleur de l'illustration sélectionnée en utilisant un numéro choisi de couleurs, une bibliothèque de couleurs et une harmonie de couleurs précise (comme les couleurs complémentaires). Pour de plus amples informations concernant cette méthode d'ajustement des couleurs, recherchez "réduction du nombre de couleurs de votre illustration" dans l'Aide d'Illustrator.

4. Choisissez Sélection > Désélectionner puis Fichier > Enregistrer.

Dégradés et motifs

● Note : Pour en savoir plus sur les dégradés, consultez la Leçon 10, "Les dégradés de formes et de couleurs".

Outre les couleurs en quadrichromie et les tons directs, le panneau Nuancier peut contenir des nuances de motifs et de dégradés. Illustrator fournit des échantillons de nuances de chacun de ces types dans le panneau par défaut et vous permet de créer vos propres motifs et dégradés.

Appliquer des motifs existants

Un motif est une illustration enregistrée dans le panneau Nuancier et que vous pouvez appliquer au contour ou au fond d'un objet. Avec les outils d'Illustrator, vous pouvez personnaliser les motifs existants et créer les vôtres. Tous les motifs sont présentés de gauche à droite (répétés) à partir de l'origine de la règle jusqu'au côté opposé de l'illustration. Vous allez à présent appliquer un motif existant à une forme.

1. Choisissez Fenêtre > Espace de travail > Les indispensables.

2. Ouvrez le panneau Calques en cliquant sur son icône (●).

3. Dans ce panneau, cliquez sur l'icône de visibilité à gauche du calque nommé pattern.

4. Cliquez sur l'icône du panneau Nuancier (▦), puis sur le bouton Menu Bibliothèque de nuances (▣) en bas du panneau et choisissez Motifs > Décoratif > Décoratif_classique pour ouvrir la bibliothèque de motifs.

5. Avec l'outil Sélection (**⯈**), sélectionnez la forme blanche dans la partie supérieure du plan de travail.

6. Dans le panneau Contrôle, fixez la couleur de contour à [Sans] (⬜).

7. Dans le panneau Outils, assurez-vous que la case Fond est sélectionnée.

● **Note :** Cette dernière étape est importante. Un motif est appliqué au contour ou au fond selon la case sélectionnée.

8. Sélectionnez le motif Tartan 3 dans le panneau Décoratif_classique de manière à remplir la forme avec ce motif.

 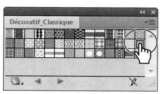 

▶ **Astuce :** Puisque certains des motifs fournis ont un arrière-plan transparent, vous pouvez créer un deuxième fond pour l'objet à l'aide du panneau Aspect. Pour en savoir plus, consultez la Leçon 13, "Les attributs d'aspect et les styles graphiques".

9. Fermez le panneau Décoratif_classique.

10. La forme étant toujours sélectionnée, double-cliquez sur l'outil Mise à l'échelle (🔲) dans le panneau Outils, afin d'élargir le motif sans toucher à la forme. Dans la boîte de dialogue Mise à l'échelle, décochez la case Mise à l'échelle des contours et des effets (si nécessaire). Décochez la case Objets, ce qui active la case Motifs. Saisissez **150** dans le champ Échelle de la zone Uniforme et cochez Aperçu pour constater le changement. Cliquez sur OK. Seul le motif est élargi.

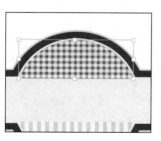 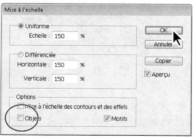 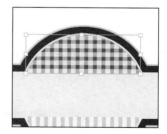

11. Fermez le panneau Nuancier en cliquant sur son icône.

12. Choisissez Sélection > Désélectionner puis Fichier > Enregistrer.

Créer un motif

Dans cette section, vous allez créer votre propre motif et l'ajouter au panneau Nuancier.

1. Dans le panneau Outils, activez l'outil Rectangle (▭). Ouvrez la boîte de dialogue Rectangle en cliquant une fois sur une zone vide du plan de travail. Fixez Largeur et Hauteur à **0,4 in** puis cliquez sur OK.

   Notez que le fond du nouveau rectangle est rempli du même motif que la forme précédente.

2. Le rectangle étant sélectionné, appuyez sur la touche D pour lui appliquer le contour (noir) et le fond (blanc) par défaut.

3. La forme étant toujours sélectionnée, double-cliquez sur l'outil Rotation (⟳) dans le panneau Outils. Dans la boîte de dialogue Rotation, fixez Angle à **45** et vérifiez que la case Objets est cochée, contrairement à la case Motifs. Cliquez sur OK.

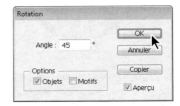

4. Activez l'outil Sélection (▶) et assurez-vous que la nouvelle forme est toujours sélectionnée.

5. Affichez le panneau Nuancier en cliquant sur son icône (▦) et vérifiez que vous voyez le début de la liste des nuances. Avec l'outil Sélection, faites glisser la forme sélectionnée dans le panneau Nuancier. Vous venez de créer un motif inédit.

● **Note :** Un motif peut être composé de plusieurs formes. Par exemple, pour créer un motif correspondant au tissu d'une chemise, vous pouvez dessiner trois rectangles superposés ou des lignes de différentes couleurs. Sélectionnez ensuite ces trois formes et faites-les glisser comme un tout dans le panneau Nuancier.

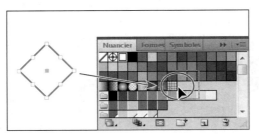

6. Double-cliquez sur la nuance du motif ajouté et nommez-le **carreau**. Cliquez sur OK.

7. Avec l'outil Sélection, cliquez sur le losange que vous avez utilisé pour créer le motif et supprimez-le.

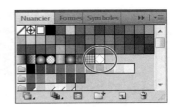

8. Choisissez Fichier > Enregistrer.

Appliquer un motif

Il existe plusieurs méthodes pour appliquer un motif. Dans cette section, vous emploierez le panneau Nuancier. Vous pouvez également appliquer le motif en utilisant la couleur de fond dans le panneau Outils.

1. Avec l'outil Sélection (▶), cliquez sur la forme que vous avez précédemment remplie d'un motif.

2. Sélectionnez le motif carreau dans la couleur de fond du panneau Contrôle.

   Notez que le motif est transparent entre les formes de losange.

3. Choisissez Sélection > Désélectionner puis Fichier > Enregistrer.

▶ **Astuce :** Tandis que vous ajoutez des vignettes personnalisées, il peut être utile d'afficher les noms des nuances dans le panneau Nuancier. Modifiez-en l'affichage en choisissant Liste de… dans le menu du panneau.

Modifier un motif

Pour modifier une nuance de motif, vous avez besoin de l'illustration qui a servi à la créer. Si vous l'avez supprimée, vous pouvez la retrouver en faisant glisser la nuance de motif sur le plan de travail.

Vous allez modifier le motif enregistré et mettre à jour toutes ses applications dans l'illustration.

1. Avec l'outil Sélection (▶), faites glisser la vignette du motif carreau depuis le panneau Nuancier vers un emplacement vide sur le côté droit du plan de travail.

   Cette opération place sur le plan de travail ou sur la zone de travail la forme qui avait servi à créer le motif.

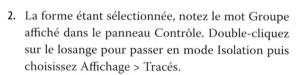

2. La forme étant sélectionnée, notez le mot Groupe affiché dans le panneau Contrôle. Double-cliquez sur le losange pour passer en mode Isolation puis choisissez Affichage > Tracés.

   Lorsque vous créez une forme irrégulière (non rectangulaire), Illustrator affiche une forme rectangulaire derrière elle afin de créer un motif rectangulaire.

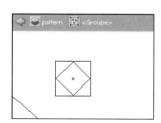

Note : Pour mieux voir le groupe, vous devrez peut-être zoomer ou appuyer sur la barre d'espacement et déplacer le plan de travail vers le bas.

3. Sélectionnez la forme carrée et, dans le panneau Contrôle, fixez la couleur de fond à Blanc. Cela permet de supprimer la transparence entre les losanges dans le motif.

4. Choisissez Affichage > Aperçu.

5. Avec l'outil Sélection, cliquez sur le losange. Dans le panneau Contrôle, fixez la couleur de fond à la nuance rouge (C = **15**, M = **100**, J = **90**, N = **10**). Changez la couleur de contour à [Sans]. Appuyez sur Échap pour masquer le panneau Nuancier.

6. Appuyez sur Échap pour quitter le mode Isolation.

Vous allez à présent actualiser la vignette de motif.

7. Choisissez Sélection > Désélectionner, puis, avec l'outil Sélection, cliquez sur le losange pour sélectionner le groupe.

8. Dans le panneau Outils, double-cliquez sur l'outil Mise à l'échelle (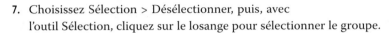). Fixez l'échelle uniforme à 35 %, vérifiez que seule la case Objet est cochée, puis cliquez sur OK.

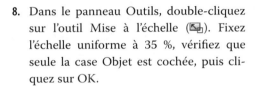

9. Avec l'outil Sélection, sélectionnez le groupe du losange et, tout en appuyant sur la touche Alt (Windows) ou Option (Mac OS), faites-le glisser sur la vignette carreau présente dans le panneau Nuancier. Le motif est mis à jour et l'illustration est remplie avec la nouvelle version du motif.

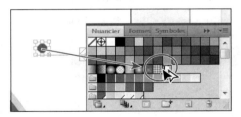

10. Sélectionnez le losange modifié sur le plan de travail et supprimez-le.

11. Ouvrez le panneau Calques et affichez tous les calques en cliquant sur l'icône de visibilité à gauche des calques "tomato" et "top shapes".

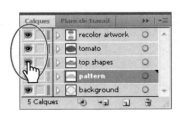

12. Choisissez Sélection > Désélectionner puis Fichier > Enregistrer. Choisissez Fichier > fermer.

La fonction Peinture dynamique

La fonction Peinture dynamique permet de peindre des graphiques vectoriels intuitivement. Elle détecte et corrige automatiquement les zones vides qui auraient affecté la manière dont les contours et les fonds auraient été appliqués auparavant. Les tracés divisent la surface en zones, chacune pouvant être peinte, qu'elle soit délimitée par un seul tracé ou par des segments de multiples tracés. C'est un peu comme si vous utilisiez un livre de coloriage ou coloriiez à la main directement sur le papier.

La fonction Peinture dynamique diffère de l'outil Concepteur de forme dans la mesure où elle est "dynamique". Autrement dit, l'outil Concepteur de forme modifie des formes sous-jacentes, ce que ne fait pas la fonction Peinture dynamique. Pour de plus amples informations sur l'outil Concepteur de forme, consultez la Leçon 3, "Création de formes".

Créer un groupe de peinture dynamique

Vous allez ouvrir un fichier et peindre des objets à l'aide de l'outil Pot de peinture dynamique.

1. Choisissez Fichier > Ouvrir et chargez le fichier L6start_2.ai à partir du dossier Lesson06.

2. Choisissez Fichier > Enregistrer sous, pour sauvegarder le fichier sous le nom **carte_voeux.ai** dans votre dossier Lesson06. Conservez Adobe Illustrator (*.AI) dans le menu Type (Windows) ou Adobe Illustrator (ai) dans le menu Format

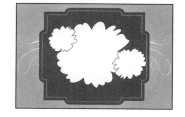

   (Mac OS), puis cliquez sur Enregistrer. Dans la boîte de dialogue Options Illustrator, gardez les options par défaut et cliquez sur OK.

3. Avec l'outil Sélection (⬉), tracez un rectangle de sélection autour des trois formes de fleur blanche sur le plan de travail.

4. Choisissez Objet > Peinture dynamique > Créer. Cette opération crée un groupe de peinture dynamique que vous pouvez à présent peindre avec l'outil Pot de peinture dynamique (⬦).

   Après qu'un groupe de peinture dynamique a été créé, chaque tracé reste pleinement modifiable. Lorsque vous déplacez ou ajustez la forme d'un tracé, les couleurs sont automatiquement réappliquées aux nouvelles régions formées.

▶ **Astuce :** Vous savez qu'il s'agit d'un groupe de peinture dynamique en raison du cadre de sélection particulier qui entoure les trois formes.

● **Note :** Vous devrez peut-être appuyer sur la touche Échap pour masquer le panneau Nuancier.

5. Dans le panneau Outils, sélectionnez l'outil Pot de peinture dynamique (), qui se trouve dans le groupe de l'outil Concepteur de forme (🔫). Avant de peindre, cliquez sur la couleur de fond dans le panneau Contrôle et sélectionnez la nuance yellow/orange (jaune/orange) dans le panneau Nuancier.

▶ **Astuce :** Vous pouvez également faire glisser sur plusieurs formes pour leur appliquer une couleur simultanément.

6. Positionnez le pointeur au-dessus du centre du groupe de peinture dynamique. Lorsque vous survolez des objets de peinture dynamique, ils sont mis en surbrillance et trois vignettes de couleur apparaissent au-dessus du pointeur. Elles représentent les trois nuances voisines dans le panneau Nuancier. La vignette centrale est la dernière couleur sélectionnée. Cliquez lorsque la fleur centrale est surlignée.

● **Note :** Vous pouvez également choisir une couleur autre que celle sélectionnée dans le groupe en cliquant sur une vignette dans le panneau Nuancier.

7. Déplacez le pointeur vers la gauche, au-dessus de la forme superposée. Appuyez deux fois sur la touche Flèche gauche pour passer à la couleur jaune clair dans les trois vignettes au-dessus du pointeur. Cliquez pour l'appliquer à la fleur.

Vous allez répéter l'étape précédente pour peindre les autres formes de fleur.

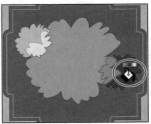

8. Peignez les trois formes de fleur restantes en utilisant les couleurs montrées à la figure de droite (jaune, rose et rose foncé). Avant de cliquer pour appliquer la couleur, appuyez sur les touches Flèche gauche et Flèche droite pour parcourir les couleurs du panneau Nuancier.

Avec l'outil Pot de peinture dynamique, il est aussi facile de peindre des contours que des fonds. Avant de peindre, vous devez activer l'option de peinture des contours.

9. Dans le panneau Outils, double-cliquez sur l'outil Pot de peinture dynamique. La boîte de dialogue Options de pot de peinture dynamique s'affiche.

Cochez la case Contours puis cliquez sur OK.

● **Note :** Pour de plus amples informations sur la boîte de dialogue Options de pot de peinture dynamique, par exemple Curseur d'aperçu de la nuance (les trois nuances qui apparaissent au-dessus du pointeur de l'outil Pot de peinture dynamique), et les options Sélecteur, comme la couleur et la largeur, consultez la rubrique "Peinture à l'aide de l'outil Pot de peinture dynamique" dans l'Aide d'Illustrator.

Vous allez à présent retirer les contours noirs intérieurs des formes et conserver les contours noirs extérieurs.

10. Positionnez le pointeur directement au-dessus du contour entre la forme centrale et la forme remplie en jaune clair (voir figure). Lorsque le pointeur Contour apparaît (🖐), appuyez sur la touche Flèche gauche pour sélectionner [Sans] puis cliquez sur le contour pour retirer sa couleur.

11. Positionnez le pointeur directement au-dessus du contour entre la forme centrale et la forme remplie en rose clair (voir figure). Lorsque le pointeur Contour apparaît, appuyez sur la touche Flèche gauche pour sélectionner [Sans], puis cliquez sur le contour pour retirer sa couleur.

12. Choisissez Sélection > Désélectionner pour voir la peinture des contours. Choisissez ensuite Fichier > Enregistrer.

Modifier des zones de peinture dynamique

Après la création d'un groupe de peinture dynamique, chaque tracé reste entièrement modifiable. Lorsque vous déplacez ou ajustez la forme d'un tracé, les couleurs précédemment appliquées ne restent pas simplement où elles étaient, comme elles le feraient dans un dessin statique. À la place, elles sont appliquées automatiquement aux nouvelles zones formées par les tracés modifiés.

Vous allez modifier les tracés et ajouter une nouvelle forme.

1. Dans le panneau Outils, activez l'outil Sélection (▶). Appuyez sur la barre d'espacement et faites glisser le plan de travail vers la droite pour révéler la forme de fleur qui se trouve à gauche du plan de travail.

2. Sélectionnez la forme de fleur et choisissez Édition > Copier.

3. Double-cliquez sur l'outil Main pour ajuster le plan de travail à la fenêtre de document.

4. Avec l'outil Sélection, double-cliquez sur le groupe de peinture dynamique. Vous entrez alors dans le mode Isolation, où vous pouvez modifier chaque forme indépendamment.

5. Choisissez Édition > Coller. Faites glisser la forme de fleur vers le bas et la gauche afin qu'elle chevauche la fleur centrale (voir figure).

6. Dans le panneau Outils, activez l'outil Pot de peinture dynamique (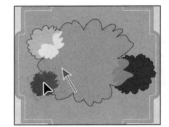) et peignez les formes avec le vert foncé (partie extérieure) et le vert clair (partie intérieure).

● **Note :** Lorsque vous déplacez ou modifiez des formes qui appartiennent à un groupe de peinture dynamique, des comportements étranges peuvent se produire. Par exemple, un contour peut apparaître là où il n'en existait pas auparavant. Vérifiez bien les formes pour être certain qu'elles sont comme il faut.

7. Positionnez le pointeur directement sur les contours entre la forme centrale orange et la forme au fond vert. Lorsque le pointeur Contour apparaît, appuyez sur la touche Flèche gauche pour choisir [Sans], puis cliquez sur le contour pour retirer sa couleur. Procédez de même avec la forme au fond vert intérieure.

8. Avec l'outil Sélection, faites glisser la forme au fond vert légèrement vers le haut et la gauche. Notez le changement de la couleur de fond.

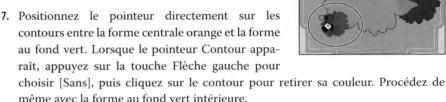

● **Note :** L'outil Sélection sélectionne un groupe complet de peinture dynamique. L'outil Sélection directe sélectionne les tracés individuels au sein d'un groupe de peinture dynamique. Par exemple, cliquer une fois avec l'outil Sélection sélectionne le groupe de peinture dynamique entier, et cliquer une fois avec l'outil Sélection directe sélectionne les tracés individuels constituant le groupe de peinture dynamique.

9. Dans le panneau Outils, activez l'outil Sélection directe (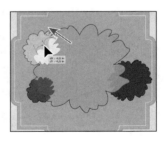). Positionnez le pointeur au-dessus de la petite fleur jaune dans le coin supérieur gauche. Cliquez sur l'un des points d'ancrage sur le bord de la fleur centrale (au centre de la petite fleur jaune) et faites-le glisser.

Notez que les tracés sont toujours totalement modifiables et que les couleurs sont réappliquées automatiquement aux nouvelles régions formées par les tracés modifiés.

Vous allez à présent ajouter une couleur blanche au centre de la plus grande fleur afin de placer du texte lisible.

10. Appuyez deux fois sur Ctrl++ (Windows) ou Cmd++ (Mac OS) pour augmenter le zoom.

11. Appuyez sur Échap pour quitter le mode Isolation, puis choisissez Sélection > Désélectionner.

12. Ouvrez le panneau Calques en cliquant sur son icône (⬤) à droite de l'espace de travail. Cliquez sur l'icône de visibilité du calque nommé text (au-dessus de l'icône de visibilité du calque live paint).

13. Avec l'outil Sélection, double-cliquez sur les formes de fleur pour passer en mode Isolation.

14. Dans le panneau Outils, activez l'outil Trait (╲). Dans le panneau Contrôle, changez la couleur de contour à Blanc.

15. Appuyez sur la touche Maj et cliquez sur le bord droit de la petite fleur jaune. Faites glisser vers le bord droit de la grande fleur centrale pour tracer une ligne. Lorsque vous arrivez près du bord (non sur le bord), relâchez le bouton de la souris, puis la touche Maj (voir figure centrale), de manière à laisser un petit espace sur le côté droit de la ligne.

16. Tracez une autre ligne sous la première : appuyez sur Maj et cliquez sur le bord droit de la fleur verte puis faites glisser vers la droite, jusqu'à aligner la ligne avec le bord gauche de la forme rose. Les repères commentés vous aideront à aligner la ligne avec les formes.

17. Dans le panneau Outils, activez l'outil Pot de peinture dynamique et positionnez le pointeur au centre de la grande fleur orange, entre les lignes. Notez que l'entourage rouge apparaît et que la ligne inférieure "ferme" le bas de la fleur. La ligne supérieure, qui ne touche pas le bord de la fleur, ne ferme pas la partie supérieure du tracé. Cet espace est un problème que nous allons corriger.

⬤ **Note :** Si l'entourage rouge s'arrête à la ligne supérieure, essayez de la raccourcir avec l'outil Sélection directe.

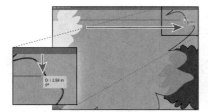
Tracez la ligne supérieure.

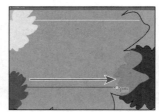
Tracez la ligne inférieure.

Révélez la zone de peinture.

Les options d'espace

Vous allez à présent employer la boîte de dialogue Options d'espace.

1. Choisissez Sélection > Tout.

2. Choisissez Objet > Peinture dynamique > Options d'espace. Dans la boîte de dialogue Options d'espace, activez l'option Détection d'espace, si elle ne l'est pas déjà.

Les espaces sont mis en évidence en rouge, comme l'indique la section Couleur d'aperçu de l'espace.

● **Note :** Si vous ne parvenez pas à utiliser cette fonction, essayez ceci : dans la boîte de dialogue Options d'espace, changez l'option Limite de la peinture. À la place de Petits espaces, sélectionnez Espaces moyens ou Grands espaces. Vous pouvez également essayer de redimensionner la ligne supérieure afin de l'approcher du bord droit de la fleur.

▶ **Astuce :** Dans un groupe de peinture dynamique, vous pouvez également sélectionner du contenu en faisant glisser l'outil Sélection de peinture dynamique sur l'illustration.

3. Changez l'option Limite de la peinture à Espaces moyens. Cela empêchera la peinture de se répandre à travers certains espaces lorsque vous l'appliquerez. Examinez l'illustration pour voir si des espaces sont indiqués en rouge. L'espace qui sépare la ligne supérieure et le bord droit de la forme de fleur est fermé. Cliquez sur OK.

4. Activez l'outil Pot de peinture dynamique (🖌) et survolez l'espace situé entre les deux lignes que vous avez tracées. Vérifiez que la nuance Blanc est affichée dans les vignettes au-dessus du pointeur. Cliquez pour peindre la zone.

5. Dans le panneau Outils, activez l'outil Sélection de peinture dynamique (🖱), qui se trouve dans le groupe de l'outil Pot de peinture dynamique. Cliquez sur la forme jaune supérieure et cliquez sur la forme jaune inférieure tout en appuyant sur la touche Maj (voir figure). Choisissez le dégradé background dans la couleur de fond du panneau Contrôle.

6. Dans le panneau Outils, activez l'outil Dégradé de couleurs (▮). Faites glisser depuis le centre de la grande fleur vers le bas et la droite pour créer un dégradé uniforme sur les deux formes.

7. Activez l'outil Sélection et appuyez sur Échap pour quitter le mode Isolation. Le texte "Happy Birthday" apparaît alors sur le plan de travail. Choisissez Affichage > Ajuster le plan de travail à la fenêtre.

Sélectionnez les éléments.　　　Faites glisser l'outil Dégradé　　　Résultat final.
　　　　　　　　　　　　　　　de couleurs.

8. Choisissez Fichier > Enregistrer puis Fichier > Fermer.

À vous de jouer

1. Choisissez Fichier > Ouvrir. Dans la boîte de dialogue Ouvrir, chargez le fichier nommé color.ai depuis le dossier Lesson06.

2. Avec l'outil Sélection, sélectionnez les lettres au centre de l'affiche.

3. Remplissez les lettres avec une couleur en la choisissant dans la case Fond du panneau Contrôle. Ensuite, enregistrez la couleur en tant que nuance dans le panneau Nuancier : appuyez sur Ctrl (Windows) ou Cmd (Mac OS) et cliquez sur le bouton Nouvelle nuance. Donnez-lui le nom **texte**.

4. À partir de la nuance remplissant le texte, créez une teinte et enregistrez-la dans le panneau Nuancier.

5. Appliquez un contour de 3 pt au texte et peignez-le avec la teinte enregistrée, en vous assurant que le fond du texte est bien de la couleur texte, non la teinte.

6. Dans le panneau Outils, activez l'outil Ellipse et créez un cercle sur le plan de travail. Dans le panneau Contrôle, choisissez une nuance pour la couleur de fond. Créez un motif à partir du cercle dessiné.

7. Appliquez le motif à la forme d'étoile qui se trouve derrière le texte.

8. Modifiez le motif et redimensionnez le remplissage de l'étoile en double-cliquant sur l'outil Mise à l'échelle.

9. Fermez le fichier sans l'enregistrer.

Révisions

Questions

1. Décrivez au moins trois façons de remplir le fond d'un objet avec une couleur.

2. Comment fait-on pour enregistrer une couleur ?

3. Comment nommez-vous une couleur ?

4. Comment peint-on un objet avec une couleur de transparence ?

5. Comment choisit-on des harmonies de couleurs ?

6. Citez deux opérations que la boîte de dialogue Modifier les couleurs/Redéfinir les couleurs de l'illustration permet de réaliser.

7. Comment ajouteriez-vous une vignette de motif au panneau Nuancier ?

8. Expliquez les possibilités de Peinture dynamique.

Réponses

1. La première action consiste à sélectionner l'objet, puis à cocher la case Fond dans le panneau Outils. Ensuite, on réalise l'une des opérations suivantes :

   - double-cliquer sur la case Fond ou Contour dans le panneau Contrôle pour accéder au sélecteur de couleurs ;

   - faire glisser les curseurs de couleurs ou saisir des valeurs dans les champs du panneau Couleur ;

   - cliquer sur une nuance de couleur dans le panneau Nuancier ;

   - sélectionner l'outil Pipette et cliquer sur une couleur de l'illustration ;

   - choisir Fenêtre > Bibliothèques de nuances pour ouvrir une autre bibliothèque de couleurs, puis cliquer sur une nuance de couleur dans la bibliothèque de couleurs.

2. Il faut l'ajouter au panneau Nuancier. Pour cela, on commence par la sélectionner, puis on agit de l'une des manières suivantes :

   - faire glisser la couleur de la case Fond vers le panneau Nuancier ;

   - cliquer sur le bouton Nouvelle nuance, placé au bas du panneau Nuancier ;

   - choisir Nouvelle nuance dans le menu du panneau Nuancier.

On peut également ajouter des couleurs provenant d'autres bibliothèques de couleurs en les sélectionnant dans le panneau de la bibliothèque de couleurs et en choisissant Ajouter au nuancier dans le menu du panneau.

3. Il faut double-cliquer sur la nuance de couleur dans le panneau Nuancier ou la sélectionner et choisir Options de nuance dans le menu du panneau avant de saisir son nom dans la boîte de dialogue Options de nuance.

4. Il faut sélectionner la forme puis lui appliquer une couleur de fond quelconque. Ensuite, dans le panneau Transparence ou dans le panneau Contrôle, on doit ajuster le pourcentage d'opacité à moins de 100 %.

5. On peut s'appuyer sur le panneau Guide des couleurs pendant qu'on crée une illustration. Il suggère des harmonies de couleurs en fonction de la couleur actuelle dans le panneau Outils.

6. a) Créer et modifier des groupes de couleurs ; b) réaffecter et réduire les couleurs d'une illustration.

7. En créant un motif (les motifs ne peuvent pas eux-mêmes contenir des motifs) et en le faisant glisser dans le panneau Nuancier.

8. Peinture dynamique permet de peindre des graphiques vectoriels intuitivement en détectant et en corrigeant automatiquement les zones vides qui auraient, sinon, affecté la manière dont les contours et les fonds auraient été appliqués. Les tracés divisent la surface en zones, chacune pouvant être peinte, qu'elle soit délimitée par un seul tracé ou par des segments de multiples tracés. C'est un peu comme si on utilisait un livre de coloriage ou si on coloriait à la main directement sur le papier.

Le texte, en tant qu'objet graphique, joue un rôle essentiel dans les illustrations. Comme d'autres objets, il peut être peint, redimensionné, soumis à une rotation, etc. Au cours de cette leçon, vous découvrirez comment créer du texte simple et lui appliquer des effets intéressants.

Manipulation de texte   **7**

Au cours de cette leçon, vous apprendrez à :

- importer du texte ;

- créer des colonnes de texte ;

- modifier les attributs du texte ;

- utiliser et enregistrer des styles ;

- échantillonner du texte ;

- habiller un graphique avec du texte ;

- déformer du texte ;

- créer du texte sur des tracés et des formes ;

- vectoriser du texte.

Cette leçon vous prendra environ une heure. Si nécessaire, supprimez le dossier de la leçon précédente de votre disque dur et copiez le dossier Lesson07.

Mise en route

Vous allez travailler sur un fichier d'illustration, mais avant de commencer, vous devez restaurer les préférences par défaut d'Adobe Illustrator. Vous ouvrirez ensuite l'illustration terminée de cette leçon, pour voir ce que vous allez créer.

1. Pour vous assurer que les outils et les panneaux fonctionneront exactement comme ils sont décrits au fil de cette leçon, supprimez ou désactivez (en le renommant) le fichier des préférences d'Adobe Illustrator CS5 (pour en savoir plus, reportez-vous à la section "Rétablissement des préférences par défaut" de l'Introduction).

● **Note :** Si vous n'avez pas encore copié les fichiers de cette leçon sur votre disque dur à partir du dossier Lesson07 du CD-ROM *Adobe Illustrator CS5 Classroom in a Book*, faites-le maintenant. Pour savoir comment procéder, consultez la section "Copie des fichiers d'exercices de *Classroom in a Book*" à la page 2.

2. Lancez Adobe Illustrator CS5.

3. Choisissez Fichier > Ouvrir et chargez le fichier L7end_1.ai, qui se trouve dans le dossier Lesson07.

 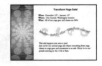

Dans cette leçon, vous créerez le texte de cette affiche. Vous pouvez garder ce fichier ouvert pour référence ou le fermer en choisissant Fichier > Fermer.

4. Choisissez Fichier > Ouvrir et chargez le fichier L7start_1.ai, qui se trouve dans le dossier Lesson07.

Le fichier contient déjà plusieurs composants graphiques terminés. Vous construirez tous les éléments de texte nécessaires pour compléter l'affiche.

5. Choisissez Fichier > Enregistrer sous, nommez le fichier **yoga.ai** et sélectionnez le dossier Lesson07. Choisissez Adobe Illustrator (*.AI) dans le menu Type (Windows) ou Adobe Illustrator (ai) dans le menu Format (Mac OS), puis cliquez sur Enregistrer. Dans la boîte de dialogue Options Illustrator, gardez les options par défaut et cliquez sur OK.

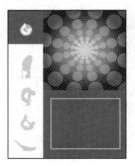

6. Choisissez Affichage > Repères commentés pour désactiver les repères commentés.

7. Choisissez Fenêtre > Espace de travail > Les indispensables.

Les fonctions de texte

Les fonctions de texte sont l'un des aspects les plus remarquables d'Illustrator. Elles permettent d'ajouter une ligne de texte à une illustration, de créer des colonnes et des rangées de texte comme dans Adobe InDesign, d'introduire du texte dans une forme ou le long d'un tracé et d'utiliser des caractères en tant qu'objets graphiques.

Vous pouvez créer trois types de texte : de point, captif et curviligne. En voici une courte description :

- **Le texte de point.** C'est une ligne de texte horizontale ou verticale qui débute là où vous cliquez et qui s'étend à mesure que vous saisissez des caractères. Chaque ligne de texte est indépendante : elle s'étire ou se rétrécit à mesure que vous la modifiez, sans toutefois passer à la ligne suivante. Cette méthode de saisie de données est pratique lorsque vous souhaitez ajouter quelques mots à une illustration.

- **Le texte captif.** Il utilise le contour de l'objet pour limiter le flux des caractères, verticalement ou horizontalement. Lorsqu'il atteint une limite, il s'adapte automatiquement à la zone définie en passant à la ligne. Ce mode de saisie est utile pour créer un ou plusieurs paragraphes d'une brochure, par exemple.

- **Le texte curviligne.** Il suit le bord d'un tracé ouvert ou fermé. Les caractères sont parallèles à la ligne de base, lors de la saisie de texte horizontal, et perpendiculaires à cette même ligne, lors de la saisie de texte vertical. Dans les deux cas, le texte suit la direction dans laquelle sont ajoutés les points sur le tracé.

Dans la suite de cette section, vous créerez un texte de point, puis un texte captif et, plus loin, un texte curviligne.

Créer un texte de point

Pour saisir du texte directement dans un document, sélectionnez l'outil Texte et cliquez là où doit se trouver le texte. Vous pouvez commencer la saisie dès que le curseur apparaît.

Vous allez à présent ajouter un sous-titre à l'illustration 1 (sur 2).

1. Dans le panneau Outils, activez l'outil Zoom (🔍) et cliquez trois fois sur la dernière figure de yoga.

2. Sélectionnez l'outil Texte (**T**) et cliquez au-dessus et à gauche de cette figure. Le curseur apparaît sur le plan de travail. Saisissez **info@transformyoga.com**.

   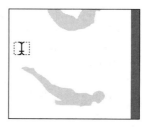

   En cliquant avec l'outil Texte, vous créez un texte de point, c'est-à-dire une ligne de texte qui s'étendra jusqu'à ce que vous arrêtiez la saisie ou que vous appuyiez sur Entrée ou Retour. Ce format de texte est très utile pour les titres.

3. Dans le panneau Outils, activez l'outil Sélection (▶) : un cadre de sélection entoure le texte. Cliquez sur le point de sélection de droite et faites-le glisser vers la droite. Vous étirez le texte.

4. Choisissez Édition > Annuler Mise à l'échelle.

Créer un texte captif

Pour créer un texte captif, cliquez sur l'outil Texte et faites-le glisser pour créer une zone dans laquelle se trouvera le texte. Lorsque le curseur apparaît, commencez la saisie. Vous pouvez également convertir une forme ou un objet existant en zone de texte en cliquant dessus ou dedans avec l'outil Texte.

Vous allez créer une zone de texte et saisir une adresse.

1. Activez l'outil Sélection (▶), appuyez sur la barre d'espacement et faites glisser le plan de travail vers le bas afin d'afficher la première figure de yoga qui se trouve dans la partie blanche sur le côté gauche de l'illustration.

2. Sélectionnez l'outil Texte (T), puis cliquez et faites glisser le pointeur en diagonale de manière à créer un rectangle au-dessus de la figure. Le curseur apparaît dans la nouvelle zone de texte.

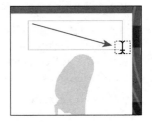

3. Saisissez **1000 Lombard Ave. Central, Washington**. Le texte passe automatiquement à la ligne à l'intérieur de la zone de texte.

Vous allez ajuster ce comportement.

● **Note :** Pour le moment, conservez les paramètres par défaut de mise en forme du texte.

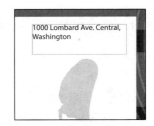

4. Activez l'outil Sélection. Un cadre de sélection apparaît autour de l'adresse. Faites glisser le point de sélection central droit vers la droite et la gauche. Vous remarquerez que le texte passe automatiquement à la ligne à l'intérieur de la zone. Faites glisser jusqu'à ce que la première ligne contienne uniquement le texte "1000 Lombard Ave".

5. Choisissez Sélection > Désélectionner puis Fichier > Enregistrer.

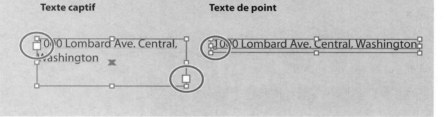
Importer du texte

Il est tout à fait possible d'importer dans une illustration du texte créé depuis une autre application. Illustrator reconnaît les formats suivants :

- Microsoft Word pour Windows 97, 98, 2000, 2002, 2003 et 2007 ;
- Microsoft Word pour Mac OS X, 2004 et 2008 ;
- RTF (Rich Text Format) ;
- texte brut (ASCII) avec un encodage ANSI, Unicode, Shift JIS, GB2312, Chinois Big 5, Cyrillique, GB18030, Grec, Turc, Balte et Europe centrale.

Vous pouvez également copier et coller du texte à partir du Presse-papiers, mais sa mise en forme peut être perdue lors du collage. Ce n'est pas le cas lors de l'importation de texte à partir d'un fichier, où la mise en forme des caractères et des paragraphes est alors conservée. Par exemple, le texte d'un fichier RTF conserve ses spécifications de polices et de styles dans Illustrator.

Vous allez à présent importer du texte provenant d'un fichier de texte.

1. Double-cliquez sur l'outil Main (✋) pour ajuster le plan de travail à la fenêtre. Choisissez Affichage > Repères commentés pour activer les repères commentés.

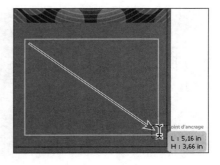

Note : Si vous n'avez pas défini préalablement une zone de texte, le texte importé est placé dans une zone créée automatiquement, laquelle, par défaut, recouvre la plus grande partie du plan de travail.

2. Avant d'importer du texte, créez une zone de texte à l'aide de l'outil Texte (**T**) : cliquez et faites glisser depuis le coin supérieur gauche, en suivant les contours du cadre existant, vers le coin inférieur droit.

3. Choisissez Fichier > Importer. Sélectionnez le fichier texte L7copy.txt dans le dossier Lesson07 puis cliquez sur Importer.

4. La boîte de dialogue Options d'importation de texte propose des réglages avancés à définir avant l'importation. Pour cet exemple, conservez les paramètres par défaut et cliquez sur OK.

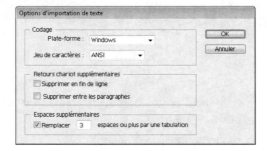

Le texte est désormais placé dans la zone de texte. Ne vous souciez pas de sa mise en forme, vous découvrirez plus loin comment appliquer des attributs. Si vous voyez un symbole plus rouge (⊞) dans le coin inférieur droit de la zone de texte, cela signifie que la zone est trop petite pour contenir tout le texte. Vous corrigerez ce problème plus loin.

5. Choisissez Fichier > Enregistrer et laissez le fichier ouvert.

Créer des colonnes de texte

Créer des lignes ou des colonnes de texte est chose aisée dans Illustrator, à l'aide de la fonction Options de texte captif.

1. Si nécessaire, sélectionnez la zone de texte avec l'outil Sélection (▶).

Note : Si le curseur se trouve toujours dans la zone de texte, il est inutile de la sélectionner pour accéder aux Options de texte captif.

2. Choisissez Texte > Options de texte captif.

3. Dans la boîte de dialogue Options de texte captif, cochez Aperçu. Fixez la valeur de Nombre de la section Colonnes à **2**, puis cliquez sur OK.

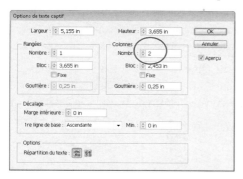 

4. Choisissez Sélection > Désélectionner.

5. Choisissez Fichier > Enregistrer et laissez le document ouvert.

Options de texte captif

Servez-vous des options de texte captif pour créer des rangées et des colonnes de texte :

- **Nombre.** Indique le nombre de rangées et de colonnes que l'objet doit contenir.

- **Bloc.** Indique la hauteur de rangées individuelles et la largeur de colonnes individuelles.

- **Fixe.** Détermine ce qu'il advient du bloc de rangées et de colonnes si vous redimensionnez la zone de texte. Lorsque cette case est cochée, le redimensionnement de la zone peut modifier le nombre de rangées et de colonnes, mais pas leur largeur. Cette case doit être décochée pour que la largeur des rangées et des colonnes change lorsque vous redimensionnez la zone de texte.

- **Gouttière.** Indique la distance entre les rangées ou les colonnes.

- **Marge intérieure.** Détermine la marge entre le texte et le tracé de délimitation.

- **1re ligne de base.** Définit l'alignement de la première ligne de texte sur le haut de l'objet.

- **Répartition du texte.** Détermine la manière dont le texte se distribue entre les rangées et les colonnes.

Extrait de l'Aide d'Illustrator

Répartition du texte

Dans cette section, vous importerez un document Microsoft Word (.doc) dans une forme de rectangle afin de créer une zone de texte dans le second plan de travail du fichier yoga.ai. Vous ajouterez ainsi du texte à une carte postale qui accompagne l'affiche.

1. Pour aller sur le second plan de travail, cliquez sur le bouton Suivant dans le coin inférieur gauche de la fenêtre de document. Si vous ne voyez pas l'intégralité de la carte postale, choisissez Affichage > Ajuster le plan de travail à la fenêtre.

2. Dans le panneau Outils, activez l'outil Rectangle (▢).

● **Note :** Le carré qui apparaît après l'opération peut avoir un fond et/ou un contour noir(s) qui recouvre(nt) le contenu. Lorsque la forme est convertie en une zone de texte, le fond et le contour sont changés en [Sans].

3. Appuyez sur D pour configurer les valeurs par défaut pour le fond (blanc) et le contour (noir).

4. Positionnez le pointeur dans le coin supérieur gauche du guide carré et faites glisser vers le bas et la droite afin de créer un rectangle d'une hauteur d'environ 1 pouce. Le mot "repère" apparaît lorsque le pointeur arrive sur le guide.

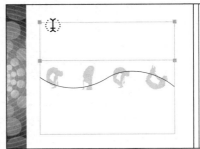

5. Sélectionnez l'outil Texte (T) et survolez le contour du rectangle. Le mot "tracé" apparaît lorsque vous êtes suffisamment près du bord du rectangle. Le point d'insertion du texte est entre parenthèses (⦗I⦘) afin d'indiquer que, si vous cliquez, le curseur apparaîtra à l'intérieur de la forme. Cliquez pour insérer le curseur.

● **Note :** Dans le groupe de l'outil Texte, il existe un outil Texte captif, lequel convertit des objets en zones de texte. Il n'est pas nécessaire de passer par cet outil.

6. Le curseur étant toujours actif dans ce carré, allez dans Fichier > Importer et sélectionnez le fichier yoga_pc.doc qui se trouve dans le dossier Lesson07, puis cliquez sur Importer. Vous avez sélectionné un fichier au format natif Microsoft Word, vous devez donc à présent paramétrer des options supplémentaires.

● **Note :** La quantité de texte affiché par la zone de texte peut être plus ou moins importante. Ce n'est pas un problème, puisque vous la redimensionnerez plus loin dans cette leçon.

7. Dans la boîte de dialogue Options Microsoft Word, vérifiez que la case Supprimer la mise en forme du texte est décochée afin de conserver la mise en forme du document Word. Laissez les autres paramètres à leur valeur par défaut. Cliquez sur OK. Le texte apparaît dans le rectangle.

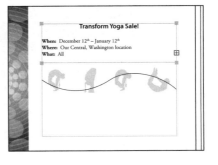

Vous voyez qu'un signe plus rouge (⊞) apparaît dans le coin inférieur droit de la zone de texte. Il indique que le texte n'entre pas intégralement dans l'objet. Vous corrigerez ce problème à la section suivante.

● **Note :** Lorsque vous importez un document Word sans cocher la case Supprimer la mise en forme du texte, les styles de paragraphe employés dans le document sont reproduits dans Illustrator. Nous reviendrons plus loin sur les styles de paragraphe.

Gérer l'excédent de texte et la liaison de texte

Chaque objet texte de la zone comprend un port d'entrée et un port de sortie, ce qui permet de le relier à d'autres objets et d'en créer une copie liée. Lorsqu'un port est vide, cela signifie que tout le texte est visible et que l'objet n'est pas lié. Un signe plus rouge (⊞) indique que l'objet contient du texte supplémentaire invisible, appelé *excédent* de texte.

Deux méthodes permettent de rendre visible le texte en excès :

• lier le texte à une autre zone ;

• redimensionner la zone de texte.

Lier des zones de texte

Pour lier le texte (ou le faire continuer) d'un objet à l'autre, vous devez d'abord lier les objets. Les objets texte liés peuvent avoir n'importe quelle forme. Le texte doit toutefois être captif ou curviligne : le texte de point ne peut être lié.

Vous allez à présent faire continuer l'excédent de texte vers une autre zone de texte.

1. Activez l'outil Sélection (▶) et sélectionnez la zone de texte.

2. Cliquez sur le port de sortie de la zone de texte sélectionnée. Le curseur se change en icône de texte en excès (⊟).

▶ **Astuce :** Une autre méthode permettant de lier du texte entre des objets consiste à sélectionner une zone de texte, à sélectionner l'objet (ou les objets) à lier, puis à choisir Texte > Texte lié > Créer.

● **Note :** Si vous double-cliquez, une nouvelle zone de texte apparaît. Dans ce cas, vous pouvez soit déplacer la nouvelle zone à sa place, soit choisir Édition > Annuler Chaîner un texte lié. L'icône de texte en excès réapparaît alors.

3. Cliquez et faites glisser sous les figures de yoga, en commençant sur le bord gauche du rectangle d'aide et en allant vers le coin inférieur droit.

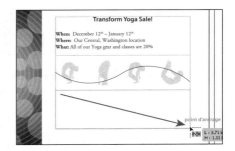

● **Note :** Si votre texte n'est pas parfaitement identique à celui de la figure, ce n'est pas un problème. Dans la prochaine partie de la leçon, vous redimensionnerez les zones de texte.

4. Choisissez Fichier > Enregistrer.

La zone de texte inférieure étant toujours sélectionnée, une ligne relie les deux objets. Elle représente le lien, la connexion entre eux. Examinez le port de sortie (▣) de l'objet supérieur et le port d'entrée (▣) de l'objet inférieur (ils sont tous deux encerclés sur la figure). La flèche indique que l'objet est lié à un autre objet.

● **Note :** Si vous supprimez la seconde zone de texte (créée à l'étape 3), le texte revient dans l'objet d'origine en tant qu'excédent de texte. Même s'il n'est pas visible, l'excédent de texte n'est pas supprimé.

Redimensionner des zones de texte

Vous allez maintenant redimensionner la zone de texte afin de faire de la place pour du texte supplémentaire.

1. Activez l'outil Sélection (▸) et cliquez sur le texte dans la zone de texte supérieure.

2. Double-cliquez sur le port de sortie (▣) dans le coin inférieur droit de la zone de texte.

Puisque les zones de texte sont chaînées, en double-cliquant sur le port de sortie ou sur le port d'entrée, vous rompez la connexion. Tout le texte qui continuait dans la seconde zone de texte revient dans la première. L'objet inférieur est toujours présent, mais il est dépourvu de contour et de fond.

3. Choisissez Affichage > Repères commentés pour les désactiver.

4. Avec l'outil Sélection, cliquez sur la poignée centrale inférieure du cadre de sélection et faites-la glisser vers le bas, jusqu'au bord supérieur des figures de yoga. La taille verticale de la zone de texte augmente. Plus vous faites glisser vers le bas, plus la quantité de texte affichée est importante.

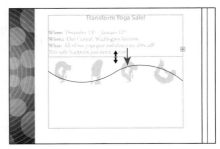

5. Avec l'outil Sélection, cliquez sur le port de sortie (⊞) dans le coin inférieur droit de la zone de texte supérieure. Le pointeur se transforme alors en icône de texte en excès (▦).

6. Choisissez Affichage > Tracés pour que la zone de texte inférieure soit visible.

7. Placez l'icône de texte en excès (▦) sur le bord de la zone de texte inférieure. Le pointeur change (⬮). Cliquez pour lier les deux objets.

8. Choisissez Affichage > Aperçu.

9. Choisissez Sélection > Désélectionner.

10. Avec l'outil Sélection, sélectionnez la zone de texte supérieure. Faites glisser la poignée centrale inférieure jusqu'à ce que le texte "This sale happens just once a year!" ne soit plus surligné en bleu. Cela indique qu'il sera déplacé dans la zone de texte suivante lorsque vous relâcherez le bouton de la souris. Faites-le pour voir le texte.

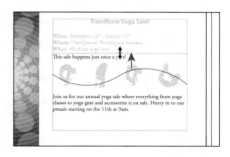

Lorsque des zones de texte sont liées, vous pouvez les déplacer où bon vous semble sans rompre la connexion. Le lien peut même franchir des plans de travail. Lorsque les zones de texte sont redimensionnées, en particulier celles qui se trouvent au début de la chaîne, la répartition du texte peut changer.

11. Choisissez Fichier > Enregistrer.

▶ **Astuce :** Créez des zones de texte de forme unique en désélectionnant la zone de texte puis en activant l'outil Sélection directe (⬊). Cliquez sur la bordure ou le coin de la zone, faites glisser et ajustez la forme. Cette méthode est plus facile lorsque le cadre de sélection est masqué (Affichage > Masquer le cadre de sélection) et lorsque vous travaillez en mode Tracés.

● **Note :** Si vous modifiez la zone de texte en employant la méthode de l'astuce précédente, choisissez Édition > Annuler avant de poursuivre la leçon.

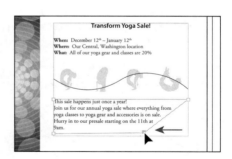

Mise en forme du texte

Vous allez découvrir maintenant la manière de modifier les attributs de texte, comme la taille, la police de caractères et le style. La plupart des attributs peuvent être modifiés rapidement et facilement grâce au panneau Contrôle.

1. Le fichier yoga.ai étant ouvert, cliquez sur le bouton Précédent (◀) dans la barre d'état pour revenir au plan de travail 1 (l'affiche).

2. Choisissez Affichage > Ajuster le plan de travail à la fenêtre si l'affiche n'est pas entièrement visible.

▶ **Astuce :** Si vous double-cliquez sur le texte avec l'outil Sélection ou Sélection directe, l'outil Texte est automatiquement activé.

3. Dans le panneau Outils, activez l'outil Texte (T), puis insérez le curseur n'importe où dans la zone de texte sur deux colonnes créée précédemment.

4. Choisissez Sélection > Tout ou appuyez sur Ctrl+A (Windows) ou Cmd+A (Mac OS) pour sélectionner l'ensemble du texte dans la zone.

Dans la suite de cette section, vous apprendrez deux méthodes différentes pour sélectionner une police.

Vous allez d'abord modifier la police du texte sélectionné à partir du menu Police du panneau Contrôle.

5. Cliquez sur la flèche qui se trouve à droite du menu Police et sélectionnez la police Adobe Garamond Pro.

● **Note :** La police Adobe Garamond Pro se trouve dans la partie G du menu, non dans la partie A. Par ailleurs, il est également possible que le menu Police ne soit pas visible dans le panneau Contrôle. Dans ce cas, cliquez sur le mot Caractère pour afficher le panneau du même nom.

● **Note :** Vous devrez peut-être cliquer sur la flèche qui apparaît en bas de la liste des polices pour la faire défiler.

6. Le texte étant toujours sélectionné, choisissez Texte > Police pour voir la liste des polices disponibles. Sélectionnez Myriad Pro > Regular. Le défilement de la liste pour arriver à cette police peut prendre un peu de temps, en particulier si les polices sont nombreuses sur votre ordinateur.

7. Vérifiez que le texte est toujours sélectionné, puis appliquez les instructions suivantes : cette méthode est la plus dynamique pour sélectionner une police.

- Cliquez sur le mot Caractère dans le panneau Contrôle afin d'afficher le panneau du même nom.

- La police étant sélectionnée dans le panneau Caractère, commencez à saisir le nom **Minion Pro**. Illustrator filtre la liste des polices et remplit le champ avec le premier nom trouvé.

- Appuyez sur Entrée ou Retour pour accepter la police.

▶ **Astuce :** Pour garder le panneau Caractère ouvert, choisissez Fenêtre > Texte > Caractère.

8. Cliquez sur la flèche du menu Style de la police pour obtenir les styles disponibles avec la police Minion Pro. Vérifiez que Regular est sélectionné.

Les styles de police sont propres à chaque famille de police. Même si la famille Minion Pro est installée sur votre système, il est possible que les styles gras et italique ne soient pas disponibles.

Polices de caractères installées et présentes sur le DVD d'Illustrator CS5

Les polices suivantes, ainsi que la documentation d'accompagnement, sont installées et incluses dans le dossier Documentation du DVD d'Illustrator CS5 ou dans le fichier d'archive téléchargé depuis Adobe Store. Pour la version d'essai, les polices ne sont disponibles qu'après achat.

Adobe® Caslon® Pro	**Blackoak Std**
Adobe® Garamond® Pro	*Brush Script Std*
Adobe Gothic Std	Chaparral Pro
Birch Std	CHARLEMAGNE STD
Cooper Black Std	Adobe Fangsong Std
Giddyup Std	**Hobo Std**
Letter Gothic Std	LITHOS PRO
MESQUITE STD	Myriad Pro
Minion Pro	Nueva Std
OCRA Std	ORATOR STD
Prestige Elite Std	**Poplar Std**
ROSEWOOD STD	**STENCIL STD**
Tekton Pro	TRAJAN PRO
Kozzuka Gothic Pro	Adobe Hebrew
Kozuka Mincho Pro	Adobe Kaiti Std
Adobe Arabic	Adobe Ming Std
Adobe Myungjo Std	Adobe Song Std
Adobe Heiti Std	**Adobe Fan Heiti Std**

Qu'est-ce que le format OpenType ?

Si vous devez échanger régulièrement des fichiers avec des utilisateurs équipés de différentes plates-formes, nous vous recommandons de créer vos documents à l'aide de polices OpenType.

OpenType® est un nouveau format de police multi-plate-forme, développé conjointement par Adobe et Microsoft. Adobe, qui a d'ores et déjà converti l'intégralité de sa typothèque dans ce format, propose plusieurs milliers de polices OpenType.

Les deux principaux atouts du format OpenType résident dans sa compatibilité multi-plate-forme (un seul et même fichier de polices exploitable sur les postes de travail Macintosh et Windows) et sa prise en charge de jeux de caractères et de fonctions de présentation très étendus, qui offrent de meilleures capacités linguistiques et un contrôle typographique évolué.

Le format OpenType est une extension du format TrueType SFNT qui gère également les données des polices Adobe® PostScript® et des fonctions typographiques inédites. Les noms de fichier des polices OpenType contenant des données PostScript, comme celles de la typothèque Adobe, possèdent l'extension .otf, tandis que les polices OpenType de type TrueType portent l'extension .ttf.

Les polices OpenType prennent en charge les jeux de caractères étendus et offrent des fonctions de présentation spécifiques, garantissant ainsi un support linguistique étendu et un contrôle typographique évolué. Ces fontes se distinguent par le terme "Pro", qui fait partie de leur nom et est repris dans le menu Polices des différentes applications. Vous pouvez les installer et les utiliser avec les polices PostScript Type 1 et TrueType.

*Extrait du site **www.adobe.fr/type/opentype***

Modifier la taille du texte

1. Si le texte sur deux colonnes n'est plus actif, insérez le curseur dans la zone de texte avec l'outil Texte (T) et choisissez Sélection > Tout.

● **Note :** Il est possible que le menu Police ne soit pas visible dans le panneau Contrôle. Dans ce cas, cliquez sur le mot Caractère pour afficher ce panneau.

2. Saisissez **13 pt** dans le champ Corps du panneau Contrôle et appuyez sur Entrée ou Retour. Notez la modification du texte. Choisissez 12 pt dans le menu Corps. Gardez le texte sélectionné.

Le menu Corps propose des tailles prédéfinies. Si vous souhaitez une taille personnalisée, saisissez la valeur en points dans le champ Corps et appuyez sur Entrée ou Retour.

▶ **Astuce :** Servez-vous des raccourcis clavier pour modifier dynamiquement la taille du texte. Pour augmenter la taille de la police par pas de 2 pt, appuyez sur Ctrl+Maj+> (Windows) ou Cmd+Maj+> (Mac OS) et, pour la diminuer, appuyez sur Ctrl+Maj+< (Windows) ou Cmd+Maj+< (Mac OS).

Modifier la couleur du texte

Vous pouvez changer la couleur à la fois du fond et du contour d'un texte sélectionné. Ici, nous allons juste modifier le fond.

1. Le texte étant sélectionné, cliquez, dans le panneau Contrôle, sur la couleur de fond. Dans le panneau Nuancier qui apparaît, choisissez White (Blanc). Le fond du texte devient blanc.

2. Avec l'outil Texte, cliquez et faites glisser de manière à sélectionner la première ligne de texte, "Transform Yoga", de la zone de texte ou triple-cliquez sur le texte.

3. Depuis le panneau Contrôle, changez la couleur de fond à Aqua.

4. Gardez la première ligne de texte sélectionnée. Sélectionnez le texte dans le champ Corps du panneau Contrôle et saisissez **13** comme taille de police. Appuyez sur Entrée ou Retour.

> ► **Astuce :** Double-cliquez pour sélectionner un mot, triple-cliquez pour sélectionner un paragraphe entier. La fin d'un paragraphe est définie par un retour à la ligne.

5. Dans le menu Style de la police du panneau Contrôle, choisissez Bold (Gras) afin de modifier le style de la police.

6. Choisissez Sélection > Désélectionner.

7. Choisissez Fichier > Enregistrer.

Modifier d'autres attributs de texte

Dans le panneau Caractère, auquel vous accédez en cliquant sur le mot Caractère souligné en bleu dans le panneau Contrôle, vous pouvez modifier de nombreux autres attributs du texte. Vous poursuivrez cette leçon en appliquant quelques-uns de ces attributs, même si de nombreux autres valent aussi la peine d'être explorés.

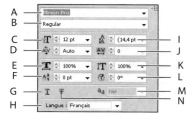

A. Police

B. Style de police

C. Corps de police

D. Crénage

E. Échelle horizontale

F. Décalage vertical

G. Souligné

H. Langue

I. Interligne

J. Approche

K. Échelle verticale

L. Rotation des caractères

M. Méthode de lissage

N. Barré

1. Avec l'outil Texte, cliquez sur l'adresse qui se trouve au-dessus de la première figure de yoga sur le côté gauche du plan de travail. Lorsque le curseur se trouve dans le texte, triple-cliquez de manière à sélectionner le paragraphe entier.

2. Activez l'outil Zoom (🔍) et cliquez plusieurs fois sur le texte sélectionné pour agrandir son affichage.

▶ **Astuce :** Pour revenir à l'interligne par défaut, choisissez Auto dans le menu Interligne.

3. Dans le panneau Contrôle, cliquez sur Caractère afin d'ouvrir le panneau correspondant. Cliquez sur la flèche vers le haut à gauche du champ Interligne pour augmenter l'interligne à 16 pt. Gardez le panneau Caractère ouvert.

La distance verticale entre les lignes change. En modifiant l'interligne, vous ajustez le texte à une zone de texte.

Vous allez à présent modifier l'espace entre les lettres.

● **Note :** Si le texte déborde de la zone de texte, comme indiqué par le signe plus rouge, ajustez-le en réduisant la valeur d'Approche ou en modifiant la taille de la zone de texte à l'aide de l'outil Sélection.

4. Le texte étant toujours sélectionné, cliquez sur l'icône Approche dans le panneau Caractère afin de sélectionner ce champ. Saisissez **60**, puis appuyez sur Entrée ou Retour.

L'approche modifie l'espace entre les caractères. Une valeur positive éloigne les lettres sur le plan horizontal, tandis qu'une valeur négative les rapproche.

5. Dans le panneau Outils, double-cliquez sur l'outil Main (✋) pour ajuster le plan de travail à la fenêtre.

6. Activez l'outil Zoom et tracez un rectangle de sélection autour du titre "Transform Yoga" dans la première colonne de la zone de texte.

7. Activez l'outil Texte (T) et cliquez de manière à placer le curseur à la fin du titre "Transform Yoga".

8. Choisissez Texte > Glyphes pour ouvrir le panneau du même nom.

Le panneau Glyphes permet d'insérer des caractères comme le symbole de marque déposée (™) ou une puce (·). Il affiche tous les caractères (glyphes) disponibles dans une police donnée.

Vous allez continuer en insérant le symbole de copyright.

9. Dans le panneau Glyphes, faites défiler les caractères jusqu'au symbole de copyright (©). Double-cliquez dessus pour l'insérer au niveau du curseur d'insertion de texte. Fermez le panneau Glyphes.

Astuce : Le panneau Glyphes permet de choisir une autre police. Vous pouvez augmenter la taille des vignettes des glyphes en cliquant sur les grandes montagnes (⟁), dans le coin inférieur gauche, ou la réduire en cliquant sur les

10. Avec l'outil Texte, sélectionnez le symbole de copyright (©) que vous venez d'insérer.

11. Ouvrez le panneau Caractère en choisissant Fenêtre > Texte > Caractère.

12. Choisissez Supérieur/Exposant dans le menu de ce panneau (▼≡).

13. Avec l'outil Texte, placez le curseur entre "Yoga" et le symbole de copyright.

Astuce : Pour annuler les changements de crénage, insérez le curseur dans le texte et choisissez Auto dans le menu Crénage.

14. Choisissez **75** dans le champ Crénage du panneau Caractère. Fermez le groupe du panneau Caractère, puis choisissez Fichier > Enregistrer.

Le crénage ressemble à l'approche, mais il ne joue que sur l'espace entre deux caractères. Il est utile dans les cas comme celui-ci, où vous manipulez un glyphe.

Modifier les attributs de paragraphe

De la même manière que pour les attributs de caractère, vous pouvez régler les attributs de paragraphe, comme l'alignement ou le retrait, avant de saisir un nouveau texte ou les redéfinir pour modifier l'aspect d'un texte existant et sélectionné. Il est possible de définir en même temps des attributs pour un ensemble de tracés ou de conteneurs de texte sélectionnés.

Vous allez d'abord ajouter de l'espace avant tous les paragraphes du texte en colonnes.

1. Choisissez Affichage > Ajuster le plan de travail à la fenêtre.

2. Avec l'outil Texte (**T**), insérez le curseur dans l'une des colonnes de texte, puis choisissez Sélection > Tout.

3. Dans le panneau Contrôle, cliquez sur le mot Paragraphe pour afficher le panneau correspondant.

4. Saisissez **5** dans le champ Espace avant le paragraphe (placé dans l'angle inférieur droit), puis appuyez sur Entrée ou Retour. Nous vous recommandons d'utiliser cette fonction plutôt que d'insérer des paragraphes vides entre les zones de texte en appuyant sur la touche Entrée (Windows) ou Retour (Mac OS).

5. Choisissez Sélection > Désélectionner.

● **Note :** Si votre texte n'est pas exactement identique à celui de la figure, ce n'est pas un problème.

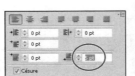
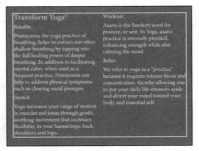

● **Note :** Si vous ne voyez pas les options d'alignement dans le panneau Contrôle, cliquez sur le mot Paragraphe souligné en bleu afin d'ouvrir le panneau correspondant.

6. Avec l'outil Texte, cliquez sur l'adresse qui se trouve au-dessus de la première figure de yoga, sur le côté gauche du plan de travail, afin d'y insérer le curseur.

7. Dans le panneau Contrôle, cliquez sur le bouton Centrer (▤).

> 1000 Lombard Ave.
> Central, Washington

8. Choisissez Sélection > Désélectionner.

9. Choisissez Fichier > Enregistrer.

Options de format de document

En cliquant sur Fichier > Format de document, vous accédez à une boîte de dialogue qui propose de nombreuses options de texte, comme Mettre en évidence les polices substituées et Mettre en évidence les glyphes substitués, dans la section Options de fond perdu et d'affichage.

Dans la section Options de texte, au bas de la boîte de dialogue, vous pouvez, entre autres, fixer la langue du document, modifier les guillemets doubles et simples, changer les paramètres Supérieur/Exposant, Inférieur/Indice et Petites capitales.

Enregistrement et emploi de styles

Les styles assurent la cohérence de mise en forme du texte et facilitent la mise à jour globale des attributs de texte. Lorsque vous créez un style et que vous devez en modifier certains attributs, il suffit d'apporter les modifications directement au style enregistré pour que tout le texte auquel il est appliqué soit mis à jour.

Il existe deux types de styles dans Illustrator :

- **Paragraphe.** Cette option conserve les attributs de texte et de paragraphe et les applique à tout le paragraphe.

- **Caractère.** Cette option conserve les attributs de texte et les applique au texte sélectionné uniquement.

Créer et appliquer un style de paragraphe

1. Avec l'outil Texte (**T**), sélectionnez le sous-titre "Breathe". Dans le menu Style de la police du panneau Contrôle, choisissez Bold.

2. Insérez le curseur dans le texte "Breathe". Aucune sélection de texte n'est nécessaire pour créer un style de paragraphe, mais le point d'insertion du texte doit se trouver dans le paragraphe présentant les attributs que vous souhaitez enregistrer.

3. Choisissez Fenêtre > Texte > Styles de paragraphe, puis choisissez Nouveau style de paragraphe dans le menu du panneau (▼≡).

4. Dans la boîte de dialogue Nouveau style de paragraphe, saisissez **sous-titre** comme nom du style, puis cliquez sur OK. Les attributs de texte employés dans le paragraphe ont été enregistrés sous la forme d'un style de paragraphe nommé "sous-titre".

5. Appliquez le nouveau style de paragraphe au texte "Breathe" : sélectionnez-le et, dans le panneau Styles de paragraphe, cliquez sur le style nommé sous-titre. Le style est appliqué au texte sélectionné.

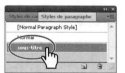

● **Note :** Si un signe plus (+) est visible à droite du nom du style, cela signifie qu'un autre attribut, ne faisant pas partie du style nommé, est déjà appliqué au texte sélectionné, par exemple suite à une modification de la taille de police du paragraphe. En appuyant sur la touche Alt (Windows) ou Option (Mac OS) lorsque vous sélectionnez le style nommé, vous remplacez tous les attributs existants.

Le panneau Styles de paragraphe contient le style Normal. Il provient du document Word que vous avez importé au début de cette leçon et qui a été inclus dans le document Illustrator.

● **Note :** Il est possible que le menu Style de la police ne soit pas visible dans le panneau Contrôle. Dans ce cas, cliquez sur le mot Caractère pour afficher ce panneau.

6. Sélectionnez le texte "Stretch", puis appuyez sur Alt (Windows) ou Option (Mac OS) et cliquez sur le style sous-titre dans le panneau Styles de paragraphe. Répétez cette étape pour appliquer le style aux textes "Workout" et "Relax".

Créer et appliquer un style de caractère

Alors que les styles de paragraphe appliquent des attributs à un paragraphe entier, les styles de caractère ne sont appliqués qu'à la portion de texte sélectionné.

1. Avec l'outil Texte (**T**), sélectionnez le premier mot, "Pranayama", du premier paragraphe.

2. Dans le menu Style de police du panneau Contrôle, choisissez Bold.

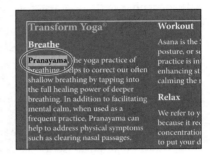

Note : Il est possible que le menu Style de la police ne soit pas visible dans le panneau Contrôle. Dans ce cas, cliquez sur le mot Caractère pour afficher ce panneau.

Vous devez maintenant enregistrer ces attributs comme de style de caractère pour pouvoir les appliquer à d'autres parties du texte.

3. Dans le groupe du panneau Styles de paragraphe, cliquez sur l'onglet du panneau Styles de caractère.

4. Dans le panneau Styles de caractère, tout en appuyant sur la touche Alt (Windows) ou Option (Mac OS), cliquez sur le bouton Créer un nouveau style (⬛). Cette méthode permet de nommer le style lorsqu'il est ajouté au panneau. Vous pouvez également double-cliquer sur un style à tout moment pour le nommer et le modifier.

5. Nommez ce style **Gras** et cliquez sur OK. Le style enregistre les attributs appliqués au texte sélectionné.

Appliquez maintenant ce style de caractère à d'autres éléments.

6. Le texte "Pranayama" étant toujours sélectionné, appuyez sur Alt (Windows) ou Option (Mac OS) et cliquez sur le style Gras dans le panneau Styles de caractère pour affecter le style à ce texte. Cette méthode permet d'effacer tout attribut du texte qui ne fait pas partie du style de caractère.

7. Sélectionnez l'occurrence suivante du mot "Pranayama" et attribuez-lui aussi le style Gras.

Note : Vous devez sélectionner le mot entier, pas simplement placer le curseur dans le texte.

8. Choisissez Sélection > Désélectionner.

▶ **Astuce :** Par la suite, vous pouvez décider par exemple de changer la couleur de tout le texte mis en forme avec le style Gras. Grâce aux styles, que ce soit de caractère ou de paragraphe, il est facile de changer les attributs de texte du style d'origine et de mettre à jour toutes les occurrences.

Vous allez à présent modifier la couleur du style de caractère Gras.

9. Dans le panneau Styles de caractère, double-cliquez sur le style Gras. Dans la boîte de dialogue Options de style de caractère, cliquez sur la catégorie Couleur des caractères située à gauche et vérifiez que la case Fond est sélectionnée. Cliquez sur la nuance Mustard dans le nuancier.

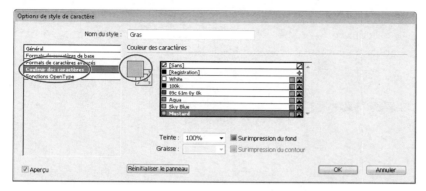

10. Si ce n'est déjà fait, cochez la case Aperçu dans le coin inférieur gauche de la boîte Options de style de caractère. Dès que vous modifiez les paramètres du style, le texte auquel le style Gras est attribué change automatiquement.

11. Cliquez sur OK puis fermez le groupe du panneau Styles de caractère.

12. Choisissez Fichier > Enregistrer et gardez le fichier ouvert.

Échantillonner du texte

L'outil Pipette permet d'échantillonner rapidement les attributs de texte et de les appliquer à du texte sans créer un style.

1. Choisissez Affichage > Ajuster le plan de travail à la fenêtre.

2. Avec l'outil Zoom (🔍), tracez un rectangle de sélection sur le texte "1000 Lombard Ave. Central, Washington" qui se trouve au-dessus de la première figure de yoga à gauche.

3. Activez l'outil Texte (**T**) et triple-cliquez pour sélectionner le paragraphe.

4. Dans le panneau Contrôle, changez la couleur de fond à bleu (C = **89**, M = **61**, J = **0**, N = **0**), la police à Myriad Pro (si ce n'est pas déjà le cas) et le style de police à Condensed ou équivalent.

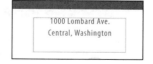

● **Note :** Si "Central" apparaît sur la première ligne de texte, servez-vous de l'outil Texte pour placer le curseur juste avant ce mot et appuyez sur Maj+Entrée ou Maj+Retour pour forcer le passage à la ligne et envoyer le mot "Central" sur la ligne suivante.

5. Double-cliquez sur l'outil Main (✋) pour ajuster le plan de travail à la fenêtre.

6. Choisissez Affichage > Repères commentés pour les activer.

7. Avec l'outil Texte, sélectionnez l'adresse "info@transformyoga.com" qui se trouve au-dessus de la dernière figure de yoga.

● **Note :** Si vous survolez du texte alors que les repères commentés sont actifs, une ligne apparaît sous ce texte pour indiquer que vous cliquez au bon endroit pour échantillonner une mise en forme.

8. Dans le panneau Outils, activez l'outil Pipette (✐) et cliquez n'importe où dans le texte "1000 Lombard Ave. Central, Washington". La lettre "T" apparaît au-dessus du pointeur en forme de pipette. Les attributs sont immédiatement appliqués au texte sélectionné. Si l'adresse électronique se décale vers la gauche, remettez-la à son emplacement initial avec l'outil Sélection.

9. Choisissez Sélection > Désélectionner.

10. Choisissez Fichier > Enregistrer et gardez le fichier ouvert.

Appliquer une déformation au texte

La déformation est une fonction amusante car elle permet d'appliquer un effet pour donner au texte une forme plus intéressante. Elle s'appuie sur une *enveloppe*, objet qui modifie la forme des objets sélectionnés. Vous pouvez employer une déformation prédéfinie ou un filet comme enveloppe, ou créer et modifier la vôtre en utilisant des objets du plan de travail.

1. Dans le panneau Outils, activez l'outil Texte (**T**). Avant de commencer à saisir du texte, choisissez, dans le panneau Contrôle, la police de caractères Myriad Pro (si elle n'est pas déjà sélectionnée), le style de police Bold et donnez la valeur **48 pt** à la taille du texte.

● **Note :** Agrandissez l'affichage si nécessaire.

2. Avec l'outil Texte, cliquez une fois sur l'affiche, en dessous des deux colonnes de texte. La position exacte n'est pas importante. Un curseur apparaît.

3. Saisissez le mot **transform**.

▶ **Astuce :** À partir de l'outil Texte, passez temporairement à l'outil Sélection en appuyant sur la touche Ctrl (Windows) ou Cmd (Mac OS).

4. Activez l'outil Sélection (▶). Si le texte chevauche celui des deux colonnes, déplacez-le vers le bas. Dans le panneau Contrôle, choisissez le blanc comme couleur de fond.

5. Sélectionnez le texte avec l'outil Sélection, cliquez sur le bouton Créer l'enveloppe (▨) dans le panneau Contrôle. Dans la boîte de dialogue Options de déformation, cochez Aperçu. Le texte forme un arc.

6. Dans le menu Style, choisissez Arc supérieur. Déplacez le curseur Inflexion vers la droite pour augmenter la courbure supérieure. Vous pouvez essayer différentes combinaisons. Faites glisser les curseurs Distorsion (Horizontale et Verticale) pour voir leur effet sur le texte. Lorsque vous avez fini d'expérimenter cette boîte de dialogue, remettez les curseurs Distorsion à 0 % et cliquez sur OK.

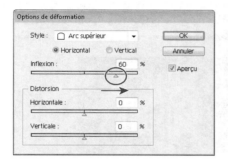

● **Note :** Le bouton Créer l'enveloppe (🖼) n'applique pas un effet mais convertit le texte en objet enveloppe. Vous obtiendrez le même résultat visuel en choisissant Effet > Déformation > Arc supérieur. Pour en savoir plus sur les enveloppes, consultez la rubrique "Modelage à l'aide d'enveloppes" dans l'Aide d'Illustrator.

7. Servez-vous de l'outil Sélection pour déplacer l'objet enveloppe (le texte déformé) jusqu'à ce que le bord inférieur du texte soit aligné avec le bord inférieur des deux colonnes de texte.

Il est possible d'apporter une modification au texte et à la forme séparément. C'est ce que vous allez faire sur le mot "transform", puis sur la forme.

8. Le texte déformé étant toujours sélectionné, cliquez sur le bouton Modifier le contenu (🖾) dans le panneau Contrôle. C'est ainsi que l'on modifie le texte dans une forme de modelage.

9. Avec l'outil Texte, placez le pointeur au-dessus du texte déformé. Notez la ligne bleue et le mot "transform" bleu qui apparaissent. Les repères commentés présentent le texte d'origine. Insérez le curseur dans le mot "transform", puis double-cliquez dessus pour le sélectionner.

● **Note :** Si vous double-cliquez avec l'outil Sélection et non avec l'outil Texte, vous entrez en mode Isolation. Appuyez sur Échap pour quitter ce mode.

10. Saisissez **workout**. Le texte est automatique-ment déformé selon la forme d'arc supérieur. Choisissez Édition > Annuler Saisie pour revenir au texte initial.

● **Note :** Il peut vous paraître bizarre que le texte en cours de modification semble flotter dans l'enveloppe de déformation. Cela indique simplement que le texte est contraint dans la forme mais qu'il reste modifiable.

11. Dans le panneau Contrôle, changez l'épaisseur de contour à **0,75 pt** et la couleur de contour à Mustard. Appuyez sur Échap pour fermer le panneau Nuancier.

Vous remarquerez que les attributs sont appliqués au texte déformé. Maintenant, vous devez modifier l'enveloppe de déformation.

12. Avec l'outil Sélection, vérifiez que le texte déformé est toujours sélectionné. Dans le panneau Contrôle, cliquez sur le bouton Modifier l'enveloppe (⊞).

> **Note :** Vous devrez peut-être repositionner le texte déformé afin de l'aligner avec le bord inférieur des colonnes de texte. La modification du style de déformation peut déplacer le texte sur le plan de travail.

13. Dans le menu Style de déformation du panneau Contrôle, choisissez Renflement. Vous voyez également les autres options du panneau Contrôle, comme Horizontal, Vertical et Inflex. Choisissez Arc supérieur pour revenir à l'enveloppe initiale.

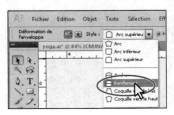  

> **Astuce :** Pour extraire le texte de l'enveloppe de déformation, sélectionnez-le avec l'outil Sélection et choisissez Objet > Distorsion de l'enveloppe > Annuler. Vous obtenez ainsi deux objets : le texte et la forme d'arc supérieur.

14. Dans le panneau Outils, activez l'outil Sélection directe (⟰). Notez les points d'ancrage autour de l'enveloppe. Commencez par sélectionner le point d'ancrage qui se trouve au-dessus de la lettre "n" dans "transform". Ensuite, faites-le glisser vers le haut pour modifier la forme de l'enveloppe.

15. Choisissez Édition > Annuler Déplacement pour revenir à la forme d'arc supérieur initiale.

Vous allez à présent ajouter un effet d'ombre portée au texte déformé.

16. Activez l'outil Sélection et cliquez sur le mot "transform".

17. Dans les Effets Illustrator, choisissez Effet > Spécial > Ombre portée. Dans la boîte de dialogue Ombre portée, fixez Opacité à **30 %**, Décalage sur X à **3 pt**, Décalage sur Y à **3 pt** et Atténuation à **3 pt**. Cliquez sur OK.

18. Choisissez Sélection > Désélectionner puis Fichier > Enregistrer. Gardez le fichier ouvert.

Habiller un objet avec du texte

Vous pouvez créer des effets intéressants et originaux en habillant un objet graphique avec du texte, ce que vous allez faire ici sur le texte "transform".

1. Avec l'outil Sélection, cliquez sur le texte déformé, "transform", pour le sélectionner.

2. Choisissez Objet > Habillage de texte > Créer. Le texte contenu dans les deux colonnes habille le texte déformé, "transform".

● **Note :** Pour habiller un objet avec du texte, il faut que l'objet se trouve sur le même calque que le texte et au-dessus de celui-ci dans la hiérarchie du calque.

3. Avec l'outil Sélection, déplacez "transform" afin de voir l'effet sur le texte dans les deux colonnes.

4. Si le texte se place dans des zones qui ne vous conviennent pas, choisissez Objet > Habillage de texte > Options d'habillage de texte. Dans la boîte de dialogue Options d'habillage de texte, fixez Décalage à **4 pt** et cochez Aperçu pour visualiser les modifications. Cliquez sur OK.

5. Avec l'outil Sélection, déplacez "transform" de manière à améliorer la disposition du texte. Pour cet exemple, du texte peut sortir de la zone de texte.

6. Choisissez Sélection > Désélectionner.

7. Choisissez Fichier > Enregistrer et gardez le fichier ouvert.

Créer du texte le long d'un tracé ouvert

Grâce aux outils Texte, vous pouvez créer du texte le long d'un tracé ou d'une forme qui suit la bordure d'un tracé ouvert ou fermé.

1. Dans la barre d'état, dans le coin inférieur gauche de la fenêtre de document, cliquez sur le bouton Suivant (▶) pour afficher le second plan de travail.

2. Choisissez Affichage > Ajuster le plan de travail à la fenêtre si vous ne voyez pas l'intégralité de la carte postale.

3. Avec l'outil Sélection (▶) sélectionnez le tracé en forme de vague qui traverse les figures de yoga.

▶ **Astuce :** Pour basculer rapidement vers l'outil Sélection et revenir à l'outil Texte, appuyez sur la touche Ctrl (Windows) ou Cmd (Mac OS).

4. Avec l'outil Texte (**T**), placez le curseur au-dessus du côté gauche du tracé jusqu'à voir un point d'insertion coupé par un tracé ondulé (⌇). Cliquez lorsque ce curseur apparaît. Le contour est changé à [Sans] et un curseur apparaît. Ne saisissez pas de texte pour l'instant.

5. Dans le panneau Contrôle, fixez la taille de police à **20 pt**. Changez la couleur de fond à bleu (C = **89**, M = **61**, J = **0**, N = **0**). Assurez-vous que la police est Myriad Pro et choisissez le style Condensed.

6. Saisissez **breathe** et appuyez sur la barre d'espacement pour ajouter une espace (en typographie, le mot "espace" est employé au féminin). Notez que le texte que vous venez de saisir suit le tracé.

7. Choisissez Texte > Glyphes et trouvez une puce dans le panneau Glyphes. Double-cliquez pour l'insérer. Gardez le panneau Glyphes ouvert. Insérez une espace après la puce.

8. Saisissez **stretch · relax · transform yourself**. Ajoutez une espace avant et après chaque puce.

9. Fermez le panneau Glyphes.

⬤ **Note :** Si le texte ne tient pas entièrement sur le tracé, une petite boîte avec un signe plus (+) apparaîtra en bas du cadre de sélection. Vous pouvez réduire la taille de la police ou élargir la ligne.

10. Choisissez Sélection > Désélectionner.

⬤ **Note :** Si les options d'alignement ne sont pas visibles, cliquez sur le mot Paragraphe.

11. Avec l'outil Texte, cliquez sur le texte que vous venez de saisir. Dans le panneau Contrôle, cliquez, si nécessaire, sur le bouton Centrer (▤) : le texte est centré sur le tracé.

⬤ **Note :** Vous pouvez appliquer toute mise en forme de caractère et de paragraphe au texte sur le tracé.

12. Avec l'outil Sélection, vérifiez que le tracé est toujours sélectionné. Dans le panneau Contrôle, fixez Opacité à **60 %** pour que le texte soit semi-transparent.

⬤ **Note :** Si le paramètre d'opacité n'apparaît pas dans le panneau Contrôle, ouvrez le panneau Transparence en choisissant Fenêtre > Transparence.

13. Choisissez Sélection > Désélectionner puis Fichier > Enregistrer.

Créer du texte le long d'un tracé fermé

Vous allez à présent placer du texte sur un tracé fermé.

1. Cliquez sur le bouton Précédent dans la barre d'état, dans le coin inférieur gauche de la fenêtre de document, pour afficher le premier plan de travail.

2. Choisissez Affichage > Ajuster le plan de travail à la fenêtre si vous ne voyez pas l'intégralité de l'affiche. Activez l'outil Zoom (🔍) dans le panneau Outils et cli-quez trois fois sur le cercle bleu qui se trouve dans le coin supérieur gauche de l'affiche.

3. Avec l'outil Sélection (▶) sélectionnez le cercle qui se trouve derrière la figure de yoga.

Vous allez copier le cercle bleu afin de placer du texte dessus. Il est nécessaire de créer une copie car le contour et le fond du cercle seront retirés lorsque vous place-rez du texte dessus ; n'oubliez pas cette contrainte.

4. Dans le panneau Outils, double-cliquez sur l'outil Mise à l'échelle (🔲). Dans la boîte de dialogue Mise à l'échelle, fixez l'échelle uniforme à **130 %**, puis cli-quez sur Copier pour créer une copie du cercle. La copie est ainsi 130 % plus grande que l'original.

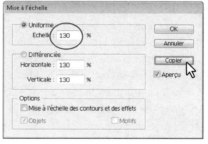

● **Note :** Pour en savoir plus sur la transformation des objets, consultez la Leçon 4, "Transformation d'objets".

5. Activez l'outil Texte. Tout en appuyant sur Alt (Windows) ou Option (Mac OS), survolez le côté gauche du cercle. L'icône de texte sur un tracé (ᗷ) apparaît. Cliquez mais ne saisissez pas de texte. Les attributs de fond et de contour du tracé sont [Sans], mais le texte aura un fond noir. Un curseur est visible sur le tracé.

● **Note :** On peut aussi ne pas utiliser Alt ou Option. Pour cela, il suffit de choisir l'outil Texte curviligne dans le groupe des outils Texte.

6. Dans le panneau Contrôle, fixez la taille de police à **30 pt**, la police à Myriad Pro (si ce n'est pas déjà le cas), le style de police à Condensed et la couleur de fond à blanc.

7. Dans le panneau Contrôle, cliquez sur le bouton Aligner à gauche (▤).

8. Saisissez **transform yoga**. Le texte suit le tracé circulaire.

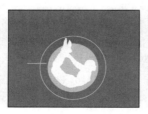

Note : Vous pourriez croire qu'il n'y a que deux crochets. En effet, les crochets de début et de fin sont l'un à côté de l'autre sur le côté gauche du cercle.

9. Pour ajuster le placement sur le tracé, activez l'outil Sélection. L'objet texte est sélectionné. Des crochets apparaissent au début du texte, à la fin du tracé et à mi-chemin entre ces deux points.

10. Positionnez le curseur au-dessus du crochet situé au milieu du texte, jusqu'à ce qu'une petite icône (⊾) apparaisse. Faites glisser le crochet central le long du tracé. Appuyez sur la touche Ctrl (Windows) ou Cmd (Mac OS) pour éviter que le texte bascule de l'autre côté du tracé. Positionnez-le de façon qu'il soit centré sur la partie supérieure du cercle.

11. Le texte sur le tracé étant sélectionné, choisissez Texte > Texte curviligne > Options de texte curviligne. Dans la boîte de dialogue Options de texte curviligne, cochez Aperçu, puis choisissez

Inclinaison dans le menu Effet. Essayez d'autres options de ce menu, puis optez pour l'effet Arc-en-ciel. Choisissez Descendante dans le menu Aligner sur le tracé. Cliquez sur OK.

12. Choisissez Sélection > Désélectionner.

13. Choisissez Fichier > Enregistrer et gardez le fichier ouvert.

Note : Pour en savoir plus sur les options de texte curviligne, recherchez "Création de texte curviligne" dans l'Aide d'Illustrator.

Vectoriser du texte

Lorsque vous créez des illustrations pour de multiples usages, il est judicieux de vectoriser les textes, de façon que les destinataires de vos travaux n'aient pas besoin de vos polices de caractères pour ouvrir et se servir du fichier correctement. Pensez toujours à conserver une copie originale de vos créations, car il est impossible d'éditer à nouveau un texte vectorisé.

1. Cliquez sur le bouton Suivant dans la barre d'état, dans le coin inférieur gauche de la fenêtre de document, pour activer le second plan de travail.

2. Choisissez Affichage > Ajuster le plan de travail à la fenêtre si l'intégralité de la carte postale n'est pas visible.

3. Dans le panneau Outils, activez l'outil Texte (T) et cliquez sur la gauche du plan de travail de la carte postale dans la zone de travail.

4. Dans le panneau Contrôle, choisissez une couleur de fond bleue (C = **89**, M = **61**, J = **0**, N = **0**).

5. Saisissez **transform yourself**.

6. Dans le panneau Outils, double-cliquez sur l'outil Rotation (⟳). Dans la boîte de dialogue Rotation, saisissez **90°** pour Angle. Cliquez sur OK. Le texte est tourné de 90° dans le sens des aiguilles d'une montre.

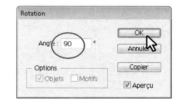

7. Activez l'outil Sélection (▶) et positionnez le texte dans le coin inférieur droit de l'image d'arrière-plan bleue, sur la gauche.

8. L'outil Sélection étant toujours actif, appuyez sur la touche Maj et cliquez sur la poignée supérieure gauche du cadre de sélection du texte et faites-la glisser de manière à agrandir proportionnellement le texte jusqu'à la hauteur de la carte postale.

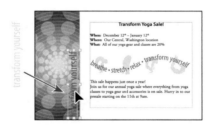

● **Note :** Si le jambage des lettres apparaît dans la zone blanche de droite, déplacez le texte vers la gauche.

9. Dans le panneau Contrôle, cliquez sur le lien Opacité de manière à ouvrir le panneau Transparence. Choisissez Lumière tamisée dans le menu Mode de fusion.

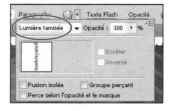

10. La zone de texte étant toujours sélectionnée avec l'outil Sélection, choisissez Texte > Vectoriser. Le texte n'est plus lié à une police de caractères particulière mais est devenu un tracé, comme n'importe quel autre objet vectoriel de votre illustration. Choisissez Sélection > Désélectionner.

11. Choisissez Fichier > Enregistrer.

À vous de jouer

Explorez les fonctionnalités de texte en intégrant des tracés dans vos illustrations. Ouvrez les graphiques fournis dans le dossier Lesson07 et essayez les techniques suivantes :

- **coffee.ai** : avec l'outil Plume, créez des tracés représentant des vapeurs s'élevant de la tasse de café. Créez du texte sur les tracés ondulés et appliquez différents niveaux d'opacité.

- **airplane.ai** : complétez la bannière attachée à l'avion avec votre propre texte.

Allez plus loin dans le projet en intégrant cette illustration dans une brochure d'une page entière, contenant différents éléments de texte :

- Avec le fichier placeholder.txt, disponible dans le dossier Lesson07, créez une zone de texte sur trois colonnes.
- Servez-vous de l'image de la pizza ou de l'avion pour créer un habillage de texte.
- Créez un titre principal en haut de la page avec du texte curviligne.
- Créez un style de paragraphe.
- Sur l'affiche de yoga, choisissez Affichage > Tracés pour voir tous les tracés de la page. Notez la spirale qui se trouve en haut de la page. Ajoutez du texte sur cette spirale et allez dans Texte > Texte curviligne > Options de texte curviligne pour changer les attributs.

Révisions

Questions

1. Décrivez au moins deux manières de créer une zone de texte dans Adobe Illustrator CS5.
2. Quels sont les deux avantages de l'emploi d'une police de caractères OpenType ?
3. Quelle est la différence entre un style de caractère et un style de paragraphe ?
4. Quels sont les avantages et les inconvénients de la vectorisation de texte ?

Réponses

1. a) Avec l'outil Texte, cliquer sur le plan de travail et commencer à saisir le texte lorsque le curseur apparaît. Une zone de texte est créée pour contenir ce texte ; b) avec l'outil Texte, cliquer et faire glisser pour créer une zone de texte, puis saisir le texte là où apparaît un curseur ; c) avec l'outil Texte, cliquer sur un tracé ou une forme fermée pour la convertir en texte curviligne ou en zone de texte, puis appuyer sur Alt (Windows) ou Option (Mac OS) et cliquer lorsque le pointeur arrive sur le contour d'un tracé fermé pour créer un texte autour de la forme.

2. Les deux principaux avantages du format OpenType sont sa compatibilité inter-plate-forme (le même fichier de polices fonctionne sous Windows et Mac OS) et sa capacité à supporter des jeux de caractères étendus et des fonctions de mise en page pour une prise en charge linguistique plus importante et un meilleur contrôle typographique.

3. Un style de caractère est appliqué uniquement à la portion de texte sélectionné. Un style de paragraphe est appliqué à un paragraphe entier. Les styles de paragraphe sont préférables lorsque des attributs de retrait, de marge et d'interligne doivent être enregistrés.

4. La vectorisation d'un texte est utile car elle évite de devoir envoyer la police avec le fichier lors d'un partage avec d'autres utilisateurs. On peut aussi remplir le texte avec un dégradé de couleur et créer des effets intéressants sur les lettres individuelles. Néanmoins, lorsqu'un texte est vectorisé, il faut se souvenir de certains points :

   • Le texte n'est plus éditable. Le contenu et la police de caractères d'un texte vectorisé ne peuvent être modifiés. Il est préférable de conserver un calque avec le texte original, ou d'utiliser l'effet Vectoriser l'objet.

- On ne peut pas vectoriser les polices de caractères bitmap ou protégées.

- Il n'est pas recommandé de vectoriser un texte d'une taille inférieure à 10 points. Un texte vectorisé perd ses indices, c'est-à-dire les instructions intégrées à une police vectorisée pour adapter la forme, de façon que le système les affiche ou les imprime de manière optimale, pour une large gamme de tailles différentes. En conséquence, si on prévoit de modifier la taille du texte, il faut le faire de préférence avant la vectorisation.

- On doit vectoriser l'ensemble du texte sélectionné. Il est impossible de convertir une lettre seulement à l'intérieur d'une chaîne de texte. Pour convertir une lettre individuelle, il faut créer une zone de texte séparée contenant uniquement cette lettre.

Les calques permettent d'organiser un document en niveaux distincts, qui peuvent être modifiés et affichés individuellement ou ensemble. Chaque document Adobe Illustrator contient au moins un calque. La création de plusieurs calques dans une illustration permet de maîtriser plus aisément son impression, son affichage et sa modification.

Les calques

8

Au cours de cette leçon, vous apprendrez à :

- utiliser le panneau Calques ;

- créer, réorganiser et verrouiller des calques, des calques imbriqués et des groupes ;

- déplacer des objets d'un calque à un autre ;

- coller des calques d'objets d'un fichier dans un autre ;

- fusionner plusieurs calques en un seul ;

- appliquer une ombre portée à un calque ;

- créer un masque d'écrêtage ;

- appliquer des attributs d'aspect à des objets et à des calques ;

- isoler du contenu dans un calque.

 Cette leçon vous prendra environ quarante-cinq minutes. Si nécessaire, supprimez le dossier de la leçon précédente de votre disque dur et copiez le dossier Lesson08.

Mise en route

Dans cette leçon, vous allez terminer l'illustration d'une horloge tout en explorant les différents moyens d'utiliser le panneau Calques.

1. Pour vous assurer que les outils et les panneaux fonctionneront exactement comme ils sont décrits au fil de cette leçon, supprimez ou désactivez (en le renommant) le fichier des préférences d'Adobe Illustrator CS5 (pour en savoir plus, reportez-vous à la section "Rétablissement des préférences par défaut" de l'Introduction).

● **Note :** Si vous n'avez pas encore copié les fichiers de cette leçon sur votre disque dur à partir du dossier Lesson08 du CD-ROM *Adobe Illustrator CS5 Classroom in a Book*, faites-le maintenant. Pour savoir comment procéder, consultez la section "Copie des fichiers d'exercices de *Classroom in a Book*" à la page 2.

2. Lancez Adobe Illustrator CS5.

3. Choisissez Fichier > Ouvrir et chargez le fichier L8end_1.ai, qui se trouve dans le dossier Lesson08 sur votre disque dur.

● **Note :** Si votre panneau Calques ne ressemble pas exactement à celui de la figure ci-dessous, ce n'est pas un problème. À ce stade, vous devez simplement vous familiariser avec lui.

Des calques distincts sont employés pour les différents objets qui composent le cadre de l'horloge, son cadran, ses aiguilles et ses chiffres, comme l'indiquent leurs noms dans le panneau Calques. La figure suivante montre le panneau Calques (Fenêtre > Calques) et décrit ses icônes.

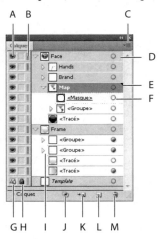

A. Colonne de visibilité
B. Couleur du calque
C. Menu du panneau Calques
D. Colonne de sélection
E. Indicateur de calque courant
F. Colonne de cible
G. Icône du calque Template (Modèle)
H. Colonne d'édition (Verrouiller/Déverrouiller)
I. Triangle de développement/réduction
J. Créer/Annuler le masque d'écrêtage
K. Bouton Nouveau sous-calque
L. Bouton Nouveau calque
M. Bouton Supprimer la sélection

4. Choisissez Affichage > Ajuster le plan de travail à la fenêtre. Vous pouvez garder ce fichier ouvert pour référence ou choisir Fichier > Fermer.

Pour commencer, vous allez ouvrir un fichier d'illustration existant incomplet.

5. Choisissez Fichier > Ouvrir et chargez le fichier L8start_1.ai, situé dans le dossier Lesson08.

6. Choisissez Fichier > Enregistrer sous, nommez le fichier **horloge.ai** et sélection-nez le dossier Lesson08. Choisissez Adobe Illustrator (*.AI) dans le menu Type (Windows) ou Adobe Illustrator (ai) dans le menu Format (Mac OS), puis cliquez sur Enregistrer. Dans la boîte de dialogue Options Illustrator, gardez les options par défaut et cliquez sur OK.

À propos des calques

L'organisation des divers éléments de la fenêtre de document est parfois difficile lorsque vous créez des illustrations complexes. Les plus petits sont souvent masqués par les plus grands, ce qui rend leur sélection parfois fastidieuse. Les calques sont un outil très pra-tique permettant d'organiser tous les éléments d'une illustration. Ils font office de dossiers transparents renfermant des illustrations. Si vous réorganisez les dossiers, vous modifiez l'ordre de superposition des éléments de l'illustration. Vous pouvez déplacer des éléments d'un dossier à un autre et créer des sous-dossiers.

La structure des calques d'un document peut être aussi simple ou complexe que vous le souhaitez. Par défaut, tous les éléments sont placés dans un calque parent unique, mais vous pouvez créer des calques et y placer des éléments ou encore déplacer des éléments entre les calques à tout moment. Le panneau Calques permet de sélectionner, masquer, verrouiller et modifier les attributs d'aspect d'une illustration.

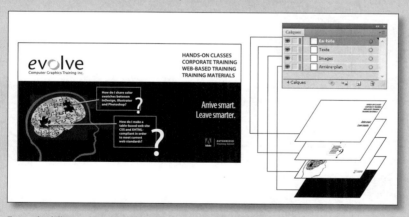

Exemple d'illustration composite et de calques superposés

Extrait de l'Aide d'Illustrator

Création de calques

Par défaut, chaque document commence avec un seul calque. Vous pouvez le renommer et ajouter de nouveaux calques à tout moment pendant que vous créez votre illustration. Le fait de disposer des objets sur des calques séparés permet de les sélectionner et de les modifier plus aisément. Ainsi, en disposant du texte sur un calque distinct, il est possible de le modifier en une seule opération sans affecter le reste de l'illustration.

● **Note du traducteur :**
Dans la version française d'Illustrator, le nom par défaut du premier calque est Calque 1. Dans cet exemple, ce calque se nomme Layer 1 car le fichier ouvert a été créé avec la version anglaise du logiciel.

Vous allez renommer le calque par défaut, puis en créer un autre, ainsi qu'un sous-calque, et apprendre la différence entre ces deux concepts.

1. Si le panneau Calques n'est pas visible à l'écran, cliquez sur son icône (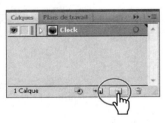) sur la droite de l'espace de travail ou choisissez Fenêtre > Calques.

   L'affichage en surbrillance de Layer 1 indique que ce calque est actif. Il présente un petit triangle (◀) dans le coin supérieur droit, signalant que les objets qu'il contient peuvent être modifiés.

2. Dans le panneau Calques, double-cliquez sur le nom du calque pour ouvrir la boîte de dialogue Options de calque. Saisissez **Clock** (horloge) dans le champ Nom et cliquez sur OK.

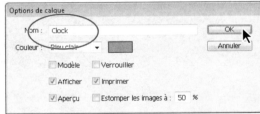

Vous allez créer un calque pour les éléments du cadran de l'horloge et un sous-calque pour les chiffres. Les sous-calques facilitent l'organisation du contenu à l'intérieur d'un calque.

3. Cliquez sur le bouton Nouveau calque (▣), dans la partie inférieure du panneau Calques, ou choisissez Nouveau calque dans le menu du panneau (▼☰).

4. Double-cliquez sur Calque 2. Dans la boîte de dialogue Options de calque, nommez-le **Face** (cadran), vérifiez que Rouge est sélectionné dans le menu Couleur et cliquez sur OK.

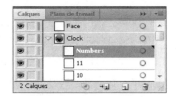

Le nouveau calque Face est ajouté au-dessus du calque Clock et devient actif.

5. Cliquez une fois sur le calque nommé Clock. Ensuite, appuyez sur Alt (Windows) ou Option (Mac OS) et cliquez sur le bouton Nouveau sous-calque (⤶🗔) dans la partie inférieure du panneau Calques afin de créer un sous-calque. La boîte de dialogue Options de calque apparaît. La création d'un sous-calque ouvre le calque de manière à révéler les sous-calques existants.

● **Note :** Si vous souhaitez créer un nouveau sous-calque sans régler aucune option ni le renommer, cliquez sur le bouton Nouveau sous-calque sans appuyer sur Alt (Windows) ou Option (Mac OS). Les calques et sous-calques ainsi créés sont numérotés dans l'ordre, par exemple Calque 2.

Les sous-calques sont des calques à l'intérieur d'un autre calque. Ils servent à organiser le contenu d'un calque sans associer ou dissocier ce contenu.

6. Dans la boîte de dialogue Options de calque, changez le nom à **Numbers** (chiffres), puis cliquez sur OK. Le nouveau sous-calque apparaît directement sous son calque principal, Clock, et il est sélectionné.

Calques et couleurs

Par défaut, Illustrator attribue une couleur différente (neuf couleurs sont proposées) à chaque calque dans le panneau Calques. La couleur s'affiche en regard du nom du calque, dans le panneau. Cette même couleur s'affiche dans la fenêtre d'illustration dans le cadre de sélection, le tracé, les points d'ancrage et le centre de l'objet sélectionné. Chaque calque et chaque sous-calque peuvent avoir une couleur unique.

Grâce à cette couleur, que vous pouvez modifier à votre convenance, vous repérerez facilement le calque correspondant à cet objet dans le panneau Calques.

Extrait de l'Aide d'Illustrator

Déplacer des objets et des calques

En réorganisant les calques dans le panneau Calques, vous pouvez réordonner les objets superposés de votre illustration, mais aussi déplacer des objets sélectionnés d'un calque ou d'un sous-calque vers un autre. Les calques placés en premier sur la liste du panneau Calques se trouvent, sur le plan de travail, devant les objets des calques en fin de liste.

Pour commencer, vous placerez les chiffres de l'horloge sur leur propre sous-calque.

1. Dans le panneau Calques, faites glisser la rangée de l'objet 11 sur le sous-calque Numbers. Relâchez lorsque vous voyez apparaître de gros triangles noirs à chaque extrémité de la ligne Numbers. Ces triangles indiquent que vous allez ajouter quelque chose au calque. Remarquez la flèche qui apparaît à gauche du sous-calque Numbers après que vous avez relâché. Elle indique que du contenu se trouve sur le sous-calque.

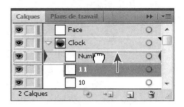

▶ **Astuce :** En gardant les calques et les sous-calques fermés, vous parcourrez le contenu du panneau Calques plus aisément.

2. Cliquez sur le triangle à gauche du sous-calque Numbers afin de l'ouvrir et de voir son contenu.

3. Répétez l'étape 1 pour les autres chiffres dans le panneau Calques. Le panneau Calques est ainsi mieux organisé et vous retrouverez facilement le contenu par la suite.

▶ **Astuce :** Pour sélectionner rapidement plusieurs calques ou sous-calques, sélectionnez-en un et cliquez sur les autres tout en appuyant sur Maj.

4. Cliquez sur le triangle à gauche du sous-calque Numbers pour masquer son contenu. Le fait de masquer le contenu d'un calque et/ou d'un sous-calque facilite le travail avec le panneau Calques.

5. Choisissez Fichier > Enregistrer.

Vous allez à présent déplacer le cadran de l'horloge vers le calque Face, auquel vous ajouterez ultérieurement la carte, les aiguilles et la marque de l'horloge. Vous renommerez ensuite le calque Clock pour prendre en compte la nouvelle organisation de l'illustration.

▶ **Astuce :** Pour sélectionner des objets placés derrière d'autres objets, vous pouvez également appuyer sur la touche Ctrl (Windows) ou Cmd (Mac OS) et cliquer plusieurs fois là où les objets se chevauchent. Pour de plus amples informations sur la sélection arrière, consultez la Leçon 2, "Sélections et alignement".

6. Avec l'outil Sélection (▶), cliquez derrière les chiffres de l'image pour sélectionner le cadran de l'horloge. Dans le panneau Calques, un objet nommé <Tracé> devient actif, comme le signale l'indicateur de sélection (■) à droite du premier calque <Tracé>.

7. Cliquez sur l'indicateur de sélection (■) du sous-calque <Tracé> et faites-le glisser vers le haut dans le panneau Calques pour l'amener à droite de l'icône cible (○) du calque Face.

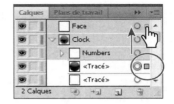

Cette opération déplace l'objet <Tracé> vers le calque Face. Les lignes de sélection dans l'illustration prennent la couleur du calque Face (rouge dans ce cas).

Puisque le calque Face est au-dessus du calque Clock et du sous-calque Numbers, les chiffres de l'horloge sont masqués. Vous allez déplacer le sous-calque Numbers vers un autre calque et renommer le calque Clock.

8. Choisissez Sélection > Désélectionner.

9. Dans le panneau Calques, faites glisser le sous-calque Numbers dans le calque Face. Relâchez lorsque la barre indicative (dotée de deux triangles à ses extrémités) se trouve sur le calque Face.

Les chiffres sont réapparus car ils sont à présent sur le premier calque (Face).

10. Double-cliquez sur le calque Clock pour afficher la boîte de dialogue Options de calque et renommez-le **Frame** (cadre). Cliquez sur OK.

11. Choisissez Fichier > Enregistrer.

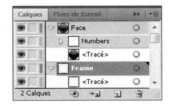

Verrouillage de calques

Lorsque vous modifiez des objets sur un calque, vous pouvez verrouiller d'autres calques dans le panneau Calques pour éviter de sélectionner ou de modifier le reste de l'illustration.

C'est ce que vous allez faire en verrouillant tous les calques à l'exception du sous-calque Numbers, de façon à pouvoir aisément modifier les chiffres de l'horloge sans toucher aux objets des autres calques. Les calques verrouillés ne peuvent pas être sélectionnés ni modifiés, de quelque façon que ce soit.

1. Cliquez sur le triangle à gauche du calque Frame pour masquer la liste de ses composants.

2. Cliquez dans la colonne d'édition, à droite de l'icône de visibilité du calque Frame, de manière à le verrouiller. L'icône du cadenas (🔒) indique que le calque est verrouillé.

3. Répétez l'étape précédente pour le sous-calque <Tracé> qui se trouve en dessous du sous-calque Numbers.

    Vous déverrouillez des calques individuels en cliquant sur l'icône du cadenas (). Cliquez de nouveau dans la colonne d'édition pour les reverrouiller. En appuyant sur la touche Alt (Windows) ou Option (Mac OS) lorsque vous cliquez dans la colonne d'édition, vous verrouillez ou déverrouillez, selon le cas, tous les autres calques.

    Vous allez à présent modifier la taille des chiffres et leur police.

4. Dans le panneau Calques, cliquez dans la colonne de sélection à droite du calque Numbers pour en sélectionner tous ses objets.

    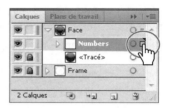

    Le calque Numbers est maintenant doté d'un carré coloré de sélection (vert dans ce cas), signalant que l'ensemble de son contenu est sélectionné. Sur le plan de travail, vous voyez également que les chiffres sont sélectionnés.

    Vous allez modifier la police, le style et la taille des chiffres sélectionnés.

● **Note :** Myriad Pro est une police OpenType fournie avec Illustrator CS5.

5. Dans le panneau Contrôle, sélectionnez Myriad Pro à partir du menu Police, Semibold dans le menu Style de la police et saisissez **28** dans le champ Corps.

6. Si vous le souhaitez, utilisez le panneau Couleur (🎨) pour changer la couleur des chiffres sélectionnés.

7. Dans le panneau Calques, cliquez sur les cadenas (🔒) des calques <Tracé> et Frame pour les déverrouiller.

8. Choisissez Sélection > Désélectionner.

9. Choisissez Fichier > Enregistrer.

Affichage des calques

Le panneau Calques permet de masquer les calques, sous-calques ou objets individuels. Lorsqu'un calque est masqué, les objets qu'il contient sont verrouillés et ne peuvent pas être sélectionnés, ni imprimés. Le panneau Calques sert également à afficher des calques ou des objets en vue Aperçu ou Tracés, indépendamment des autres calques de l'illustration.

Vous allez modifier le cadre de l'horloge en lui appliquant une technique de dessin qui vous permettra de créer un effet 3D.

1. Dans le panneau Calques, sélectionnez le calque Frame. Appuyez ensuite sur Alt (Windows) ou Option (Mac OS) et cliquez sur l'icône de visibilité (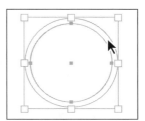) placée à gauche du nom du calque Frame pour masquer les autres calques.

Astuce : Cliquer sur l'icône de visibilité du calque tout en appuyant sur les touches Alt (Windows) ou Option (Mac OS) permet de basculer de l'affichage au masquage d'un calque, et vice versa. Un calque masqué est verrouillé et ne peut pas être modifié.

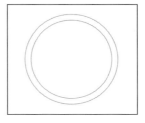

Alt+clic ou Option+clic sur l'icône de visibilité masque tous les autres calques.

2. Avec l'outil Sélection (↖) cliquez sur le cercle intérieur du cadre pour le sélectionner, puis cliquez sur le cercle suivant tout en appuyant sur Maj pour l'ajouter à la sélection.

3. Cliquez sur la couleur de fond du panneau Contrôle, puis sur la nuance clock.frame dans le panneau Nuancier pour peindre les cercles avec ce dégradé.

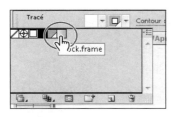
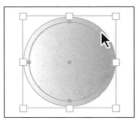

4. Désélectionnez le plus grand cercle (Maj+clic dessus). Le cercle intérieur reste sélectionné.

5. Dans le panneau Outils, sélectionnez l'outil Dégradé de couleurs (▭) et faites-le glisser le long d'un axe vertical, à partir du sommet du cercle jusqu'à sa base, pour modifier la direction du dégradé. Relâchez.

   L'outil Dégradé de couleurs fonctionne uniquement sur des objets sélectionnés qui contiennent des dégradés de couleurs. Pour en savoir plus sur cet outil, consultez la Leçon 10, "Les dégradés de formes et de couleurs".

Note : Lorsque vous activez initialement l'outil Dégradé, une ligne horizontale apparaît dans le cercle sélectionné. Elle correspond à la direction par défaut du dégradé.

6. Choisissez Sélection > Désélectionner puis Fichier > Enregistrer. Essayez de sélectionner le grand cercle et de modifier la direction du dégradé à l'aide de l'outil Dégradé de couleurs.

7. Dans le menu du panneau Calques (▾≡), choisissez Tout afficher.

Lorsque vous modifiez des objets dans une illustration contenant des calques, vous pouvez afficher des calques individuels en vue Tracés, tout en conservant les autres calques en mode Aperçu.

8. Appuyez sur Ctrl (Windows) ou Cmd (Mac OS) et cliquez sur l'icône de visibilité (👁) du calque Face, afin de l'afficher en mode Tracés.

Cette opération vous permet de voir le cercle en dégradés de couleurs placé à l'arrière du cadran de l'horloge. L'affichage d'un calque en mode Tracés permet également de visualiser les points d'ancrage ou les points centraux d'objets sans avoir à les sélectionner.

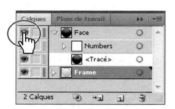 

Ctrl+clic ou Cmd+clic sur l'icône de visibilité permet de passer en mode Tracés.

9. Pour revenir en mode Aperçu, appuyez sur Ctrl (Windows) ou Cmd (Mac OS) et cliquez sur l'icône de visibilité (👁) du calque Face. Choisissez Sélection > Désélectionner.

Collage de calques

Pour terminer l'horloge, vous allez copier et coller les dernières parties de l'illustration à partir d'un autre fichier. Vous pouvez coller des fichiers avec calques dans un autre fichier tout en conservant tous les calques intacts.

1. Choisissez Fichier > Ouvrir et chargez le fichier Details.ai, qui se trouve dans le dossier Lesson08 sur votre disque dur.

2. Si vous souhaitez voir comment les objets sont organisés sur les calques, appuyez sur Alt (Windows) ou Option (Mac OS) et cliquez sur les icônes de visibilité dans le panneau Calques pour, successivement, afficher un calque et masquer les autres. Vous pouvez également cliquer sur les triangles (▶) à gauche des noms des calques pour afficher et masquer leur contenu. Lorsque vous avez terminé, assurez-vous que tous les calques sont visibles et réduits.

3. Choisissez Sélection > Tout, puis Édition > Copier pour sélectionner et copier les détails de l'horloge dans le Presse-papiers.

4. Choisissez Fichier > Fermer pour fermer le fichier Details.ai, sans enregistrer les modifications éventuelles. Si une boîte d'avertissement apparaît, cliquez sur Non (Windows) ou sur Ne pas enregistrer (Mac OS).

5. Dans le fichier horloge.ai, choisissez Coller selon les calques dans le menu du panneau Calques (▼≡). Une marque en regard de la commande indique qu'elle est sélectionnée.

L'option Coller selon les calques se traduit par le fait que, si des calques provenant d'un autre fichier sont collés dans l'illustration, ils viendront s'ajouter séparément au panneau Calques. Si cette option n'est pas activée, tous les objets sont collés sur le calque actif.

6. Choisissez Édition > Coller devant, pour coller les détails sur l'horloge, puis Sélection > Désélectionner.

La commande Coller devant colle les objets placés dans le Presse-papiers à un emplacement qui est fonction de leur emplacement d'origine dans le fichier Details.ai. L'option Coller selon les calques permet le collage des calques de Details.ai sous la forme de quatre calques distincts : Highlight (reflet), Hands (aiguilles), Brand (marque) et Map (carte).

Vous allez à présent repositionner certains calques.

7. Fermez tous les calques ouverts en cliquant sur le triangle à gauche de leur nom. Déplacez le calque Frame au-dessus du calque Highlight, puis le calque Face au-dessus du calque Frame. Si nécessaire, agrandissez le panneau Calques vers le bas de manière à révéler tous les calques.

▶ **Astuce :** Pendant que vous faites glisser des calques dans le panneau Calques, celui-ci défile tout seul vers le haut ou le bas. Vous pouvez également déplacer le coin inférieur droit ou gauche du panneau Calques pour le redimensionner.

Relâchez quand une ligne et deux triangles noirs apparaissent juste au-dessus des calques Highlight et Frame (nous voulons créer un calque séparé, non un sous-calque).

Si du contenu est sélectionné sur le plan de travail, choisissez Sélection > Désélectionner.

Vous allez à présent déplacer les calques Hands et Brand dans le calque Face et le calque Highlight devant le calque Frame.

8. Dans le panneau Calques, sélectionnez le calque Highlight et faites-le glisser vers le haut entre les calques Face et Frame.

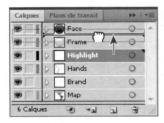 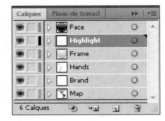 

9. Cliquez sur la flèche à gauche du calque Face pour afficher ses sous-calques.

10. Sélectionnez le calque Hands, appuyez sur Maj et cliquez sur le calque Brand pour le sélectionner aussi.

11. Faites glisser les calques sélectionnés vers le haut, entre les sous-calques Numbers et <Tracé>. Lorsque la barre d'insertion apparaît entre ces deux sous-calques, relâchez : les calques Hands et Brand sont devenus des sous-calques du calque Face.

● **Note :** Pour voir plus facilement les calques, redimensionnez le panneau Calques en faisant glisser sa bordure inférieure vers le bas.

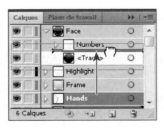  

12. Choisissez Fichier > Enregistrer.

Création de masques d'écrêtage

Le panneau Calques permet de créer des masques d'écrêtage pour contrôler la façon dont l'illustration sur un calque (ou dans un groupe) est masquée ou affichée. Un masque d'écrêtage est un objet ou un groupe d'objets, dont la forme masque une illustration placée derrière pour n'en afficher que la partie correspondant à la forme du masque.

Vous allez créer un masque avec le cercle du calque Face. Vous le grouperez avec le sous-calque Map de manière que seule la carte soit visible au travers de ce cercle.

1. Si nécessaire, agrandissez le panneau Calques pour révéler tous les calques.

2. Dans le panneau Calques, faites glisser le calque Map vers le haut, pour amener la barre d'insertion au-dessus du sous-calque <Tracé> dans le calque Face, puis relâchez.

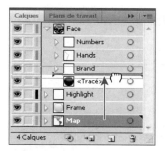 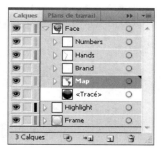

Dans le panneau Calques, un objet de masque doit se trouver au-dessus des objets qu'il masque. Puisque vous voulez masquer uniquement la carte, vous devez copier l'objet <Tracé> circulaire au-dessus du sous-calque Map avant de créer le masque d'écrêtage.

3. Dans le panneau Calques, cliquez sur la colonne de sélection, à droite du sous-calque <Tracé>. Le tracé est alors sélectionné sur le plan de travail.

4. Appuyez sur la touche Alt (Windows) ou Option (Mac OS), puis cliquez sur l'indicateur de sélection (■) et faites-le glisser directement à droite de l'icône de cible (○) du sous-calque Map.

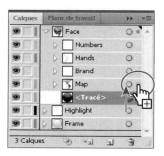 

5. Choisissez Sélection > Désélectionner.

6. Cliquez sur le triangle (▶) à gauche du sous-calque Map pour voir son contenu.

7. Assurez-vous que le sous-calque <Tracé> est en première position dans le sous-calque Map (au-dessus du sous-calque <Groupe>). Déplacez-le si nécessaire. (Un masque d'écrêtage doit toujours être le premier élément dans le calque ou dans le groupe.)

● **Note :** Il n'est pas obligatoire de désélectionner pour accomplir les étapes suivantes, mais cela peut faciliter la visualisation de l'illustration.

8. Sélectionnez le sous-calque Map.

● **Note :** Vous ne verrez peut-être pas l'intégralité du nom <Masque> dans le panneau Calques.

9. Dans le panneau Calques, cliquez sur le bouton Créer/Annuler le masque d'écrêtage (▣). Notez que toutes les lignes de séparation entre les calques sont maintenant en pointillés et que le nom du premier tracé a été modifié en <Masque>. Ce nom est également souligné pour indiquer qu'il s'agit d'une forme de masquage. Sur le plan de travail, le sous-calque <Tracé> a découpé les parties de la carte qui débordaient du cadran de l'horloge.

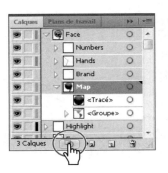
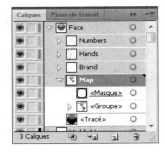

10. Cliquez sur le triangle à gauche du calque Map pour masquer les calques qui le composent.

11. Choisissez Fichier > Enregistrer.

Fusion de calques

Pour réduire le nombre de calques de votre illustration, vous pouvez en fusionner certains. Cela consiste à regrouper sur un seul calque les éléments contenus dans tous les calques sélectionnés.

1. Dans le panneau Calques, activez le calque Numbers, puis cliquez sur le calque Hands tout en appuyant sur Maj pour l'ajouter à la sélection.

   Notez que l'indicateur de calque courant (◣) montre que le dernier calque sélectionné est le calque actif. C'est lui qui détermine le nom et la couleur du calque de fusion.

● **Note :** Des calques ne peuvent fusionner qu'avec d'autres calques au même niveau hiérarchique dans le panneau Calques. De même, des sous-calques ne peuvent fusionner qu'avec d'autres sous-calques du même calque et au même niveau hiérarchique. Il n'est pas possible de fusionner des objets avec d'autres objets.

2. Dans le menu du panneau Calques (▼≡), choisissez Fusionner la sélection pour fusionner le sous-calque Numbers avec le sous-calque Hands.

   Les objets contenus dans les calques fusionnés conservent leur ordre d'empilement d'origine. Ils sont ajoutés au-dessus des objets figurant dans le calque de destination.

3. Sélectionnez à présent le calque Highlight, puis le calque Frame (Maj+clic).

4. Dans le menu du panneau Calques (▼≡), choisissez Fusionner la sélection pour fusionner les objets du calque Highlight avec ceux du calque Frame.

5. Choisissez Fichier > Enregistrer.

Application d'attributs d'aspect à des calques

À partir du panneau Calques, il est possible d'appliquer des attributs d'aspect, par exemple des styles, des effets ou de la transparence, à des calques, des groupes ou des objets. Lorsqu'un attribut d'aspect est appliqué à un calque, tous les objets placés sur ce calque prennent cet attribut ; lorsqu'il vise uniquement un objet d'un calque, il n'affecte que cet objet et pas le reste du calque. Pour en savoir plus sur les attributs d'aspect, consultez la Leçon 13, "Les attributs d'aspect et les styles graphiques".

Vous allez appliquer un effet à un objet sur l'un des calques, puis vous le copierez vers un autre calque pour l'appliquer à tous les objets de ce calque.

1. Dans le panneau Calques, fermez le calque Face et ouvrez le calque Frame pour en visualiser tout le contenu.

2. Sélectionnez le sous-calque <Tracé> au bas de ce calque Frame.

● **Note :** En cliquant sur l'icône de cible, vous sélectionnez également les objets sur le plan de travail.

3. Cliquez sur l'icône de cible (○) à droite du sous-calque <Tracé> pour cibler cet objet. Vous indiquez ainsi que vous souhaitez modifier un effet, un style ou une transparence.

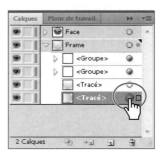

4. Dans les Effets Illustrator, choisissez Effet > Spécial > Ombre portée. Dans la boîte de dialogue Ombre portée, conservez les options par défaut et cliquez sur OK. Une ombre portée apparaît sur le bord externe de l'horloge.

Note : Le menu Effet propose deux commandes Spécial. Choisissez la première, qui se trouve dans Effets Illustrator.

L'icône de cible (●) du sous-calque <Tracé> inférieur est à présent ombrée, indiquant ainsi que des attributs d'aspect ont été appliqués à l'élément.

5. Affichez le panneau Aspect en cliquant sur son icône (●) ou choisissez Fenêtre > Aspect. Notez que l'ombre portée a été ajoutée à la liste des attributs d'aspect de la forme sélectionnée.

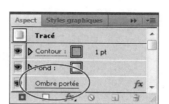

6. Dans le panneau Contrôle, fixez Épaisseur de contour à **0 pt**.

7. Choisissez Sélection > Désélectionner.

Vous allez maintenant vous servir du panneau Calques pour copier cet attribut d'aspect sur un autre calque et le modifier.

8. Affichez le panneau Calques en cliquant sur son icône. Cliquez sur la flèche à gauche du calque Face afin d'en révéler le contenu. Si nécessaire, agrandissez le panneau Calques pour afficher la liste complète. Assurez-vous que les triangles à gauche des sous-calques Hands, Brand et Map sont en position fermée.

9. Avec l'outil Sélection (▶), cliquez sur les aiguilles de l'horloge dans l'illustration.

10. Dans le menu du panneau Calques (▼≡), choisissez Rechercher l'objet. Vous sélectionnez et affichez ainsi le groupe des aiguilles (<Groupe> apparaît dans le panneau Calques). Vous devrez peut-être faire défiler le panneau Calques pour l'étape suivante.

11. Appuyez sur la touche Alt (Windows) ou Option (Mac OS) et faites glisser l'icône de cible ombrée du sous-calque <Tracé> inférieur du calque Frame vers l'icône de cible du sous-calque <Groupe> des aiguilles, sans relâcher. Le pointeur en forme de main, avec un signe plus (+), indique que l'aspect va être copié.

Note : Vous pouvez faire glisser et copier l'icône de cible ombrée vers n'importe quel calque ou sous-calque de manière à appliquer les propriétés indiquées dans le panneau Aspect.

12. Lorsque l'icône de cible du sous-calque <Groupe> devient gris clair, relâchez le bouton de la souris, puis la touche Alt ou Option. L'ombre portée est maintenant appliquée à tout le sous-calque <Groupe>, comme le signale l'icône de cible ombrée.

Vous allez modifier l'attribut Ombre portée pour le texte et les aiguilles de l'horloge afin d'en réduire l'effet.

13. Dans le calque Hands, cliquez sur le triangle à gauche du sous-calque <Groupe> pour le fermer.

14. Dans le panneau Calques, cliquez sur l'icône de cible (⊙) du sous-calque <Groupe> qui contient les aiguilles. Vous sélectionnez ainsi automatiquement les objets de ce calque et désélectionnez par la même occasion l'objet du calque Frame.

15. Ouvrez le panneau Aspect en cliquant sur son icône (⊙) sur la droite de l'espace de travail. Dans ce panneau, cliquez sur Ombre portée (pour cela, vous devrez peut-être faire défiler le panneau).

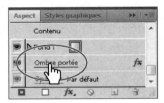

16. Dans la boîte de dialogue Ombre portée, saisissez **3 pt** pour les décalages sur X et Y et pour l'atténuation. Cliquez sur OK.

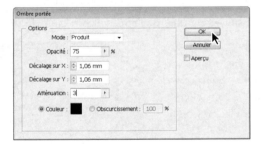

17. Choisissez Sélection > Désélectionner.

18. Choisissez Fichier > Enregistrer.

Pour en savoir plus sur l'ouverture de documents Photoshop avec calques dans Illustrator et la modification de documents Illustrator dans Photoshop, consultez la Leçon 15, "Graphiques Illustrator et autres applications Adobe".

Isoler des calques

Lorsqu'un calque se trouve en mode Isolation, les objets qu'il contient sont isolés de manière à pouvoir les modifier facilement sans affecter les autres calques. Vous allez passer un calque en mode Isolation et y réaliser quelques changements simples.

1. Ouvrez le panneau Calques en cliquant sur son icône.

2. Cliquez sur les triangles à gauche des sous-calques pour tous les fermer. Assurez-vous que les sous-calques du calque Face sont visibles.

3. Dans le panneau Calques, sélectionnez le sous-calque Map.

4. Dans le menu du panneau Calques (▾≡), choisissez Passer en mode Isolation.

En mode Isolation, le contenu du sous-calque Map apparaît au-dessus de tous les objets du plan de travail. Tout autre contenu du plan de travail est estompé et verrouillé.

Le panneau Calques affiche désormais un calque nommé Mode Isolation et un sous-calque qui correspond au contenu de la carte.

5. Avec l'outil Sélection (▶), cliquez sur la carte dans le plan de travail pour la sélectionner.

6. Choisissez Affichage > Repères commentés pour les désactiver temporairement.

7. Déplacez la carte vers le haut afin qu'elle touche le bord supérieur du cercle intérieur noir.

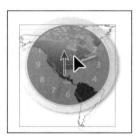

8. Appuyez sur Échap pour sortir du mode Isolation. Notez que le contenu n'est plus verrouillé et que le panneau Calques affiche à nouveau l'ensemble des calques et sous-calques.

9. Choisissez Sélection > Désélectionner.

L'illustration étant terminée, vous souhaitez probablement regrouper tous les calques dans un seul et supprimer les calques vierges. Cette opération s'appelle *aplatir une illustration*. Fournir une illustration terminée sous la forme d'un fichier à calque unique évite certains incidents, comme masquer involontairement certains calques ou omettre d'imprimer certaines parties de l'illustration.

▶ **Astuce :** Pour aplatir des calques sans supprimer les calques masqués, sélectionnez les calques à aplatir, puis choisissez Fusionner les calques dans le menu du panneau Calques.

Pour obtenir la liste complète des raccourcis que vous pouvez utiliser avec le panneau Calques, reportez-vous à la rubrique "Raccourcis clavier" de l'Aide d'Illustrator.

10. Choisissez Fichier > Enregistrer.

11. Choisissez Fichier > Fermer.

À vous de jouer

Lors de l'impression d'un fichier avec calques, seuls les calques visibles sont imprimés, suivant l'ordre dans lequel ils sont classés dans le panneau Calques, à l'exception des calques modèles qui ne sont pas imprimés même s'ils sont visibles. Ces derniers sont verrouillés, estompés et présentés en mode Aperçu. Les objets qui y sont placés ne peuvent être ni imprimés ni exportés.

Puisque vous savez à présent manipuler des calques, entraînez-vous à créer des illustrations avec calques en dessinant une image sur un calque modèle. Nous vous avons fourni une image bitmap d'un poisson rouge pour vous exercer. Vous pouvez également travailler sur vos propres illustrations ou photographies.

1. Choisissez Fichier > Nouveau pour créer un fichier destiné à votre illustration.

2. Choisissez Fichier > Importer. Dans la boîte de dialogue, sélectionnez le fichier goldfish.ai dans le dossier Lesson08 sur votre disque dur ou recherchez le fichier contenant l'illustration ou l'image que vous souhaitez utiliser comme modèle, et cliquez sur Importer pour ajouter au Calque 1 le fichier importé.

3. Créez le calque modèle en choisissant Modèle dans le menu du panneau Calques ou en choisissant Options de Calque 1, puis en cliquant sur Modèle dans la boîte de dialogue Options de calque.

4. Cliquez sur le bouton Nouveau calque, au bas du panneau Calques, pour créer un calque sur lequel dessiner.

5. Le Calque 2 étant actif, servez-vous des outils de dessin pour dessiner par-dessus le modèle et créer ainsi une nouvelle illustration.

6. Créez des calques supplémentaires pour séparer et éditer les différents éléments de votre nouvelle illustration.

7. Vous pouvez supprimer le modèle lorsque vous avez terminé votre travail. Vous réduisez ainsi la taille du fichier.

▶ **Astuce :** Pour en savoir plus sur les vues personnalisées, reportez-vous à la rubrique "Utilisation de fenêtres et de vues multiples" de l'Aide d'Illustrator.

Révisions

Questions

1. Indiquez au moins deux avantages de l'utilisation des calques pour créer des illustrations.

2. Comment faites-vous pour masquer des calques ? Et pour afficher des calques ?

3. Décrivez la façon de réorganiser des calques dans un fichier.

4. Comment verrouille-t-on des calques ?

5. Quel est l'intérêt de modifier la couleur de sélection d'un calque ?

6. Que se passe-t-il si vous collez un fichier avec calques dans un autre fichier ? Pour quelle opération l'option Coller selon les calques est-elle utile ?

7. Comment déplacez-vous des objets d'un calque vers un autre ?

8. Comment crée-t-on un masque d'écrêtage ?

9. Comment faites-vous pour appliquer un effet à un calque ? Et pour le modifier ?

10. Pourquoi doit-on passer en mode Isolation ?

Réponses

1. Parmi les avantages des calques dans la création d'illustrations, on peut citer : la protection des illustrations qu'on ne souhaite pas modifier, le masquage des illustrations sur lesquelles on ne travaille pas afin qu'elles ne dérangent pas et une meilleure maîtrise des opérations d'impression.

2. Pour masquer un calque, il suffit de cliquer sur l'icône de visibilité, placée à gauche de son nom. Pour l'afficher, il faut cliquer dans la colonne vierge la plus à gauche (la colonne de visibilité).

3. Pour réorganiser les calques, il faut sélectionner un nom de calque dans le panneau Calques, puis le faire glisser vers son nouvel emplacement. L'ordre des calques dans ce panneau commande l'ordre des calques dans le document, le premier calque du panneau étant celui affiché au premier plan dans l'illustration.

4. Plusieurs moyens permettent de verrouiller des calques :

   - cliquer dans la colonne placée à gauche du nom du calque (un cadenas s'affiche, indiquant que le calque est verrouillé) ;

   - choisir Verrouiller les autres, dans le menu du panneau Calques, pour verrouiller tous les calques à l'exception du calque actif ;

   - masquer un calque pour le protéger.

5. La couleur de sélection contrôle l'affichage des points d'ancrage et des lignes directrices sur un calque et permet de mieux identifier les différents calques d'un document.

6. Les commandes Coller collent sur le calque actif par défaut des fichiers avec calques ou des objets copiés à partir d'autres calques. L'option Coller selon les calques conserve intacts les calques d'origine lorsque les objets sont collés.

7. En sélectionnant les objets à déplacer et en les faisant glisser l'indicateur de sélection (à droite de l'icône de cible) vers un autre calque du panneau Calques.

8. Il suffit de sélectionner le calque et de cliquer sur le bouton Créer/Annuler le masque d'écrêtage. L'objet placé sur le dessus de la pile devient un masque d'écrêtage.

9. On clique sur l'icône de cible du calque auquel on souhaite appliquer l'effet qu'on choisit dans le menu Effet. Pour modifier l'effet, il faut s'assurer que le calque concerné est ciblé, puis cliquer sur le nom de l'effet dans le panneau Aspect. La boîte de dialogue de l'effet apparaît et permet de modifier les valeurs.

10. Pour isoler des objets afin de faciliter la sélection et la modification du contenu d'un calque ou d'un sous-calque.

Grâce à la grille de perspective d'Adobe Illustrator CS5, vous pouvez
facilement dessiner et restituer votre illustration en perspective. La grille
de perspective permet de représenter approximativement une scène sur
une surface plane, telle qu'elle est naturellement perçue par l'œil humain.
Imaginez, par exemple, une route ou deux voies ferrées semblant se
rejoindre ou disparaître de la ligne de vision.

Dessin en perspective 9

Au cours de cette leçon, vous apprendrez à :

- maîtriser le dessin en perspective ;

- utiliser et modifier les paramètres de grille prédéfinis ;

- dessiner et modifier des objets en perspective ;

- modifier des plans de grille et du contenu ;

- créer et modifier du texte en perspective ;

- associer des symboles en perspective.

Cette leçon vous prendra environ une heure et demie. Si nécessaire, supprimez le dossier de la leçon précédente de votre disque dur et copiez le dossier Lesson09.

Mise en route

Dans cette leçon, vous travaillerez avec la grille de perspective, en lui ajoutant du contenu que vous modifierez.

Avant de commencer, vous devez restaurer les préférences par défaut d'Adobe Illustrator. Vous ouvrirez ensuite l'illustration terminée de cette leçon, pour voir ce que vous allez créer.

1. Pour vous assurer que les outils et les panneaux fonctionneront exactement comme ils sont décrits au fil de cette leçon, supprimez ou désactivez (en le renommant) le fichier des préférences d'Adobe Illustrator CS5 (pour en savoir plus, reportez-vous à la section "Rétablissement des préférences par défaut" de l'Introduction).

● **Note :** Si vous n'avez pas encore copié les fichiers de cette leçon sur votre disque dur à partir du dossier Lesson09 du CD-ROM *Adobe Illustrator CS5 Classroom in a Book*, faites-le maintenant. Pour savoir comment procéder, consultez la section "Copie des fichiers d'exercices de *Classroom in a Book*" à la page 2.

2. Lancez Adobe Illustrator CS5.

3. Choisissez Fichier > Ouvrir et chargez le fichier L9end_1.ai, qui se trouve dans le dossier Lesson09 sur votre disque dur.

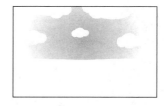

4. Si vous souhaitez conserver l'illustration terminée à l'écran pendant cette leçon, choisissez Affichage > Zoom avant pour réduire son affichage. Servez-vous de l'outil Main (✋) pour déplacer l'illustration dans la fenêtre, là où bon vous semble. Vous pouvez garder ce fichier ouvert pour référence ou le fermer (Fichier > Fermer).

5. Choisissez Fichier > Ouvrir et chargez le fichier L9start_1.ai, situé dans le dossier Lesson09.

6. Choisissez Fichier > Enregistrer sous, nommez le fichier **ville.ai** et sélectionnez le dossier Lesson09. Choisissez Adobe Illustrator (*.AI) dans le menu Type (Windows) ou Adobe Illustrator (ai) dans le menu Format (Mac OS), puis cliquez sur Enregistrer. Dans la boîte de dialogue Options Illustrator, gardez les options par défaut et cliquez sur OK.

Notions de perspective

Dans Illustrator CS5, vous pouvez facilement dessiner et restituer une illustration en perspective grâce à une panoplie de fonctionnalités reposant sur des règles d'usage en matière de dessin en perspective. Le dessin en perspective est une représentation approximative, sur une surface plane, d'une image telle qu'elle est perçue par l'œil humain.

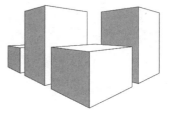

En voici les principales caractéristiques :

- Plus les objets dessinés en perspective sont éloignés de l'observateur, plus leur taille diminue.

- Les objets sont réduits, ce qui signifie qu'une distance ou un objet paraît plus court qu'en réalité en raison de leur angle par rapport à l'observateur.

La grille de perspective

La grille de perspective permet de représenter approximativement une scène sur une surface plane, telle qu'elle est naturellement perçue par l'œil humain. Imaginez, par exemple, une route ou deux voies ferrées semblant se rejoindre ou disparaître. La grille de perspective permet de créer et de restituer une illustration en perspective.

● **Note :** Tout au long de cette leçon, n'hésitez pas à revenir aux options de la grille de perspective présentées à cette figure.

1. Choisissez Les indispensables dans le commutateur d'espace de travail de la barre d'application.

2. Choisissez Affichage > Ajuster le plan de travail à la fenêtre.

3. Dans le panneau Outils, activez l'outil Grille de perspective (▥). La grille de perspective à deux points par défaut s'affiche alors sur le plan de travail.

La figure suivante montre la grille de perspective et ses composantes. Vous les verrez en détail tout au long de cette leçon.

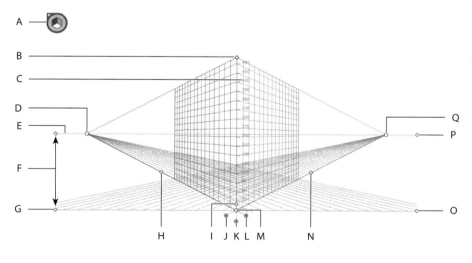

A. Widget de changement de plan
B. Limite verticale de la grille
C. Règle de la grille de perspective
D. Point de fuite gauche
E. Ligne d'horizon
F. Hauteur de l'horizon
G. Niveau du sol
H. Limite de grille
I. Taille des cellules de la grille
J. Point de contrôle du plan de la grille de droite
K. Point de contrôle du plan de la grille horizontale
L. Point de contrôle du plan de la grille de gauche
M. Origine
N. Limite de grille
O. Niveau du sol
P. Niveau de l'horizon
Q. Point de fuite gauche

Manipulation de la grille de perspective

Avant de travailler avec du contenu en perspective, il est préférable de configurer la grille de perspective en fonction de vos préférences.

Utiliser une grille prédéfinie

Pour commencer cette leçon, vous allez travailler avec une grille de perspective prédéfinie par Illustrator.

▶ **Astuce :** Si vous souhaitez afficher la grille de perspective sans passer par l'outil Grille de perspective, choisissez Affichage > Grille de perspective > Afficher la grille.

Par défaut, la grille de perspective se fonde sur deux points. Vous pouvez très facilement la changer en choisissant des paramètres prédéfinis. L'outil Grille de perspective permet de modifier et de déplacer la grille. Elle est utilisée pour dessiner et aligner du contenu en perspective, mais elle n'est pas imprimée. Illustrator autorise jusqu'à trois points de perspective.

1. Choisissez Affichage > Grille de perspective > Perspective à un point > [Affichage normal-1P]. Notez que la grille est modifiée en une perspective à un point.

   Ce type de perspective peut se révéler très pratique pour le tracé de routes, de voies ferrées ou de bâtiments vus de face.

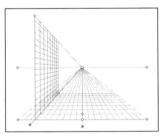

2. Choisissez Affichage > Grille de perspective > Perspective à trois points > [Affichage normal-3P]. La grille change pour une perspective à trois points.

   La perspective à trois points est généralement utilisée pour des bâtiments vus du dessus ou du dessous. Outre les points de fuite pour chaque mur, un point supplémentaire montre ces murs s'enfonçant dans le sol ou s'élevant dans les airs.

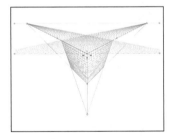

3. Pour revenir à la perspective à deux points, choisissez Affichage > Grille de perspective > Perspective à deux points > [Affichage normal-2P].

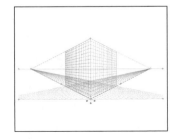

Modifier la grille de perspective

Vous allez à présent apprendre à modifier la grille de perspective. Pour cela, vous pouvez vous servir de l'outil Grille de perspective ou passer par l'article de menu Définir la grille. La grille peut être modifiée même si du contenu est déjà présent mais, en général, c'est plus facile de la configurer avant d'ajouter du contenu. Il ne peut y avoir qu'une seule grille par document Illustrator.

1. La grille de perspective représentant une perspective à deux points et l'outil Grille de perspective (🏢) étant activés, faites glisser le point de la ligne d'horizon vers le bas, sous la ligne bleue du ciel (voir figure). Les libellés des dimensions doivent afficher environ 147 pt.

    L'emplacement de la ligne d'horizon correspond au niveau des yeux de l'observateur.

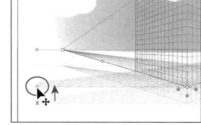

Note : Les figures de cette section montrent un X. Il indique le point à partir duquel vous devez faire glisser.

Note : Sur certaines figures, les lignes grises indiquent la position initiale de la grille de perspective, avant qu'elle ne soit ajustée.

2. Avec l'outil Grille de perspective, faites glisser vers le haut le point gauche de niveau du sol pour déplacer l'intégralité de la grille de perspective. Poursuivez l'opération jusqu'à ce que la ligne d'horizon soit alignée avec le bord inférieur du ciel bleu.

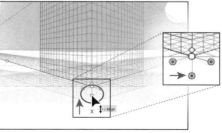

    Le niveau du sol permet de déplacer la grille de perspective vers différentes parties du plan de travail ou vers un autre plan de travail.

Note : Pendant que vous faites glisser la grille de perspective à l'aide du point de niveau du sol, notez que vous pouvez la déplacer dans toutes les directions. Vérifiez qu'elle reste plus ou moins centrée horizontalement sur le plan de travail.

3. Avec l'outil Grille de perspective, faites glisser vers le haut le point de contrôle du plan de la grille horizontale d'environ 68 pt afin qu'il soit plus proche de la ligne d'horizon.

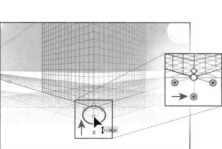

Astuce : La position du niveau du sol par rapport à la ligne d'horizon détermine la distance au-dessus et en dessous du niveau des yeux à laquelle l'objet sera visualisé.

4. Avec l'outil Grille de perspective, faites glisser vers le bas le point de limite verticale de la grille de manière à diminuer son extension verticale.

   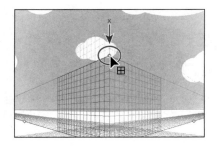

   En diminuant la limite verticale, vous pouvez réduire la grille si vous dessinez des objets moins précis, comme vous le verrez plus loin dans la leçon.

5. Choisissez Fichier > Enregistrer. Les modifications apportées à la grille de perspective sont enregistrées uniquement dans le document courant.

La configuration de la grille est une étape importante du dessin. Vous allez à présent effectuer ces modifications en passant par l'article de menu Définir la grille.

6. Choisissez Affichage > Grille de perspective > Définir la grille.

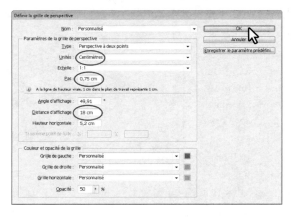

▶ **Astuce :** Après avoir défini vos paramètres, vous pouvez les enregistrer comme des paramètres prédéfinis afin de les réutiliser ultérieurement. Dans la boîte de dialogue Définir la grille de perspective, réglez les différentes options puis cliquez sur le bouton Enregistrer le paramètre prédéfini.

7. Dans la boîte de dialogue Définir la grille de perspective, changez Unités à Centimètres et fixez Pas à **0,75 cm**. Changez Distance d'affichage à **18 cm**. Ce paramètre correspond à la distance entre l'observateur et la scène.

▶ **Astuce :** Pour de plus amples informations sur la boîte de dialogue Définir la grille de perspective, consultez la rubrique "Définition d'une grille de perspective prédéfinie" dans l'Aide d'Illustrator.

Vous pouvez modifier l'échelle de la grille, par exemple pour utiliser des dimensions physiques réelles. La boîte de dialogue donne également accès à d'autres paramètres, comme Hauteur horizontale et Angle d'affichage, que vous pouvez modifier sur le plan de travail avec l'outil Grille de perspective. Laissez les options de Couleur et opacité de la grille à leurs valeurs par défaut. Lorsque les paramètres sont définis, cliquez sur OK.

8. Avec l'outil Grille de perspective, faites glisser le point de fuite gauche d'environ −0,82 pouce vers la gauche, jusqu'au point d'horizon. Notez que cette opération change uniquement la grille de gauche (bleue) sur la perspective à deux points.

9. Choisissez Édition > Annuler Modifier la grille de perspective. Il est possible d'annuler la plupart des modifications apportées à la grille de perspective.

10. Choisissez Affichage > Grille de perspective > Verrouiller la position. Vous verrouillez ainsi les points de fuite gauche et droit pour qu'ils se déplacent ensemble.

11. Avec l'outil Grille de perspective, faites glisser le point de fuite gauche d'environ −0,82 pouce vers la gauche, jusqu'au point d'horizon gauche. Cette fois-ci, les deux plans de la grille sont modifiés.

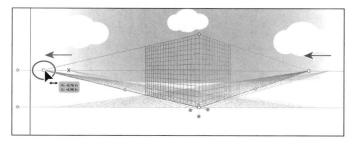

12. Choisissez Fichier > Enregistrer.

13. Choisissez Affichage > Grille de perspective > Verrouiller la grille. Cette option restreint le déplacement de la grille et les autres fonctions d'édition qui utilisent l'outil Grille de perspective. Vous pouvez changer uniquement la visibilité et la position du plan de la grille, que vous manipulerez plus loin dans cette leçon.

Puisque la grille est verrouillée dans sa position correcte, vous allez commencer à créer la ville en ajoutant du contenu.

Dessiner des objets en perspective

Pour dessiner des objets en perspective, utilisez les outils des groupes Trait ou Rectangle (excepté l'outil Halo) lorsque la grille est affichée. Avant de dessiner, vous devez choisir le plan de la grille auquel l'objet sera associé. Pour cela, vous utilisez le widget de changement de plan ou les raccourcis clavier.

Note : Lorsque vous activez un outil autre que Sélection de perspective, vous ne pouvez pas modifier la grille de perspective. Par ailleurs, si la grille de perspective est verrouillée, vous pouvez la modifier en choisissant Affichage > Grille de perspective > Définir la grille.

Le widget de changement de plan

Un widget de changement de plan apparaît également lorsque vous activez l'outil Grille de perspective. Vous pouvez l'utiliser pour sélectionner le plan actif de la grille.

Dans la grille de perspective, le plan actif est celui sur lequel vous dessinez un objet de manière à projeter cette portion de la scène selon le point de vue (la perception) de l'observateur.

Extrait de l'Aide d'Illustrator

A. Plan de la grille de gauche (1)
B. Aucune grille active (4)
C. Plan de la grille horizontale (2)
D. Plan de la grille de droite (3)

● **Astuce :** Les nombres en parenthèses, comme Plan de la grille de gauche (1), font référence au raccourci clavier associé à la grille.

Vous allez à présent dessiner plusieurs objets sur la grille de perspective.

1. Ouvrez le panneau Calques en cliquant sur son icône (). Cliquez sur l'icône de visibilité () située à gauche du calque Background afin d'en masquer le contenu sur le plan de travail. Sélectionnez le calque Left face pour que le contenu que vous allez créer soit ajouté sur ce calque.

2. Fermez le panneau Calques en cliquant sur son icône ().

3. Dans le panneau Outils, activez l'outil Rectangle ().

● **Note :** Avec la pratique, vous prendrez l'habitude de vérifier le plan de grille actif avant de dessiner ou d'ajouter du contenu.

4. Cliquez sur Grille de gauche dans le widget de changement de plan.

   Quel que soit le plan de grille sélectionné dans le widget, il s'agit du plan de la grille de perspective auquel le contenu sera ajouté.

5. Positionnez le pointeur au sommet de la grille de perspective, là où les deux plans se rejoignent. Notez que le curseur comprend une flèche qui pointe vers la gauche (◄). Elle indique que vous allez dessiner sur le plan de la grille de gauche. Faites glisser vers le bas et la gauche, jusqu'à la ligne orthogonale inférieure (voir figure). Si vos dimensions sont légèrement différentes de celles indiquées, ce n'est pas un problème.

▶ **Astuce :** Lorsque vous dessinez en perspective, vous pouvez continuer à utiliser les raccourcis clavier habituels, comme appuyer sur Maj ou Alt pendant que vous faites glisser.

Lorsque vous dessinez sur le plan de la grille, par défaut les objets ne s'alignent pas sur les lignes de la grille. Toutefois, les repères commentés aident à placer les angles et les bords.

6. Le rectangle étant sélectionné, changez sa couleur de fond en choisissant un gris moyen (C = **0**, M = **0**, J = **0**, N = **40**) dans le panneau Contrôle.

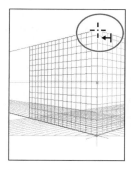 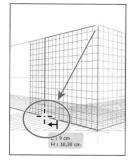 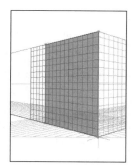

Commencez le dessin.　　　Créez le rectangle.　　　Changez la couleur de fond.

Vous allez à présent dessiner un autre rectangle de manière à créer l'autre mur du bâtiment, cette fois-ci en l'alignant sur la grille de perspective.

7. Choisissez Affichage > Grille de perspective > Magnétisme de la grille.

8. Appuyez deux fois sur Ctrl++ (Windows) ou Cmd++ (Mac OS) pour agrandir l'affichage de la grille de perspective. Le magnétisme de la grille n'est pas opérationnel si le facteur de zoom est trop faible.

9. Ouvrez le panneau Calques en cliquant sur son icône (🌐). Sélectionnez le calque Right face pour que le contenu que vous allez créer soit ajouté sur ce calque.

● **Note :** Pour de plus amples informations sur les calques, consultez la Leçon 8, "Les calques".

10. Avec l'outil Rectangle, cliquez sur Grille de droite (3) dans le widget de changement de plan afin de dessiner en perspective sur le plan de la grille de droite. Notez que le pointeur est à présent accompagné d'une flèche vers la droite (↦) pour indiquer que vous dessinez sur le plan de la grille de droite. Faites glisser vers le bas et la droite, en partant du même point supérieur que le rectangle précédent. Lorsque les libellés des dimensions indi-

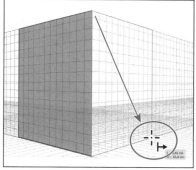

quent une largeur d'environ 8,4 cm et que le pointeur arrive sur le bord inférieur du plan de droite, relâchez.

11. Le rectangle étant sélectionné, choisissez une couleur de fond gris clair (C = **0**, M = **0**, J = **0**, N = **10**) dans le panneau Contrôle.

12. Cliquez sur le X dans le coin supérieur gauche du widget de changement de plan pour masquer la grille de perspective et admirer votre illustration.

13. Choisissez Affichage > Ajuster le plan de travail à la fenêtre.

▶ **Astuce :** Vous pouvez également choisir Affichage > Grille de perspective > Masquer la grille pour masquer la grille.

Vous allez à présent dessiner un rectangle qui représentera une fenêtre du bâtiment. Toutefois, pour continuer à dessiner en perspective, vous devez auparavant réafficher la grille.

▶ **Astuce :** Pour afficher la grille de perspective, vous pouvez également activer l'outil Grille de perspective ou choisir Affichage > Grille de perspective > Afficher la grille.

14. Appuyez sur Maj+Ctrl+I (Windows) ou Maj+Cmd+I (Mac OS) pour afficher la grille.

15. Dans le panneau Outils, sélectionnez l'outil Rectangle arrondi (⬤) qui se trouve dans le groupe de l'outil Rectangle (▥). Positionnez le pointeur au-dessus du rectangle que vous venez de créer. Cliquez une fois pour ouvrir la boîte de dialogue Rectangle. Fixez Largeur à **3,8 cm** et

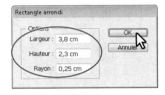

Hauteur à **2,3 cm**. Changez Rayon à **0,25 cm**, puis cliquez sur OK. Voilà qui servira de fenêtre au bâtiment.

16. Appuyez trois fois sur Ctrl++ (Windows) ou Cmd++ (Mac OS) pour agrandir l'affichage.

17. Avec l'outil Sélection (▶), faites glisser le rectangle vers le bas et la gauche de manière à le positionner en bas et à gauche du rectangle gris clair.

Un objet qui a été dessiné en perspective et que vous faites glisser avec l'outil Sélection conserve sa perspective d'origine, mais il ne change pas pour s'adapter à la grille de perspective.

18. Choisissez Édition > Annuler Déplacement pour le replacer à sa position initiale.

Sélectionner et transformer des objets en perspective

Grâce à l'outil Sélection de perspective (▶◦), vous pouvez sélectionner des objets en perspective. Cet outil se fonde, pour cela, sur les paramètres du plan actif.

Vous allez à présent déplacer et redimensionner le rectangle qui représente la fenêtre.

1. À partir du groupe de l'outil Grille de perspective du panneau Outils, activez l'outil Sélection de perspective (▶◦). Faites glisser le rectangle arrondi vers le bas et la gauche, pour le placer dans le coin inférieur gauche du rectangle gris clair.

   Notez qu'il reste sur la grille pendant que vous le faites glisser.

2. Le rectangle étant sélectionné, changez sa couleur de fond en choisissant le dégradé window dans le panneau Contrôle.

3. Avec l'outil Sélection de perspective, sélectionnez le rectangle gris moyen sur le plan de la grille de gauche. Notez que le plan de la grille de droite est à présent actif dans le widget de changement de plan.

4. Avec l'outil Zoom (🔍), tracez un rectangle de sélection autour du coin inférieur gauche du rectangle gris moyen sur le plan de gauche.

5. Activez l'outil Sélection de perspective, puis faites glisser le coin inférieur gauche vers le haut et la gauche, en suivant la ligne inférieure qui mène au point de fuite gauche. Prenez la figure pour référence. Lorsque les libellés des dimensions affichent une largeur d'environ 11,5 cm, relâchez.

▶ **Astuce :** Vous pouvez ouvrir le panneau Transformation (Fenêtre > Transformation) et l'utiliser pour donner la même hauteur aux deux rectangles.

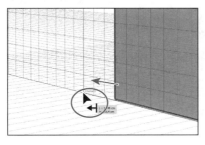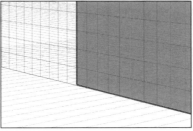

● **Note :** La taille n'a pas besoin d'être précise. Il faut simplement que la forme soit alignée sur la grille de perspective. La hauteur de vos rectangles peut être différente de celle indiquée sur la figure.

Mise à l'échelle d'objets en perspective

Vous pouvez mettre à l'échelle des objets en perspective avec l'outil Sélection de perspective. Cette procédure obéit aux règles suivantes :

• La mise à l'échelle est appliquée dans le plan de l'objet. La hauteur ou la distance en question est mise à l'échelle par rapport au plan de l'objet et non au plan actuel ou actif.

• La mise à l'échelle est appliquée aux objets situés dans un même plan. Par exemple, si vous sélectionnez plusieurs objets des plans droit et gauche, ne seront mis à l'échelle que les objets situés dans le même plan que celui dont le cadre de sélection doit subir la mise à l'échelle.

• Les objets déplacés perpendiculairement à leur direction sont mis à l'échelle dans leur plan respectif et non dans le plan actuel ou actif.

Extrait de l'Aide d'Illustrator

Vous allez à présent dupliquer un objet en perspective, puis déplacer un objet perpendiculairement à un objet existant.

6. Choisissez Affichage > Ajuster le plan de travail à la fenêtre.

7. Avec l'outil Sélection de perspective et tout en appuyant sur Maj+Alt (Windows) ou Maj+Option (Mac OS), faites glisser vers la droite le rectangle gris clair qui se trouve sur le plan de la grille de droite. Lorsque les libellés des dimensions affichent une distance dX d'environ 12 cm, relâchez le bouton de la souris, puis les touches de modification.

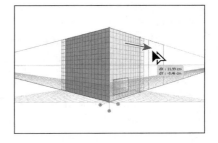

Cette copie servira de mur frontal pour un autre bâtiment. Comme pour les autres types de dessin, la touche Alt ou Option permet la copie de l'objet tandis que la touche Maj contraint le mouvement.

La copie du rectangle étant en place et en perspective, vous allez ajuster la grille de perspective pour qu'elle s'étende jusqu'à la nouvelle forme. Pour cela, vous devez modifier la limite de la grille.

8. Dans le panneau Outils, activez l'outil Grille de perspective (⊞).

9. Appuyez deux fois sur Ctrl++ (Windows) ou Cmd++ (Mac OS) pour augmenter l'affichage.

   Notez que le motif de la grille de perspective s'étend sur la droite et la gauche.

10. Choisissez Affichage > Grille de perspective > Déverrouiller la grille, afin de pouvoir modifier la grille.

11. Avec l'outil Grille de perspective, positionnez le pointeur sur le widget de limite droite de la grille et faites-le glisser vers la gauche jusqu'au bord droit du rectangle copié (voir figure). Le X placé sur la figure indique l'emplacement approximatif du widget de limite droite de la grille.

Ajustez maintenant la taille des cellules de la grille.

Note : Les lignes de la grille s'affichent à l'écran lorsqu'elles sont séparées de 1 pixel. Plus vous augmentez le facteur de zoom, plus le nombre de lignes de la grille affichées augmente et plus elles sont proches du point de fuite.

12. Faites glisser le widget de taille des cellules de la grille légèrement vers le bas pour réduire la taille des cellules.

   Si vous faites glisser trop loin vers le bas, les limites gauche et droite de la ligne s'éloignent des points de fuite correspondants. En faisant glisser ce widget vers le haut, vous augmentez la taille des cellules de la grille.

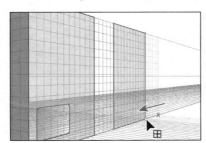
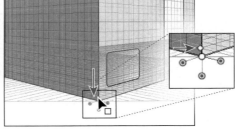

Faites glisser le widget de limite de la grille.   Modifiez la taille des cellules de la grille.

13. Activez l'outil Sélection, puis cliquez sur le rectangle gris moyen du plan de la grille de gauche. Depuis le panneau Contrôle, changez sa couleur de fond à building face 1. Sélectionnez le deuxième rectangle créé (l'autre face du même bâtiment) et fixez sa couleur de fond à building face 2.

14. Choisissez Fichier > Enregistrer.

Puisque le rectangle copié est en place et que les cellules de la grille s'affichent correctement, vous allez copier le rectangle sur le plan de gauche afin qu'il devienne la face gauche du rectangle dernièrement copié. Vous verrez comment déplacer un objet parallèlement à sa position courante.

1. Dans le panneau Outils, activez l'outil Sélection de perspective (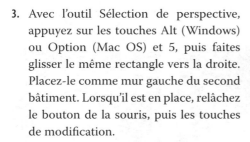). Sélectionnez le rectangle rouge sur le plan de la grille de gauche. Appuyez sur la touche 5 et faites glisser le rectangle légèrement vers la gauche. Relâchez le bouton de la souris, puis la touche 5.

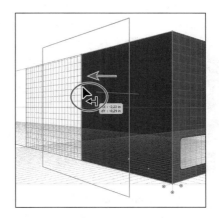

Cette action déplace l'objet parallèlement à sa position courante.

2. Choisissez Édition > Annuler Déplacer la perspective.

3. Avec l'outil Sélection de perspective, appuyez sur les touches Alt (Windows) ou Option (Mac OS) et 5, puis faites glisser le même rectangle vers la droite. Placez-le comme mur gauche du second bâtiment. Lorsqu'il est en place, relâchez le bouton de la souris, puis les touches de modification.

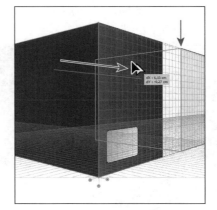

Vous avez dupliqué et placé le rectangle à son nouvel emplacement sans toucher à l'objet d'origine. Dans le mode Dessin arrière, cette action crée l'objet derrière l'objet d'origine.

4. La nouvelle copie étant sélectionnée, choisissez Objet > Disposition > Arrière-plan. À partir du panneau Contrôle, changez sa couleur de fond à un gris moyen.

Dans la suite, vous allez copier le rectangle arrondi de la fenêtre et le déplacer dans le plan de la grille de gauche, sur le bâtiment rouge, en utilisant un raccourci clavier qui permet de changer de plan pendant l'opération.

Note : Pendant que vous faites glisser, vous devrez appuyer plusieurs fois sur la touche 1.

5. Avec l'outil Sélection de perspective, sélectionnez la fenêtre bleue sur le mur droit du bâtiment. Choisissez Édition > Copier puis Édition > Coller devant.

6. Avec l'outil Sélection de perspective, faites glisser le rectangle arrondi vers la gauche. Pendant cette opération, appuyez puis relâchez la touche 1 pour basculer la fenêtre sur le plan de la grille de gauche. Faites glisser la fenêtre vers l'angle inférieur gauche du rectangle rouge (le mur gauche du bâtiment rouge).

7. Choisissez Édition > Couper.

8. Ouvrez le panneau Calques en cliquant sur son icône (⬥). Dans ce panneau, vérifiez que le calque Left face est sélectionné. Cliquez sur l'icône du panneau pour le refermer.

9. Choisissez Édition > Coller devant.

Note : Si le rectangle arrondi ne s'affiche pas devant tous les autres objets, choisissez Objet > Disposition > Premier plan.

Note : La taille de la grille détermine la distance de déplacement d'un objet avec les touches fléchées.

10. Le rectangle arrondi étant sélectionné, appuyez sur la touche Flèche droite, puis Flèche haut. Vous remarquerez que le rectangle arrondi reste aligné sur la grille de perspective. En utilisant les touches fléchées, positionnez la fenêtre dans l'angle inférieur gauche du rectangle rouge (voir figure).

11. Cliquez sur le rectangle arrondi d'origine sur le plan de la grille de droite afin qu'il soit le seul objet sélectionné. Positionnez-le sur les mêmes lignes de la grille que la copie (relativement), en vous servant des touches fléchées pour le garder aligné sur la grille (voir figure).

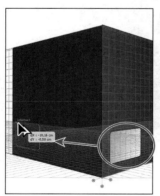

Copiez et positionnez le rectangle.

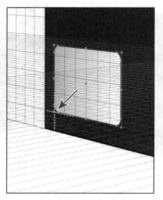

Utilisez les touches fléchées pour positionner le rectangle sur la grille de gauche.

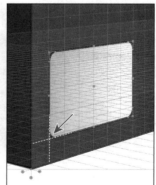

Utilisez les touches fléchées pour positionner le rectangle sur la grille de droite.

12. Appuyez sur Maj+Ctrl+I (Windows) ou sur Maj+Cmd+I (Mac OS) pour masquer temporairement la grille de perspective.

13. Choisissez Sélection > Désélectionner puis Fichier > Enregistrer.

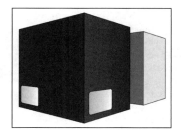

Associer des objets à une perspective

Si vous avez déjà créé des objets, Illustrator vous permet de les associer au plan actif sur la grille de perspective. Vous allez à présent accrocher une enseigne de café existante sur l'un des murs du bâtiment.

1. Affichez la grille en choisissant Affichage > Grille de perspective > Afficher la grille.

2. Choisissez Affichage > Tout ajuster à la fenêtre pour que les deux plans de travail soient visibles.

3. Activez l'outil Sélection (▶) et cliquez sur l'enseigne Coffee qui se trouve sur le plan de travail de droite. Faites-la glisser près du bâtiment gris que vous avez créé en perspective. Ensuite, cliquez dans un endroit vide du plan de travail principal, celui avec la grille, pour l'activer.

4. Choisissez Affichage > Ajuster le plan de travail à la fenêtre.

5. Appuyez deux fois sur Ctrl++ (Windows) ou Cmd++ (Mac OS) pour agrandir l'affichage de la grille de perspective et de l'illustration.

Vous allez à présent déplacer l'enseigne sur le mur droit du bâtiment rouge et la placer en perspective avec les autres objets de l'illustration sur le plan de travail principal.

6. Dans le panneau Outils, activez l'outil Sélection de perspective (◥). Cliquez sur Grille de gauche (1) dans le widget de changement de plan afin que l'enseigne soit ajoutée au plan de la grille de gauche.

▶ **Astuce :** Vous pouvez également sélectionner le plan actif en utilisant les raccourcis clavier :
1 = Grille de gauche,
2 = Grille horizontale,
3 = Grille de droite,
4 = Aucune grille active.

● **Note :** Cette étape facile à oublier est très importante.

7. Avec l'outil Sélection de perspective, faites glisser l'enseigne de manière que son bord supérieur soit aligné avec la limite verticale de la grille.

Astuce : Au lieu de faire glisser l'objet sur le plan avec l'outil Sélection de perspective, vous pouvez également sélectionner l'objet avec cet outil, choisir le plan en utilisant le widget de changement de plan et choisir ensuite Objet > Perspective > Joindre au plan actif.

L'illustration est ajoutée à la grille sélectionnée dans le widget de changement de plan.

● **Note :** L'enseigne est un groupe d'objets. Vous pouvez associer tout aussi facilement un seul objet à la grille de perspective.

8. L'enseigne étant sélectionnée, choisissez Édition > Couper.

9. Ouvrez le panneau Calques en cliquant sur son icône (🔷) sur la droite de l'espace de travail. Activez le calque Right face. Choisissez Édition > Coller sur place. L'enseigne est alors collée sur le calque Right face.

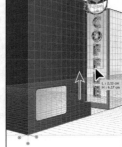

10. Fermez le panneau Calques en cliquant sur son icône.

L'enseigne étant associée au plan de la grille de gauche, vous allez à présent la déplacer perpendiculairement à sa position courante, de manière à la placer sur le côté droit du bâtiment.

11. Avec l'outil Sélection de perspective, faites glisser, tout en appuyant sur la touche 5, l'enseigne vers la droite, jusqu'au bord droit du rectangle rouge (voir figure). Relâchez le bouton de la souris, puis la touche de modification.

Astuce : Si votre enseigne redimensionnée est trop proche ou trop éloignée du bâtiment rouge, déplacez-la à l'aide de l'outil Sélection de perspective.

12. Avec l'outil Sélection de perspective, appuyez sur la touche Maj et faites glisser le point central inférieur de l'enseigne vers le haut afin d'en réduire la taille. Lorsque les libellés des dimensions affichent une hauteur d'environ 6 à 6,5 cm, stoppez l'opération. Relâchez le bouton de la souris puis la touche Maj.

Déplacez l'enseigne.   Redimensionnez l'enseigne.

13. Choisissez Sélection > Désélectionner puis Fichier > Enregistrer.

Modifier des plans et des objets ensemble

Vous pouvez modifier les plans de la grille en perspective, avant d'y dessiner une illustration en perspective ou après l'avoir fait. Vous pouvez déplacer des objets perpendiculairement en les faisant glisser ou déplacer un plan de grille en utilisant les contrôles du plan de la grille pour déplacer les objets perpendiculairement.

Vous allez à présent modifier les plans de la grille et l'illustration.

1. Avec l'outil Sélection de perspective (🔾), faites glisser le point de contrôle du plan de la grille de droite jusqu'à ce que les libellés des dimensions affichent approximativement D : 3 cm (voir figure). Cette opération déplace le plan de la grille de droite sans toucher aux objets qu'il contient.

● **Note :** Tout au long de cette section, le X ajouté aux figures représente le point à partir duquel vous devez faire glisser.

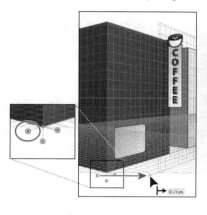

2. Choisissez Édition > Annuler Modifier la grille de perspective pour replacer le plan de la grille à son emplacement d'origine.

3. L'outil Sélection de perspective étant toujours actif, appuyez sur la touche Maj et faites glisser le point de contrôle du plan de la grille de droite jusqu'à ce que les libellés des dimensions affichent approximativement 3 cm. Relâchez le bouton de la souris, puis la touche Maj.

La touche Maj permet de déplacer le plan de la grille et l'illustration qu'il contient perpendiculairement à leur position d'origine.

▶ **Astuce :** Si vous sélectionnez un ou plusieurs objets sur le plan de la grille actif et si vous faites ensuite glisser le point de contrôle de la grille en appuyant sur la touche Maj, vous verrez que seuls les objets sélectionnés sont déplacés avec le plan de la grille.

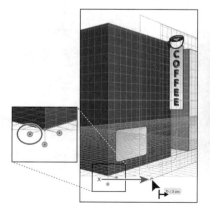

▶ **Astuce :** Lorsque vous faites glisser un point de contrôle du plan de la grille, appuyez sur Maj+Alt (Windows) ou Maj+Option (Mac OS) pour déplacer une copie des objets avec le plan.

Le déplacement d'un point de contrôle du plan de la grille avec l'outil Sélection de perspective n'est pas très précis. À la place, vous pouvez saisir des valeurs exactes, une méthode que vous allez employer à présent.

4. Double-cliquez sur le point de contrôle du plan de la grille que vous venez de faire glisser. Fixez Emplacement à **1,25 cm** et cochez Déplacer tous les objets. Cliquez sur OK.

Dans la boîte de dialogue Plan de fuite à droite, l'option Ne pas déplacer permet de déplacer le plan de la grille sans toucher aux objets associés. L'option Copier les objets sélectionnés déplace le plan de la grille, en embarquant une copie des objets du plan au cours de l'opération.

L'emplacement commence à 0, c'est-à-dire au point de situation. Ce point est indiqué par le petit losange vert au-dessus du point de contrôle du plan de la grille horizontale (sur la figure, il est repéré par une flèche).

Vous allez employer la même méthode pour déplacer le point de contrôle du plan de la grille de gauche.

5. Double-cliquez sur le point de contrôle du plan de la grille de gauche. Fixez Emplacement à **−1 cm** et cochez Déplacer tous les objets. Cliquez sur OK.

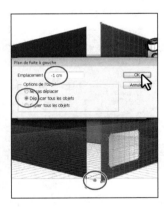

Les plans se déplacent vers la droite lorsque vous indiquez une valeur positive, et vers la gauche avec une valeur négative.

Les plans de la grille et les objets sont désormais à leur place, à l'exception de l'enseigne et du côté gauche du second bâtiment gris. Vous les déplacerez ultérieurement. Vous allez à présent ajouter un rectangle au bâtiment rouge.

6. Ouvrez le panneau Calques en cliquant sur son icône (⬧) sur la droite de l'espace de travail. Activez le calque Center face.

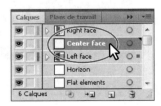

7. Fermez le panneau Calques en cliquant sur son icône.

8. À partir du groupe de l'outil Rectangle arrondi du panneau Outils, activez l'outil Rectangle (▭). Cliquez sur Aucune grille active dans le widget de changement de plan. Cela vous permet de dessiner sans perspective.

9. En partant de l'angle supérieur droit du rectangle rouge sur le plan de la grille de gauche, faites glisser vers le bas et la droite, jusqu'à l'angle inférieur gauche du rectangle rouge sur le plan de la grille de droite (voir figure).

10. Le rectangle étant sélectionné, changez la couleur de fond à building corner depuis le panneau Contrôle.

11. Choisissez Sélection > Désélectionner puis Fichier > Enregistrer.

Le bâtiment rouge commence à prendre forme. Vous allez repositionner l'enseigne et ajouter des rectangles pour la relier au mur. Pour cela, vous devrez déplacer un plan de grille afin qu'il corresponde à l'enseigne.

1. Dans le panneau Outils, activez l'outil Sélection de perspective (⯌). Sélectionnez l'enseigne Coffee. Choisissez Objet > Perspective > Déplacer le plan.

Cette action déplace le plan de la grille de gauche pour qu'il corresponde à l'enseigne. Vous pouvez ainsi dessiner ou ajouter du contenu sur le même plan que l'enseigne.

2. Choisissez Sélection > Désélectionner. Dans le panneau Outils, activez l'outil Zoom (🔍) et tracez un rectangle de sélection autour de l'enseigne de manière à agrandir son affichage.

3. Vérifiez que la grille de gauche est sélectionnée dans le widget de changement de plan, puis activez l'outil Rectangle dans le panneau Outils.

Vous allez à présent dessiner des rectangles entre le bâtiment et l'enseigne afin de l'accrocher au mur.

4. En partant du bord gauche de l'enseigne, faites glisser vers le bas et la gauche pour dessiner un petit rectangle (voir figure). Il représente un premier point d'attache de l'enseigne.

5. Le rectangle étant sélectionné, fixez sa couleur de fond à light blue depuis le panneau Contrôle.

● **Note :** Les angles des rectangles ne sont peut-être pas parfaitement alignés. Si vous voulez que ce soit le cas, activez l'outil Sélection de perspective et sélectionnez chaque rectangle. Ensuite, à l'aide des repères commentés, déplacez les points d'angle pour les aligner.

● **Note :** Si vous souhaitez simplement déplacer l'enseigne en perspective avec l'outil Sélection de perspective, vous n'avez pas besoin de déplacer le plan pour le faire correspondre à cet objet.

▶ **Astuce :** Vous pouvez masquer ou repositionner le widget de changement de plan en double-cliquant sur l'outil Grille de perspective (⊞) ou sur l'outil Sélection de perspective (⯌) et en changeant ensuite les options dans la boîte de dialogue Options de grille de perspective.

6. Dans le panneau Outils, activez l'outil Sélection de perspective (). Appuyez sur les touches Maj+Alt (Windows) ou Maj+Option (Mac OS) et faites glisser le rectangle vers le bas de manière à créer le point d'attache inférieur de l'enseigne. Relâchez le bouton de la souris, puis les touches de modification. Vous devrez peut-être augmenter le facteur de zoom.

7. Le nouveau rectangle étant sélectionné, appuyez sur la touche Maj, cliquez sur le premier rectangle et sur l'enseigne puis choisissez Objet > Associer.

▶ **Astuce :** Des effets peuvent être appliqués à des objets en perspective. Par exemple, vous pouvez appliquer un effet d'extrusion 3D (Effet > 3D > Extrusion et biseautage) au groupe de l'enseigne.

8. Tout en appuyant sur Maj, faites glisser le groupe vers la droite afin qu'il semble accroché au bâtiment. Il n'est pas nécessaire que la position de l'enseigne corresponde exactement à celle de la figure.

9. Choisissez Affichage > Ajuster le plan de travail à la fenêtre.

10. Avec l'outil Sélection de perspective, sélectionnez le rectangle rouge qui représente le côté gauche du bâtiment. Choisissez Objet > Perspective > Déplacer le plan pour qu'il corresponde à l'objet.

▶ **Astuce :** Pour replacer le plan de la grille de gauche sur le mur du bâtiment, vous pouvez également double-cliquer sur le point de contrôle du plan de la grille de gauche, fixer Emplacement à –1 cm, sélectionner Ne pas déplacer et cliquer sur OK.

11. Choisissez Sélection > Désélectionner.

Vous allez à présent mettre à sa place le rectangle gris moyen qui représente la partie gauche du second bâtiment. Pour voir un plan de grille pendant que vous faites glisser le rectangle, vous pouvez aligner temporairement le plan de la grille de gauche sur l'objet.

12. Appuyez deux fois sur Ctrl++ (Windows) ou Cmd++ (Mac OS) pour agrandir l'affichage de la grille de perspective et de l'illustration.

● **Note :** Si vous avez du mal à voir le rectangle gris moyen derrière l'enseigne, choisissez Affichage > Tracés, pour le sélectionner à l'aide de son bord, puis choisissez Affichage > Aperçu.

13. Avec l'outil Sélection de perspective, sélectionnez le rectangle gris moyen qui se trouve derrière l'enseigne Coffee sign (voir figure).

14. Tout en appuyant sur la touche Maj, positionnez le pointeur au-dessus du point d'angle inférieur droit du rectangle gris moyen. Relâchez la touche Maj.

Le plan de la grille de gauche est temporairement aligné sur le rectangle gris moyen. Autrement dit, vous pouvez dessiner ou ajouter du contenu à la grille de ce plan. Vous pouvez positionner le pointeur sur n'importe quel point d'angle et appuyer sur la touche Maj pour obtenir le même résultat.

● **Note :** Les repères commentés doivent être actifs (Affichage > Repères commentés) pour que vous puissiez positionner automatiquement le plan en utilisant la touche Maj.

15. Faites glisser vers la droite le point central droit du rectangle gris moyen de manière à l'aligner avec le bord du rectangle gris clair.

● **Note :** Il n'est pas nécessaire de positionner le plan de la grille pour redimensionner ou déplacer un objet en perspective avec l'outil Sélection de perspective.

Après avoir déplacé le rectangle, vous constatez que le plan de la grille de gauche revient à son emplacement initial. Le repositionnement du plan de la grille n'était que temporaire.

16. Choisissez Sélection > Désélectionner puis Fichier > Enregistrer.

Positionner automatiquement un plan

En recourant aux options de positionnement automatique des plans, vous avez toute latitude pour déplacer provisoirement le plan actif au seul passage du pointeur de la souris sur le point d'ancrage ou le point d'intersection des lignes de référence en appuyant sur la touche Maj.

Options de grille de perspective

☑ Afficher le widget du plan actif

Position du widget : En haut à gauche ▼

Positionnement automatique de plan
Avec l'outil de sélection de perspective, passez la souris sur les points suivants tout en maintenant la touche Maj enfoncée pour déplacer temporairement le plan actif à cet emplacement.

☑ Point d'ancrage de l'illustration en perspective
☑ Intersection de lignes de référence

OK

Annuler

Les options de positionnement automatique des plans sont disponibles dans la boîte de dialogue Options de grille de perspective. Pour l'afficher, cliquez deux fois sur l'icône de l'outil Grille de perspective (⊞) ou sur celle de l'outil Sélection de perspective (▶) dans le panneau Outils.

Extrait de l'Aide d'Illustrator

Ajout et modification de texte en perspective

Lorsque la grille est affichée, vous ne pouvez pas ajouter directement du texte sur un plan de perspective. Cependant, vous pouvez mettre du texte en perspective après l'avoir créé en mode Normal. Vous allez à présent ajouter une enseigne au-dessus de l'une des fenêtres.

● **Note :** N'hésitez pas à agrandir l'affichage de l'illustration en appuyant deux fois sur Ctrl++ (Windows) ou Cmd++ (Mac OS).

1. Ouvrez le panneau Calques en cliquant sur son icône (●) sur la droite de l'espace de travail. Vérifiez que le calque Left face est actif. Fermez le panneau en cliquant de nouveau sur son icône.

2. Dans le panneau Outils, activez l'outil Texte (**T**).

3. Cliquez sur un espace vide du plan de travail et saisissez **Coffee**.

● **Note :** Si les options de formatage ne sont pas visibles dans le panneau Contrôle, cliquez sur le mot Caractère pour afficher le panneau correspondant.

4. Sélectionnez le texte avec l'outil Texte et, depuis le panneau Contrôle, fixez sa police à Myriad Pro, son corps à **48 pt** et son style à Bold.

5. Dans le panneau Outils, activez l'outil Sélection de perspective (●). Appuyez sur la touche 1 pour sélectionner la grille de gauche, puis faites glisser le texte au-dessus de la fenêtre du mur gauche.

Créez le texte Coffee.

Déplacez le texte en perspective.

Vous allez à présent modifier le texte pendant qu'il est en perspective.

▶ **Astuce :** Vous pouvez également entrer en mode Isolation pour modifier le texte. Pour cela, cliquez sur le bouton Modifier le texte (●) dans le panneau Contrôle.

6. L'objet de texte étant toujours sélectionné, double-cliquez dessus avec l'outil Sélection de perspective. Vous passez alors en mode Isolation, ce qui vous permet de modifier le texte à la place de l'objet en perspective.

7. En mode Isolation, l'outil Texte (**T**) est sélectionné automatiquement. Insérez le curseur dans le texte "Coffee", appuyez sur la barre d'espacement et saisissez **Shop**. Appuyez deux fois sur la touche Échap pour sortir du mode Isolation et revenir à l'objet en perspective.

▶ **Astuce :** Pour quitter le mode Isolation, vous pouvez également cliquer deux fois sur la flèche grise qui se trouve sous l'onglet du document dans la partie supérieure de la fenêtre de document.

8. Avec l'outil Sélection de perspective, appuyez sur la touche Maj et faites glisser le coin supérieur droit de l'objet de texte vers le haut et la droite de manière à l'agrandir légèrement. Nous lui avons donné une largeur d'environ 9,5 cm. Relâchez le bouton de la souris, puis la touche de modification.

Modifiez le texte Coffee.

Redimensionnez le texte.

9. Cliquez sur l'icône du panneau Styles graphiques (🗒) sur la droite de l'espace de travail. L'objet de texte étant sélectionné, cliquez sur le style nommé "Text" dans le panneau Styles graphiques. Fermez ce panneau en cliquant sur son icône.

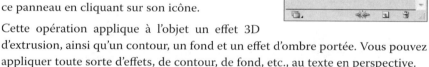

● **Note :** Pour de plus amples informations sur les styles graphiques, consultez la Leçon 13, "Les attributs d'aspect et les styles graphiques".

Cette opération applique à l'objet un effet 3D d'extrusion, ainsi qu'un contour, un fond et un effet d'ombre portée. Vous pouvez appliquer toute sorte d'effets, de contour, de fond, etc., au texte en perspective.

10. Choisissez Affichage > Ajuster le plan de travail à la fenêtre.

11. Appuyez sur Maj+Ctrl+I (Windows) ou Maj+Cmd+I (Mac OS) pour masquer temporairement la grille de perspective.

12. Choisissez Sélection > Désélectionner puis Fichier > Enregistrer.

Manipulation de symboles en perspective

Lorsque la grille est affichée, l'ajout de symboles à un plan de perspective est une bonne manière d'ajouter plusieurs éléments identiques, comme des fenêtres. À l'instar du texte, vous pouvez placer des symboles en perspective après les avoir créés en mode Normal. Dans la suite, vous allez ajouter des fenêtres au bâtiment rouge à partir d'un symbole de fenêtre préexistant.

● **Note :** Pour de plus amples informations sur les symboles, consultez la Leçon 14, "Les symboles".

Ajouter des symboles à la grille de perspective

Note : Cliquer sur le côté gauche du bâtiment déclenche deux actions : le plan de la grille de gauche est activé dans le widget de changement de plan et le calque Left face est sélectionné dans le panneau Calques (car le rectangle rouge se trouve sur ce calque).

1. Appuyez sur Maj+Ctrl+I (Windows) ou Maj+Cmd+I (Mac OS) pour afficher la grille de perspective. Appuyez ensuite deux fois sur Ctrl++ (Windows) ou Cmd++ (Mac OS) pour agrandir l'affichage de la grille de perspective et de l'illustration.

2. Activez l'outil Sélection de perspective (🐾) et cliquez ensuite sur le côté gauche du bâtiment rouge situé sur le plan de la grille de gauche.

Vous allez à présent associer une fenêtre au plan de la grille de gauche et la placer sur le calque Left face.

3. Ouvrez le panneau Symboles en cliquant sur son icône (♣) sur la droite de l'espace de travail. Faites glisser le symbole window1 depuis ce panneau vers le mur gauche du bâtiment rouge. Notez que le symbole n'est pas en perspective.

4. Avec l'outil Sélection de perspective, faites glisser la fenêtre au-dessus du texte Coffee Shop pour l'associer au plan de la grille de gauche. Ensuite, faites-la glisser vers le coin supérieur gauche du mur gauche du bâtiment rouge. Alignez-la sur la grille.

Note : Assurez-vous que la fenêtre est proche du sommet du bâtiment. En effet, vous allez ajouter une autre rangée de fenêtres sous celle-ci. Référez-vous à la figure pour son emplacement.

Faites glisser le symbole sur le plan de travail.

Placez-le en perspective.

Transformer des symboles en perspective

1. Avec l'outil Sélection de perspective (🐾), double-cliquez sur la fenêtre sur le plan de la grille de gauche. La boîte de dialogue qui s'affiche indique que vous allez modifier la définition du symbole. Autrement dit, si vous modifiez le contenu, tous les symboles de fenêtre présents sur le plan de travail, appelés *instances*, seront modifiés. Cliquez sur OK.

2. Dans le panneau Outils, activez l'outil Sélection (▶). Choisissez Sélection > Tout sur le plan de travail actif. Tout en appuyant sur Maj, faites glisser l'angle inférieur droit de la fenêtre vers le haut et la gauche afin de réduire sa taille. Lorsque les libellés des dimensions affichent une largeur d'environ 0,6 pouce, relâchez le bouton de la souris, puis la touche Maj.

3. Appuyez sur la touche Échap pour quitter le mode Isolation. Vous voyez que la fenêtre est devenue plus petite.

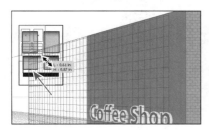 

La fenêtre sur la grille doit être alignée avec le rectangle arrondi qui se trouve en partie inférieure du mur du bâtiment. Pour cela, vous allez repositionner l'origine de la grille. Si vous décalez l'origine, les coordonnées X et Y du plan horizontal et la coordonnée X des plans verticaux sont affectées. Lorsque vous sélectionnez un objet en perspective alors que la grille est visible, les coordonnées X et Y affichées dans les panneaux Transformation et Infos changent avec le décalage de l'origine.

4. Dans le panneau Outils, activez l'outil Sélection de perspective. Sélectionnez le rectangle arrondi de la fenêtre située sur le mur gauche du bâtiment rouge, sous le texte Coffee Shop. Choisissez Fenêtre > Transformation pour ouvrir ce panneau. Notez les mesures X et Y.

5. Dans le panneau Outils, activez l'outil Grille de perspective (⬛). Positionnez le pointeur sur le point d'origine en bas et au centre du mur de brique frontal du bâtiment rouge. Le pointeur (▶ₒ) présente un petit cercle. Faites glisser le point d'origine vers l'angle inférieur gauche du rectangle rouge sur le plan de la grille de gauche.

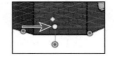

▶ **Astuce :** Pour afficher les règles sur la grille de perspective, choisissez Affichage > Grille de perspective > Afficher les règles. Cette action affiche une règle sur chaque plan de la grille, avec les unités fixées dans la boîte de dialogue Définir la grille de perspective.

Vous fixez alors le point 0,0 (origine) pour les coordonnées X et Y du plan horizontal et la coordonnée X des plans verticaux.

6. Dans le panneau Outils, activez l'outil Sélection de perspective. Sélectionnez le rectangle arrondi de la fenêtre, puis cliquez sur le point de référence inférieur gauche (▦) dans le panneau Transformation. Fixez X à **0,75 cm**.

7. Sélectionnez la fenêtre qui se trouve au-dessus du rectangle arrondi et fixez la valeur X à **0,75 cm**. Vous alignez ainsi les bords gauches des deux objets, à la distance indiquée par rapport au point d'origine.

● **Note :** Pour réinitialiser le point d'origine, vous pouvez activer l'outil Grille de perspective dans le panneau Outils et double-cliquer sur le point d'origine.

Faites glisser le point d'origine.

Repositionnez la première fenêtre.

Repositionnez la deuxième fenêtre.

8. Fermez le panneau Transformation.

9. Tout en appuyant sur Maj+Alt (Windows) ou Maj+Option (Mac OS), faites glisser la fenêtre vers la droite jusqu'à ce que les libellés des dimensions affichent un décalage en X d'environ 2,5 cm. Relâchez le bouton de la souris, puis les touches. Vous créez ainsi une copie de la fenêtre en perspective.

10. Choisissez Objet > Transformation > Répéter la transformation pour reproduire la transformation. Appuyez une fois sur Ctrl+D (Windows) ou Cmd+D (Mac OS) pour répéter la transformation. Notez que les copies sont en perspective.

● **Note :** Cliquer sur les fenêtres tout en appuyant sur Maj risque de les déplacer. Si cela se produit, choisissez Édition > Annuler Déplacer la perspective et recommencez.

11. Activez l'outil Sélection de perspective, appuyez sur la touche Maj et cliquez sur les fenêtres de la rangée pour les sélectionner toutes.

12. Tout en appuyant sur Maj+Alt (Windows) ou Maj+Option (Mac OS), faites glisser les fenêtres vers le bas, juste au-dessus du texte Coffee Shop. Relâchez le bouton de la souris, puis les touches de modification. Vous avez créé une copie des fenêtres en perspective, obtenant un total de huit fenêtres.

Faites glisser une copie de la fenêtre.

Répétez la transformation.

Faites glisser une copie des fenêtres.

13. Choisissez Sélection > Désélectionner.

14. Avec l'outil Sélection de perspective, tracez un rectangle de sélection autour des quatre fenêtres de droite, au-dessus du mot "Shop". Appuyez sur la touche Maj et cliquez sur le rectangle rouge sur le plan de la grille de gauche pour le retirer de la sélection.

Sélectionnez les fenêtres de droite.

Retirez le rectangle de la sélection.

L'étape suivante se traduit par une suite de commandes à réaliser dans un ordre précis. Soyez attentif.

15. Les quatre fenêtres étant sélectionnées, faites-les glisser vers la droite. Ne relâchez pas encore le bouton de la souris. Appuyez sur la touche 3 pour passer au plan de la grille de droite. Appuyez sur la touche Alt (Windows) ou Option (Mac OS) et continuez à faire glisser les fenêtres vers l'angle supérieur gauche du côté droit du bâtiment rouge. Essayez d'aligner le bord gauche des fenêtres avec le rectangle arrondi sur le plan de la grille de droite. Lorsque les fenêtres sont en place, relâchez le bouton de la souris puis la touche de modification. Conservez les fenêtres sélectionnées.

Les fenêtres copiées se trouvent sur un calque inférieur à celui du rectangle sur le côté droit du bâtiment. Vous devez les déplacer sur le même calque.

Faites glisser et changez de plan.

Faites glisser une copie des fenêtres.

16. Choisissez Édition > Couper.

17. Ouvrez le panneau Calques en cliquant sur son icône (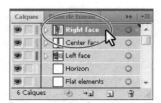) sur la droite de l'espace de travail. Activez le calque Right face.

18. Choisissez Édition > Coller sur place.

19. Choisissez Sélection > Désélectionner.

20. Choisissez Affichage > Ajuster le plan de travail à la fenêtre puis Fichier > Enregistrer.

Annulation de la perspective d'un contenu

Il arrivera que vous souhaitiez réutiliser des objets actuellement en perspective ou que vous vouliez dissocier un objet d'un plan de la grille. Illustrator permet de libérer un objet de son plan de perspective associé et de le rendre disponible sous forme d'une illustration normale. Voilà votre prochaine tâche.

1. Avec l'outil Sélection de perspective (⬟), sélectionnez le texte Coffee Shop sur le côté gauche du bâtiment rouge.

2. Choisissez Objet > Perspective > Annuler la perspective.

3. Choisissez Sélection > Désélectionner.

4. Activez l'outil Sélection de perspective, appuyez sur la touche Maj et faites glisser le point de contrôle du plan de la grille de gauche jusqu'à ce que les libellés des dimensions affichent une distance d'environ −2,6 cm. Relâchez le bouton de la souris, puis la touche de modification. Cette opération montre que le texte Coffee Shop ne se déplace pas avec la grille et qu'il en a bien été retiré.

5. Choisissez Édition > Annuler Modifier la grille de perspective puis Édition > Annuler Annuler la perspective.

6. Dans le panneau Calques, cliquez sur l'icône de visibilité située à gauche du calque Background pour l'afficher.

7. Choisissez Sélection > Désélectionner puis Fichier > Enregistrer.

À vous de jouer

Pour améliorer votre pratique, vous allez créer un trottoir et des portes.

1. Ouvrez le panneau Calques en cliquant sur son icône (⬥). Activez le calque Horizon.

2. Activez l'outil Rectangle et appuyez sur la touche 2 pour sélectionner la grille horizontale. Positionnez le pointeur à environ 2,5 cm sous le bord inférieur du mur en briques frontal et faites glisser vers le haut en direction de la ligne d'horizon. Ce rectangle représentera un trottoir. Activez l'outil Sélection de perspective (⬥) et faites glisser les points d'angle du rectangle afin qu'il ressemble à la forme grise sous les bâtiments de la figure ci-après.

3. À partir du panneau Contrôle, fixez la couleur de fond du trottoir à gris.

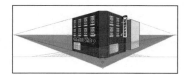

4. Dans le panneau Calques, sélectionnez le calque Left face.

5. Avec l'outil Rectangle (▦), créez une porte pour le bâtiment rouge sur le plan de la grille de gauche.

6. Choisissez Fichier > Enregistrer puis Fichier > Fermer.

Révisions

Questions

1. Il existe trois grilles prédéfinies. Décrivez brièvement leurs utilisations.

2. Comment pouvez-vous afficher ou masquer la grille de perspective ?

3. Avant de dessiner du contenu sur un plan de la grille, que devez-vous faire pour être certain que l'objet se trouve sur le plan approprié ?

4. Décrivez les étapes nécessaires au déplacement d'un contenu d'un plan de la grille à un autre.

5. Que permet un double-clic sur un point de contrôle du plan de la grille ?

6. Comment pouvez-vous déplacer un objet perpendiculairement à la grille ?

Réponses

1. Une perspective à un point est très utile pour dessiner des routes, des voies ferrées ou des bâtiments vus de face. Une perspective à deux points permet de dessiner un cube, comme un bâtiment, ou deux routes partant au loin, et possède en général deux points de fuite. Une perspective à trois points est souvent employée avec des bâtiments vus du dessus ou du dessous. Outre les points de fuite pour chaque mur, il existe un point de fuite montrant les murs s'enfonçant dans le sol ou s'élevant dans les airs.

2. Il existe plusieurs méthodes : a) activer l'outil Grille de perspective (⊞) dans le panneau Outils ; b) choisir Affichage > Grille de perspective > Afficher la grille/Masquer la grille ; c) appuyer sur Maj+Ctrl+I (Windows) ou Maj+Cmd+I (Mac OS).

3. On doit sélectionner le plan de la grille approprié. Pour cela, il faut : le choisir dans le widget de changement de plan ; utiliser les raccourcis clavier Grille de gauche (1), Grille horizontale (2), Grille de droite (3) ou Aucune grille active (4) ; activer l'outil Sélection de perspective (▶).

4. Les objets étant sélectionnés, il faut commencer à faire glisser puis, sans relâcher, appuyer sur la touche 1, 2, 3 ou 4 (selon la grille à laquelle les objets seront associés) pour basculer vers le plan de la grille choisie.

5. De déplacer ce plan. On peut préciser si le contenu associé au plan doit être déplacé et s'il doit être copié.

6. L'outil Sélection de perspective étant actif, on appuie sur la touche 5 et on fait glisser l'objet.

Les fonds en dégradé sont des dégradés progressifs contenant au moins deux couleurs. Vous vous servirez de l'outil et du panneau Dégradé de couleurs pour créer ou modifier un dégradé de couleurs. L'outil Dégradé de formes combine les formes et les couleurs d'un objet pour créer un nouvel objet dégradé ou une série de formes intermédiaires.

Les dégradés de formes et de couleurs

10

Au cours de cette leçon, vous apprendrez à :

- créer et enregistrer des dégradés ;

- ajouter des couleurs à un dégradé ;

- régler la direction d'un dégradé de couleurs ;

- régler l'opacité d'une couleur dans un dégradé ;

- créer des dégradés de couleurs lissées entre objets ;

- créer un dégradé de formes de plusieurs objets avec étapes intermédiaires ;

- modifier un dégradé, sa forme et sa couleur.

Cette leçon vous prendra environ une heure. Si nécessaire, supprimez le dossier de la leçon précédente de votre disque dur et copiez le dossier Lesson10.

Mise en route

Vous allez explorer les différentes manières de créer vos propres couleurs et dégradés de couleurs, et la façon de joindre des couleurs et des formes à l'aide du panneau Dégradé de couleurs et de l'outil Dégradé de formes.

Avant de commencer, restaurez les préférences par défaut d'Adobe Illustrator, puis ouvrez le fichier de l'illustration terminée de cette leçon pour voir ce que vous allez créer.

1. Pour vous assurer que les outils et les panneaux fonctionneront exactement comme ils sont décrits au fil de cette leçon, supprimez ou désactivez (en le renommant) le fichier des préférences d'Adobe Illustrator CS5 (pour en savoir plus, reportez-vous à la section "Rétablissement des préférences par défaut" de l'Introduction).

● **Note :** Si vous n'avez pas encore copié les fichiers de cette leçon sur votre disque dur à partir du dossier Lesson10 du CD-ROM *Adobe Illustrator CS5 Classroom in a Book*, faites-le maintenant. Pour savoir comment procéder, consultez la section "Copie des fichiers d'exercices de *Classroom in a Book*" à la page 2.

2. Lancez Adobe Illustrator CS5.

3. Choisissez Fichier > Ouvrir et chargez le fichier L10end_1.ai, qui se trouve dans le dossier Lesson10 sur votre disque dur.

Le texte, l'arrière-plan, la fumée et le café sont tous coloriés avec des dégradés. Les objets qui composent les grains de café coloriés sur la tasse et ceux à gauche de la tasse ont tous fait l'objet de dégradés de formes.

4. Choisissez Affichage > Zoom arrière pour réduire la vue de l'illustration terminée, si vous souhaitez la conserver à l'écran pendant que vous travaillez. Aidez-vous de l'outil Main (✋) pour placer l'image où bon vous semble dans la fenêtre. Sinon, choisissez Fichier > Fermer.

Pour commencer, vous allez ouvrir un fichier d'illustration existant.

5. Choisissez Fichier > Ouvrir et chargez le fichier L10start_1.ai, situé dans le dossier Lesson10 sur votre disque dur.

6. Choisissez Fichier > Enregistrer sous, nommez le fichier **café.ai** et sélectionnez le dossier Lesson10. Choisissez Adobe Illustrator (*.AI) dans le menu Type (Windows) ou Adobe Illustrator (ai) dans le menu Format (Mac OS), puis cliquez sur Enregistrer. Dans la boîte de dialogue Options Illustrator, gardez les options par défaut et cliquez sur OK.

Les dégradés de couleurs

Un fond en dégradé est un dégradé progressif entre deux couleurs au minimum. Vous pouvez aisément créer vos propres dégradés ou employer ceux fournis avec Adobe Illustrator, les modifier et les enregistrer en tant que nuances pour les utiliser plus tard.

Le panneau Dégradé de couleurs (Fenêtre > Dégradé de couleurs) et l'outil Dégradé de couleurs (▭) permettent d'appliquer, de créer et de modifier des dégradés. Dans le panneau Dégradé de couleurs, la case Fond en dégradé indique les couleurs du dégradé actuel et son type. Lorsque vous cliquez dessus, l'objet sélectionné est rempli à l'aide du dégradé. Le menu Dégradé (▤) présente les dégradés par défaut et ceux enregistrés.

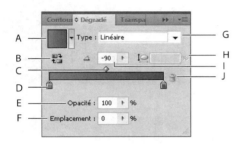

A. Case Fond en dégradé
B. Inverser le dégradé
C. Curseur de dégradé
D. Étape de dégradé
E. Opacité
F. Emplacement
G. Type de dégradé
H. Format des pixels
I. Angle
J. Supprimer la couleur de dégradé

Par défaut, le panneau compte une case de départ et une case d'arrivée de couleur, mais il est possible d'en ajouter d'autres en cliquant sur le curseur de dégradé. Lorsque vous double-cliquez sur une étape de dégradé, le panneau Couleur de cette étape s'affiche : vous pouvez sélectionner une couleur à partir du panneau Nuancier, des curseurs de couleur ou de la pipette.

Dans le panneau Dégradé de couleurs, l'étape de dégradé gauche sous le curseur de dégradé définit la couleur de départ ; l'étape de dégradé droite définit la couleur finale. Une étape de dégradé représente le point auquel un dégradé passe d'une couleur à la suivante.

Créer et appliquer un dégradé linéaire

Vous commencerez par créer un fond en dégradé pour l'arrière-plan.

1. Choisissez Les indispensables dans le commutateur d'espace de travail de la barre d'application.

2. Choisissez Affichage > Ajuster le plan de travail à la fenêtre.

3. Activez l'outil Sélection (▸) et cliquez pour sélectionner le rectangle arrondi d'arrière-plan dans le plan de travail.

L'arrière-plan est colorié d'un fond marron et d'un contour rouge, comme l'indiquent les cases Fond et Contour dans le panneau Outils. La case Dégradé, placée sous ces cases, signale le dernier dégradé de couleurs employé. Si vous avez sélectionné un objet ayant un fond en dégradé ou une nuance de dégradé dans le panneau Nuancier, la case Dégradé du panneau Outils change afin de l'indiquer.

4. Dans le panneau Outils, cliquez sur la case Dégradé (■).

   Le dégradé noir et blanc par défaut s'affiche dans la case Fond et est appliqué à la forme d'arrière-plan sélectionnée.

5. Si le panneau Dégradé de couleurs n'est pas visible sur le côté droit de l'espace de travail, affichez-le en choisissant Fenêtre > Dégradé de couleurs.

6. Dans le panneau Dégradé de couleurs, double-cliquez sur l'étape de dégradé blanche à l'extrême gauche afin de sélectionner la couleur de départ. La pointe de l'étape de dégradé apparaît plus sombre pour indiquer qu'elle est sélectionnée.

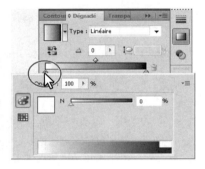

   Lorsque vous double-cliquez sur une étape de couleur, un nouveau panneau s'affiche, dans lequel vous pouvez modifier la couleur de l'étape en utilisant les nuances ou le panneau Couleur.

7. Dans le panneau qui s'affiche sous le panneau Dégradé de couleurs, cliquez sur le bouton Nuancier (▦). Sélectionnez la nuance Light Brown. Le dégradé change sur le plan de travail. Appuyez sur Échap pour fermer le panneau des nuances.

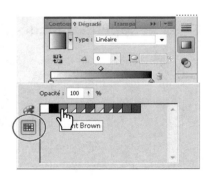

8. Dans le panneau Dégradé de couleurs, double-cliquez sur l'étape de couleur noire pour modifier la couleur associée.

9. Dans le panneau qui s'affiche sous le panneau Dégradé de couleurs, cliquez sur le bouton Couleur (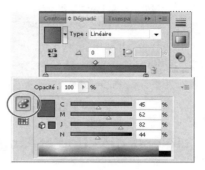) pour ouvrir le panneau du même nom. Dans le menu du panneau Couleur (▼≡), choisissez CMJN si ce mode n'est pas déjà actif. Changez les valeurs à C = **45**, M = **62**, J = **82**, N = **44**. Appuyez sur Échap ou cliquez dans une zone vide du panneau Dégradé de couleurs pour y revenir.

 Astuce : Pour passer d'un champ de texte à l'autre, appuyez sur Tab. Appuyez sur Entrée ou Retour pour appliquer la dernière valeur saisie.

Vous allez à présent enregistrer le dégradé dans le panneau Nuancier.

10. Pour enregistrer le dégradé, cliquez sur le bouton du menu Dégradé (▯), puis sur le bouton Enregistrer dans la bibliothèque de nuances (▯), placé dans la partie inférieure du panneau qui s'affiche.

    Le menu Dégradé affiche la liste de tous les dégradés prédéfinis et préenregistrés parmi lesquels vous pouvez choisir.

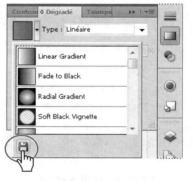

Astuce : Une autre méthode pour enregistrer un dégradé consiste à sélectionner un objet ayant un fond en dégradé puis à cliquer sur la case Fond dans le panneau Outils et, enfin, à cliquer sur le bouton Nouvelle nuance (▯)) situé en bas du panneau Nuancier.

Vous allez maintenant renommer la nuance de dégradé dans le panneau Nuancier.

11. Ouvrez le panneau Nuancier en cliquant sur son icône à droite de l'espace de travail. Dans ce panneau, double-cliquez sur Nouvelle nuance de dégradé 1 pour ouvrir la boîte de dialogue Options de nuances. Saisissez **Arrière-plan** dans le champ Nom de la nuance et cliquez sur OK.

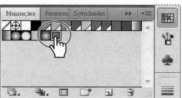

12. Pour afficher uniquement les nuances de dégradés dans le panneau Nuancier, cliquez sur le bouton Afficher le menu de types de nuances (▯), placé au bas du panneau Nuancier, et choisissez Afficher les nuances de dégradé dans le menu.

13. Le rectangle étant toujours sélectionné sur le plan de travail, testez d'autres dégradés à partir du panneau Nuancier. Avant de passer à l'étape suivante, cliquez sur le

Afficher toutes les nuances
Afficher les nuances de couleur
✓ Afficher les nuances de dégradé
Afficher les nuances de motif
Afficher les groupes de couleurs

dégradé Arrière-plan que vous venez d'enregistrer afin d'être certain qu'il est appliqué.

Notez que certains dégradés possèdent plusieurs couleurs. Vous apprendrez à créer un dégradé de plusieurs couleurs plus loin.

14. Cliquez sur le bouton Afficher le menu de types de nuances (▣), placé au bas du panneau Nuancier, et choisissez Afficher toutes les nuances.

15. Choisissez Sélection > Désélectionner.

16. Choisissez Fichier > Enregistrer.

Régler la direction et l'angle d'un dégradé de couleurs

Une fois que vous avez peint un objet avec un dégradé de couleurs, vous pouvez ensuite régler la direction, l'origine et les points de départ et d'arrivée du dégradé à l'aide de l'outil Dégradé de couleurs.

C'est ce que vous allez faire avec le fond en dégradé de la forme d'arrière-plan.

1. Avec l'outil Sélection (▶), sélectionnez le rectangle d'arrière-plan.

2. Dans le panneau Outils, activez l'outil Dégradé de couleurs (▭).

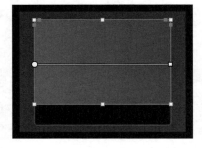

L'outil Dégradé de couleurs fonctionne uniquement sur des objets sélectionnés emplis d'un dégradé. La barre de dégradé horizontale (l'annotateur) qui s'affiche au milieu du rectangle indique la direction du dégradé, le plus grand cercle fixe le point de départ du dégradé et le plus petit cercle indique le point final.

▶ **Astuce :** Vous pouvez masquer la barre de dégradé en choisissant Affichage > Masquer l'annotateur de dégradé de couleurs. Pour la réactiver, choisissez Affichage > Afficher l'annotateur de dégradé de couleurs.

● **Note :** Si vous déplacez le pointeur sur différentes zones de la barre de dégradé, il peut changer. Cela indique une fonctionnalité différente.

3. Déplacez le pointeur au-dessus de l'annotateur de dégradé. Il devient un curseur de dégradé, comparable à celui du panneau Dégradé de couleurs. Vous pouvez vous en servir pour, entre autres, modifier les couleurs sans ouvrir le panneau Dégradé de couleurs.

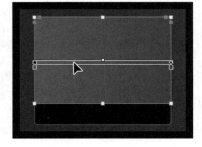

4. Avec l'outil Dégradé de couleurs, cliquez sur le bord supérieur du rectangle tout en appuyant sur la touche Maj et faites glisser vers le bas afin de modifier la position et la direction des couleurs de départ et de fin du dégradé.

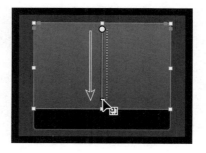

La touche Maj utilisée en conjonction sert à contraindre le dégradé à des angles de 45°.

Entraînez-vous à modifier le dégradé du rectangle. Par exemple, faites glisser l'outil à l'intérieur du rectangle pour créer un dégradé court avec des couleurs distinctes, ou faites-le glisser sur une distance plus longue en dehors du rectangle pour créer un dégradé plus long avec des nuances plus subtiles. Vous pouvez également le faire glisser de la couleur de fin vers la couleur de début, et *vice versa*, pour transposer les couleurs et inverser la direction du mélange.

Vous allez à présent le faire pivoter et le repositionner.

5. Avec l'outil Dégradé de couleurs, placez le pointeur juste à côté du petit carré blanc en bas de l'annotateur de dégradé. Une icône de rotation (⟳) apparaît. Cliquez et faites glisser vers la droite de manière à faire pivoter le dégradé dans le rectangle.

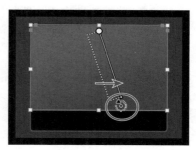

L'annotateur de dégradé et le dégradé tournent, mais, lorsque vous relâchez, la barre de dégradé reste au centre du rectangle.

Vous allez maintenant modifier l'angle de rotation dans le panneau Dégradé de couleurs.

6. Si nécessaire, ouvrez le panneau Dégradé de couleurs en cliquant sur son icône (▬). Dans le champ Angle, fixez l'angle de rotation à **–90** afin de remettre le dégradé à la verticale. Validez en appuyant sur Entrée ou Retour.

7. Le rectangle d'arrière-plan étant toujours sélectionné, choisissez Objet > Verrouiller > Sélection.

8. Choisissez Fichier > Enregistrer.

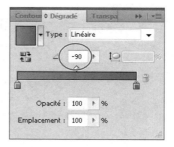

● **Note :** Saisir l'angle de rotation du dégradé dans le panneau Dégradé de couleurs, au lieu de l'ajuster directement sur le plan de travail, permet d'obtenir cohérence et précision.

Créer un dégradé radial

Vous pouvez créer des dégradés linéaires ou radiaux, lesquels ont, tous deux, une couleur de départ et une couleur d'arrivée. Dans un dégradé radial, la couleur de départ (l'étape de dégradé à l'extrême gauche) définit le point central du remplissage, qui s'étend vers l'extérieur avec la couleur d'arrivée (l'étape de dégradé à l'extrême droite). Vous allez à présent créer, puis modifier un dégradé radial.

1. Ouvrez le panneau Calques en cliquant sur son icône (🔖) à droite de l'espace de travail. Cliquez dans la colonne de visibilité à gauche du calque Coffee Cup (vous devrez peut-être faire défiler le panneau Calques).

2. Avec l'outil Sélection (🔖) sélectionnez l'ellipse, dont le fond est marron, en haut de la tasse de café. Elle représente le café dans la tasse.

3. Dans le panneau Outils, activez l'outil Zoom (🔍) et cliquez plusieurs fois sur la tasse à café pour agrandir l'affichage.

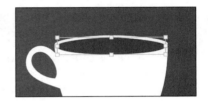

4. L'ellipse étant sélectionnée, cliquez sur la case Dégradé (▣) en bas du panneau Outils pour appliquer le dernier dégradé sélectionné (le dégradé Arrière-plan). Le panneau Dégradé de couleurs apparaît sur le côté droit de l'espace de travail.

   Le dégradé linéaire que vous avez créé et enregistré précédemment remplit l'ellipse. Vous allez le convertir en dégradé radial et le modifier.

5. Dans le panneau Dégradé de couleurs, choisissez Radial dans le menu Type afin de convertir le dégradé en un dégradé radial. Gardez l'ellipse sélectionnée.

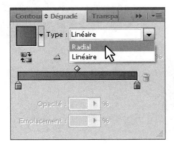
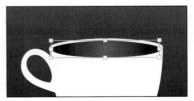

Changer des couleurs et ajuster le dégradé

Une fois qu'un objet est rempli avec un dégradé, l'outil Dégradé de couleurs permet d'ajouter ou de modifier des dégradés, notamment d'en changer la direction, la couleur et l'origine. Vous pouvez également déplacer leurs points de départ et d'arrivée.

Vous allez vous servir de l'outil Dégradé de couleurs pour ajuster la couleur de chaque étape de dégradé.

1. Activez l'outil Zoom (🔍) et cliquez une fois pour agrandir l'affichage de l'ellipse qui se trouve en haut de la tasse à café.

2. Avec l'outil Dégradé de couleurs (▭), survolez la barre de dégradé afin d'afficher le curseur de dégradé. Le cercle en pointillés qui l'entoure indique qu'il s'agit d'un dégradé radial. Double-cliquez sur l'étape de dégradé à l'extrême droite afin de la modifier. Dans le panneau qui apparaît, cliquez sur le bouton Couleur (🎨), s'il n'est pas déjà sélectionné.

3. Appuyez sur la touche Maj, cliquez sur le curseur Cyan et faites-le glisser légèrement vers la droite pour foncer la couleur. Appuyez sur Échap pour fermer le panneau.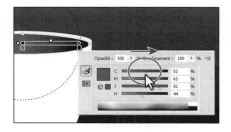

4. Dans le curseur de dégradé du plan de travail, double-cliquez sur l'étape de dégradé à l'extrême gauche. Dans le panneau qui apparaît, cliquez sur le bouton Couleur (🎨) et fixez la teinte à **50 %** en faisant glisser le curseur Teinte vers la gauche ou en saisissant **50** dans le champ T. Appuyez sur Échap pour fermer le panneau.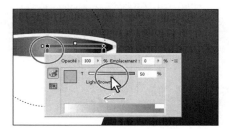

Vous allez à présent modifier le format des pixels, l'origine et le rayon du dégradé.

Note : Le format des pixels est une valeur entre 0,5 et 32 767 %. Plus cette valeur est petite, plus l'ellipse est aplatie et large.

5. Dans le panneau Dégradé de couleurs, fixez la valeur de Format des pixels à **20** et validez par Entrée ou Retour.

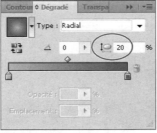

Le format des pixels transforme le dégradé radial en dégradé elliptique. Le café semble ainsi plus réaliste.

Vous allez renouveler l'opération mais, cette fois, en utilisant l'outil Dégradé de couleurs.

6. Avec l'outil Dégradé de couleurs, cliquez sur le cercle noir supérieur du tracé en pointillés et faites-le glisser vers le haut pour modifier le format des pixels.

Relâchez et examinez le dégradé dans l'el-lipse sur le plan de travail. Si le panneau Dégradé de couleurs n'est pas affiché, cliquez sur son icône. Le champ Format des pixels contient à présent une valeur supérieure à 20.

7. Faites glisser vers le bas le cercle noir supé-rieur du tracé en pointillés afin d'obtenir une valeur de Format des pixels d'environ 14 % dans le panneau Dégradé de couleurs.

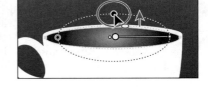

Repositionnez maintenant le dégradé dans l'ellipse.

8. Avec l'outil Dégradé de couleurs, cliquez sur le curseur de dégradé et faites-le glisser légèrement vers le bas afin de déplacer le dégradé dans l'ellipse.

9. Choisissez Édition > Annuler Dégradé de couleurs pour remettre le dégradé à sa place initiale.

10. Choisissez Fichier > Enregistrer.

Vous allez à présent modifier le rayon et l'origine du dégradé.

11. Avec l'outil Dégradé de couleurs, placez le
    pointeur au-dessus de l'ellipse afin d'affi-
    cher le curseur de dégradé. Cliquez sur le
    cercle noir de gauche du tracé en pointillés
    et faites-le glisser vers la droite pour réduire
    le rayon. La transition entre les étapes de
    dégradé gauche et droite est ainsi raccourcie.

▶ **Astuce :** Pour modifier
le rayon, vous pouvez
également faire glisser
la deuxième étape de
dégradé vers la droite ou
la gauche.

Faites glisser le cercle noir de gauche du tracé en pointillés vers la gauche et vers
la droite pour voir l'effet de cette opération sur le dégradé. Une fois ces essais
terminés, replacez-le à l'emplacement indiqué par la figure ci-dessus.

Poursuivez le travail en modifiant l'origine du dégradé.

12. Avec l'outil Dégradé de couleurs, cliquez sur le petit point blanc qui se trouve à
    gauche de l'étape de dégradé à l'extrême gauche et faites-le glisser vers la gauche.
    Ce point repositionne le centre de dégradé (l'étape de dégradé à l'extrême gauche),
    sans déplacer l'intégralité de la barre de dégradé, et modifie son rayon.

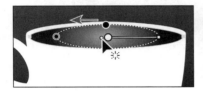

Chaque dégradé possède au moins deux étapes de dégradé. En modifiant la couleur de chacune d'elles et en en ajoutant, que ce soit dans le panneau Dégradé
de couleurs ou avec l'outil Dégradé de couleurs, vous pouvez créer des dégradés
personnalisés.

Ajoutez une troisième couleur à l'ellipse du café avant de la modifier.

13. Avec l'outil Dégradé de couleurs, placez le
    pointeur au-dessus du bord inférieur du
    curseur de dégradé. Le pointeur devient
    une flèche blanche avec un signe plus (κ_+)
    Cliquez juste en dessous du curseur de
    dégradé, au milieu, pour ajouter une autre
    étape de dégradé.

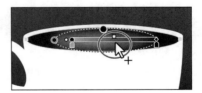

14. Double-cliquez sur la nouvelle étape pour modifier la couleur. Dans le panneau qui apparaît, cliquez sur le bouton Nuancier (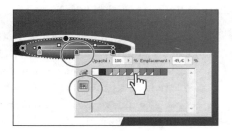) et sélectionnez la nuance Brown. Appuyez sur Échap pour fermer le panneau.

Vous voici avec trois étapes de dégradé, dont vous allez régler les couleurs en les réordonnant.

15. Avec l'outil Dégradé de couleurs, cliquez sur l'étape de dégradé à l'extrême gauche et faites-la glisser vers la droite, en l'arrêtant avant l'étape de dégradé centrale.

16. Déplacez l'étape de dégradé centrale jusqu'à l'extrémité gauche du curseur de dégradé pour échanger les deux couleurs.

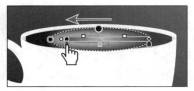

Faites glisser vers la droite l'étape de dégradé située le plus à gauche, et vers la gauche l'étape de dégradé située au centre.

17. Choisissez Sélection > Désélectionner puis Fichier > Enregistrer.

Appliquer des dégradés à plusieurs objets

Pour appliquer un dégradé à plusieurs objets, il suffit de les sélectionner, d'appliquer une couleur en dégradé et de faire ensuite glisser l'outil Dégradé de couleurs au travers des objets.

Vous allez peindre du texte vectorisé avec un fond en dégradé linéaire, puis modifier ses couleurs.

1. Choisissez Affichage > Ajuster le plan de travail à la fenêtre.

Note : Le texte, les grains de café et l'ellipse sont toujours visibles.

2. Ouvrez le panneau Calques en cliquant sur son icône (🔲). Affichez le calque Logo en cliquant dans la colonne de visibilité à sa gauche (vous devrez peut-être faire défiler le panneau Calques vers le haut). Cliquez sur l'icône de visibilité (👁) à gauche du calque Background pour le masquer.

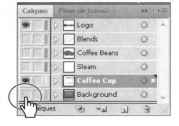

3. Avec l'outil Sélection (), cliquez sur le texte "Mike's Coffee".

Ce texte a déjà été vectorisé afin que vous puissiez le remplir avec un dégradé.

Les formes du texte "Mike's Coffee" constituent un groupe. En regroupant les lettres, vous pouvez remplir chacune d'elles, en une fois, avec le même dégradé. Cela vous permet également de modifier le fond en dégradé de manière globale.

Note : Pour vectoriser du texte, sélectionnez-le avec l'outil Sélection et choisissez Texte > Vectoriser. Pour en savoir plus, consultez la Leçon 7, "Manipulation de texte".

4. Ouvrez le panneau Dégradé de couleurs en cliquant sur son icône (⬜). Cliquez sur le bouton du menu Dégradé (▤) et sélectionnez Linear Gradient dans le menu. Vous appliquez ainsi un dégradé blanc vers noir.

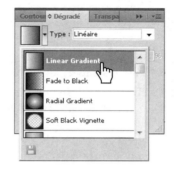

5. Dans le panneau Dégradé de couleurs, double-cliquez sur l'étape de dégradé à l'extrême gauche afin de modifier la couleur de départ du dégradé. Cliquez sur le bouton Nuancier (▦) et sélectionnez la nuance Light Red (rouge clair). Appuyez sur Échap pour fermer le panneau.

Note : Chaque lettre est peinte avec le dégradé de manière indépendante. Vous pouvez régler cela à l'aide de l'outil Dégradés de couleurs.

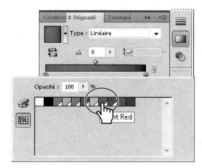

Vous allez ajuster le dégradé des lettres afin qu'il s'applique au travers de toutes les lettres et lui ajouter des couleurs intermédiaires pour créer un fond avec plusieurs variations de couleurs.

6. Dans le panneau Outils, activez l'outil Dégradé de couleurs (⬜). Appuyez sur la touche Maj, cliquez et faites glisser au travers des lettres, de haut en bas, pour leur appliquer le dégradé (voir figure).

Vous allez donner une couleur supplémentaire au dégradé en lui ajoutant une étape. Lors de cette opération, un nouveau losange apparaît au-dessus du curseur de dégradé pour marquer le nouveau point médian de couleur.

7. Dans le panneau Dégradé de couleurs, cliquez sur la barre de couleurs sous le curseur de dégradé afin d'ajouter une étape entre les deux autres étapes de dégradé.

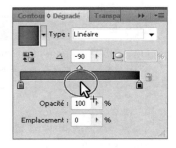

8. Double-cliquez sur la nouvelle étape de dégradé pour modifier sa couleur. Dans le panneau qui apparaît, cliquez sur le bouton Nuancier et choisissez la nuance Dark Red (rouge foncé). Appuyez sur Échap pour fermer le panneau.

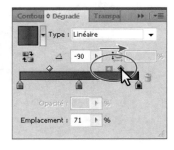

● **Note :** Pour supprimer une couleur d'un dégradé, faites glisser son étape vers le bas et hors du panneau Dégradé de couleurs.

9. Pour ajuster le point médian entre des couleurs, faites glisser vers la droite le losange qui se trouve entre les étapes rouge foncé et noire. Ainsi, le dégradé contient plus de rouge et moins de noir.

Vous allez à présent inverser les couleurs du dégradé.

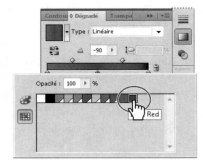

10. Le texte étant toujours sélectionné, cliquez sur le bouton Inverser le dégradé (🔃) dans le panneau Dégradé de couleurs. Les étapes de dégradé à l'extrême gauche et à l'extrême droite sont échangées. Une autre méthode consiste à tracer dans le sens opposé à l'aide de l'outil Dégradé de couleurs.

Pour appliquer une couleur à un dégradé, vous pouvez échantillonner celle-ci à partir de l'illustration avec l'outil Pipette ou faire glisser une nuance de couleur sur une étape de dégradé.

11. Dans le panneau Dégradé de couleurs, cliquez sur l'étape de dégradé centrale.

12. Dans le panneau Outils, activez l'outil Pipette (✒). Dans l'illustration, cliquez sur le grain de café à l'extrême droite sur la tasse à café tout en appuyant sur la touche Maj.

   De cette façon, vous appliquez l'échantillon de couleurs à l'étape de dégradé sélectionnée au lieu de remplacer l'intégralité du dégradé par la couleur choisie. Essayez d'échantillonner d'autres parties de l'illustration, en terminant par le grain de café marron-violet à l'extrême droite.

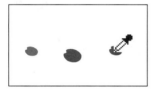 

Il vous reste à enregistrer le nouveau dégradé.

13. Cliquez sur le bouton du menu Dégradé (▤), puis sur le bouton Enregistrer dans la bibliothèque de nuances (💾) placé en bas du panneau qui apparaît.

14. Ouvrez le panneau Calques en cliquant sur son icône à droite de l'espace de travail. Cliquez dans la colonne de visibilité à gauche du calque Background.

15. Choisissez Sélection > Désélectionner puis Fichier > Enregistrer.

Ajouter une transparence à des dégradés

Il est possible de définir l'opacité des couleurs employées dans un dégradé. En utilisant des valeurs d'opacité différentes pour chaque étape d'un dégradé, vous créez des dégradés en fondu enchaîné qui révèlent ou masquent les images du dessous. Vous allez ici créer un symétrique de la tasse à café et lui appliquer un dégradé qui devient transparent.

1. Avec l'outil Sélection (▸), cliquez sur la tasse à café.

2. Choisissez Objet > Transformation > Transformation répartie. Dans la boîte de dialogue Transformation répartie, cliquez sur le point central inférieur du localisateur de point de référence (⌗). Cochez Miroir sur l'axe X et fixez Angle à **180°**. Cochez Aperçu pour visualiser les changements. Cliquez sur Copier pour créer une copie symétrique pivotée de la tasse à café.

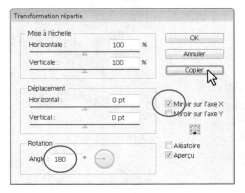 

▶ **Astuce :** Dans ce document, il existe deux dégradés avec transparence, Fade to Black et Soft Black Vignette. Ils constituent un bon point de départ pour faire un dégradé qui se termine par une transparence.

3. La copie de la tasse à café étant toujours sélectionnée, ouvrez le panneau Dégradé de couleurs. Cliquez sur le bouton du menu Dégradé (▤) et choisissez Linear Gradient. La tasse à café est peinte avec un dégradé blanc vers noir.

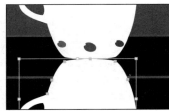

● **Note :** Vous trouvez peut-être bizarre de créer un dégradé blanc vers blanc. Par la suite, vous fixerez la transparence de l'étape de dégradé à l'extrême droite à 0 % pour que la tasse à café s'estompe.

4. Dans le champ Angle, saisissez la valeur **−90**. Double-cliquez sur l'étape de dégradé à l'extrême droite (de couleur noire). Dans le panneau qui apparaît, cliquez sur le bouton Nuancier (▦) et sélectionnez la nuance blanche.

5. Appuyez sur Échap ou cliquez sur une partie vide du panneau Dégradé de couleurs pour y revenir.

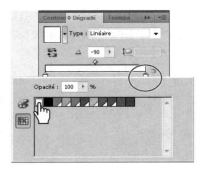

6. Cliquez sur l'étape de dégradé à l'extrême droite. Saisissez **0** dans le champ Opacité ou cliquez sur la flèche à droite de ce champ et déplacez le curseur complètement à gauche. Appuyez sur Entrée ou Retour.

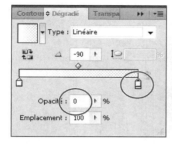 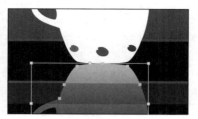

7. Cliquez sur l'étape de dégradé à l'extrême gauche et fixez la valeur d'Opacité à **70**.

8. Activez l'outil Dégradé de couleurs (◼). Tout en appuyant sur la touche Maj, faites glisser à partir du sommet de la copie de la tasse à café jusqu'au bord extérieur du rectangle rouge foncé en arrière-plan, en vous arrêtant juste avant.

La combinaison des dégradés et de la transparence peut produire des effets très intéressants. Essayez de modifier l'opacité des étapes de dégradé dans la tasse à café, ainsi que la direction et la distance, avec l'outil Dégradé de couleurs.

9. Choisissez Sélection > Désélectionner.

10. Fermez le panneau Dégradé de couleurs en cliquant sur son icône (◼) à droite du plan de travail.

11. Choisissez Fichier > Enregistrer.

Les dégradés d'objets

Vous pouvez appliquer un dégradé à deux objets séparés pour créer des formes et les répartir de façon homogène entre eux. Les deux formes servant au dégradé peuvent être identiques ou différentes. Il est également possible de créer un dégradé entre deux tracés ouverts, afin de créer une transition progressive entre des objets, ou d'associer des dégradés de couleurs et d'objets pour créer des transitions de couleur ayant la forme d'un objet particulier.

Une fois que vous avez créé un dégradé, les objets du dégradé sont traités comme un seul objet. Si vous déplacez l'un des objets d'origine ou si vous modifiez ses points d'ancrage, les objets intermédiaires changent en conséquence. Vous pouvez décomposer le dégradé pour le diviser en objets distincts.

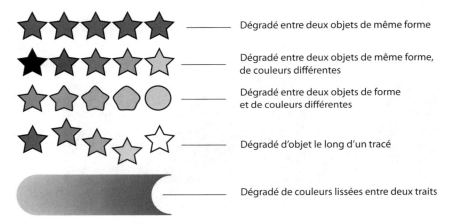

Dégradé entre deux objets de même forme

Dégradé entre deux objets de même forme, de couleurs différentes

Dégradé entre deux objets de forme et de couleurs différentes

Dégradé d'objet le long d'un tracé

Dégradé de couleurs lissées entre deux traits

Créer un dégradé de formes avec des étapes

Vous allez vous servir de l'outil Dégradé de formes pour créer une série de dégradés de formes entre trois formes géométriques de couleurs différentes placées à l'extérieur de la tasse à café, en spécifiant le nombre d'étapes intermédiaires du dégradé.

1. Dans le panneau Outils, double-cliquez sur l'outil Dégradé de formes (⬛ₒ) afin d'ouvrir la boîte de dialogue Options de dégradés.

2. Choisissez Étapes dans le menu Pas et fixez leur nombre à **2**. Cliquez sur OK.

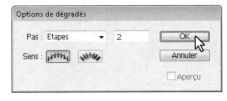

3. Avec l'outil Dégradé de formes, survolez le grain de café à l'extrême gauche jusqu'à ce que le pointeur affiche un X (⬛ₓ), puis cliquez. Ensuite, survolez le grain de café rouge au centre jusqu'à ce que le pointeur affiche un signe plus (⬛₊).

> ▶ **Astuce :** Pour créer un dégradé de formes, vous pouvez aussi sélectionner des objets, puis choisissez Objet > Dégradé de formes > Créer.

Options de dégradé de l'outil Dégradé de formes

Il existe trois options du menu Pas pour un dégradé de formes : Couleur lissée, Étapes et Distance. Voici à quoi cela correspond :

- **Couleur lissée.** Laisse Illustrator calculer automatiquement le nombre d'étapes des dégradés. Si les objets sont dotés d'un fond ou d'un contour de couleurs différentes, le programme indique le nombre d'étapes optimal pour obtenir une transition graduelle des couleurs. Si les objets contiennent des couleurs identiques ou des dégradés de couleur ou des motifs, le nombre d'étapes est déterminé en fonction de la distance la plus longue entre les bords des cadres des deux objets.

- **Étapes.** Définit le nombre d'étapes entre le début et la fin du dégradé.

- **Distance.** Contrôle la distance entre les objets intermédiaires du dégradé. La distance spécifiée est mesurée entre le bord (le bord droit, par exemple) d'un objet et le bord correspondant de l'objet suivant.

Les options du menu Sens déterminent l'orientation des objets dégradés :

- **Aligner sur la page.** Oriente le dégradé perpendiculairement à l'axe X de la page.

- **Aligner sur le tracé.** Oriente le dégradé perpendiculairement au tracé.

Extrait de l'Aide d'Illustrator

Cela indique que vous pouvez ajouter un objet au dégradé. Cliquez sur le grain de café rouge pour l'ajouter. Un dégradé est créé entre ces deux objets.

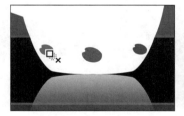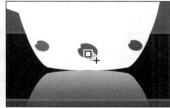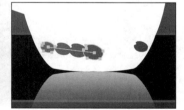

4. Cliquez sur le grain de café à l'extrême droite lorsque le pointeur de l'outil Dégradé de formes affiche un signe plus. Cet objet est ajouté au dégradé et termine le tracé de dégradé de formes.

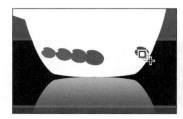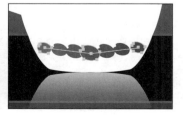

● **Note :** Pour terminer le tracé actuel et créer un autre dégradé d'objets sur un chemin distinct, cliquez tout d'abord sur l'outil Dégradé de formes dans le panneau Outils, puis sur les autres objets.

Modifier le dégradé de formes

Vous allez à présent modifier le dégradé d'objets à l'aide de la boîte de dialogue Options de dégradés. Vous modifierez également la forme du tracé, ou sens, du dégradé des grains de café à l'aide de l'outil Conversion de point d'ancrage.

Astuce : Pour modifier les options de dégradé des objets, vous pouvez également sélectionner le dégradé et double-cliquer sur l'outil Dégradé de formes.

1. Les grains de café dégradés étant sélectionnés, choisissez Objet > Dégradé de formes > Options de dégradé. Dans la boîte de dialogue Options de dégradés, fixez le nombre d'étapes à **1**, puis cliquez sur OK.

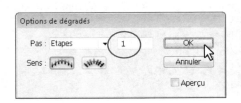
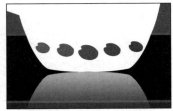

2. Choisissez Sélection > Désélectionner.

● **Note :** Vous modifiez le sens. Quelle que soit votre modification, les objets dégradés suivront le tracé.

3. Dans le panneau Outils, activez l'outil Sélection directe (⟍) et cliquez sur le centre du grain de café central rouge pour sélectionner ce point d'ancrage. Dans le panneau Contrôle, cliquez sur le bouton Convertir les points d'ancrage sélectionnés en arrondis (⌐) pour adoucir la courbe. Avec l'outil Sélection directe, faites glisser le point d'ancrage vers le bas.

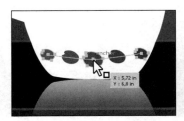
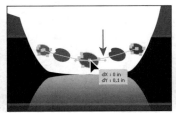
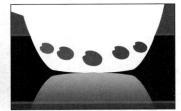

Pour modifier le sens d'un dégradé de formes, sélectionnez le point d'ancrage, convertissez-le en point d'inflexion que vous faites glisser.

4. Choisissez Sélection > Désélectionner.

▶ **Astuce :** Un moyen rapide de modifier le tracé d'un dégradé de formes consiste à l'enrouler autour d'un autre tracé ou objet. Sélectionnez le dégradé de formes, puis un autre objet ou un tracé et allez dans Objet > Dégradé de formes > Changer le sens.

Vous pouvez modifier le dégradé de formes instantanément en changeant la forme, la couleur ou l'emplacement des objets d'origine. Ici, vous modifierez la couleur et l'emplacement du grain de café rouge central et vous constaterez l'effet de l'opération sur le dégradé.

▶ **Astuce :** Lorsque vous avez converti le point d'ancrage inférieur en point d'inflexion, l'espace entre les grains de café a changé. Pour répartir l'espace, convertissez les points d'ancrage aux extrémités gauche et droite du tracé en points d'inflexion, puis ajustez les lignes directrices à l'aide de l'outil Sélection directe.

5. Activez l'outil Zoom (🔍) et tracez un rectangle de sélection sur les grains de café pour agrandir leur affichage.

6. Avec l'outil Sélection (▶), cliquez sur les objets en dégradé pour les sélectionner.

7. Double-cliquez sur le grain de café rouge au centre du dégradé pour passer en mode Isolation. Les objets en dégradé sont alors temporairement dissociés et vous pouvez modifier chaque grain de café d'origine (non les grains de café créés par le dégradé de formes), ainsi que le sens. Sélectionnez le grain de café rouge.

8. Choisissez Affichage > Tracés pour voir les éléments du dégradé de formes et Affichage > Aperçu pour voir à nouveau les objets peints.

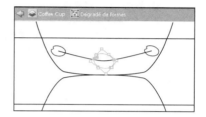

9. Dans le panneau Contrôle, fixez la couleur de fond du grain de café sélectionné à Light Green (vert clair). Notez que l'ensemble du dégradé est affecté.

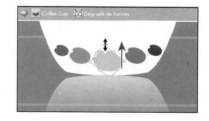

10. Avec l'outil Sélection, tout en appuyant sur Maj+Alt (Windows) ou Maj+Option (Mac OS), faites glisser un point de sélection d'angle du grain de café sélectionné pour l'agrandir.

Modifiez la forme du grain de café en le faisant pivoter et en utilisant l'outil Sélection directe (▷).

11. Appuyez sur Échap pour quitter le mode Isolation.

12. Avec l'outil Sélection, cliquez à nouveau sur les objets en dégradé. Choisissez Objet > Dégradé de formes > Inverser le sens. Cette opération inverse l'ordre des grains de café. Gardez le dégradé d'objets sélectionné.

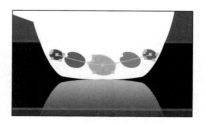

Les objets en dégradé constituent un seul dégradé de formes. Pour modifier tous les grains de café, y compris ceux créés par le dégradé, vous devez décomposer le dégradé de formes. Ainsi, il est converti en objets individuels et vous ne pouvez plus modifier le dégradé de formes en tant qu'objet unique car il est devenu un groupe de grains de café.

Décomposez maintenant les grains de café.

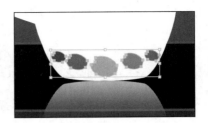

13. Choisissez Objet > Dégradé de formes > Décomposer. Les grains de café étant toujours sélectionnés, notez l'apparition du mot Groupe dans le coin gauche du panneau Contrôle.

Le dégradé d'objets est devenu un groupe de formes individuelles que vous pouvez modifier indépendamment.

14. Choisissez Sélection > Désélectionner.

15. Choisissez Fichier > Enregistrer.

Créer des dégradés de couleurs lissées

Plusieurs options de mélange de formes et de couleurs d'objets sont à votre disposition pour créer de nouveaux objets. Lorsque vous choisissez l'option de dégradés Couleur lissée, Illustrator combine les formes et les couleurs des objets en un grand nombre d'étapes intermédiaires, créant ainsi un dégradé de couleurs progressif entre les objets d'origine.

Vous allez combiner deux formes d'un grain de café en un dégradé de couleurs lissées.

1. Choisissez Affichage > Ajuster le plan de travail à la fenêtre.

2. Ouvrez le panneau Calques et cliquez dans la colonne de visibilité à gauche des calques Blends et Coffee Beans.

Vous allez créer un dégradé de couleurs pour que le grain de café soit plus réaliste.

3. Cliquez sur l'icône de visibilité (👁) afin de masquer le calque Coffee Beans et mieux voir les deux objets qui vont servir au dégradé. S'il ne vous gêne pas, gardez le panneau Calques ouvert.

4. Activez l'outil Zoom (🔍) et tracez un rectangle de sélection autour des lignes qui apparaissent à gauche de la tasse à café.

5. Dans le panneau Outils, double-cliquez sur l'outil Dégradé de formes (🔳) pour ouvrir la boîte de dialogue Options de dégradés.

6. Choisissez Couleur lissée dans le menu Pas, de manière à fixer des options de dégradés qui seront conservées jusqu'à ce que vous les modifiiez à nouveau. Cliquez sur OK.

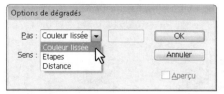

▶ **Astuce :** Pour annuler ou supprimer un dégradé de formes et revenir aux objets d'origine, sélectionnez ce dégradé et choisissez Objet > Dégradé de formes > Annuler.

Vous allez à présent créer un dégradé de couleurs lissées à partir des deux lignes à gauche de la tasse à café. Les deux objets ont un contour mais pas de fond. Les objets qui possèdent des contours peints produisent des dégradés différents de ceux qui n'en ont pas.

7. Positionnez le pointeur de l'outil Dégradé de formes sur la ligne supérieure, jusqu'à ce qu'il soit accompagné d'un X (⊡ₓ), puis cliquez. Cliquez ensuite sur la ligne inférieure avec le pointeur de l'outil accompagné d'un signe plus (⊡₊) pour l'ajouter au dégradé. Un dégradé de formes Couleur lissée est créé entre les lignes.

  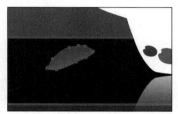

8. Choisissez Sélection > Désélectionner.

Lorsque vous créez un dégradé de couleurs lissées entre des objets, Illustrator calcule automatiquement le nombre d'étapes intermédiaires pour créer une transition harmonieuse entre les objets. Ce type de dégradé peut être appliqué à des objets, pour être ensuite modifié. Maintenant, modifiez les tracés qui composent le dégradé.

▶ **Astuce :** Dans certains cas, la création de dégradés de couleurs lissées se révèle difficile. Par exemple, lorsque les lignes se croisent ou qu'elles sont trop incurvées, des résultats inattendus peuvent se produire.

9. Avec l'outil Sélection (▶), double-cliquez sur le dégradé pour passer en mode Isolation. Sélectionnez l'un des tracés et, dans le panneau Contrôle, modifiez sa couleur de contour comme bon vous semble. Notez comment le dégradé des couleurs change. Choisissez Édition > Annuler Appliquer la nuance pour revenir à la couleur de contour initiale.

10. Double-cliquez en dehors des tracés du dégradé pour quitter le mode Isolation.

11. Dans le panneau Calques, cliquez sur les icônes de visibilité des calques Coffee Beans et Steam pour qu'ils apparaissent sur le plan de travail.

12. Pour terminer le grain de café, sélectionnez les tracés du dégradé avec l'outil Sélection, choisissez Édition > Copier puis Édition > Coller pour les copier et les coller.

13. Déplacez le dégradé vers la partie inférieure du même grain de café, à gauche de la tasse à café.

14. Dans le panneau Outils, activez l'outil Rotation ($\circ$). Cliquez et faites pivoter le dégradé afin de l'ajuster à la partie inférieure du grain de café. Vous devrez basculer sur l'outil Sélection pour mettre le dégradé à sa place.

  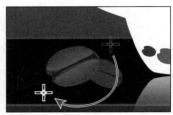

Copiez le dégradé de formes.   Collez-le et mettez-le en position.   Faites-le pivoter et positionnez-le.

15. Choisissez Affichage > Ajuster le plan de travail à la fenêtre.

16. Choisissez Sélection > Désélectionner puis Fichier > Enregistrer.

À vous de jouer

Il existe de nombreuses manières d'être créatif avec les dégradés de couleurs et de formes. Pour aller plus loin, vous créerez un dégradé pour la fumée du café, puis vous ouvrirez un nouveau document pour réaliser un dégradé plus complexe.

1. Le calque Steam étant visible, sélectionnez la fumée sur le plan de travail avec l'outil Sélection ($\blacktriangleright$).

2. Choisissez Les indispensables dans le commutateur d'espace de travail de la barre d'application.

3. Ouvrez le panneau Dégradé de couleurs et choisissez Fade To Black dans le menu Dégradé.

4. Dans le panneau Outils, activez l'outil Dégradé de couleurs (▭) et placez le pointeur au-dessus de la fumée. Cliquez et faites glisser à partir du bord supérieur de la fumée vers le bas afin de modifier la direction du dégradé.

5. Ajoutez une étape de dégradé afin que le curseur de dégradé en comprenne trois.

6. Fixez la couleur de chaque étape de dégradé à blanc en double-cliquant sur chacune d'elles avec l'outil Dégradé de couleurs. Fixez à **10** la valeur d'Opacité de l'étape de dégradé supérieure et à **5** celle de l'étape de dégradé inférieure.

Faites des essais en modifiant les couleurs et l'opacité de chaque étape de dégradé.

7. Choisissez Fichier > Enregistrer puis Fichier > Fermer.

Créez maintenant un dégradé de formes plus complexe.

1. Choisissez Fichier > Nouveau pour créer un nouveau document. Dessinez une ligne droite à l'aide de l'outil Trait.

2. Sélectionnez le trait, retirez le fond, peignez le contour avec une couleur et augmentez l'épaisseur de contour à **20 pt**.

3. Affichez le panneau Contour en choisissant Fenêtre > Contour, si nécessaire. Le trait étant sélectionné, cochez l'option Pointillé. Saisissez **25** dans le premier champ Tiret et appuyez sur Entrée ou Retour.

4. Choisissez Objet > Tracé > Vectoriser le contour.

   Vous remarquerez que les couleurs de contour et de fond ont été échangées. Vous pouvez désormais remplir l'objet avec un dégradé.

5. Remplissez l'objet avec le dégradé de votre choix.

6. Copiez et collez l'objet, en éloignant les deux copies avec l'outil Sélection. Dans le panneau Outils, double-cliquez sur l'outil Dégradé de formes (🔲). Dans la boîte de dialogue Options de dégradés, choisissez Couleur lissée. Cliquez sur chacun des deux objets avec l'outil Dégradé de formes pour créer le dégradé. Entraînez-vous en modifiant chaque objet du dégradé.

Révisions

Questions

1. Qu'est-ce qu'un fond en dégradé ?

2. Décrivez au moins deux moyens de colorier un objet sélectionné avec un dégradé de couleurs.

3. Quelle est la différence entre un dégradé de couleurs et un dégradé de formes ?

4. Comment ajustez-vous le mélange des couleurs dans un dégradé ?

5. Indiquez deux manières d'ajouter des couleurs à un dégradé.

6. Comment règle-t-on la direction d'un dégradé ?

7. Décrivez deux moyens de combiner les formes géométriques et les couleurs de différents objets.

8. Quelle est la différence entre la sélection de Couleur lissée comme type de Pas et la définition du nombre d'étapes d'un dégradé de formes ?

9. Comment régleriez-vous les formes géométriques et les couleurs d'un dégradé de formes ? Et le tracé d'un dégradé de formes ?

Réponses

1. C'est un dégradé progressif entre plusieurs couleurs ou teintes de la même couleur.

2. On commence par sélectionner un objet, puis on réalise l'une des opérations suivantes :

   • cliquer sur le bouton Dégradé de couleurs dans le panneau Outils pour peindre un objet avec le dégradé noir et blanc par défaut ou avec le dernier dégradé sélectionné ;

   • cliquer sur une nuance de dégradés dans le panneau Nuancier ;

   • créer un dégradé de couleurs en cliquant sur une nuance de dégradé dans le panneau Nuancier, puis en mélangeant sa propre nuance dans le panneau Dégradé de couleurs ;

   • activer l'outil Pipette pour échantillonner un dégradé à partir d'un objet de l'illustration, puis l'appliquer à l'objet sélectionné.

3. La différence entre un dégradé de couleurs et un dégradé de formes tient à la manière dont les couleurs sont combinées. Les couleurs sont mélangées à l'intérieur d'un dégradé de couleurs et elles sont mélangées à partir de différents objets dans un dégradé de formes.

4. En faisant glisser les icônes en forme de losange ou les étapes de dégradé du dégradé dans le panneau Dégradé de couleurs.

5. a) Dans le panneau Dégradé de couleurs, on clique sous la barre de dégradés pour ajouter une étape de dégradé puis, dans le panneau Couleur, on prépare une nouvelle couleur ou, dans le panneau Nuancier, on clique sur une nuance de couleur tout en appuyant sur la touche Alt (Windows) ou Option (Mac OS) ; b) on peut également sélectionner l'outil Dégradé de couleurs dans le panneau Outils, placer le pointeur au-dessus de l'objet au fond dégradé et cliquer sous le curseur de dégradé qui apparaît.

6. Il faut cliquer sur l'outil Dégradé de couleurs puis faire glisser le dégradé. Si on le fait glisser sur une longue distance, les couleurs sont modifiées progressivement, tandis que sur une distance plus courte, les couleurs évoluent brusquement. On peut faire pivoter le dégradé avec l'outil Dégradé de couleurs, mais également changer le rayon, le format des pixels et le point de départ.

7. Le mélange des formes géométriques et des couleurs de différents objets se fait ainsi :

   • Cliquer sur chaque objet avec l'outil Dégradé de formes pour créer un dégradé de formes avec des étapes intermédiaires entre les objets en fonction d'options de dégradé de formes prédéfinies.

   • Après sélection des objets, choisir Objet > Dégradé de formes > Options de dégradés, pour définir le nombre d'étapes intermédiaires, puis Objet > Dégradé de formes > Créer, pour créer le dégradé de formes.

   Les objets qui ont été peints à l'aide de contours produisent des dégradés de formes différents de ceux qui n'en possèdent pas.

8. Si l'option Couleur lissée du menu Pas est sélectionnée, Illustrator calcule automatiquement le nombre d'étapes intermédiaires nécessaires pour créer un dégradé lissé uniforme entre les objets sélectionnés. En revanche, si on précise le nombre d'étapes, le nombre d'étapes intermédiaires qui seront visibles dans le dégradé de formes est alors défini. Il est également possible de définir la distance entre les étapes intermédiaires du dégradé de formes.

9. L'outil Sélection directe est intéressant pour sélectionner et régler la forme géométrique d'un objet d'origine, ce qui modifie la forme géométrique du dégradé de formes. On peut modifier les couleurs des objets d'origine pour régler les couleurs intermédiaires du dégradé de formes. L'outil Conversion de point d'ancrage permet de modifier la forme (ou sens) du tracé d'un dégradé de formes : il suffit de faire glisser les points d'ancrage ou les poignées de direction du tracé.

Les nombreux types de formes proposés dans Adobe Illustrator CS5 permettent d'obtenir des effets très variés, que vous peigniez ou dessiniez simplement des tracés. Vous pouvez vous servir de la forme de tache et des formes calligraphiques, diffuses, artistiques et de motif, ou choisir de créer vos propres formes à partir de votre illustration.

Les formes

11

Au cours de cette leçon, vous apprendrez à :

- employer les quatre types de formes : artistiques, calligraphiques, de motif et diffuses ;

- appliquer des formes à des tracés créés avec des outils de tracé ;

- peindre et modifier des tracés avec l'outil Pinceau ;

- modifier la couleur de la forme et ajuster ses paramètres ;

- créer de nouvelles formes à partir d'une illustration Illustrator ;

- utiliser les outils Forme de tache et Gomme.

Cette leçon vous prendra environ une heure. Si nécessaire, supprimez le dossier de la leçon précédente de votre disque dur et copiez le dossier Lesson11.

Mise en route

Au cours de cette leçon, vous apprendrez à utiliser les outils Forme de tache et Gomme, à employer les cinq types de formes du panneau Formes, ainsi qu'à modifier les options de formes et à créer vos propres formes. Avant de commencer, vous devez restaurer les préférences par défaut d'Adobe Illustrator CS5. Vous ouvrirez ensuite le fichier image terminé pour voir ce que vous allez créer dans la première partie de cette leçon.

1. Pour vous assurer que les outils et les panneaux fonctionneront exactement comme ils sont décrits au fil de cette leçon, supprimez ou désactivez (en le renommant) le fichier des préférences d'Adobe Illustrator CS5 (pour en savoir plus, reportez-vous à la section "Rétablissement des préférences par défaut" de l'Introduction).

2. Lancez Adobe Illustrator CS5.

● **Note :** Si vous n'avez pas encore copié les fichiers de cette leçon sur votre disque dur à partir du dossier Lesson11 du CD-ROM *Adobe Illustrator CS5 Classroom in a Book*, faites-le maintenant. Pour savoir comment procéder, consultez la section "Copie des fichiers d'exercices de *Classroom in a Book*" à la page 2.

3. Choisissez Fichier > Ouvrir et chargez le fichier L11end_1.ai, qui se trouve dans le dossier Lesson11 sur votre disque dur.

4. Si nécessaire, choisissez Affichage > Zoom arrière pour réduire la vue de l'illustration terminée, puis ajustez la taille de la fenêtre et laissez l'illustration à l'écran pendant que vous travaillez. Servez-vous de l'outil Main (🖑) pour placer l'illustration où bon vous semble dans la fenêtre. Sinon, choisissez Fichier > Fermer.

Pour commencer, vous allez ouvrir un fichier d'illustration existant.

5. Choisissez Fichier > Ouvrir et chargez le fichier L11start_1.ai, situé dans le dossier Lesson11 sur votre disque dur.

6. Choisissez Fichier > Enregistrer sous, nommez le fichier **couv_livre.ai** et sélectionnez le dossier Lesson11. Choisissez Adobe Illustrator (*.AI) dans le menu Type (Windows) ou Adobe Illustrator (ai) dans le menu Format (Mac OS), puis cliquez sur Enregistrer. Dans la boîte de dialogue Options Illustrator, gardez les options par défaut et cliquez sur OK.

Travail avec les formes

Grâce aux formes, vous décorerez vos tracés avec des motifs, des figures, des textures ou des contours anguleux. Vous pouvez modifier les formes fournies avec Adobe Illustrator CS5, mais aussi créer les vôtres.

Vous pouvez appliquer des contours à des tracés existants ou, avec l'outil Pinceau, dessiner un tracé et appliquer simultanément un contour. Vous pouvez modifier la couleur, la taille et les autres attributs d'une forme mais également modifier des tracés après application des formes.

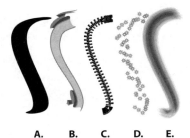

Types de formes

A. Formes calligraphiques
B. Formes artistiques
C. Formes de motif
D. Formes diffuses
E. Pointe du pinceau

A. B. C. D. E.

Cinq sortes de formes sont présentes dans le panneau Formes (Fenêtre > Formes) : calligraphiques, artistiques, de motif, diffuses et pointe de pinceau.

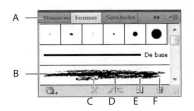

A. Formes
B. Menu Bibliothèque de formes
C. Supprimer le contour

D. Options de l'objet sélectionné
E. Nouvelle forme
F. Supprimer la forme

Les formes calligraphiques

Les formes calligraphiques produisent des tracés qui ressemblent à ceux obtenus avec la pointe d'une plume calligraphique. Elles sont définies par une forme elliptique dont le centre suit le tracé. Servez-vous-en pour créer l'illusion de dessins réalisés à main levée avec la pointe d'une plume plate et acérée.

Vous vous servirez d'une plume calligraphique pour décorer le wagon.

Exemples de formes calligraphiques

1. Choisissez Affichage > Ajuster le plan de travail à la fenêtre.
2. Ouvrez le panneau Formes en cliquant sur son icône (🖌) à droite du plan de travail.
3. Dans le menu du panneau Formes (▾≡), choisissez Affichage par liste.

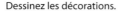

Note : Une coche placée à côté d'un type de forme dans le menu du panneau Formes signifie que ce panneau affiche ce type de formes.

4. Dans le menu du panneau Formes (▾≡), désélectionnez Afficher Formes artistiques, Afficher Formes de motif et Afficher Formes de pinceau, pour ne garder que Afficher Formes calligraphiques.

5. Dans le panneau Contrôle, cliquez sur la couleur de contour et choisissez la nuance light orange (orange clair). Pour l'épaisseur du contour, sélectionnez **2 pt** et vérifiez que la couleur de fond est [Sans].

6. Dans le panneau Outils, double-cliquez sur l'outil Crayon (✐). Dans la boîte de dialogue Options de l'outil Crayon, changez Lissage **100 %**. Cliquez sur OK.

7. Positionnez le pointeur dans le coin supérieur gauche de la forme du wagon rouge et dessinez deux "U", de la gauche vers la droite, en un seul mouvement. Ils vont représenter les décorations du wagon.

8. La forme dessinée étant sélectionnée, cliquez sur la forme 5 pt. Oval dans le panneau Formes pour l'appliquer au tracé. Dans le panneau Contrôle, notez le changement de l'épaisseur du contour.

Dessinez les décorations.

Appliquez la forme.

Observez le résultat.

Modifier une forme

Pour modifier les options d'une forme, vous pouvez double-cliquer dessus dans le panneau Formes. Les modifications s'appliquent uniquement au document courant et peuvent affecter l'illustration à laquelle la forme a été appliquée, mais c'est à vous de décider. Vous allez modifier l'aspect de la forme 5 pt. Oval.

Note : Les modifications de la forme s'appliquent uniquement au document courant.

1. Dans le panneau Formes, double-cliquez sur la forme 5 pt. Oval de manière à ouvrir la boîte de dialogue Options de forme calligraphique.

Vous pouvez intervenir sur les paramètres suivants : angle de la forme relativement à une ligne horizontale, l'arrondi (d'une ligne droite à un cercle complet) et le diamètre (de 0 à 1 296 points), pour transformer la forme qui définit la pointe de la forme et pour modifier l'aspect du tracé obtenu.

2. Dans le champ Nom, saisis-sez **Ovale 30 pt**. Indiquez **135** pour Angle, **10 %** pour Arrondi et **30 pt** pour Diamètre. Cochez Aperçu et notez que les contours de la forme calli-graphique changent. Cliquez sur OK.

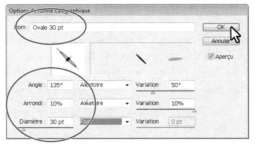

▶ **Astuce :** Dans la boîte de dialogue, la zone d'aperçu (sous le champ Nom) illustre les modifications apportées à la forme.

3. Dans la boîte d'avertissement, cliquez sur Appliquer aux contours pour appliquer les modifications à l'illustra-tion à laquelle la forme a été fixée.

Puisque vous modifiez une forme dans le panneau Formes, le bouton Appliquer aux contours permet d'actualiser les contours auxquels cette forme a été appli-quée sur le plan de travail.

4. Choisissez Sélection > Désélectionner puis Fichier > Enregistrer.

Employer une couleur de fond avec les formes

Lorsque vous appliquez une forme au contour d'un objet, vous pouvez également lui appliquer une couleur de fond sur l'intérieur. Quand vous employez une couleur de fond avec une forme, les objets de forme s'affichent par-dessus la cou-leur de fond aux points où le fond et les objets se superposent. Vous allez à présent donner une couleur de fond à la forme des décorations.

Tracé avec une couleur de fond et une forme appliquée au contour

1. Avec l'outil Sélection (▶), cliquez sur les décora-tions que vous venez de dessiner.

2. Dans le panneau Contrôle, cliquez sur la cou-leur de fond et sélectionnez la nuance nommée CMYK Cyan.

3. Cliquez en dehors de l'illustration pour la désé-lectionner.

Supprimer un contour

Lorsque vous ne voulez plus d'un contour appliqué à une illustration, vous pouvez facilement le supprimer. C'est ce que vous allez faire avec le contour appliqué au tracé qui se trouve au-dessus du canard, dans la locomotive. La forme 5 pt. Oval modifiée précédemment a été appliquée à ce tracé.

1. Avec l'outil Sélection (▸), cliquez sur le tracé gris foncé au-dessus du canard.

2. Dans le bas du panneau Formes, cliquez sur le bouton Supprimer le contour (✗).

3. Dans le panneau Contrôle, fixez Épaisseur du contour à **10 pt**.

4. Choisissez Fichier > Enregistrer.

Les formes artistiques

Les formes artistiques, qui comprennent notamment des formes de flèche et des formes décoratives, étirent une forme (telle que Charbon brut) ou une forme d'objet de manière homogène le long du tracé. Elles incluent des contours ressemblant à divers supports graphiques, telle la forme Charcoal-Feather (Fusain-Plume).

Exemples de formes artistiques

Dessiner avec l'outil Pinceau

À l'aide de l'outil Pinceau, vous allez appliquer une forme artistique à l'ours pour rendre sa fourrure plus duveteuse. Nous l'avons mentionné précédemment, l'outil Pinceau permet d'appliquer une forme à mesure qu'on dessine.

1. Choisissez Les indispensables dans le commutateur d'espace de travail de la barre d'application.

2. Dans le panneau Outils, activez l'outil Zoom (🔍) et tracez un rectangle de sélection autour de l'ours en peluche de manière à agrandir son affichage.

3. Dans le panneau Outils, activez l'outil Sélection ( ) et cliquez sur l'ours. Le calque sur lequel se trouve l'ours est activé automatiquement et tout objet dessiné sera donc ajouté à ce calque. Choisissez Sélection > Désélectionner.

4. Dans le panneau Contrôle, fixez la couleur de contour à bear brown et la couleur de fond à [Sans].

5. Cliquez sur l'icône du panneau Formes ( ) à droite de l'espace de travail. Dans le menu de ce panneau ( ), désélectionnez Afficher Formes calligraphiques, puis sélectionnez Afficher Formes artistiques pour que ces formes soient visibles dans le panneau.

Note : Une coche placée à côté d'un type de forme dans le menu du panneau Formes signifie que ce panneau affiche ce type de formes.

6. En bas du panneau Formes, cliquez sur le bouton Menu Bibliothèques de formes ( ) et choisissez Artistiques > Artistiques_CraieFusainCrayon.

7. Dans le menu du panneau Artistiques_CraieFusainCrayon, choisissez Affichage par liste. Cliquez sur Fusain – Épais pour ajouter cette forme au panneau Formes de ce document. Fermez le panneau Artistiques_CraieFusainCrayon.

Peignez autour du bord extérieur de l'ours pour changer l'aspect de sa fourrure.

8. Dans le panneau Outils, activez l'outil Pinceau ( ) et cliquez sur la forme Fusain – Épais dans le panneau Formes. Dans le panneau Contrôle, choisissez l'épaisseur de contour **0,5 pt**. Tracez un long contour vers le haut pour créer le côté gauche de la tête, en partant de l'épaule et en allant jusqu'à l'oreille. Le contour n'a pas besoin de suivre exactement les bords. Répétez l'opération pour le haut de la tête, de l'oreille gauche à l'oreille droite, et sur le côté droit de la tête, du bas de l'oreille jusqu'à l'épaule.

9. Dans le panneau Outils, activez l'outil Sélection ( ). Double-cliquez sur l'oreille gauche de manière à passer en mode Isolation. Sélectionnez la partie marron clair de l'oreille.

10. Dans le panneau Formes, cliquez sur la forme Fusain – Épais pour l'appliquer. Dans le panneau Contrôle, sélectionnez l'épaisseur du contour **0,5 pt** et la couleur de fond bear brown.

11. Appuyez sur Échap pour quitter le mode Isolation. Répétez l'opération pour la seconde oreille.

12. Choisissez Sélection > Désélectionner puis Fichier > Enregistrer.

Modifier des tracés avec l'outil Pinceau

Vous allez continuer en modifiant avec l'outil Pinceau un tracé sélectionné.

1. Avec l'outil Sélection, cliquez sur le dernier tracé créé sur le côté droit de la tête de l'ours.

▶ **Astuce :** Vous pouvez également modifier des tracés dessinés avec l'outil Pinceau en activant les outils Arrondi (✐) et Gomme (✐), qui se trouvent dans le groupe de l'outil Crayon (✐) du panneau Outils.

2. Dans le panneau Outils, activez l'outil Pinceau (✐). Positionnez le pointeur à proximité du bas du tracé sélectionné et faites glisser vers le bas et la gauche pour étendre légèrement le tracé sous le menton de l'ours. Assurez-vous que le pointeur se trouve sur le tracé sélectionné avant de commencer.

   Le tracé sélectionné est modifié à partir du point où vous avez commencé à passer sur le tracé.

3. Appuyez sur la touche Ctrl (Windows) ou Cmd (Mac OS) pour activer l'outil Sélection et cliquez sur le premier tracé dessiné avec l'outil Pinceau (sur le côté gauche de la tête de l'ours).

4. L'outil Pinceau étant toujours actif, déplacez le point à proximité du bas du tracé sélectionné et faites glisser vers le bas et la droite pour l'étendre légèrement sous le menton de l'ours. Servez-vous de la figure comme guide.

5. Choisissez Sélection > Désélectionner puis Fichier > Enregistrer.

   Vous allez à présent modifier les options de l'outil Pinceau.

▶ **Astuce :** Augmentez la valeur de l'option Lissage dans la boîte de dialogue Options de l'outil Pinceau pour adoucir le tracé en utilisant moins de points lors du dessin.

6. Double-cliquez sur l'outil Pinceau (✐) pour afficher la boîte de dialogue Options de l'outil Pinceau. Cochez la case Conserver la sélection, puis cliquez sur OK.

   La boîte de dialogue Options de l'outil Pinceau permet de modifier le comportement de l'outil Pinceau. Lorsque l'option Conserver la sélection est activée, les tracés restent sélectionnés après que vous les avez terminés.

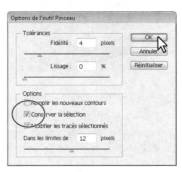

7. L'outil Pinceau étant actif, positionnez le pointeur sur l'épaule gauche et faites glisser vers le bas et la gauche en tournant autour du bras gauche. Poursuivez le long du bras, puis vers le bas, sur le flanc de l'ours.

8. Avec l'outil Pinceau, positionnez le pointeur sur l'épaule droite et faites glisser vers le bas et la droite en tournant autour du bras droit. Poursuivez le long du bras, puis vers le bas, sur le flanc de l'ours.

● **Note :** Vous pouvez relâcher le bouton de la souris à certains moments, puis continuer le tracé, qui reste sélectionné car vous avez coché l'option Conserver la sélection dans la boîte de dialogue Options de l'outil Pinceau.

9. Dans le panneau Outils, double-cliquez sur l'outil Pinceau. Dans la boîte de dialogue Options de l'outil Pinceau, décochez la case Conserver la sélection, puis cliquez sur OK.

   Les tracés ne resteront plus sélectionnés après que vous les aurez dessinés et vous pourrez créer des tracés superposés sans modifier ceux déjà existants.

● **Note :** Lorsque l'option Conserver la sélection est désactivée, vous pouvez modifier un tracé en le sélectionnant avec l'outil Sélection (▶) ou en sélectionnant un segment ou un point du tracé avec l'outil Sélection directe (▷), puis en le redessinant avec l'outil Pinceau.

10. Choisissez Sélection > Désélectionner puis Sélection > Objet > Contours. Cette action sélectionne tous les objets du plan de travail auxquels un contour est appliqué.

11. Dans le panneau Outils, activez l'outil Sélection. Appuyez sur la touche Maj et cliquez sur la décoration du wagon pour la désélectionner.

12. Cliquez sur plusieurs autres formes dans le panneau Formes afin d'observer leur effet sur l'illustration. Lorsque vous avez terminé, cliquez de nouveau sur la forme Fusain – Épais pour la réappliquer. Dans le panneau Contrôle, vérifiez que l'épaisseur du contour est **0,5 pt**.

Les tracés sélectionnés. Essayez une autre forme. Observez le résultat.

▶ **Astuce :** N'oubliez pas le grand nombre de formes fournies avec Illustrator. Pour y accéder, cliquez sur le bouton Menu Bibliothèques de formes (▣.) dans le coin inférieur gauche du panneau Formes.

13. Cliquez en dehors de l'illustration pour la désélectionner.

14. Choisissez Fichier > Enregistrer.

Créer des formes

● **Note :** Pour de plus amples informations sur la création de formes, consultez la rubrique "Création et modification des formes" dans l'Aide d'Illustrator.

Vous pouvez créer des formes calligraphiques, diffuses, artistiques, de motif et de pointes de pinceau en fonction de vos paramètres. Pour les formes diffuses, artistiques et de motif, vous devez commencer par créer l'illustration qui sera employée. Dans cette section, vous allez utiliser une illustration fournie pour créer une forme artistique. Elle servira ensuite à la création d'un logo pour la locomotive.

1. Choisissez Affichage > Ajuster le plan de travail à la fenêtre.

2. Choisissez 2 dans le menu Navigation dans le plan de travail situé dans le coin inférieur gauche de la fenêtre de document. Le second plan de travail est ainsi ajusté à la fenêtre de document.

3. Avec l'outil Sélection (▶), sélectionnez le groupe d'étoiles.

Par la suite, vous créerez une forme artistique à partir de l'illustration sélectionnée. Vous pouvez partir d'une illustration vectorielle, mais elle ne doit pas contenir de dégradé de couleurs, de dégradé de formes, d'autres contours, d'objets filaires, d'images bitmap, de graphes, de fichiers importés, de masques ou de texte non vectorisé.

4. Cliquez sur le bouton Nouvelle forme (▣) placé en bas du panneau Formes. Vous créez ainsi une forme à partir de l'illustration sélectionnée.

5. Dans la boîte de dialogue Nouvelle forme, sélectionnez Forme artistique, puis cliquez sur OK.

6. Dans la boîte de dialogue Options de forme artistique, changez Nom à **logo train**. Cliquez sur OK.

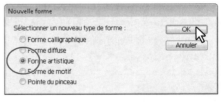

7. Choisissez 1 dans le menu Navigation dans le plan de travail situé dans le coin inférieur gauche de la fenêtre de document.

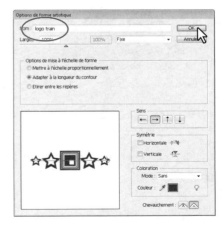

8. Dans le panneau Outils, activez l'outil Sélection et sélectionnez le cercle qui entoure le texte "RR" sur la locomotive.

9. Dans le panneau Outils, activez l'outil Zoom (🔍) et tracez un rectangle de sélection autour du cercle et du texte "RR" pour en agrandir l'affichage.

10. Dans le panneau Formes, cliquez sur la forme logo train pour l'appliquer au cercle.

Notez que l'illustration d'origine est étirée autour du cercle. Il s'agit du comportement par défaut d'une forme artistique.

Modifier une forme artistique

Vous allez à présent modifier la forme artistique logo train.

1. Le cercle étant toujours sélectionné, double-cliquez sur la forme logo train dans le panneau Formes de manière à ouvrir la boîte de dialogue Options de forme artistique. Cochez la case Aperçu pour voir le résultat de vos modifications. Fixez Largeur à **120 %**. La taille de l'illustration est ainsi augmentée proportionnellement à sa taille d'origine. Cochez Étirer entre les repères, puis fixez Début à **17 pt** et Fin à **18 pt**. Cochez la case de symétrie Horizontale, puis cliquez sur OK.

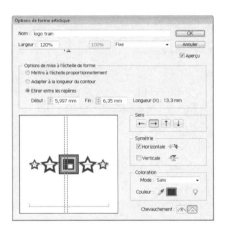

> ▶ **Astuce :** Pour de plus amples informations sur la boîte de dialogue Options de forme artistique, consultez la rubrique "Options de formes artistiques" dans l'Aide d'Illustrator.

2. Dans la boîte d'avertissement, cliquez sur Appliquer aux contours pour que l'illustration à laquelle la forme est appliquée soit affectée.

3. Choisissez Affichage > Ajuster le plan de travail à la fenêtre.

4. Choisissez Sélection > Désélectionner puis Fichier > Enregistrer.

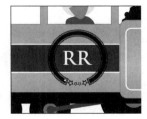

> ● **Note :** Si vos étoiles ne se trouvent pas dans la partie inférieure du cercle, faites-le pivoter avec l'outil Rotation (⟳) afin d'obtenir l'emplacement indiqué sur la figure.

Les pointes de pinceau

Les pointes de pinceau sont des formes qui vous permettent de créer des contours qui semblent avoir été peints au pinceau. Vous allez commencer par régler les options de la forme pour modifier son apparence dans l'illustration, puis vous peindrez avec l'outil Pinceau de manière à créer un effet de flamme.

Modifier les options de pointe de pinceau

Exemples de pointes de pinceau

Vous l'avez vu précédemment, vous pouvez changer l'aspect d'une forme en réglant ses paramètres dans la boîte de dialogue Options de forme, que ce soit avant d'avoir appliqué la forme à l'illustration ou après. Lorsque vous peignez avec une pointe de pinceau, vous créez des tracés vectoriels. En général, il est préférable de régler les options de la pointe de pinceau avant de peindre car la mise à jour des contours demande du temps.

1. Dans le menu du panneau Formes (⊽☰), sélectionnez Afficher Pointes de pinceau et désélectionnez Afficher Formes artistiques.

2. Double-cliquez sur la forme Filbert pour ouvrir la boîte de dialogue Options de forme correspondante. Gardez la boîte de dialogue ouverte pour l'étape suivante.

3. Dans la boîte de dialogue Options du module externe Pointe du pinceau, laissez Forme à Courbe plate et passez au champ suivant en appuyant sur la touche Tab. Procédez ainsi :

   - Assurez-vous que Corps est à **3 mm**. Cette valeur correspond au diamètre de la forme.

   - Changez Longueur de la pointe du pinceau à **178**. La longueur de la pointe du pinceau se mesure depuis la limite entre la brosse et le manche du pinceau jusqu'à l'extrémité des poils.

   - Fixez Densité de la pointe du pinceau à **84**. La densité de la pointe du pinceau désigne le nombre de poils dans une zone précise de la virole.

   - Fixez Épaisseur de la pointe de pinceau à **74**. L'épaisseur de la pointe du pinceau peut varier de 1 % (fin) à 100 % (grossier).

   - Fixez Opacité de la peinture à **90**. Cette option permet de définir l'opacité de la peinture utilisée.

   - Fixez Dureté à **29**. La dureté désigne la rigidité des poils.

▶ **Astuce :** Illustrator propose plusieurs pointes de pinceau par défaut. Cliquez sur le bouton Menu Bibliothèques de formes (▥) en bas du panneau Formes et choisissez Pointe du pinceau > Bibliothèque de pointes de pinceau.

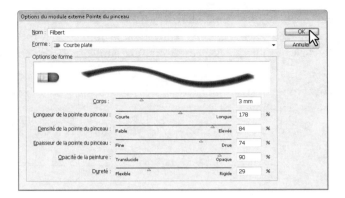

Note : Pour de plus amples informations sur la boîte de dialogue Options du module externe Pointe du pinceau et ses options, consultez la rubrique "Utilisation de l'outil Pointe du pinceau" dans l'Aide d'Illustrator.

4. Cliquez sur OK.

Peindre avec une pointe de pinceau

Vous allez à présent vous servir de la forme Filbert pour dessiner une flamme. La peinture à l'aide d'une pointe de pinceau se traduit par une forme très organique. Pour contraindre l'opération, vous peindrez à l'intérieur d'une forme, qui servira de masque pour la flamme.

1. Dans le panneau Outils, activez l'outil Zoom (🔍) et tracez un rectangle de sélection autour de la forme de flamme à proximité du dinosaure de manière à agrandir son affichage.

2. Dans le panneau Outils, activez l'outil Sélection (▶) et cliquez sur la forme de flamme. Le calque qui contient la flamme est activé, et les illustrations que vous allez créer seront placées sur ce même calque.

3. Dans le bas du panneau Outils, cliquez sur le bouton Dessin intérieur (▣).

Note : Pour de plus amples informations sur les modes de dessin, consultez la Leçon 3, "Création de formes".

    Note : Si le panneau Outils est affiché sur une colonne, cliquez sur le bouton Modes de dessin et sélectionnez ensuite le mode de dessin dans le menu qui apparaît.

4. Choisissez Sélection > Désélectionner pour désélectionner la forme de flamme. Vous pouvez continuer à dessiner à l'intérieur de la forme, comme l'indiquent les lignes pointillées placées aux angles de la forme.

5. Dans le panneau Outils, activez l'outil Pinceau (🖌). Choisissez la forme Filbert à partir du menu Définition de forme du panneau Contrôle.

6. Dans le panneau Contrôle, changez la couleur de fond à [Sans] et la couleur de contour à flame red.

▶ **Astuce :** Si vous
souhaitez modifier les
tracés que vous dessinez,
cochez la case Conserver
la sélection dans les
options de l'outil Pinceau
ou sélectionnez les tracés
avec l'outil Sélection.
Vous n'avez pas besoin
de remplir intégralement
la forme.

7. Positionnez le pointeur à l'extrémité supérieure gauche de la flamme. Faites glisser vers le bas et la droite, en suivant approximativement le bord supérieur de la forme de la flamme. Relâchez lorsque vous dépassez l'extrémité inférieure droite de la flamme.

   Lorsque vous relâchez, vous constatez que le tracé que vous venez de peindre est masqué par la forme de la flamme.

8. Avec l'outil Pinceau (✐), complétez la flamme en traçant d'autres contours avec la forme Filbert.

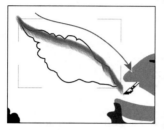  

Peignez avec la pointe de pinceau.   Le tracé est masqué.   Observez le résultat.

▶ **Astuce :** Si le résultat ne vous plaît pas, choisissez Édition > Annuler Contour de la pointe du pinceau.

Vous allez à présent modifier la forme et peindre avec une autre couleur pour obtenir une flamme par superposition de tracés.

9. Dans le panneau Contrôle, changez la couleur de contour à flame orange.

10. Dans le panneau Formes, double-cliquez sur la forme Filbert. Dans la boîte de dialogue Options du module externe Pointe du pinceau, fixez Opacité de la peinture à **30**, puis cliquez sur OK.

11. Dans la boîte d'avertissement qui apparaît, cliquez sur Laisser les contours. Vous modifiez ainsi les options de la forme sans toucher aux contours rouges de la flamme que vous avez déjà peints.

12. Avec l'outil Pinceau, ajoutez d'autres tracés par-dessus les contours rouges. Concentrez les tracés orange à proximité de la gueule du dinosaure.

13. Dans le panneau Contrôle, changez la couleur de contour à flame yellow.

14. Dans le panneau Formes, double-cliquez sur la forme Filbert. Dans la boîte de dialogue Options du module externe Pointe du pinceau, fixez Densité de la pointe du pinceau à **18** et Dureté à **60**. Cliquez sur OK.

15. Dans la boîte d'avertissement qui apparaît, cliquez sur Laisser les contours.

16. Avec l'outil Pinceau, ajoutez d'autres tracés par-dessus les contours orange. Concentrez les tracés jaunes à proximité de la gueule du dinosaure.

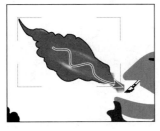 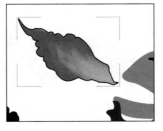

Ajoutez des flammes orange.   Ajoutez des flammes jaunes.

17. Choisissez Affichage > Tracés.

18. Choisissez Sélection > Objet > Contours de la pointe du pinceau pour sélectionner tous les tracés créés avec l'outil Pinceau et la forme Filbert.

19. Choisissez Objet > Associer puis Affichage > Aperçu.

20. Dans le bas du panneau Outils, cliquez sur le bouton Dessin normal.

21. Dans le panneau Outils, activez l'outil Sélection. Cliquez sur le bord de la forme de flamme afin qu'elle soit le seul objet sélectionné.

22. Dans le panneau Contrôle, cliquez sur le bouton Modifier le masque d'écrêtage (). Changez la couleur de contour à [Sans].

23. Choisissez Sélection > Désélectionner puis Fichier > Enregistrer.

Les formes de motif

Les formes de motif dessinent un décor composé de différents éléments, ou *carreaux*. Lorsque vous appliquez une forme de motif à une illustration, différents carreaux sont appliqués aux différentes sections du tracé, en fonction du point du tracé où se situe la section (à une extrémité, au milieu ou dans un angle). Illustrator offre des centaines de motifs à employer dans vos propres projets (des empreintes de pas jusqu'aux paysages urbains). Vous allez ouvrir une bibliothèque de formes de motif et en choisir une qui représente une voie ferrée.

Exemples de formes de motif

La pointe de pinceau et les tablettes graphiques

Lorsque vous utilisez une pointe de pinceau avec une tablette graphique, Illustrator suit de manière interactive les mouvements du stylet sur la tablette. Il interprète tous les aspects d'orientation et de pression en tout point du tracé du dessin. Il produit une sortie modelée sur la position du stylet sur l'axe des abscisses et des ordonnées, ainsi que sur la pression, l'inclinaison, la direction et la rotation.

Lorsque vous utilisez une tablette et un stylet qui prennent en charge la rotation, un annotateur de curseur en forme de pointe de pinceau apparaît. Il n'apparaît pas lorsque vous utilisez d'autres périphériques d'entrée tels qu'une souris. L'annotateur est également désactivé lorsque vous utilisez les curseurs précis.

Note : Utilisez une tablette Wacom Intuos 3 ou supérieure avec un stylet Art (6D) pour explorer les possibilités de l'outil Pointe du pinceau. Illustrator peut interpréter les six degrés de liberté offerts par cette combinaison de périphériques. Toutefois, il est possible que d'autres périphériques, comme les stylets Wacom Grip et Art, ne puissent pas interpréter certains attributs tels que la rotation. Les attributs non interprétés sont traités comme des constantes dans les contours résultants.

Lorsque vous utilisez une souris, seuls les mouvements effectués sur l'axe des abscisses et des ordonnées sont enregistrés. Les autres influx, tels que l'inclinaison, la direction, la rotation et la pression restent fixes et se traduisent par des traits réguliers et uniformes.

Lorsque vous dessinez des contours avec l'outil Pointe du pinceau, un aperçu s'affiche dès que vous faites glisser cet outil. Cet aperçu est une représentation approximative du contour définitif.

Note : Les contours de pointe de pinceau sont composés de plusieurs tracés transparents superposés, dotés d'un fond. Ces tracés, comme tout autre tracé avec fond dans Illustrator, interagissent avec la peinture d'autres objets, notamment d'autres tracés de pointe de pinceau. Toutefois, l'"autointeraction" n'est pas une propriété du fond d'un contour. Ainsi, des contours de pointe de pinceau superposés s'accumulent et interagissent entre eux, mais un seul contour formé par un mouvement de va-et-vient n'interagit pas avec lui-même ni ne se superpose à lui-même.

Extrait de l'Aide d'Illustrator

1. Choisissez Affichage > Ajuster le plan de travail à la fenêtre.

2. Dans le menu du panneau Formes (▾≣), choisissez Afficher Formes de motif et désélectionnez Afficher Pointes de pinceau.

3. Cliquez sur le bouton Menu Bibliothèques de formes (▦) et choisissez Bordures > Bordures_Fantaisie. Un panneau proposant une bibliothèque de bordures apparaît alors.

4. Allez à la fin du panneau Formes et cliquez sur la forme Voie ferrée pour l'ajouter au panneau. Fermez le panneau de la bibliothèque de formes Bordures_Fantaisie.

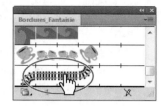

Vous allez à présent appliquer la forme et modifier ses caractéristiques.

5. Ouvrez le panneau Calques en cliquant sur son icône () à droite de l'espace de travail.

6. Cliquez sur la colonne de visibilité à gauche du calque Railroad tracks pour révéler le tracé de la voie ferrée sur le plan de travail. Fermez le panneau Calques en cliquant sur son icône.

7. Dans le panneau Outils, activez l'outil Sélection (▶). Cliquez sur le tracé qui se trouve sous le train.

8. Dans le menu Définition de forme du panneau Contrôle, choisissez la forme de motif Train Tracks pour l'appliquer.

9. Dans le panneau Contrôle, sélectionnez l'épaisseur de contour **4 pt**.

Notez que la voie ferrée suit parfaitement la courbe. Nous l'avons indiqué précédemment, une forme de motif contient des carreaux qui correspondent aux parties d'un tracé.

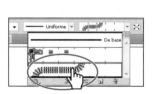

Modifiez les propriétés de la forme appliquée à la voie ferrée.

10. Ouvrez le panneau Formes en cliquant sur son icône (⚒) à droite de l'espace de travail. Dans ce panneau, cliquez sur le bouton Options de l'objet sélectionné (✒) de manière à modifier les options de la forme uniquement pour la voie ferrée sélectionnée sur le plan de travail. La boîte de dialogue Options de contour (forme de motif) apparaît.

▶ **Astuce :** Pour changer la taille de la voie ferrée, vous pouvez également modifier le contour de la ligne sur le plan de travail, avec la forme appliquée.

11. Fixez Échelle à **120 %**, soit en faisant glisser le curseur qui se trouve sous le champ, soit en saisissant directement cette valeur. Cliquez sur OK.

Lorsque vous modifiez les paramètres de forme pour l'objet sélectionné, seules quelques options de la forme sont disponibles. La boîte de dialogue Options de contour (forme de motif) permet de modifier les propriétés du tracé avec formes sans mettre à jour la forme correspondante.

12. Choisissez Sélection > Désélectionner puis Fichier > Enregistrer.

Créer une forme de motif

Il existe plusieurs façons de créer une forme de motif. Dans le cas d'un motif simple appliqué à une ligne droite, vous pouvez, par exemple, sélectionner l'objet qui doit servir de motif et cliquer sur le bouton Nouvelle forme (⬛) en bas du panneau Formes. Pour créer un motif plus complexe qui s'appliquera à des objets constitués de courbes et d'angle, vous devez tout d'abord créer, dans le panneau Nuancier, des nuances destinées à l'illustration qui servira de carreau pour la forme de motif puis créer cette forme. Par exemple, pour créer une forme de motif qui sera utilisée sur une ligne droite avec des angles, vous devrez produire trois nuances : une première pour le trait droit, une deuxième pour l'angle intérieur et une troisième pour l'angle extérieur. Vous allez à présent créer des nuances qui seront employées dans une forme de motif.

1. Ouvrez le panneau Calques en cliquant sur son icône (🌑) à droite de l'espace de travail.

2. Cliquez sur la colonne de visibilité située à gauche du calque Frame pour révéler son contenu.

3. Ouvrez le panneau Nuancier en cliquant sur son icône (▦) ou en choisissant Fenêtre > Nuancier.

Vous allez créer une nuance de motif.

4. Choisissez 2 dans le menu Navigation dans le plan de travail situé dans le coin inférieur gauche de la fenêtre de document.

5. Avec l'outil Sélection (➤), faites glisser la fleur dans le panneau Nuancier. La nouvelle nuance de motif y apparaît.

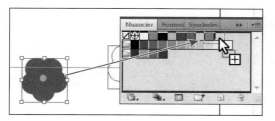

6. Choisissez Sélection > Désélectionner.

7. Dans le panneau Nuancier, double-cliquez sur la nuance de motif que vous venez de créer. Dans la boîte de dialogue Options de nuance, nommez la nuance **Coin**, puis cliquez sur OK.

8. Répétez les étapes 5 à 7 pour créer une nuance de motif à partir du cercle orange situé à gauche de la fleur sur le plan de travail. Nommez-la **Côté**.

▶ **Astuce :** Pour de plus amples informations sur la création de nuance de motif, consultez la rubrique "À propos des motifs" dans l'Aide d'Illustrator.

Pour créer une forme de motif, vous devez appliquer des nuances extraites du panneau Nuancier à des carreaux de la boîte de dialogue Options de forme. C'est ce que vous allez faire pour définir une nouvelle forme de motif.

9. Affichez le panneau Formes en cliquant sur son icône (🖌).

10. Si la sélection n'est pas vide, choisissez Sélection > Désélectionner.

Cette étape est importante ! Tout contenu sélectionné fera partie de la forme.

11. Dans le panneau Formes, cliquez sur le bouton Nouvelle forme (🔲).

12. Dans la boîte de dialogue Nouvelle forme, sélectionnez Forme de motif.

Notez que Forme artistique et Forme diffuse sont en grisé. En effet, pour ces formes, l'illustration doit d'abord être sélectionnée dans le document. Cliquez sur OK.

Vous allez à présent associer les nuances aux carreaux de la forme de motif.

13. Dans la boîte de dialogue Options de forme de motif, nommez la forme **Bordure**.

14. Sur la liste des nuances de motifs, sous le champ Pas, sélectionnez la case du carreau Côtés. Sous les cases des carreaux, sélectionnez Côté. La nuance Côté apparaît dans la case du carreau Côté.

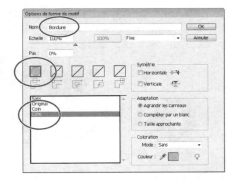

La boîte de dialogue Options de forme de motif présente les carreaux de la nouvelle forme. Le premier carreau, à partir de la gauche, est le carreau Côtés, utilisé pour dessiner les sections médianes du tracé, le deuxième correspond à l'angle extérieur et le troisième, à l'angle intérieur.

Les formes de motif peuvent contenir jusqu'à cinq carreaux : Côtés, Début et Fin, ainsi qu'Angle extérieur et Angle intérieur qui permettent de dessiner des angles aigus sur un tracé. Certaines formes n'ont pas de carreaux d'angle parce qu'elles ont été conçues pour des tracés courbes, sans angles aigus.

Dans la partie suivante de cette leçon, vous créerez votre propre forme de motif exploitant les carreaux d'angle. Vous devez maintenant appliquer la nuance Coin aux carreaux Angle extérieur et Angle intérieur de la nouvelle forme de motif.

15. Dans la boîte de dialogue Options de forme de motif, sélectionnez la case du carreau Angle extérieur (la deuxième à partir de la gauche). Sur la liste des nuances de motifs, sélectionnez la nuance Coin. Elle vient s'afficher dans la case du carreau Angle extérieur.

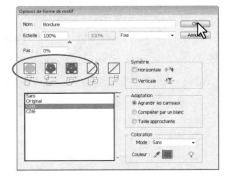

16. Sélectionnez la case du carreau Angle intérieur (celle du milieu). Sur la liste déroulante des nuances de motifs, sélectionnez la nuance Coin. Elle vient s'afficher dans la case du carreau Angle intérieur. Cliquez sur OK.

Vous n'allez pas créer de carreau Début et Fin pour la nouvelle forme car vous l'appliquerez plus loin à un tracé de l'illustration. Si vous souhaitez créer une forme de motif comprenant des carreaux Début et Fin, ajoutez-les simplement en appliquant la méthode employée pour les carreaux Côtés et Angle.

La forme Bordure s'affiche dans le panneau Formes.

▶ **Astuce :** Pour enregistrer une forme et la réemployer dans un autre document, vous devez créer une bibliothèque de formes. Pour en savoir plus, reportez-vous à la rubrique "Utilisation des bibliothèques de formes" de l'Aide d'Illustrator.

Appliquer une forme de motif

Dans cette section, vous allez appliquer la forme Bordure à un cadre rectangulaire autour de l'illustration. Lorsque vous vous servez des outils de dessin pour appliquer des formes à une illustration, vous devez d'abord créer le tracé, puis lui appliquer la forme sélectionnée dans le panneau Formes.

1. Pour revenir au premier plan de travail et l'ajuster à la fenêtre, cliquez sur le bouton Premier ( ) dans le coin inférieur gauche de la fenêtre de document.

2. Activez l'outil Sélection ( ) et cliquez sur le contour blanc du cadre rectangulaire.

3. Dans le panneau Outils, cliquez sur la case Fond et assurez-vous que [Sans] ( ) est sélectionné. Ensuite, cliquez sur la case Contour et choisissez [Sans] ( ).

4. Dans le menu du panneau Formes ( ), sélectionnez Affichage par vignettes.

    Notez que, dans cet affichage par le panneau Formes, les formes de motif sont segmentées. Chaque segment correspond à un carreau de motif. Le carreau Côté est répété dans l'aperçu du panneau Formes.

5. Le rectangle étant sélectionné, cliquez sur la forme Bordure dans le panneau Formes.

    Le rectangle est peint avec la forme Bordure, le carreau Côté le long des côtés et le carreau Coin dans les angles.

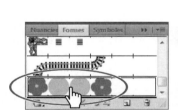 

Vous allez à présent modifier la forme Bordure.

6. Dans le panneau Formes, double-cliquez sur la forme de motif Bordure pour ouvrir la boîte de dialogue Options de forme de motif.

7. Dans cette boîte de dialogue, changez Échelle à **70 %**, Pas à **120 %** et Adaptation à Compléter par un blanc. Cliquez sur OK.

8. Dans la boîte d'avertissement Alerte de remplacement de forme, cliquez sur Appliquer aux contours pour mettre à jour la bordure sur le plan de travail.

9. L'outil Sélection étant activé, cliquez sur l'arc au-dessus de la tête du canard. Dans le panneau Formes, cliquez sur la forme Bordure pour l'appliquer à l'arc.

Notez que les fleurs ne sont pas appliquées au tracé, lequel est peint avec la nuance Côté de la forme Bordure, le carreau Côté étant employé. En effet, puisque le tracé ne comprend aucun angle aigu, les carreaux Angle extérieur et Angle intérieur ne sont pas utilisés.

10. Choisissez Édition > Annuler Appliquer la forme de motif pour retirer la forme de l'arc.

● **Note :** Précédemment, vous avez appris à retirer une forme d'un objet en cliquant sur le bouton Supprimer le contour (✘) du panneau Formes. Ici, vous avez choisi Édition > Annuler Appliquer la forme de motif car l'usage du bouton Supprimer le contour aurait enlevé la mise en forme précédente de l'arc, ne lui laissant que le fond et le contour par défaut.

Modifier les carreaux d'une forme de motif

Vous pouvez modifier les carreaux d'une forme de motif en créant (ou en actualisant) des nuances et en les appliquant aux carreaux depuis la boîte de dialogue Options de forme de motif.

Une autre méthode pour changer les carreaux d'une forme consiste à appuyer sur la touche Alt (Windows) ou Option (Mac OS) et à faire glisser la nouvelle illustration depuis le plan de travail sur le carreau à modifier dans le panneau Formes.

Modification des attributs de couleur des formes

Les couleurs d'une forme diffuse, artistique ou de motif, dépendent de la couleur de contour et du mode de coloration de la forme. Si celui-ci n'a pas été sélectionné, la couleur par défaut de la forme est utilisée. Ainsi, la forme artistique logo train a été appliquée avec sa couleur par défaut et non avec le noir (la couleur de contour active), car son mode de coloration n'était pas indiqué.

Pour modifier la couleur des formes artistiques, diffuses et de motifs, il faut choisir l'un des trois modes de coloration proposés dans la boîte de dialogue Options de forme : Teintes, Teintes et ombres, Saturation. Pour de plus amples informations sur chacun de ces modes, recherchez "options de coloration" dans l'Aide d'Illustrator.

● **Note :** Les formes colorées à partir d'une couleur de contour blanche peuvent apparaître entièrement blanches et celles colorées à partir d'une couleur de contour noire, entièrement noires. Les résultats obtenus dépendent des couleurs d'origine.

Modifier la couleur de la forme avec le mode Teintes

Vous allez à présent modifier la couleur de la forme logo train en appliquant le mode de coloration Teintes.

1. Dans le menu du panneau Formes (▼≡), choisissez Afficher Formes artistiques et désélectionnez Afficher Formes de motif.

2. Avec l'outil Sélection (▶), cliquez sur le logo du train sous le canard (le cercle auquel la forme logo train a été appliquée).

3. Tout en appuyant sur la touche Maj, cliquez sur la couleur de contour dans le panneau Contrôle pour ouvrir le panneau Couleur.

4. Cliquez sur le spectre de couleurs pour sélectionner une couleur. Nous avons choisi un rouge orangé.

5. Dans le panneau Formes, double-cliquez sur la forme logo train pour afficher la boîte de dialogue Options de forme artistique. Cochez la case Aperçu, puis déplacez la boîte de dialogue sur le côté afin que vous puissiez voir les résultats des modifications.

   Vous devez choisir un mode de coloration avant de modifier la couleur. Avec les formes dont le mode est Teintes, Teintes et ombres ou Saturation, c'est la couleur de contour active qui leur est automatiquement appliquée lorsqu'elles sont employées dans une illustration.

6. Dans le menu Mode de la section Coloration de la boîte de dialogue Options de forme artistique, choisissez Teintes.

Le tracé sélectionné, auquel la forme logo train est appliquée, est colorié et affiche la forme de contour dans des teintes déclinées à partir de la couleur de contour. Les zones noires prennent cette couleur, celles qui ne le sont pas prennent des teintes dérivées de la même couleur, et le blanc reste blanc.

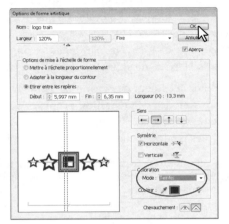

● **Note :** Le mode de coloration Teintes et ombres affiche la forme de contour dans des teintes et des ombres déclinées à partir de la couleur de contour. Le noir et le blanc sont conservés, et toutes les nuances intermédiaires sont créées par un mélange de cette couleur, de noir et de blanc.

7. Vous pouvez choisir le mode Teintes et ombres dans le menu de la boîte de dialogue Options de forme artistique pour voir le changement. Choisissez le mode Teintes, puis cliquez sur OK. Dans la boîte d'avertissement, cliquez sur Appliquer aux contours pour tenir compte des modifications dans l'illustration.

   Vous pouvez également laisser les contours tels qu'ils sont pour ne modifier que les prochains tracés peints avec la forme. Une fois que vous avez sélectionné un mode de coloration pour une forme, la nouvelle couleur de contour s'applique aux contours sélectionnés et aux nouveaux tracés que vous dessinez avec la forme.

8. Ouvrez le panneau Couleur en cliquant sur son icône (🎨) à droite de l'espace de travail. Cliquez sur la case Contour pour l'amener au premier plan, puis sur le spectre de couleurs en plusieurs endroits afin de tester différentes couleurs de contour pour les tracés de forme sélectionnés.

9. Lorsque vous êtes satisfait de la couleur des tracés de forme logo train, cliquez en dehors de l'illustration pour la désélectionner.

10. Choisissez Fichier > Enregistrer.

Modifier la couleur de la forme avec le mode Saturation

Vous allez à présent appliquer une nouvelle couleur à la forme Banner 1 à partir du panneau Formes.

1. Ouvrez le panneau Calques en cliquant sur son icône (⬢) à droite de l'espace de travail. Cliquez sur la colonne de visibilité à gauche du calque Text pour en révéler le contenu.

2. Dans le panneau Outils, activez l'outil Zoom (🔍) et tracez un rectangle de sélection autour du sceau Golden Book Award pour en agrandir l'affichage.

3. Avec l'outil Sélection (▶), sélectionnez le cercle du sceau auquel la forme est appliquée.

4. Ouvrez le panneau Formes en cliquant sur son icône (🎇). Double-cliquez sur la forme Banner 1 pour afficher la boîte de dialogue Options de forme artistique. Notez que le mode de coloration par défaut de la forme Banner 1 est Sans.

5. Dans la boîte de dialogue Options de forme artistique, cochez la case Aperçu, si ce n'est déjà fait. Dans le menu Mode de la section Coloration de la boîte de dialogue, choisissez Saturation.

    Ce mode est généralement employé avec les formes multicolores. Tout ce qui est peint avec cette couleur clé prend la nouvelle couleur de contour.

6. Dans la section Coloration de la boîte de dialogue Options de forme artistique, cliquez sur l'outil Pipette (🖋) et positionnez-le sur une couleur orange dans la fenêtre d'aperçu (à gauche des options de coloration) et cliquez (voir figure).

    La couleur clé que vous venez de sélectionner (l'orange) sera utilisée lorsque vous appliquerez cette forme dans l'illustration, après avoir fermé la boîte de dialogue.

▶ **Astuce :** Pour de plus amples informations sur l'impact des différents modes de coloration sur une illustration, cliquez sur l'icône d'ampoule (💡) dans la boîte de dialogue Options de forme artistique.

Les portions orange du tracé auquel la forme est appliquée sont à présent coloriées avec la couleur de contour courante. Cette couleur apparaît lorsque vous activez le mode de coloration Saturation.

7. Cliquez sur OK. Dans la boîte de dialogue qui s'affiche, cliquez sur Appliquer aux contours. Vous pouvez également laisser les contours tels qu'ils sont pour ne modifier que les prochains tracés peints avec la forme.

Une fois que vous avez sélectionné un mode de coloration pour une forme, la nouvelle couleur de contour s'applique aux contours sélectionnés et aux nouveaux tracés que vous dessinez avec la forme.

8. Dans le panneau Contrôle, fixez la couleur de contour à flame red. Essayez d'autres couleurs de contour pour les tracés de forme sélectionnés, puis optez finalement pour flame yellow.

9. Choisissez Sélection > Désélectionner puis Fichier > Enregistrer.

L'outil Forme de tache

L'outil Forme de tache permet de peindre des formes dotées d'un fond que vous pouvez fusionner et faire s'entrecouper avec d'autres formes de même couleur. Cet outil permet de retrouver le talent de l'outil Pinceau mais, contrairement à ce dernier – qui sert à créer des tracés ouverts artistiques –, il crée une forme fermée avec un fond uniquement, sans contour, que vous modifiez ensuite avec les outils Gomme et Forme de tache. Les formes qui possèdent un contour ne peuvent pas être modifiées avec cet outil.

Tracé créé avec l'outil Pinceau.　　Forme créée avec l'outil Forme de tache.

Vous allez à présent activer l'outil Forme de tache pour créer une partie de la fumée qui sort de la locomotive.

Dessiner avec l'outil Forme de tache

L'outil Forme de tache utilise les mêmes options que les formes calligraphiques.

1. Choisissez Les indispensables dans le commutateur d'espace de travail de la barre d'application.

2. Choisissez Affichage > Ajuster le plan de travail à la fenêtre.

3. Ouvrez le panneau Calques en cliquant sur son icône (🟤) à droite de l'espace de travail. Cliquez sur l'icône de visibilité à gauche du calque Text pour en cacher le contenu, puis sur la colonne de visibilité à gauche des calques Background et Smoke. Activez le calque Smoke.

4. Dans le panneau Contrôle, choisissez le blanc comme couleur de fond et [Sans] (▨) pour la couleur de contour.

5. Dans le panneau Outils, double-cliquez sur l'outil Forme de tache (🖌). Dans la boîte de dialogue Options de l'outil Forme de tache, cochez la case Conserver la sélection et, dans la section Options de forme par défaut, fixez Taille à **30 pt**. Cliquez sur OK.

6. Positionnez le pointeur juste au-dessus de la cheminée noire à gauche du canard. Faites glisser en zigzag vers le haut et la droite pour créer de la fumée.

7. Choisissez Sélection > Désélectionner. Vous allez à présent modifier la forme de fumée pour lui donner un aspect plus décoratif.

Fusionner des tracés avec l'outil Forme de tache

Hormis le dessin et la modification de formes, l'outil Forme de tache permet de fusionner et de faire s'entrecouper des formes de la même couleur. Dans la suite, vous fusionnerez la fumée avec l'ellipse blanche située à sa droite de manière à créer une longue traînée.

1. Ouvrez le panneau Aspect en cliquant sur son icône (◉) à droite de l'espace de travail. Dans le menu de ce panneau (▾≡), désélectionnez Réduire les nouveaux objets à l'aspect de base. Lorsque cette option est désactivée, l'outil Forme de tache utilise les attributs de l'illustration sélectionnée.

● **Note :** Si un fond et un contour sont définis avant la réalisation d'un tracé avec l'outil Forme de tache, le contour devient le fond de la forme créée. Si seul un fond est défini, il devient le fond de la forme créée.

● **Note :** Lorsque vous dessinez avec l'outil Forme de tache, vous créez des formes pleines fermées. Elles peuvent contenir n'importe quel type de fond, y compris des dégradés, des couleurs pleines, des motifs, etc.

2. Avec l'outil Sélection (↖) cliquez sur la fumée que vous avez ajoutée, appuyez sur la touche Maj et cliquez sur l'ellipse blanche à sa droite.

3. Dans le panneau Aspect, cliquez sur le mot Tracé. Ainsi, l'ombre portée que vous allez ajouter ne sera pas appliquée uniquement au fond ou au contour.

4. Choisissez Effet > Spécial > Ombre portée. Dans la boîte de dialogue Ombre portée, fixez Opacité à **35 %**, Décalage sur X à **3 pt**, Décalage sur Y à **3 pt** et Atténuation à **2 pt**. Cliquez sur OK.

5. Choisissez Sélection > Désélectionner.

● **Note :** L'ombre portée est appliquée à l'intégralité de la forme lorsque vous dessinez et modifiez des éléments.

6. L'outil Forme de tache étant activé dans le panneau Outils, vérifiez que les attributs du panneau Aspect correspondent à ceux des formes de fumée (fond blanc, sans contour et ombre portée). Faites glisser depuis l'intérieur de la fumée que vous avez créée vers l'intérieur de l'ellipse placée à droite, de manière à relier les deux formes.

● **Note :** Les objets fusionnés à l'aide de l'outil Forme de tache doivent posséder les mêmes attributs d'aspect, n'avoir aucun contour, se trouver sur le même calque ou groupe et être adjacents dans l'ordre d'empilement.

7. Continuez à dessiner avec l'outil Forme de tache pour que la fumée ressemble à un nuage. Lorsque vous relâchez, l'ombre portée est appliquée.

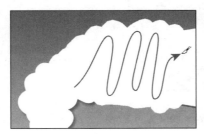 

8. Choisissez Sélection > Désélectionner puis Fichier > Enregistrer.

Modifier des tracés avec l'outil Gomme

Quand vous dessinez et fusionnez des formes avec l'outil Forme de tache, vous risquez d'aller trop loin et, en conséquence, de devoir modifier ce que vous avez réalisé. L'outil Gomme peut vous aider à façonner la forme et à en corriger ce qui vous déplaît.

▶ **Astuce :** Lorsque vous dessinez avec l'outil Forme de tache, faites de préférence de petits mouvements et relâchez souvent le bouton de la souris. Vous pouvez annuler les modifications apportées, mais si vous dessinez par de longs mouvements sans relâcher, l'annulation retire l'intégralité du tracé.

1. Avec l'outil Sélection ( ), sélectionnez la forme de la fumée.

2. Dans le panneau Outils, activez l'outil Gomme ( ). Pour les étapes suivantes, travaillez lentement et n'oubliez pas que vous pouvez toujours arrêter et annuler.

3. Avec l'outil Gomme, faites glisser le long de la partie inférieure de la forme de fumée pour en enlever.

   Les pointeurs des outils Forme de tache et Gomme contiennent un cercle qui indique le diamètre de la forme. Vous allez changer cette taille pour faciliter la modification de la fumée.

Note : La sélection de la forme avant l'activation de l'outil Gomme permet de limiter ses effets à cette forme.

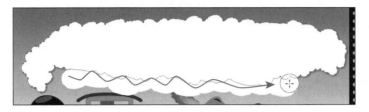

4. Appuyez plusieurs fois sur la touche Crochet fermant (]) pour augmenter la taille de la forme.

5. Basculez entre l'outil Forme de tache et l'outil Gomme pour modifier la fumée.

6. Ouvrez le panneau Calques en cliquant sur son icône ( ) à droite de l'espace de travail. Cliquez sur la colonne de visibilité à gauche du calque Text.

7. Choisissez Fichier > Enregistrer. Gardez le fichier ouvert pour la section "À vous de jouer".

Note : Vous devrez peut-être activer l'outil Sélection et repositionner le texte "Ted and Fuego Take a Train" pour le centrer sur la fumée.

À vous de jouer

Il existe de nombreuses manières d'employer les formes de façon créative. Entraînez-vous avec la forme Pointe de pinceau.

1. Avec l'outil Sélection ( ), sélectionnez la forme de la fumée.

2. Cliquez sur le bouton Dessin intérieur en bas du panneau Outils.

Note : Si vous ne pouvez pas cliquer sur le bouton Dessin intérieur, cela vient probablement du fait que le nuage est à présent un groupe. Dans ce cas, choisissez Objet > Dissocier, puis Sélection > Désélectionner. Cliquez à nouveau sur la forme de nuage.

3. Choisissez Sélection > Désélectionner.

Consignes relatives à l'outil Forme de tache

Lorsque vous vous servez de l'outil Forme de tache, respectez les consignes suivantes :

- Les tracés à fusionner doivent être collés les uns aux autres dans l'ordre d'empilement.

- L'outil Forme de tache crée des tracés avec un fond et aucun contour. Pour fusionner des tracés créés avec cet outil avec l'illustration existante, assurez-vous que l'illustration a la même couleur de fond et aucun contour.

- Lorsque vous dessinez des tracés avec l'outil Forme de tache, les nouveaux tracés sont fusionnés avec le tracé correspondant de premier plan. Si le nouveau tracé touche plusieurs tracés correspondants à l'intérieur d'un même calque ou groupe, tous les tracés intersectés sont fusionnés.

- Pour appliquer des attributs de peinture (tels que des effets ou de la transparence) à l'outil Forme de tache, sélectionnez la forme puis définissez les attributs dans le panneau Aspect avant de dessiner.

- Vous pouvez vous servir de l'outil Forme de tache pour fusionner les tracés créés à l'aide d'autres outils. Pour ce faire, assurez-vous que l'illustration existante n'a aucun contour, puis paramétrez l'outil Forme de tache de façon à avoir la même couleur de fond et dessinez un nouveau tracé en intersection avec tous les autres tracés que vous voulez fusionner.

Extrait de l'Aide d'Illustrator

4. Ouvrez le panneau Formes en cliquant sur son icône (🔧). Cliquez sur le bouton Menu Bibliothèques de formes (📖) et choisissez Pointe du pinceau > Bibliothèque de pointes de pinceau.

5. Dans le panneau Bibliothèque de pointes de pinceau, cliquez sur une forme.

6. Dans le panneau Outils, activez l'outil Pinceau (✏️). Dans le panneau Contrôle, choisissez une couleur de contour gris clair. Entraînez-vous à ajouter du contenu dans la forme de fumée.

Testez les différentes options de la pointe de pinceau.

● **Note :** Une boîte d'avertissement peut s'afficher pour vous signaler que le document contient plusieurs tracés Pointe du pinceau avec de la transparence. Pour cette leçon, cliquez sur OK.

7. Choisissez Fichier > Enregistrer puis Fichier > Fermer.

Entraînez-vous à appliquer des formes aux tracés que vous créez avec des outils de dessin, de la même manière que vous avez appliqué la forme de motif à un tracé créé à un rectangle précédemment dans cette leçon.

1. Choisissez Fichier > Nouveau et créer un document d'expérimentation.

2. Dans le menu du panneau Formes, cliquez sur le bouton Menu Bibliothèques de formes (🖼) et choisissez Décoratif > Décoratif_Diffusion.

3. Servez-vous des outils de dessin (Plume, Crayon et tous les autres outils de dessin de base) pour tracer des objets. Utilisez les couleurs de fond et de contour par défaut pour votre dessin.

4. L'un des objets étant sélectionné, cliquez sur une forme dans le panneau Décoratif_Diffusion pour l'appliquer au tracé de l'objet.

   Lorsque vous sélectionnez une forme diffuse, elle est automatiquement ajoutée au panneau Formes.

5. Répétez l'étape 4 pour chacun des objets dessinés.

6. Dans le panneau Formes, double-cliquez sur une des formes diffuses employées à l'étape 4 pour ouvrir la boîte de dialogue Options de forme diffuse. Modifiez la couleur, la taille ou toute autre caractéristique de la forme. Une fois la boîte de dialogue refermée, choisissez l'option Appliquer aux contours pour appliquer vos modifications.

Révisions

Questions

1. Décrivez chacun des cinq types de formes : artistiques, calligraphiques, de motif, pointes de pinceau et diffuses.

2. Quelle est la différence entre appliquer une forme à une illustration avec l'outil Pinceau et l'appliquer avec l'un des outils de dessin ?

3. Décrivez comment modifier des tracés à l'aide de l'outil Pinceau lorsque vous dessinez. Comment l'option Conserver la sélection affecte-t-elle l'outil Pinceau ?

4. Comment faites-vous pour changer le mode de coloration d'une forme artistique, diffuse ou de motif ? (Pour les formes calligraphiques ou les pointes de pinceau, vous ne sélectionnez pas de mode de coloration.)

5. Pour quels types de forme devez-vous sélectionner une illustration sur le plan de travail avant de créer une forme ?

6. Que pouvez-vous créer avec l'outil Forme de tache ?

Réponses

1. Les cinq types de formes sont les suivants :

   - **Artistiques.** Elles étirent une illustration de manière uniforme le long d'un tracé. Elles comprennent des contours qui ressemblent à des supports graphiques (par exemple, la forme Charcoal-Feather) ; elles comprennent également des objets comme la forme Flèche.

   - **Calligraphiques.** Elles se définissent par un dessin elliptique dont le centre suit le tracé. Elles créent des contours qui ressemblent à des tracés à main levée réalisés à l'aide d'une plume calligraphique plate et pointue.

   - **De motifs.** Elles dessinent un motif composé de quatre sections distinctes, ou carreaux, pour les côtés, les extrémités et les angles du tracé. Lorsqu'on applique une forme de motif à une illustration, différents carreaux du motif sont placés à diverses sections du tracé en fonction de l'emplacement de la section sur le tracé.

- **De pointes de pinceau.** Elles permettent de créer des contours qui semblent avoir été peints au pinceau.

- **Diffuses.** Elles dispersent plusieurs exemplaires d'un objet, par exemple une feuille, le long d'un tracé. On peut régler la taille, le pas, la diffusion et la rotation de ce type de forme pour en modifier l'aspect.

2. Pour appliquer des formes avec l'outil Pinceau, il faut sélectionner l'outil, choisir une forme dans le panneau Formes et dessiner sur le plan de travail : la forme est appliquée directement aux tracés à mesure qu'ils sont réalisés. Avec un autre outil de dessin, il faut le sélectionner puis dessiner dans l'illustration ; ensuite seulement, sélectionner un tracé dans l'illustration et, dans le panneau Formes, choisir une forme qui est appliquée au tracé sélectionné.

3. On fait glisser l'outil Pinceau sur un tracé sélectionné pour le redessiner. L'option Conserver la sélection garde le dernier tracé sélectionné lorsqu'on dessine. Il faut la maintenir active (réglage par défaut) pour pouvoir modifier aisément le dernier tracé en dessinant. Il faut, au contraire, la désactiver quand on veut dessiner des tracés superposés sans modifier les tracés antérieurs. Lorsque l'option Conserver la sélection est désactivée, on peut employer l'outil Sélection pour sélectionner un tracé et le modifier.

4. Pour changer le mode de coloration d'une forme, il faut double-cliquer dessus dans le panneau Formes pour ouvrir la boîte de dialogue Options de forme et, dans le menu Mode de la section Coloration, sélectionner un autre mode. Avec Saturation, on peut employer la couleur par défaut affichée dans la case Couleur. On peut également modifier la couleur clé en cliquant sur la Pipette et en choisissant une couleur dans la fenêtre d'aperçu. On finit par cliquer sur OK pour valider ces paramètres et refermer la boîte de dialogue Options de forme, puis sur Appliquer aux contours dans la boîte d'alerte pour appliquer les changements de saturation aux contours existants de l'illustration.

   Les contours de forme existants sont coloriés avec la couleur de contour qui était sélectionnée au moment où ils ont été appliqués à l'illustration. Les nouveaux contours de forme sont coloriés à l'aide de la couleur de contour courante. Pour modifier la couleur de contours existants après application d'un autre mode de coloration, il faut sélectionner les contours et une nouvelle couleur de contour.

5. Pour les formes artistiques et diffuses. La forme est créée d'un clic sur le bouton Nouvelle forme dans le panneau Formes.

6. L'outil Forme de tache sert à modifier des formes pleines qui peuvent être fusionnées ou qui peuvent s'entrecouper avec d'autres formes de la même couleur, ou encore il permet de créer une nouvelle illustration.

Les effets changent l'aspect d'un objet et sont dynamiques. Vous pouvez les appliquer à un objet, puis les modifier ou les retirer à tout moment à l'aide du panneau Aspect. Ils permettent d'appliquer des ombres portées, de convertir une illustration en deux dimensions en formes en trois dimensions et de créer bien d'autres effets encore.

12

Application d'effets

Au cours de cette leçon, vous apprendrez à :

- utiliser différents effets, comme Pathfinder et Distorsion et transformation, Décalage et Ombre portée ;

- employer les effets Déformation pour créer un bandeau ;

- ajouter une texture à des objets avec les effets Photoshop ;

- créer des objets 3D à partir d'illustrations 2D ;

- appliquer des illustrations aux faces des objets 3D.

Cette leçon vous prendra environ une heure. Si nécessaire, supprimez le dossier de la leçon précédente de votre disque dur et copiez le dossier Lesson12.

Mise en route

Au cours de cette leçon, vous créerez plusieurs objets en utilisant différents effets. Avant de commencer, vous restaurerez les préférences par défaut d'Adobe Illustrator, puis vous ouvrirez un fichier qui contient l'illustration terminée pour voir ce que vous allez créer.

1. Pour vous assurer que les outils et les panneaux fonctionneront exactement comme ils sont décrits au fil de cette leçon, supprimez ou désactivez (en le renommant) le fichier des préférences d'Adobe Illustrator CS5 (pour en savoir plus, reportez-vous à la section "Rétablissement des préférences par défaut" de l'Introduction).

● **Note :** Si vous n'avez pas encore copié les fichiers de cette leçon sur votre disque dur à partir du dossier Lesson12 du CD-ROM *Adobe Illustrator CS5 Classroom in a Book*, faites-le maintenant. Pour savoir comment procéder, consultez la section "Copie des fichiers d'exercices de *Classroom in a Book*" à la page 2.

2. Lancez Adobe Illustrator CS5.

3. Choisissez Fichier > Ouvrir et chargez le fichier L12end_1.ai, qui se trouve dans le dossier Lesson12 sur votre disque dur.

   Ce fichier contient l'illustration terminée d'une canette de soda.

4. Choisissez Affichage > Zoom arrière pour réduire la vue de l'illustration terminée. Ajustez la taille de la fenêtre et laissez l'illustration à l'écran pendant que vous travaillez. Servez-vous de l'outil Main (✋) pour placer l'illustration où bon vous semble dans la fenêtre. Sinon, vous pouvez la fermer en choisissant Fichier > Fermer.

Pour commencer, vous allez ouvrir un fichier d'illustration existant.

5. Choisissez Fichier > Ouvrir et chargez le fichier L12start_1.ai, situé dans le dossier Lesson12 sur votre disque dur.

6. Choisissez Fichier > Enregistrer sous, nommez le fichier **canette.ai** et sélectionnez le dossier Lesson12. Choisissez Adobe Illustrator (*.AI) dans le menu Type (Windows) ou Adobe Illustrator (ai) dans le menu Format (Mac OS), puis cliquez sur Enregistrer. Dans la boîte de dialogue Options Illustrator, gardez les options par défaut et cliquez sur OK.

Les effets dynamiques

Les commandes du menu Effet affectent l'aspect d'un objet sans le changer fondamentalement. L'application d'un ou de plusieurs effets à un objet ajoute automatiquement l'effet à l'attribut d'aspect de l'objet. Vous pouvez modifier, déplacer, supprimer ou dupliquer un effet à n'importe quel moment dans le panneau Aspect. Pour modifier les points créés par un effet, vous devez d'abord décomposer l'objet.

Il existe deux types d'effets : vectoriels et de pixellisation. Ils sont accessibles au travers du menu Effet.

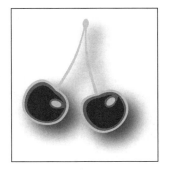

Un objet auquel un effet d'ombre portée a été appliqué.

● **Note :** Lorsque vous appliquez un effet de pixellisation, les données du vecteur d'origine sont pixellisées d'après les paramètres des effets de pixellisation du document, qui déterminent la résolution de l'image finale. Pour en savoir plus sur ces paramètres, recherchez "Paramètres des effets de pixellisation du document" dans l'Aide d'Illustrator.

- **Effets Illustrator (vectoriels).** Ce sont ceux qui figurent dans la moitié supérieure du menu Effets. Ils sont applicables uniquement à des objets vectoriels ou au fond ou au contour d'un objet bitmap dans le panneau Aspect. Certains sont applicables à la fois à des objets vectoriels et à des objets bitmap : effets 3D, Filtres SVG, Déformation, Transformation, Ombre portée, Contour progressif, Lueur interne et Lueur externe.

- **Effets Photoshop (pixellisation).** Visibles dans la moitié inférieure du menu Effet, ils sont applicables aux objets vectoriels comme aux objets bitmap.

Appliquer un effet

Les effets, accessibles dans le menu Effet ou le panneau Aspect, sont appliqués à des objets ou à des groupes d'objets. Dans cette partie de la leçon, vous allez d'abord appliquer un effet à l'étiquette d'une canette de soda, puis vous vous servirez du panneau Aspect.

1. Choisissez Les indispensables dans le commutateur d'espace de travail de la barre d'application.

2. Choisissez Affichage > Repères commentés pour les désactiver.

3. Avec l'outil Sélection (⬆), cliquez sur le texte "Sparkling Soda".

4. Le groupe étant sélectionné, choisissez Effet > Spécial > Ombre portée.

5. Dans la boîte de dialogue Ombre portée, fixez Décalage sur X, Décalage sur Y et Atténuation à **3 pt**. Cochez Aperçu pour visualiser l'ombre portée appliquée aux formes du texte. Cliquez sur OK.

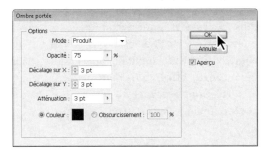

6. Avec l'outil Sélection, cliquez sur les cerises pour sélectionner le groupe.

7. Le groupe étant sélectionné, ouvrez le panneau Aspect en cliquant sur son icône (⬤) à droite de l'espace de travail.

   En haut du panneau Aspect, vous voyez le mot Groupe. Il indique que la sélection forme un groupe. Des effets peuvent être appliqués à des objets associés.

8. Dans le bas du panneau Aspect, cliquez sur le bouton Ajouter un effet (*fx*). Les options qui s'affichent sont celles disponibles dans le menu Effet.

9. Choisissez Spécial > Ombre portée dans la partie Effets Illustrator du menu.

10. Dans la boîte de dialogue Ombre portée, fixez Opacité à **40** et laissez Décalage sur X, Décalage sur Y et Atténuation à 3 pt. Cochez Aperçu pour visualiser l'ombre portée appliquée aux cerises. Cliquez sur OK.

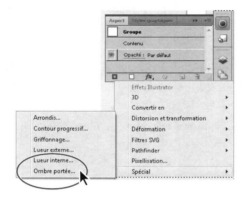
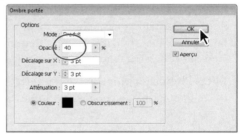

Dans le panneau Aspect, notez que l'effet Ombre portée est à présent indiqué sous Groupe.

11. Choisissez Sélection > Désélectionner.

12. Choisissez Fichier > Enregistrer.

Vous allez à présent modifier les deux effets d'ombre portée.

Modifier un effet

Puisque les effets sont dynamiques, ils peuvent être modifiés après avoir été appliqués à un objet. Pour cela, passez par le panneau Aspect en sélectionnant l'objet auquel l'effet a été appliqué, puis cliquez sur le nom de l'effet ou double-cliquez sur la rangée de l'attribut. La boîte de dialogue de l'effet s'affiche alors. Les changements apportés sont propagés à l'illustration. Dans cette section, vous modifierez l'ombre portée appliquée aux cerises.

1. Avec l'outil Sélection (▶), cliquez sur les formes groupées des cerises et assurez-vous que le panneau Aspect est visible. Si ce n'est pas le cas, choisissez Fenêtre > Aspect ou cliquez sur l'icône du panneau (◉).

   Vous voyez que l'effet Ombre portée apparaît dans le panneau Aspect.

2. Dans le panneau Aspect, cliquez sur le lien bleu Ombre portée. Dans la boîte de dialogue Ombre portée, fixez Opacité à **60 %** et cochez Aperçu pour visualiser la modification. Essayez différents paramètres pour constater leurs effets (nous avons fixé Atténuation à **5**), puis cliquez sur OK.

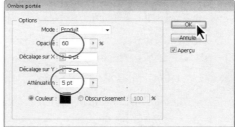

Cliquez sur Ombre portée.   Modifiez les options de l'ombre portée.   Observez le résultat.

Vous allez à présent retirer un effet sur le texte "Sparkling Soda".

3. Avec l'outil Sélection, cliquez sur les formes du texte "Sparkling Soda".

4. Dans le panneau Aspect, cliquez à droite ou à gauche du nom Ombre portée souligné en bleu pour mettre en valeur la rangée d'attribut correspondant à l'effet Ombre portée, si elle ne l'est pas déjà. Ensuite, cliquez sur le bouton Supprimer l'élément sélectionné (🗑) placé au bas du panneau.

● **Note :** Faites attention à ne pas cliquer sur le lien souligné en bleu car cela ouvrirait la boîte de dialogue Ombre portée.

5. Avec l'outil Sélection, cliquez sur le groupe des cerises pour le sélectionner à nouveau.

6. Choisissez Objet > Dissocier.

L'effet d'ombre portée disparaît des cerises. Lorsqu'un effet est appliqué à un groupe, il concerne le groupe comme un tout. Si les objets ne forment plus un groupe, l'effet ne leur est plus appliqué.

7. Choisissez Édition > Annuler Dissocier. L'ombre portée réapparaît.

8. Choisissez Sélection > Désélectionner puis Fichier > Enregistrer.

Donner un style au texte avec des effets

Vous pouvez créer une déformation à partir des objets de l'illustration ou utiliser une déformation prédéfinie ou un filet comme enveloppe. Dans la suite, vous vous servirez d'un effet Déformation sur le texte placé en bas de l'étiquette.

1. Dans le panneau Outils, activez l'outil Sélection (➤), sélectionnez ensuite le texte "NET WT…" placé dans la partie inférieure de l'étiquette.

2. Choisissez Effet > Déformation > Arc inférieur.

3. Dans la boîte de dialogue Options de déformation, fixez Inflexion à **35 %**. Cochez Aperçu afin de prévisualiser les changements. Testez d'autres styles en les choisissant dans le menu Style, puis revenez à Arc inférieur. Réglez les curseurs de distorsion Horizontale et Verticale pour en comprendre les effets. Vérifiez que les valeurs de distorsion sont bien à 0, puis cliquez sur OK.

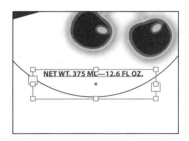 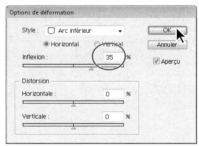 

4. Le texte déformé étant toujours sélectionné, cliquez sur l'icône de visibilité (👁) à gauche de la rangée Déformation : Arc inférieur dans le panneau Aspect. L'effet n'est plus visible et le texte n'apparaît plus déformé sur le plan de travail.

5. Dans le panneau Outils, activez l'outil Texte (T) et remplacez "375" par **380**.

6. Activez l'outil Sélection, puis cliquez sur l'icône de visibilité (👁) à gauche de la rangée Déformation : Arc inférieur dans le panneau Aspect. L'effet redevient visible et le texte apparaît de nouveau déformé.

Note : Vous avez réactivé l'outil Sélection dans cette étape car, à l'origine, l'effet a été appliqué au texte avec cet outil.

7. Choisissez Sélection > Désélectionner.

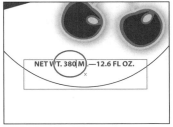

Désactivez l'effet.   Modifiez le texte sur le plan de travail.   L'effet est de nouveau activé sur le texte.

▶ **Astuce :** Il n'est pas obligatoire de désactiver la visibilité de l'effet Déformation avant de modifier le texte sur le plan de travail, mais cela facilite l'opération.

Vous allez à présent appliquer des effets aux formes du texte "CHERRY BLAST" situées dans la partie supérieure de l'étiquette.

8. Avec l'outil Sélection (▶), cliquez sur le texte "CHERRY BLAST" pour sélectionner le groupe.

9. Choisissez Effet > Déformation > Montée.

10. Dans la boîte de dialogue Options de déformation, laissez la case Horizontal cochée et fixez Inflexion à **20 %**. Cliquez sur OK.

Les formes sélectionnées (en bleu) ressemblent encore aux formes d'origine, mais elles sont déformées. Vous constatez qu'un effet dynamique permet d'imprimer les formes de texte déformées par l'effet Montée, mais que cela ne change pas l'objet sous-jacent.

11. Si le panneau Aspect n'est pas ouvert, choisissez Fenêtre > Aspect.

Vous voyez, dans le panneau Aspect, que l'effet Déformation : Montée est appliqué au texte.

Vous allez à présent masquer les points d'ancrage de la sélection afin de pouvoir vous concentrer sur le résultat.

12. Les formes du texte "CHERRY BLAST" étant sélectionnées, choisissez Affichage > Masquer le contour de sélection.

13. Dans le panneau Contrôle, fixez la couleur de fond à banner et laissez le contour à noir et 1 pt.

14. Choisissez Édition > Copier.

15. Les formes du texte étant toujours sélection-nées, choisissez Objet > Masquer > Sélection.

16. Choisissez Édition > Coller devant.

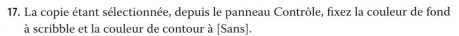

17. La copie étant sélectionnée, depuis le panneau Contrôle, fixez la couleur de fond à scribble et la couleur de contour à [Sans].

Vous allez à présent appliquer l'effet Griffonnage au texte.

18. Les formes du texte étant toujours sélectionnées, choisissez Effet > Spécial > Griffonnage.

19. Dans la boîte de dialogue Options de griffonnage, choisissez Réduit dans le menu Paramètres. Cochez Aperçu pour visualiser les modifications. Fixez Angle à **10**, Chevauchement de tracés à **−3 pt** et laissez les autres options à leur valeur par défaut. Cliquez sur OK.

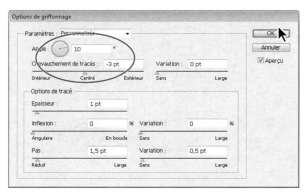

20. Choisissez Objet > Tout afficher.

21. Choisissez Sélection > Désélectionner puis Fichier > Enregistrer.

Modifier des formes avec un effet Pathfinder

Les effets Pathfinder permettent d'obtenir des résultats comparables aux commandes du même nom disponibles dans le panneau Pathfinder, mais, puisqu'il s'agit d'effets, ils ne modifient pas le contenu sous-jacent.

Vous allez à présent appliquer ce type d'effet à plusieurs formes.

1. Avec l'outil Sélection (🡆), appuyez sur la touche Maj et cliquez pour sélectionner le bandeau rouge sous le texte "CHERRY BLAST" et l'ovale en arrière-plan.

2. Choisissez Objet > Associer.

   Les objets doivent être regroupés car les effets Pathfinder ne peuvent être appliqués qu'à des groupes, des calques ou du texte.

3. Choisissez Effet > Pathfinder > Intersection pour créer une forme qui correspond à l'intersection des deux formes.

   ● **Note :** Si vous n'avez pas associé les objets avant de choisir Effet > Pathfinder > Intersection, une boîte d'avertissement s'affiche.

4. L'effet Intersection apparaît dans le panneau Aspect. En cliquant sur Intersection, vous pouvez modifier cet effet Pathfinder.

   ● **Note :** Pour de plus amples informations sur le panneau Aspect, consultez la Leçon 13, "Les attributs d'aspect et les styles graphiques".

5. Le groupe étant toujours sélectionné, choisissez Affichage > Tracés.

   Puisqu'un effet dynamique a été appliqué, les deux formes sont toujours présentes et totalement modifiables.

   ● **Note :** Pour obtenir l'intersection de formes, vous pouvez également vous servir du panneau Pathfinder, qui, par défaut, décomposera immédiatement les formes. Le menu Effet permet de modifier les formes indépendamment.

● **Note :** Pour retirer l'effet Intersection que vous venez d'appliquer à un groupe, cliquez sur cet effet dans le panneau Aspect puis sur le bouton Supprimer l'élément sélectionné (placé au bas de ce panneau.

Associez les objets.

Appliquez l'effet Pathfinder.

Choisissez Affichage > Tracés.

Vous allez à présent copier la forme ovale à partir du groupe auquel l'effet Pathfinder est appliqué.

● **Note :** Vous devez cliquer sur le bord et non pas au centre car les formes en mode Isolation n'ont pas de fond et ne peuvent donc pas être sélectionnées ainsi.

6. Avec l'outil Sélection, double-cliquez sur le bord de la forme ovale pour passer en mode Isolation. Cela vous permet de modifier uniquement les deux formes qui font partie du groupe.

7. Cliquez sur le bord de la forme ovale pour la sélectionner. Choisissez Édition > Copier.

8. Appuyez sur Échap pour quitter le mode Isolation. Choisissez Sélection > Désélectionner.

9. Choisissez Édition > Coller devant pour coller une copie de la forme ovale devant les autres objets.

10. Choisissez Affichage > Aperçu et gardez l'ovale sélectionné.

11. Choisissez Fichier > Enregistrer.

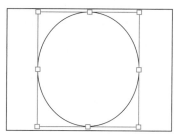

Décaler des tracés

Vous allez à présent modifier la forme ovale en lui ajoutant plusieurs contours, que vous modifierez ensuite en les décalant par rapport à l'ovale. Cette opération permet d'obtenir un effet de plusieurs formes empilées.

1. L'ovale étant sélectionné, dans le panneau Contrôle, fixez la couleur de contour à green (vert), la couleur de fond au dégradé vert intitulé center et l'épaisseur du contour à **5 pt**.

2. Ouvrez le panneau Calques en cliquant sur son icône (◆) à droite de l'espace de travail. Cliquez sur la colonne de visibilité à gauche du calque Background pour afficher la forme d'arrière-plan.

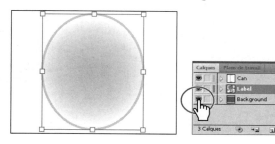 

Vous allez ajouter une autre forme puis modifier le fond en dégradé.

3. Ouvrez le panneau Aspect en cliquant sur son icône (). La forme verte et la rangée contour étant toujours sélectionnées, cliquez sur le bouton Ajouter un contour () placé au bas du panneau Aspect. Un nouveau contour apparaît dans le panneau, mais la forme n'a pas changé.

La forme comprend à présent deux contours de même couleur et de même épaisseur placés l'un par-dessus l'autre.

4. Dans le panneau Aspect, fixez l'épaisseur du contour sélectionné à **9 pt**.

5. Dans le panneau Aspect, cliquez sur la case Couleur de contour et, dans le panneau Nuancier, choisissez la nuance blanche. Appuyez sur Entrée ou Retour pour fermer le panneau Nuancier et revenir au panneau Aspect.

Vous pouvez ajouter plusieurs contours à un objet et leur appliquer des effets différents. Vous avez ainsi l'occasion de créer une illustration intéressante et unique.

Ajoutez un nouveau contour.

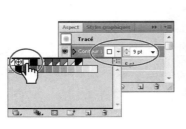

Changez l'épaisseur et la couleur du contour.

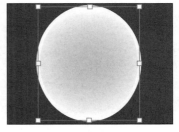

Observez le résultat.

 Note : Pour de plus amples informations sur le panneau Aspect, consultez la Leçon 13, "Les attributs d'aspect et les styles graphiques".

6. Le contour blanc étant sélectionné dans le panneau Aspect, cliquez sur le bouton Ajouter un effet (*fx*) situé au bas du panneau. Choisissez Tracé > Décalage.

7. Dans la boîte de dialogue Décalage, changez Décalage à **16 pt** et cliquez sur OK.

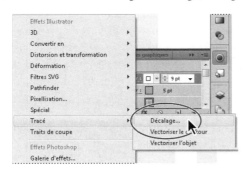

Choisissez Tracé > Décalage.

Fixez l'option Décalage.

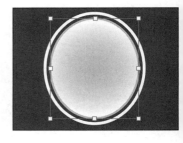

Observez le résultat.

Note : Faites défiler le panneau Aspect ou redimensionnez-le pour plus de facilité.

8. Dans le panneau Aspect, cliquez sur la flèche à gauche du mot Contour (9 pt) pour développer cette rangée. Notez que Décalage se trouve sous Contour, car cet effet est appliqué uniquement à ce contour.

9. Cliquez sur le mot Tracé en haut du panneau Aspect.
Vous allez ainsi pouvoir ajouter, lors de la prochaine étape, une ombre portée sur l'ensemble de la forme, non uniquement sur le contour décalé.

10. Cliquez sur le bouton Ajouter un effet (*fx.*) en bas du panneau Aspect et choisissez Spécial > Ombre portée.

11. Dans la boîte de dialogue Ombre portée, fixez Opacité à **30 %**, Décalage sur X à **0 pt**, Décalage sur Y à **0 pt** et Atténuation à **5 pt**. Cliquez sur OK.

Cliquez sur Tracé.

Modifiez les options de l'ombre portée.

Observez le résultat.

▶ **Astuce :** Notez la case Couleur dans la boîte de dialogue Ombre portée. En cliquant sur cette case, vous ouvrez le sélecteur de couleurs et vous pouvez modifier la couleur de l'ombre portée, à partir du panneau Nuancier ou d'un autre livre de couleurs.

12. Choisissez Sélection > Désélectionner puis Fichier > Enregistrer.

Appliquer un effet Photoshop

Nous l'avons indiqué précédemment, les effets disponibles dans la moitié inférieure du menu Effet sont des effets Photoshop (effets de pixellisation). Vous pouvez les appliquer à des objets vectoriels ou à des images bitmap. Les effets de pixellisation génèrent des pixels au lieu de données vectorielles. Ils incluent les filtres SVG, tous les effets dans la partie inférieure du menu Effet et les commandes Ombre portée, Lueur interne, Lueur externe et Contour progressif du sous-menu Effet > Esthétiques.

Vous allez à présent appliquer un effet Photoshop à l'arrière-plan de l'étiquette.

Note : Après que l'effet de pixellisation a été appliqué, la forme d'arrière-plan est constituée de pixels, non de données vectorielles.

1. Avec l'outil Sélection (▶), sélectionnez la forme ovale à laquelle le contour blanc est appliqué. Dans le panneau Aspect, cliquez sur la rangée du contour blanc pour l'activer. Attention à ne pas cliquer sur le mot Contour.

Vous allez appliquer un effet Photoshop au contour blanc.

2. Choisissez Effet > Textures > Placage de texture pour ouvrir la galerie des effets. Dans les paramètres de Placage de texture sur la droite, fixez Texture à Grès, Mise à l'échelle à **140**, Relief à **8** et Lumière à Bas.

Dans la galerie des effets, vous pouvez appliquer un ou plusieurs effets de pixellisation à un objet. Ils se trouvent dans le panneau central, organisés en dossiers qui correspondent au menu Effet. Testez d'autres effets et ajustez leurs paramètres. Cliquez sur OK pour accepter les options de Placage de texture.

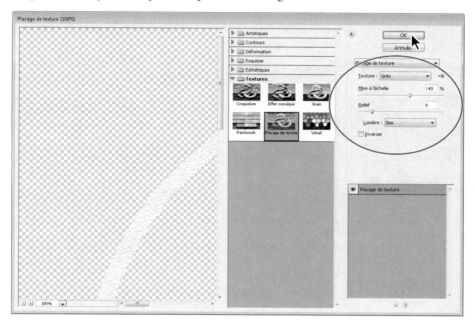

À présent que l'illustration est terminée, vous allez la redimensionner et l'enregistrer en tant que symbole dans le panneau Symboles. Ensuite, vous l'appliquerez à une canette de soda en 3D que vous allez créer.

3. Activez l'outil Sélection, appuyez sur la touche Maj et cliquez sur le rectangle rouge d'arrière-plan pour sélectionner les deux formes. Choisissez Objet > Disposition > Arrière-plan.

4. Choisissez Sélection > Tout sur le plan de travail actif puis Objet > Associer.

5. Le groupe étant sélectionné, double-cliquez sur l'outil Mise à l'échelle (⬚) dans le panneau Outils.

Note : Si vous redimensionnez le contenu sans cocher la case Mise à l'échelle des contours et des effets, l'épaisseur des contours et les effets ne changeront pas.

Astuce : Pour de plus amples informations sur les symboles, consultez la Leçon 14, "Les symboles".

6. Dans la boîte de dialogue Mise à l'échelle, fixez l'échelle uniforme à 60 % et cochez la case Mise à l'échelle des contours et des effets. Cliquez sur OK.

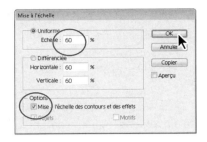

7. Ouvrez le panneau Symboles en cliquant sur son icône (♣) ou en choisissant Fenêtre > Symboles. Activez l'outil Sélection et faites glisser le contenu sélectionné dans le panneau Symboles de manière à créer un symbole. Dans la boîte de dialogue Options de symbole, nommez le symbole **étiquette soda** et sélectionnez le type de symbole Graphique. Cliquez sur OK.

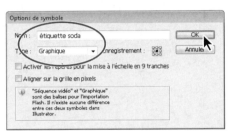

8. Choisissez Sélection > Désélectionner puis Fichier > Enregistrer. Gardez le fichier ouvert.

L'effet 3D

L'effet 3D permet de contrôler plusieurs caractéristiques des objets en trois dimensions, dont l'éclairage, les ombres, la rotation et d'autres propriétés. Dans cette partie de la leçon, vous allez employer des formes en deux dimensions comme base à la création d'objets en trois dimensions.

Il existe trois types d'effets 3D que vous pouvez appliquer :

- **Extrusion et biseautage.** Un objet 2D est étendu le long de l'axe Z afin de lui ajouter une profondeur. Par exemple, si vous extrudez un cercle 2D, vous obtenez un cylindre.

- **Révolution.** Un tracé ou un profil est déplacé de manière circulaire autour de l'axe Y (axe de révolution) afin de résulter en un objet 3D.

- **Rotation.** Une illustration 2D pivote sur l'axe Z de l'espace 3D afin que sa perspective soit modifiée.

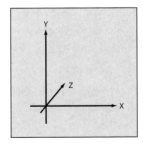

L'effet 3D exploite les axes X, Y et Z

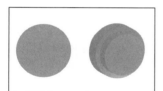
Extrusion et biseautage

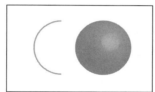
Révolution

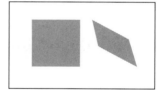
Rotation

Créer un objet par révolution

Dans cette partie de la leçon, vous découvrirez l'effet 3D appelé Révolution. Vous allez l'employer pour fabriquer une canette de soda à partir d'un tracé existant sur le second plan de travail.

1. Choisissez Fenêtre > Espace de travail > Les indispensables.

2. Ouvrez le panneau Plans de travail en cliquant sur son icône ().

3. Dans ce panneau, double-cliquez sur Artboard 2 pour ajuster le plan de travail à la fenêtre de document. Fermez le panneau Plans de travail en cliquant sur son icône.

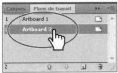

4. Choisissez Sélection > Tout sur le plan de travail actif.

Le tracé correspond à la moitié de la forme de la canette de soda. Lorsque vous lui appliquez l'effet de révolution, il pivote autour de son bord droit ou gauche pour créer une forme sur 360 degrés.

● **Note :** La couleur de contour écrase la couleur de fond de l'objet lors de la révolution.

5. Dans le panneau Contrôle, cliquez sur la couleur de contour et choisissez [Sans] (☑).

6. Dans le panneau Contrôle, cliquez sur la couleur de fond et choisissez White (blanc).

7. Choisissez Effet > 3D > Révolution. Dans la boîte de dialogue Options de révolution 3D, choisissez Avant dans le menu Position. Cochez la case Aperçu pour voir vos modifications. Vous devrez peut-être déplacer la boîte de dialogue pour voir l'illustration.

● **Note :** Selon la complexité de la forme soumise à la révolution et la rapidité de votre ordinateur, les modifications apportées dans la boîte de dialogue Options de révolution 3D peuvent prendre du temps. Peut-être aurez-vous intérêt à décocher Aperçu, puis à effectuer les modifications et à cocher à nouveau Aperçu. De cette manière, la forme ne doit pas être redessinée sur le plan de travail à chaque changement effectué dans la boîte de dialogue.

▶ **Astuce :** Angle détermine le degré de révolution. Pour obtenir un aspect "coupé", fixez un angle inférieur à 360°.

8. Dans l'option Décalage, choisissez Bord droit. La révolution du tracé se fait autour du bord indiqué. Le résultat peut être très différent en fonction du bord choisi et de l'application d'un contour ou d'un fond à l'objet d'origine. Cliquez sur OK.

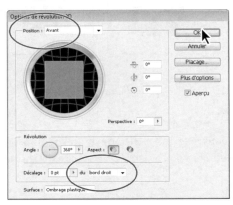

Indiquez le bord autour duquel effectuer la révolution.

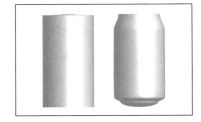

La révolution sur le bord gauche.   La révolution sur le bord droit.

9. Choisissez Fichier > Enregistrer et gardez le fichier ouvert.

Changer l'éclairage d'un objet 3D

L'effet Révolution permet d'ajouter une ou plusieurs sources de lumière, de faire varier l'intensité lumineuse, de changer la couleur de l'ombre de l'objet et de déplacer les sources lumineuses autour de l'objet.

Dans cette section, vous changerez la puissance et la direction de la source lumineuse.

1. La forme de la canette de soda étant sélectionnée, cliquez sur Révolution 3D dans le panneau Aspect. Si ce panneau n'est pas visible, choisissez Fenêtre > Aspect. Vous devrez peut-être le faire défiler ou l'agrandir pour plus de facilité.

2. Dans la boîte de dialogue Options de révolution 3D, cochez Aperçu puis cliquez sur Plus d'options.

Vous avez à présent la possibilité de créer des effets de lumière personnalisés sur votre objet 3D. Servez-vous de la fenêtre de prévisualisation située en bas à gauche de la boîte de dialogue Options de révolution 3D pour repositionner la source lumineuse et modifier la couleur de l'ombre.

3. Dans le menu Surface, choisissez Ombrage diffus.

4. Dans la fenêtre de prévisualisation (la sphère ombrée), faites glisser le carré blanc qui représente la source de lumière vers la gauche. Cette opération modifie la direction de la lumière. Cliquez sur le bouton Nouvelle lumière (⬛) pour ajouter une autre source lumineuse à la canette de soda. Faites-la glisser vers le bas et la droite.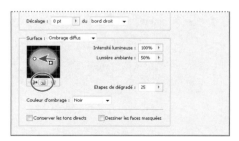

Essayez différents emplacements des sources lumineuses et déplacez la boîte de dialogue pour voir le résultat sur l'illustration.

5. Dans le menu Couleur d'ombrage, choisissez Personnalisée. Cliquez sur le carré rouge qui se trouve à droite de Personnalisée pour ouvrir le sélecteur de couleurs. Choisissez un gris moyen (C = **0**, M = **0**, J = **0**, N = **50**). Cliquez sur OK pour fermer le sélecteur de couleurs et revenir à la boîte de dialogue Options de révolution 3D.

● **Note :** Selon la rapidité de votre ordinateur, les modifications apportées dans la boîte de dialogue Options de révolution 3D peuvent prendre du temps.

6. Dans la boîte de dialogue Options de révolution 3D, fixez Intensité lumineuse à **80 %** et Lumière ambiante à **10 %**. Gardez la boîte de dialogue ouverte.

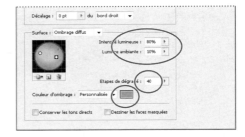

La lumière ambiante contrôle l'uniformité de la luminosité de la surface de l'objet 3D.

7. Fixez Étapes de dégradé à **40** et cliquez sur OK lorsque le traitement est terminé.

8. Choisissez Fichier > Enregistrer.

Options d'ombre de surface

Dans la boîte de dialogue Options 3D pour les effets Extrusion et biseautage, et Révolution, le paramètre Surface permet de définir les options des surfaces d'ombrage :

- **Structure filaire.** Souligne les contours de la géométrie de l'objet et rend toutes les surfaces transparentes.
- **Sans ombrage.** N'ajoute aucune propriété de surface à l'objet. L'objet 3D a la même couleur que l'original en 2D.
- **Ombrage diffus.** Permet à l'objet de refléter la lumière suivant un motif doux et diffus.
- **Ombrage plastique.** Permet à l'objet de refléter la lumière comme s'il était constitué d'un matériau brillant et glacé.

Note : *Différentes options d'éclairage sont disponibles en fonction de l'option choisie. Si l'objet utilise uniquement l'effet de rotation 3D, les seuls choix de surface possibles sont Ombrage diffus et Sans ombrage.*

Extrait de l'Aide d'Illustrator

Plaquer un symbole sur une illustration

Vous pouvez plaquer une illustration provenant d'Illustrator ou d'une autre application, comme Photoshop. L'illustration 2D doit être stockée sous forme de symbole dans le panneau Symboles. Toute image Illustrator peut constituer un symbole, y compris les tracés, les tracés transparents, le texte, les images pixellisées, les filets et les groupes d'objets. Dans cette partie de la leçon, vous allez plaquer l'étiquette enregistrée précédemment comme un symbole sur la canette de soda.

1. La canette de soda étant toujours sélectionnée, cliquez sur Révolution 3D dans le panneau Aspect. Déplacez la boîte de dialogue Options de révolution 3D sur le côté afin de voir l'illustration de la canette. Assurez-vous que la case Aperçu est cochée.

2. Dans la boîte de dialogue Options de révolution 3D, cliquez sur le bouton Placage.

Lorsque vous plaquez une illustration sur un objet 3D, vous devez commencer par choisir la surface sur laquelle la plaquer. Chaque objet 3D est constitué de plusieurs surfaces. Par exemple, un carré extrudé devient un cube constitué de six surfaces : devant, derrière et quatre côtés. Vous allez à présent choisir la surface sur laquelle plaquer l'illustration.

3. Déplacez la boîte de dialogue Placage. Cliquez sur le bouton Surface suivante (▶) jusqu'à ce que "4 de 4" apparaisse dans le champ Surface. Lorsque vous changez de surface, celle qui est activée est indiquée par une surbrillance rouge dans la fenêtre de prévisualisation.

4. Dans le menu Symbole, choisissez le symbole nommé étiquette soda. Cochez la case Aperçu, si elle ne l'est pas déjà.

● **Note :** Si vous sélectionnez la mauvaise surface, choisissez Effacer et plaquer sur une autre surface.

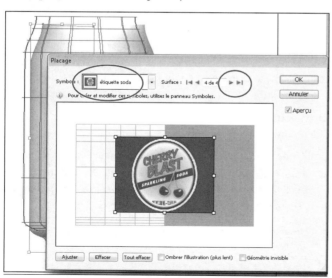

5. Dans la boîte de dialogue Placage, décochez Aperçu pour accélérer le traitement des étapes suivantes.

6. Faites glisser le symbole dans la zone claire de la boîte de dialogue Placage.

Une couleur gris clair désigne les surfaces actuellement visibles. Une couleur gris foncé désigne les surfaces masquées par la position courante de l'objet.

7. Cochez la case Ombrer l'illustration (plus lent). Cochez la case Aperçu pour voir l'illustration sur laquelle le symbole est plaqué. Vous pouvez repositionner ou redimensionner l'illustration. Cliquez ensuite sur OK pour fermer la boîte de dialogue Placage.

8. Dans la boîte de dialogue Options de révolution 3D, cliquez sur le bouton Moins d'options. Ensuite, cliquez sur le bord gauche du carré bleu et faites-le glisser vers la droite pour faire tourner l'objet 3D autour de l'axe Y. La case Aperçu étant cochée, l'objet est mis à jour sur le plan de travail lorsque vous relâchez. Cliquez sur OK.

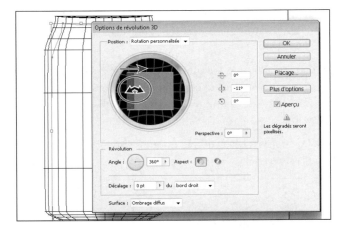

La texture enveloppe à présent la canette de soda. Dans la suite, vous allez modifier le tracé et la couleur de la canette.

9. Avec l'outil Sélection activé et l'objet 3D sélectionné, fixez la couleur de fond à Black (noir) dans le panneau Contrôle.

Notez que l'intégralité de la forme change de couleur, à l'exception du symbole plaqué sur la surface. À ce stade, si nécessaire, vous pouvez modifier la forme de départ. Si vous devez faire pivoter l'objet 3D, il est préférable de passer par la boîte de dialogue Options de révolution 3D.

▶ **Astuce :** Si vous devez modifier la forme, nous vous conseillons de commencer par désélectionner la colonne de visibilité de l'effet Révolution 3D (avec placage) dans le panneau Aspect. Lorsque vous avez terminé, réactivez-la pour le voir de nouveau.

▶ **Astuce :** Si la position ou la taille du symbole ne vous conviennent pas, vous pouvez cliquer sur le bouton Effacer pour retirer le symbole de la surface courante.

▶ **Astuce :** Dans la boîte de dialogue Placage, vous pouvez utiliser les contrôles standard du cadre de sélection pour déplacer, redimensionner ou faire pivoter le symbole.

Plaquer une illustration sur un objet 3D

Lors du placage d'objets 3D, gardez en mémoire les points suivants :

- Comme la fonction de placage utilise des symboles, vous pouvez modifier une instance de symbole et mettre automatiquement à jour toutes les surfaces où ce symbole est plaqué.

- Vous pouvez interagir avec le symbole dans la boîte de dialogue Placage, avec les commandes habituelles du cadre de sélection pour le déplacement, la mise à l'échelle ou la rotation de l'objet.

- L'effet 3D enregistre chaque surface plaquée de l'objet sous un numéro. Si vous modifiez l'objet 3D ou si vous appliquez le même effet à un autre objet, le nombre de faces risque d'être différent de l'original. Si ce nombre est inférieur à celui défini pour le placage d'origine, les illustrations en trop seront ignorées.

- La position du symbole étant définie par rapport au centre de la surface de l'objet, le symbole est replaqué par rapport au nouveau centre de l'objet lorsque la géométrie de la surface change.

- Vous pouvez plaquer des illustrations sur des objets utilisant les effets Extrusion et biseautage ou Révolution, mais pas sur des objets utilisant seulement l'effet Rotation.

Extrait de l'Aide d'Illustrator

10. Choisissez Affichage > Afficher le contour de sélection.

11. Choisissez Fichier > Enregistrer. Gardez le fichier ouvert pour la section "À vous de jouer" ou choisissez Fichier > Fermer.

Ressources d'impression

Afin de prendre les bonnes décisions, il est important de bien comprendre les principes élémentaires de l'impression, comme l'incidence de la résolution de l'imprimante et les effets de la résolution et de l'étalonnage du moniteur sur la façon dont l'illustration apparaît à l'impression. La boîte de dialogue Imprimer d'Illustrator est conçue pour vous aider tout au long du flux d'impression. Chacun des groupes d'options de cette boîte de dialogue est organisé de manière à vous guider dans la procédure d'impression.

Pour de plus amples informations :

- Sur la boîte de dialogue Imprimer, consultez la rubrique "Options de la boîte de dialogue Imprimer" dans l'Aide d'Illustrator.

- Sur la gestion de la couleur dans Illustrator, consultez la rubrique "Impression avec gestion des couleurs" dans l'Aide d'Illustrator.

- Sur la meilleure manière d'imprimer un document, y compris des informations sur la gestion des couleurs, des flux PDF, etc., consultez le site : **www.adobe.com/studio/print/**.

- Sur l'impression dans Creative Suite, consultez la page : **www.adobe.com/designcenter/cs4/articles/cs4_printguide.html**.

Vous trouverez un guide sur l'utilisation et l'impression de la transparence dans Creative Suite sur la page : **www.adobe.com/designcenter/creativesuite/articles/cs3ip_transguide.html**.

À vous de jouer

Vous allez à présent travailler avec un autre effet pour améliorer l'illustration canette.ai, qui est restée ouverte.

1. Choisissez 1 dans le menu Navigation dans le plan de travail situé dans le coin inférieur gauche de la fenêtre de document.

2. Avec l'outil Sélection, cliquez sur l'instance du symbole dans le plan de travail. Cliquez sur le bouton Rompre le lien dans le panneau Contrôle pour modifier les formes.

3. Choisissez Sélection > Désélectionner.

4. Sélectionnez la forme ovale au contour blanc.

5. Choisissez Effet > Convertir en > Rectangle arrondi.

6. Dans la boîte de dialogue Options de forme, sélectionnez l'option Relative et fixez les valeurs Largeur supplémentaire et Hauteur supplémentaire à **0**. Cochez la case Aperçu et fixez Rayon à la valeur que vous souhaitez. Cliquez sur OK.

7. Choisissez Fichier > Enregistrer puis Fichier > Fermer.

Créez un autre élément pour l'illustration de cette leçon.

1. Choisissez Fichier > Ouvrir et chargez le fichier L12start_2.ai, qui se trouve dans le dossier Lesson12.

2. Activez l'outil Sélection (▶), puis choisissez Sélection > Tout.

3. Faites glisser l'illustration vers le panneau Symboles.

4. Dans la boîte de dialogue Options de symbole, changez le nom à **Savon** et choisissez le type Graphique. Cliquez sur OK.

5. L'illustration étant toujours sélectionnée, choisissez Édition > Effacer ou appuyez sur la touche Suppr.

6. Activez l'outil Rectangle (▦) et cliquez une fois sur le plan de travail. Saisissez la valeur **325 pt** pour la largeur et **220 pt** pour la hauteur. Cliquez sur OK.

7. Choisissez Effet > 3D > Extrusion et biseautage. Testez différentes positions et paramètres.

8. Cliquez sur Placage et plaquez en haut de la boîte le symbole Savon que vous avez créé.

9. Fermez les deux boîtes de dialogue lorsque vous avez terminé.

Complétez l'illustration en créant vos propres symboles et en les appliquant aux autres faces de la boîte.

10. Choisissez Fichier > Fermer, sans enregistrer le fichier.

Note : La modification de l'option Biseau peut augmenter énormément la complexité de l'objet 3D et le nombre de surfaces sur lesquelles plaquer l'illustration.

Révisions

Questions

1. Indiquez deux manières d'appliquer un effet à un objet.

2. Une fois les effets appliqués à un objet, où est-il possible de les modifier ?

3. Quels sont les trois types d'effets 3D disponibles ? Donnez un exemple d'utilisation de chacun d'eux.

4. Comment contrôle-t-on l'éclairage d'un objet 3D ? L'éclairage d'un objet 3D affecte-t-il les autres objets 3D ?

5. Quelles sont les étapes du placage d'une illustration sur un objet ?

Réponses

1. a) Sélectionner l'objet, puis choisir l'effet dans le menu Effet ; b) sélectionner l'objet, puis cliquer sur Ajouter un effet (*fx.*) dans le panneau Aspect et choisir l'effet dans le menu qui s'affiche.

2. Dans le panneau Aspect.

3. Les effets 3D sont les suivants : Extrusion et biseautage, Révolution et Rotation.

   • Extrusion et biseautage se fonde sur l'axe Z pour donner une profondeur à un objet 2D à l'aide d'une extrusion (par exemple, un cercle devient un cylindre).

   • Révolution se fonde sur l'axe Y pour faire tourner un objet autour d'un axe (par exemple, un arc devient un cercle).

   • Rotation se fonde sur l'axe Z pour faire pivoter une illustration 2D dans un espace 3D et en modifier la perspective.

4. En cliquant sur le bouton Plus d'options dans les diverses boîtes de dialogue des options 3D. On peut ainsi modifier l'éclairage, sa direction et sa couleur d'ombrage. Les options d'éclairage d'un objet 3D n'affectent aucunement les autres objets 3D.

5. Les étapes de placage d'un objet sont les suivantes :

   a. sélectionner l'illustration, appuyer sur Alt (Windows) ou Option (Mac OS) et cliquer sur le bouton Nouveau symbole dans le panneau Symboles ;

   b. sélectionner l'objet et choisir Effets > 3D > Extrusion et biseautage ou Effets > 3D > Révolution ;

   c. cliquer sur Placage ;

   d. sélectionner la surface à l'aide des boutons Surface précédente et Surface suivante ;

   e. dans le menu Symbole, choisir le symbole ;

   f. fermer les deux boîtes de dialogue.

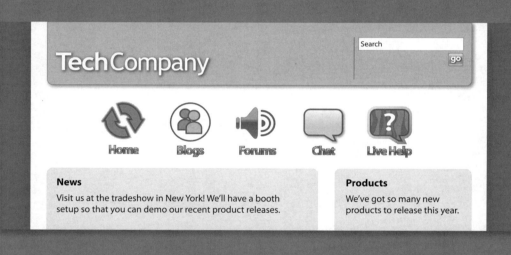

Vous pouvez changer l'apparence d'un objet sans en altérer la structure grâce aux attributs d'aspect – fonds, contours, effets, transparence et modes de fusion. Les attributs d'aspect d'un objet peuvent être enregistrés en tant que styles graphiques et appliqués à d'autres objets. Vous pouvez également modifier un objet auquel a été appliqué un style graphique ou modifier le style lui-même, ce qui représente un gain de temps considérable.

Les attributs d'aspect et les styles graphiques 13

Au cours de cette leçon, vous apprendrez à :

- créer et modifier un attribut d'aspect ;

- ajouter un second contour à un objet ;

- modifier l'ordre des attributs d'aspect et les appliquer à des calques ;

- copier, activer, désactiver et supprimer des attributs d'aspect ;

- enregistrer un aspect en tant que style graphique ;

- appliquer un style graphique à un objet et à un calque ;

- appliquer plusieurs styles graphiques à un objet et à un calque.

Cette leçon vous prendra environ une heure. Si nécessaire, supprimez le dossier de la leçon précédente de votre disque dur et copiez le dossier Lesson13.

Mise en route

Au cours de cette leçon, vous serez amené à améliorer la conception d'une page web en appliquant des attributs d'aspect et des styles graphiques à du texte, à l'arrière-plan et à des boutons. Avant de commencer, vous devrez restaurer les préférences par défaut d'Adobe Illustrator. Vous ouvrirez ensuite le fichier image terminé de cette leçon pour voir ce que vous allez créer.

1. Pour vous assurer que les outils et les panneaux fonctionneront exactement comme ils sont décrits au fil de cette leçon, supprimez ou désactivez (en le renommant) le fichier des préférences d'Adobe Illustrator CS5 (pour en savoir plus, reportez-vous à la section "Rétablissement des préférences par défaut" de l'Introduction).

● **Note :** Si vous n'avez pas encore copié les fichiers de cette leçon sur votre disque dur à partir du dossier Lesson13 du CD-ROM *Adobe Illustrator CS5 Classroom in a Book*, faites-le maintenant. Pour savoir comment procéder, consultez la section "Copie des fichiers d'exercices de *Classroom in a Book*" à la page 2.

2. Lancez Adobe Illustrator CS5.

3. Choisissez Fichier > Ouvrir et chargez le fichier L13end_1.ai, qui se trouve dans le dossier Lesson13 sur votre disque dur. Il contient l'illustration terminée. Dans cette leçon, vous allez appliquer un style aux boutons et à

d'autres objets. Gardez le fichier ouvert pour référence ou choisissez Fichier > Fermer.

La conception de la page web met en œuvre plusieurs effets et styles graphiques, y compris des dégradés, des caractères semi-transparents, des ombres portées ainsi que des graphiques ombrés et "texturisés".

● **Note :** Une boîte de dialogue annonçant un profil manquant peut apparaître. Cliquez sur OK pour continuer.

4. Ouvrez le fichier L13start_1.ai, qui se trouve dans le dossier Lesson13 sur votre disque dur.

5. Choisissez Fichier > Enregistrer sous, nommez le fichier **Conception_tech.ai** et sélectionnez le dossier Lesson13. Choisissez Adobe Illustrator (*.AI) dans le menu Type (Windows) ou Adobe Illustrator (ai) dans le menu Format (Mac OS), puis cliquez sur Enregistrer. Dans la boîte de dialogue Options Illustrator, gardez les options par défaut et cliquez sur OK.

Les attributs d'aspect

Il est possible d'appliquer des attributs d'aspect à n'importe quel objet, groupe ou calque, en faisant appel aux effets et aux panneaux Aspect et Styles graphiques. Un attribut d'aspect est une propriété, telle qu'un fond, un contour, une transparence ou un effet, qui affecte l'apparence d'un objet, non sa structure de base. Il peut être modifié ou supprimé à tout moment sans que l'objet auquel il est appliqué ni les autres propriétés de cet objet en soient affectés.

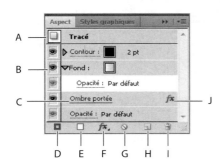

A. Tracé avec contour, fond et ombre portée

B. Colonne de visibilité

C. Lien vers des options

D. Ajouter un contour

E. Ajouter un fond

F. Ajouter un effet

G. Effacer l'aspect

H. Dupliquer l'élément sélectionné

I. Supprimer l'élément sélectionné

J. Tracé avec un effet

Par exemple, si vous appliquez une ombre portée à un objet, vous pouvez, quand bon vous semble, en modifier la profondeur, le flou ou la couleur. Vous avez également la possibilité de copier cet effet et de l'appliquer à d'autres formes, groupes ou calques, et même de l'enregistrer en tant que style graphique pour une utilisation ultérieure avec d'autres objets ou fichiers.

Le panneau Aspect comprend les types d'attributs modifiables suivants :

- contour (épaisseur, couleur et effet) ;
- fond (type, couleur, transparence et effets) ;
- transparence, y compris l'opacité et le mode de fusion ;
- menu d'effet.

Modifier et ajouter un attribut d'aspect

Vous commencerez par sélectionner une forme de flèche pour ensuite en améliorer l'apparence dans le panneau Aspect.

1. Choisissez Fenêtre > Espace de travail > Les indispensables.

2. Activez l'outil Sélection (▶) et, dans le fichier Conception_tech.ai, sélectionnez la flèche verte supérieure du bouton Home.

3. Ouvrez le panneau Aspect en cliquant sur son icône (◉), à droite de l'espace de travail, puis cliquez sur la rangée de l'attribut Contour pour le sélectionner. Ne cliquez pas sur le mot "Contour" bleu souligné, mais à droite ou à gauche de celui-ci.

Sélectionner la rangée de l'attribut Contour permet de modifier le contour dans l'illustration.

4. Dans le panneau Contrôle, cliquez sur le mot Opacité afin d'afficher le panneau Transparence. Dans celui-ci, choisissez Produit dans le menu Mode de fusion. Fixez Opacité à **50 %**. Appuyez sur Entrée ou Retour pour fermer le panneau Transparence.

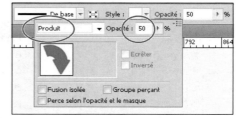

5. Activez l'outil Sélection, appuyez sur Ctrl+barre d'espacement (Windows) ou Cmd+barre d'espacement (Mac OS) et cliquez plusieurs fois sur la forme de flèche pour arriver à un zoom d'environ 200 %. Examinez le changement apporté au contour de la flèche. Le mode de fusion Produit permet d'obtenir un effet semblable à celui d'un marqueur transparent sur une feuille.

Les contours sont centrés sur le tracé : la moitié de la couleur de contour chevauche le fond de la flèche, tandis que l'autre moitié est superposée à l'arrière-plan blanc.

Vous allez maintenant modifier le contour de la flèche en passant par le panneau Aspect.

6. Dans le panneau Aspect, ouvrez les attributs de contour en cliquant sur le triangle (▶) à gauche du mot Contour.

7. Cliquez sur le lien Opacité pour ouvrir le panneau Transparence.

8. Dans le panneau Transparence, fixez Opacité à **70 %**. Dans le panneau Aspect, cliquez sur la rangée de l'attribut Opacité afin de masquer le panneau Transparence.

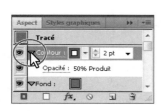
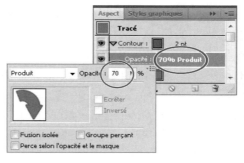
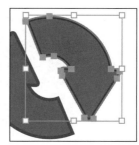

9. Dans le panneau Aspect, cliquez sur 2 pt afin de modifier cette valeur. Fixez Épaisseur de contour à **4 pt**. Si vous le souhaitez, vous pouvez également modifier la couleur du contour.

 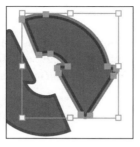

10. Choisissez Fichier > Enregistrer.

Réorganiser les attributs d'aspect

Vous allez modifier l'apparence du mode de fusion Produit en réorganisant les attributs dans le panneau Aspect.

1. Redimensionnez le panneau Aspect de manière à visualiser l'intégralité de son contenu. Cliquez sur le triangle (▶) à gauche du mot Contour pour masquer les propriétés de contour. Si les propriétés Fond sont visibles, cliquez sur le triangle (▶) à gauche du mot Fond pour les masquer.

2. Faites glisser l'attribut Fond au-dessus de l'attribut Contour. (Cette technique est analogue à celle qui consiste à déplacer des calques dans le panneau Calques afin d'ajuster leur ordre d'empilement.)

  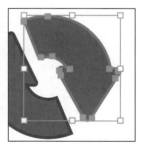

Le fait de positionner l'attribut Fond au-dessus de l'attribut Contour modifie l'apparence du mode de fusion Produit sur le contour. La moitié du contour a été recouverte. Les modes de fusion fonctionnent uniquement avec les objets placés en dessous d'eux dans l'ordre d'empilement.

Ajouter un contour et un fond supplémentaires

Vous allez à présent ajouter un nouveau contour à l'objet en utilisant le panneau Aspect. Il s'agit d'une autre méthode pour ajouter des éléments de design à l'illustration.

1. La flèche étant toujours sélectionnée, cliquez sur le bouton Ajouter un contour (■) au bas du panneau Aspect. Le nouveau contour apparaît en haut de la liste des attributs d'aspect. Il reprend les mêmes couleur et épaisseur que le premier contour.

2. Dans le champ Épaisseur de contour du panneau Aspect, choisissez **2 pt** pour le nouveau contour.

3. Appuyez sur la touche Maj et cliquez sur la case Couleur de contour pour ouvrir le panneau Couleur. Choisissez RVB dans le menu (⬇≡). Fixez les valeurs à R = **76**, V = **0** et B = **121**. Appuyez sur Entrée ou Retour pour fermer le panneau Couleur et revenir au panneau Aspect.

Nous choisissons le mode colorimétrique RVB car le document est destiné au Web.

 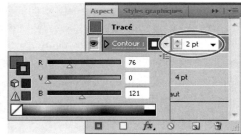 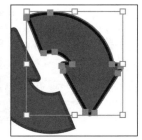

▶ **Astuce :** Il existe d'autres manières de fermer les panneaux qui apparaissent dans le panneau Aspect (Couleur, par exemple). Vous pouvez notamment appuyer sur Échap ou cliquer sur la rangée de l'attribut Contour.

Vous allez ajouter un effet qui modifie le décalage du contour en le rapprochant du centre de la flèche.

4. La rangée du premier attribut Contour étant toujours sélectionnée, cliquez sur le bouton Ajouter un effet (*fx.*) au bas du panneau Aspect. Choisissez Tracé > Décalage dans le menu qui s'affiche.

5. Cochez Aperçu dans la boîte de dialogue Décalage pour voir le résultat de l'application de l'effet. Fixez Décalage à **−3 px**, puis cliquez sur OK.

  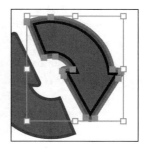

6. Dans le panneau Aspect, cliquez sur le triangle à gauche du premier attribut Contour afin de révéler les effets Décalage et Opacité. Cliquez sur l'icône de visibilité (👁) à gauche de Décalage pour masquer cet effet. Notez le changement de la flèche sur le plan de travail. Cliquez à nouveau sur la colonne de visibilité pour faire réapparaître le décalage.

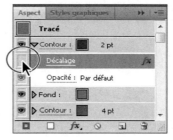

En cliquant sur l'icône de visibilité dans le panneau Aspect, vous désactivez un attribut sans le supprimer.

Poursuivez en modifiant l'ordre des attributs d'aspect en prévision de l'ajout d'effets dynamiques.

7. Dans le panneau Aspect, cliquez sur le triangle à gauche de l'attribut Contour 2 pt pour en masquer les propriétés. Déplacez ensuite l'attribut Contour 4 pt entre l'attribut Fond et l'attribut Contour 2 pt.

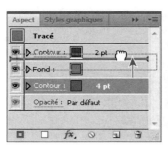 

8. Choisissez Fichier > Enregistrer. Gardez la flèche sélectionnée.

▶ **Astuce :** Pour afficher tous les attributs masqués, choisissez Afficher tous les attributs masqués dans le menu du panneau Aspect.

Découvrir les styles graphiques

Un style graphique n'est rien d'autre qu'un jeu nommé d'attributs d'aspect que vous pouvez réutiliser. En appliquant différents styles, vous avez la possibilité de changer rapidement et en globalité l'apparence d'un objet.

Le panneau Styles graphiques (Fenêtre > Styles graphiques) permet de créer, de nommer, d'enregistrer, d'appliquer et de retirer des effets et des attributs aux objets, calques ou groupes. Vous pouvez également rompre le lien établi entre un objet et un style graphique appliqué pour modifier l'un des attributs de l'objet sans affecter les autres objets éventuellement dotés du même style.

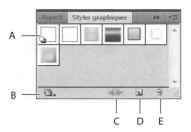

A. Styles graphiques

B. Menu Bibliothèques de styles graphiques

C. Rompre le lien au style graphique

D. Nouveau style graphique

E. Supprimer le style graphique

À titre d'exemple, imaginez une carte sur laquelle figure un symbole matérialisant une ville. Un style a été appliqué au symbole afin qu'il apparaisse en vert avec une ombre portée. Vous pouvez employer ce style graphique pour représenter l'ensemble des villes sur la carte. Par la suite, libre à vous de passer la couleur de fond du style en bleu : les symboles, automatiquement actualisés, s'afficheront en bleu.

Créer et enregistrer un style graphique

Vous allez nommer et enregistrer un nouveau style graphique en faisant appel aux attributs d'aspect précédemment définis pour la flèche du bouton Home. Vous appliquerez ensuite les mêmes attributs d'aspect à la seconde forme de flèche.

● **Note :** Même si Les indispensables est déjà sélectionné, sélectionnez-le à nouveau pour réinitialiser l'espace de travail.

1. Choisissez Les indispensables dans le commutateur d'espace de travail de la barre d'application.

2. Ouvrez le panneau Styles graphiques en cliquant sur son icône (⊟) à droite de l'espace de travail.

3. Faites glisser le panneau Styles graphiques hors de son groupe. Redimensionnez-le de sorte que tous les styles par défaut soient affichés et qu'il y ait un espace vide en bas.

4. La flèche étant toujours sélectionnée sur le plan de travail, faites glisser, dans le panneau Aspect, la vignette Tracé jusqu'au panneau Styles graphiques.

5. Lorsqu'un petit carré apparaît dans le panneau, relâchez. Ce carré indique que vous êtes en train d'ajouter un nouveau style au panneau.

Dans le panneau Aspect, après la vignette Tracé apparaît le texte "Tracé: Style graphique".

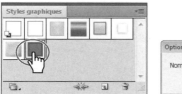

6. Dans le panneau Styles graphiques, double-cliquez sur la nouvelle vignette de style graphique. Dans la boîte de dialogue Options de style graphique, nommez le nouveau style **Bouton Home** et cliquez sur OK.

Dans le panneau Aspect, vous remarquerez que "Tracé: Style graphique" est devenu "Tracé: Bouton Home". Cela indique qu'un style graphique nommé Bouton Home est appliqué à l'objet sélectionné.

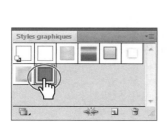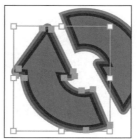

7. Choisissez Sélection > Désélectionner puis Fichier > Enregistrer.

Appliquer un style graphique à un objet

Il est très facile d'appliquer des styles graphiques à des objets. C'est ce que vous allez faire en donnant le style graphique de la flèche supérieure à la flèche inférieure du bouton Home.

1. Avec l'outil Sélection (▶), sélectionnez la seconde flèche verte.

2. Dans le panneau Styles graphiques, cliquez sur le style graphique Bouton Home.

3. Choisissez Sélection > Désélectionner puis Fichier > Enregistrer.

Appliquer un style graphique à un calque

Après qu'un style graphique a été appliqué à un calque, chaque élément ajouté à ce calque prendra ce style. Vous allez créer un style graphique et l'appliquer à un calque sur lequel vous dessinerez ensuite quelques formes originales pour juger de l'effet du style.

1. Choisissez Les indispensables dans le commutateur d'espace de travail de la barre d'application.

2. Ouvrez le panneau Aspect (●) et cliquez sur le bouton Effacer l'aspect (⊘). Sélectionnez le nom ou la vignette d'aspect Aucune sélection en haut du panneau.

Le bouton Effacer l'aspect supprime tous les attributs appliqués à un objet, contour et fond compris. En cliquant sur le bouton Effacer l'aspect alors que la sélection est vide, vous définissez l'aspect par défaut des nouvelles formes.

● **Note :** Lorsque vous saisissez 3 pt dans un champ, il est possible que cette valeur soit convertie en 3 px lorsque vous passez au champ suivant. En effet, l'unité des dimensions du document a été fixée à pixels.

3. Dans le panneau Aspect, cliquez sur le bouton Ajouter un effet (*fx.*) et, dans Effets Illustrator, choisissez Spécial > Ombre portée. Fixez Opacité à **50 %**, Décalage sur X à **3 pt**, Décalage sur Y à **3 pt** et Atténuation à **3 pt**. Cliquez sur OK.

4. Dans le panneau Aspect, notez que Ombre portée apparaît sur la liste. Agrandissez le panneau Aspect pour en voir tout le contenu.

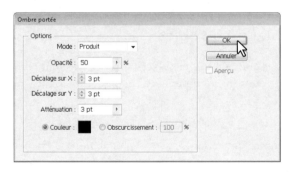
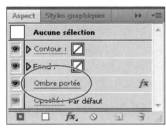

Lorsque vous créez un style, le panneau Styles graphiques utilise automatiquement les attributs d'aspect actifs affichés dans le panneau Aspect.

5. Ouvrez le panneau Styles graphiques en cliquant sur son icône (⊡) à droite de l'espace de travail. Appuyez sur la touche Alt (Windows) ou Option (Mac OS) et cliquez sur le bouton Nouveau style graphique (⊡) et nommez le nouveau style Ombre portée. Cliquez sur OK.

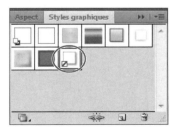

Vous allez cibler le calque Blog button pour appliquer une ombre portée à l'ensemble de ses objets. Le ciblage permet de sélectionner tous les tracés présents sur un calque de l'illustration.

6. Ouvrez le panneau Calques en cliquant sur son icône (⬢) à droite de l'espace de travail.

7. Dans le panneau Calques, cliquez sur le triangle (▶) à gauche du calque Blog button, pour en afficher le contenu, puis sur l'icône de cible (○) à droite du même calque. Si vous ne voyez pas les formes sélectionnées sur le plan de travail, appuyez sur la barre d'espacement et faites glisser vers la gauche.

● **Note :** Vous devrez peut-être faire défiler le panneau Calques vers le bas.

8. Dans le panneau Styles graphiques, cliquez sur le style Ombre portée pour l'appliquer au calque et à tout son contenu. Gardez les formes sélectionnées sur le plan de travail.

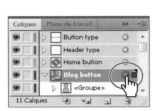
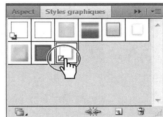
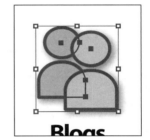

9. Dans le panneau Outils, double-cliquez sur l'outil Mise à l'échelle (⬚). Fixez l'option Uniforme à **70 %**, puis cliquez sur OK.

10. Choisissez Sélection > Désélectionner puis Fichier > Enregistrer.

Vous allez maintenant tester l'effet en ajoutant quelques éléments au calque Blog button.

11. Dans le panneau Outils, activez l'outil Zoom (🔍) et cliquez deux fois sur les formes du bouton Blogs pour en agrandir l'affichage.

12. Activez l'outil Ellipse (⬭), qui se trouve dans le groupe de l'outil Rectangle (▭) du panneau Outils.

13. Dans le panneau Contrôle, assurez-vous que la couleur de fond est fixée à [Sans] (⬜), que la couleur de contour est le noir et que l'épaisseur de contour est de 3 pt.

14. Le calque Blog button étant toujours sélectionné, appuyez sur la touche Maj et tracez un cercle autour des formes du bouton Blogs, avec une hauteur et une largeur d'environ 82 pixels.

● **Note :** Pour que les libellés des dimensions affichent la taille pendant que vous dessinez, vérifiez que les repères commentés sont activés (Affichage > Repères commentés).

15. Choisissez Objet > Disposition > Arrière-plan pour que l'ellipse soit placée derrière les formes du bouton. Avec l'outil Sélection, positionnez le cercle de manière qu'il soit approximativement centré derrière les formes. Gardez l'ellipse sélectionnée.

Puisque le style Ombre portée contient un seul effet, sans contour ni fond, les objets ajoutés au calque conservent les attributs de contour et de fond d'origine.

Vous allez à présent modifier l'ombre portée appliquée au calque.

16. Ouvrez le panneau Aspect en cliquant sur son icône (●) à droite de l'espace de travail.

Dans le panneau Aspect, vous voyez le nom "Calque: Ombre portée" au début de la liste. On voit que l'ellipse se trouve sur un calque auquel est appliquée une ombre portée.

Astuce : Vous pouvez également sélectionner l'icône de cible du calque Blog button dans le panneau Calques puis modifier l'effet dans le panneau Aspect.

17. Cliquez sur Calque: Ombre portée pour accéder à l'effet Ombre portée appliqué au calque.

18. Dans le panneau Aspect, cliquez sur les mots soulignés Ombre portée et, dans la boîte de dialogue Ombre portée, fixez Décalage sur X et Décalage sur Y à **2 pt**. Cochez Aperçu pour visualiser le changement subtil. Cliquez sur OK.

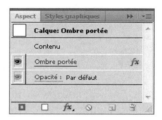

19. Choisissez Affichage > Ajuster le plan de travail à la fenêtre.

20. Choisissez Sélection > Désélectionner puis Fichier > Enregistrer.

Icônes de cible

Dans le panneau Calques, l'icône de cible indique si un élément de la hiérarchie de calques contient des attributs d'aspect et s'il est ciblé :

(◎) Indique que l'élément n'est pas ciblé et ne contient aucun attribut d'aspect autre qu'un seul fond et un seul contour.

(○) Indique que l'élément n'est pas ciblé mais qu'il possède des attributs d'aspect.

(◉) Indique que l'élément est ciblé mais qu'il ne contient aucun attribut d'aspect autre qu'un seul fond et un seul contour.

(◉) Indique que l'élément est ciblé et qu'il contient des attributs d'aspect.

Extrait de l'Aide d'Illustrator

Appliquer des styles graphiques prédéfinis

Illustrator CS5 est accompagné de bibliothèques de styles prédéfinis. Vous terminerez la conception des boutons en ajoutant un style prédéfini au calque Chat button.

1. Ouvrez le panneau Calques en cliquant sur son icône () à droite de l'espace de travail.

2. Dans le panneau Calques, cliquez sur le triangle (▶) à gauche du calque Blog button pour le réduire. Si nécessaire, faites défiler le panneau Calques vers le bas. Cliquez sur le triangle (▶) à gauche du calque Chat button pour le développer.

3. Sélectionnez le sous-calque <Tracé>, puis cliquez sur l'icône de cible (○) à sa droite.

4. Sélectionnez la nuance jaune (R = **253**, V = **195**, B = **17**) dans la couleur de fond du panneau Contrôle.

Astuce : Utilisez le panneau Calques pour sélectionner les objets ou les calques auxquels vous souhaitez appliquer des styles. Les effets et les styles varient selon qu'ils s'appliquent à un calque, à un objet ou à un groupe.

Note : Si vous ciblez un calque ou un sous-calque par erreur, annulez en cliquant sur l'icône de cible tout en appuyant sur la touche Ctrl (Windows) ou Cmd (Mac OS).

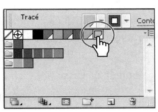

Vous allez appliquer un style au calque Chat button, style qui contient une couleur de fond qui remplacera le jaune du bouton Chat.

5. L'icône de cible (○) du sous-calque <Tracé> étant toujours sélectionnée dans le panneau Calques, cliquez sur le menu Style du panneau Contrôle. Dans le panneau Styles graphiques, cliquez du bouton droit (Windows) ou en appuyant sur Ctrl (Mac OS) et maintenez sur le style Chat pour prévisualiser le style graphique sur la bulle du bouton Chat.

L'aperçu d'un style graphique permet d'observer la manière dont il affectera l'objet sélectionné sans l'appliquer réellement.

6. Cliquez sur le style graphique Chat pour l'appliquer au bouton Chat.

Note : Si le menu Style est absent du panneau Contrôle, ouvrez le panneau Styles graphiques en cliquant sur son icône à droite de l'espace de travail.

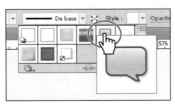

7. Choisissez Fichier > Enregistrer.

Vous allez à présent appliquer un style graphique existant à du texte.

8. Choisissez Sélection > Désélectionner.

9. Avec l'outil Sélection (▶), tracez un rectangle de sélection au travers des libellés des boutons (le texte sous les boutons).

10. Dans le menu du panneau Styles graphiques (▤), cliquez sur Remplacer la couleur de caractère, si nécessaire. Cliquez sur le bouton Menu Bibliothèques de styles graphiques (▣) et choisissez la bibliothèque Illumination – Styles.

Lorsque vous appliquez un style graphique à du texte, la couleur de fond du texte remplace la couleur de fond du style graphique. C'est pour empêcher ce comportement qu'on clique sur Remplacer la couleur de caractère.

11. Dans le menu du panneau Illumination – Styles (▾☰), choisissez Utiliser un texte d'aperçu.

12. Dans le panneau de la bibliothèque Illumination – Styles, cliquez du bouton droit (Windows) ou en appuyant sur Ctrl (Mac OS) et maintenez sur le style graphique Tons clairs – Fusain pour avoir un aperçu de ce style sur le texte. Cliquez sur ce style pour l'appliquer.

Si l'option Remplacer la couleur de caractère était inactive, le fond serait noir.

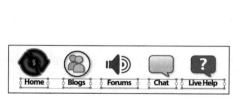

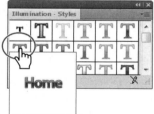

13. Fermez le panneau de la bibliothèque Illumination – Styles.

14. Choisissez Sélection > Désélectionner puis Fichier > Enregistrer.

Ajouter un style graphique prédéfini

Il est possible d'appliquer un style graphique à un objet auquel un autre style graphique est déjà appliqué. Cela permet de lui ajouter des propriétés provenant d'un autre style graphique. Les mises en forme se combinent alors.

1. Avec l'outil Sélection (▶), sélectionnez la forme rouge du bouton Live Help (non le point d'interrogation).

Vous allez modifier la forme puis créer un nouveau style graphique à partir de ses attributs d'aspect.

2. Ouvrez le panneau Aspect en cliquant sur son onglet dans le groupe du panneau Styles graphiques. Sélectionnez l'attribut Fond, puis cliquez sur le bouton Dupliquer l'élément sélectionné (⬛) placé au bas du panneau, afin de créer une copie du fond au-dessus de l'original dans le panneau Aspect.

3. Cliquez sur la case Fond du nouvel attribut, qui est automatiquement sélectionné dans le panneau Aspect, pour ouvrir le panneau Nuancier. Cliquez sur le bouton Menu Bibliothèques de nuances (▼≡) au bas du panneau. Choisissez Motifs > Nature > Nature_Peaux d'animaux. Sélectionnez le motif Tigre pour l'appliquer au fond.

▶ **Astuce :** Pour afficher des nuances plus grandes, choisissez Affichage par grandes vignettes dans le menu du panneau Nature_ Peaux d'animaux.

4. Fermez le panneau Nature_Peaux d'animaux.

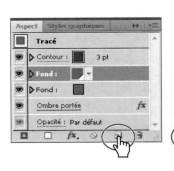
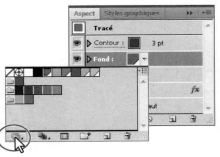

5. La rangée du fond Tigre étant sélectionnée, dans le panneau Contrôle fixez Opacité à **30 %**.

6. Affichez le panneau Styles graphiques. Appuyez sur la touche Alt (Windows) ou Option (Mac OS) et cliquez sur le bouton Nouveau style graphique (⬛). Dans la boîte de dialogue Options de style graphique, nommez le style **Aide**. Cliquez sur OK.

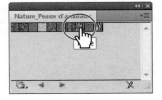

Vous allez à présent appliquer le style graphique Bevel Soft à la forme du bouton Live Help actuellement sélectionnée.

7. Dans le panneau Styles graphiques, cliquez sur la vignette Bevel Soft pour l'appliquer à la forme du bouton.

Notez que les fonds et le contour ne sont plus visibles. Par défaut, les styles graphiques remplacent la mise en forme des objets sélectionnés.

8. Choisissez Édition > Annuler Styles graphiques.

9. Appuyez sur la touche Alt (Windows) ou Option (Mac OS) et cliquez sur le style graphique Bevel Soft.

Notez que les fonds et le contour sont conservés et que le chanfrein est également appliqué. Par cette procédure, vous ajoutez le style graphique à la mise en forme existante.

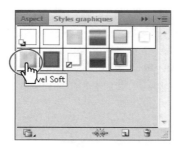  

10. Ouvrez le panneau Aspect. Cliquez sur l'icône de visibilité (👁), à gauche de l'attribut Ombre portée, pour la masquer.

11. Choisissez Sélection > Désélectionner puis Fichier > Enregistrer.

Appliquer un aspect à un calque

Vous pouvez également appliquer des attributs d'aspect simples à un calque. Par exemple, pour rendre opaque à 50 % l'ensemble des éléments d'un calque, ciblez simplement ce calque et changez son opacité.

Vous allez continuer le travail en ciblant un calque, puis en changeant son mode de fusion pour adoucir l'effet des caractères.

1. Dans le panneau Calques, cliquez sur le triangle vers le bas à côté de chaque calque ouvert de manière à les fermer.

2. Allez jusqu'au calque Columns, puis cliquez sur son icône de cible (○).

3. Choisissez la nuance K = **50** dans la couleur de fond du panneau Contrôle, puis fixez Opacité à **20 %**.

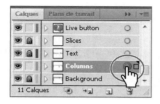

4. Choisissez Sélection > Désélectionner.

5. Choisissez Fichier > Enregistrer.

Copier, appliquer et supprimer des styles graphiques

Une fois que vous avez créé plusieurs aspects et styles graphiques, vous pouvez les appliquer à d'autres objets de votre illustration. Faites appel au panneau Styles graphiques, au panneau Aspect, à l'outil Pipette (✐) ou à l'outil Pot de peinture dynamique (⬙) pour appliquer et copier des attributs d'aspect.

Vous allez appliquer un style à l'un des objets en vous servant du panneau Aspect.

1. Avec l'outil Sélection (▶), cliquez sur l'une des formes de flèche du bouton Home pour la sélectionner.

2. Dans le panneau Aspect, faites glisser la vignette de l'aspect (étiquetée "Tracé : Bouton Home") jusque sur la forme de haut-parleur du bouton Forums afin d'appliquer les attributs à cette dernière.

    **Note :** Faites bien glisser la vignette, non le texte.

   Vous pouvez appliquer des styles ou des attributs en les faisant glisser du panneau Styles graphiques ou du panneau Aspect sur l'objet de votre choix. Il n'est pas nécessaire que l'objet cible soit sélectionné.

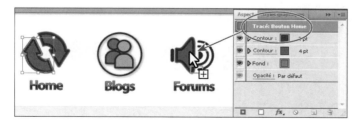

3. Choisissez Sélection > Désélectionner.

Appliquez ensuite un style en le faisant directement glisser depuis le panneau Styles graphiques jusqu'à l'objet visé.

4. Avec l'outil Sélection, faites glisser la vignette du style graphique Tons clairs – Fusain depuis le panneau Styles graphiques vers la grande forme du haut-parleur du bouton Forums dans l'illustration.

5. Relâchez pour appliquer le style à la forme.

6. Faites glisser le même style graphique sur la petite forme de gauche du haut-parleur (voir figure).

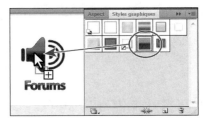 

Servez-vous à présent du panneau Calques pour copier un attribut d'un calque sur un autre.

7. Agrandissez le panneau Calques pour voir tous les calques. Cliquez sur le calque Blog button pour le sélectionner. Tout en appuyant sur la touche Alt (Windows) ou Option (Mac OS), faites glisser l'indicateur d'aspect depuis le calque Blog button jusque sur l'indicateur d'aspect du calque Header type.

Le fait d'appuyer sur la touche Alt/Option pendant l'opération permet de copier un effet de calque sur un autre calque, comme l'indique le pointeur main accompagné du signe plus (+). Pour déplacer, sans le copier, un aspect ou un style d'un calque ou d'un objet sur un autre, il suffit de faire glisser l'indicateur d'aspect.

Tout en appuyant sur la touche Alt/Option, faites glisser les attributs d'aspect d'un calque vers un autre.

Toujours depuis le panneau Calques, vous allez supprimer un aspect d'un calque.

8. Dans le panneau Calques, cliquez sur l'icône de cible à droite du calque Blog button.

9. Faites-la glisser sur la corbeille au bas du panneau Calques, de manière à supprimer l'attribut d'aspect.

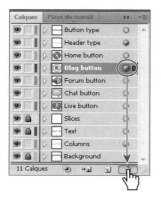 

Il est également possible de supprimer les attributs d'un objet sélectionné ou d'un calque à partir du panneau Aspect. Pour cela, sélectionnez un objet puis cliquez sur Réduire à l'aspect de base dans le menu du panneau afin de restaurer l'état original de l'objet (fonds et contours compris), c'est-à-dire celui qui était le sien avant qu'un attribut d'aspect ou un style ne lui ait été appliqué.

10. Choisissez Fichier > Enregistrer puis Fichier > Fermer.

À vous de jouer

Puisque vous connaissez désormais les techniques de base relatives à la création et à l'emploi des aspects et des styles, expérimentez différentes combinaisons d'attributs d'aspect pour générer d'intéressants effets spéciaux. Essayez de combiner différents styles afin d'en créer d'autres.

Voici, par exemple, comment fusionner deux styles existants pour en créer un troisième.

1. Choisissez Fichier > Nouveau pour créer un document. Dans la boîte de dialogue Nouveau document, vérifiez que l'option Impression est sélectionnée dans le menu Nouveau profil de document. Cliquez sur OK.

2. Choisissez Fenêtre > Styles graphiques pour ouvrir ce panneau.

3. Dans le panneau Styles graphiques, sélectionnez le style Arrondis 10 pt.

● **Note :** Si le style Arrondis 10 pt n'apparaît pas dans le panneau Styles graphiques, cliquez sur le bouton Menu Bibliothèques de styles graphiques et choisissez Compléments.

● **Note :** Si le style Jaune lumineux n'apparaît pas dans le panneau Styles graphiques, cliquez sur le bouton Menu Bibliothèques de styles graphiques (⬚) et choisissez Illumination – Styles > Illumination – Jaune.

4. Ajoutez un autre style à celui qui est sélectionné : appuyez sur Ctrl (Windows) ou Cmd (Mac OS) et cliquez sur le style nommé Jaune lumineux.

5. Choisissez Fusionner les styles graphiques dans le menu du panneau.

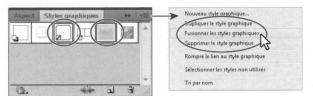

6. Nommez le style **Style fusionné** dans la boîte de dialogue Options de style graphique, puis cliquez sur OK.

7. Revenez au plan de travail, tracez une forme ou saisissez du texte, sélectionnez ce contenu avec l'outil Sélection et appliquez-lui le nouveau style.

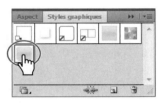 

8. Choisissez Fichier > Fermer, sans enregistrer le fichier.

Révisions

Questions

1. Nommez au moins deux types d'attributs d'aspect.

2. Comment faites-vous pour ajouter un second contour à un objet ?

3. Quelle est la différence entre l'application d'un style graphique à un calque et l'application d'un style graphique à un objet ?

4. Comment ajoute-t-on un style graphique au style existant ?

5. Comment supprime-t-on un attribut d'aspect à partir du panneau Calques ?

Réponses

1. Les types d'attributs modifiables proposés par le panneau Aspect sont : a) les attributs de fond (type de fond, couleur, transparence et effets) ; b) les attributs de contour (type de contour, forme, transparence de couleur et effets) ; c) les attributs de transparence (opacité et mode de fusion) ; d) les effets du menu Effet.

2. Dans le panneau Aspect, on clique sur le bouton Ajouter un contour ou on choisit Ajouter un nouveau contour dans le menu de ce panneau. Un contour apparaît en tête de liste des attributs d'aspect. Il reprend la couleur et l'épaisseur du contour d'origine.

3. Une fois qu'un style graphique est appliqué à un calque, tout élément ajouté ultérieurement à ce calque prendra ce style. Par exemple, si on crée un cercle sur le Calque 1 et qu'on le déplace sur le Calque 2 auquel un effet Ombre portée a été précédemment attribué, le cercle adoptera cet effet.

   Lorsqu'un style est appliqué à un objet, aucun autre élément susceptible de figurer sur le calque de cet objet n'est affecté. Par exemple, un triangle dont le tracé est doté d'un effet Accentuation et qui est déplacé d'un calque sur un autre conserve l'effet d'accentuation.

4. Lorsqu'un style graphique est déjà appliqué à un objet, il suffit d'appuyer sur Alt (Windows) ou Option (Mac OS) et de cliquer sur le nouveau style graphique dans le panneau Styles graphiques.

5. Dans le panneau Calques, il faut cliquer sur l'icône de cible d'un calque et la faire glisser sur l'icône de corbeille pour supprimer l'attribut d'aspect. On peut aussi opérer à partir du menu du panneau Aspect : sélectionner l'objet et choisir Réduire à l'aspect de base pour restaurer l'état d'origine de l'objet.

Le panneau Symboles permet d'appliquer des objets sur la page en les reproduisant autant de fois que nécessaire. L'emploi combiné des symboles et des outils de symbolisme fait de la création de formes répétitives, telles que des brins d'herbe, un vrai jeu d'enfant. Le panneau Symboles sert aussi à stocker des images sous la forme d'une base de données et à plaquer des symboles sur des objets 3D. Les symboles peuvent également être exportés au format SWF ou SVG.

Les symboles

14

Au cours de cette leçon, vous apprendrez à :

- appliquer des instances de symboles ;
- créer un symbole ;
- modifier et redéfinir un symbole ;
- utiliser les outils de symbolisme ;
- enregistrer et retrouver des images dans le panneau Symboles ;
- associer les symboles et Adobe Flash.

Cette leçon vous prendra environ une heure. Si nécessaire, supprimez le dossier de la leçon précédente de votre disque dur et copiez le dossier Lesson14.

Mise en route

Dans cette leçon, vous compléterez une illustration destinée à une affiche. Avant de commencer, vous devez restaurer les préférences par défaut d'Adobe Illustrator. Vous ouvrirez ensuite le fichier image terminé pour voir ce que vous allez créer.

1. Pour vous assurer que les outils et les panneaux fonctionneront exactement comme ils sont décrits au fil de cette leçon, supprimez ou désactivez (en le renommant) le fichier des préférences d'Adobe Illustrator CS5 (pour en savoir plus, reportez-vous à la section "Rétablissement des préférences par défaut" de l'Introduction).

● **Note :** Si vous n'avez pas encore copié les fichiers de cette leçon sur votre disque dur à partir du dossier Lesson14 du CD-ROM *Adobe Illustrator CS5 Classroom in a Book*, faites-le maintenant. Pour savoir comment procéder, consultez la section "Copie des fichiers d'exercices de *Classroom in a Book*" à la page 2.

2. Lancez Adobe Illustrator CS5.

3. Choisissez Fichier > Ouvrir et chargez le fichier L14end_1.ai, qui se trouve dans le dossier Lesson14 sur votre disque dur.

   Choisissez Affichage > Zoom arrière pour réduire la vue de l'illustration terminée. Ajustez la taille de la fenêtre et laissez l'illustration à l'écran pendant que vous travaillez. Servez-vous de l'outil Main (🖑) pour placer l'illustration où bon vous semble dans la fenêtre. Si vous ne souhaitez pas que l'image reste ouverte, choisissez Fichier > Fermer.

4. Choisissez Fichier > Ouvrir et chargez le fichier L14start_1.ai, qui se trouve dans le dossier Lesson14 sur votre disque dur.

5. Allez dans Fichier > Enregistrer sous, nommez le fichier **affiche.ai** et sélectionnez le dossier Lesson14. Choisissez Adobe Illustrator (*.AI) dans le menu Type (Windows) ou Adobe Illustrator (ai) dans le menu Format (Mac OS), puis cliquez sur Enregistrer. Dans la boîte de dialogue Options Illustrator, gardez les options par défaut et cliquez sur OK.

6. Choisissez Fenêtre > Espace de travail > Les indispensables.

7. Double-cliquez sur l'outil Main (🖑) pour ajuster le plan de travail à la fenêtre.

Les symboles

Un symbole est une illustration stockée dans le panneau Symboles (Fenêtre > Symboles). Par exemple, créez un symbole à partir d'un objet ayant la forme d'un brin d'herbe et vous pourrez rapidement en ajouter de multiples instances dans votre illustration plutôt que de devoir dessiner individuellement chaque brin d'herbe. Puisque toutes les instances du symbole sont liées au symbole original dans le panneau Symboles, il est très facile de les modifier toutes à l'aide des outils de symbolisme.

Lorsque vous modifiez le symbole d'origine, toutes les instances liées au symbole original sont mises à jour. Passer d'un gazon vert à un gazon jauni par le soleil est une opération qui se réalise quasi instantanément. Les symboles permettent de gagner du temps et de réduire considérablement la taille des fichiers. Ils peuvent également être employés pour créer des fichiers SWF ou des illustrations pour Flash.

Illustrator est livré avec plusieurs bibliothèques de symboles, allant des icônes Tiki aux Cheveux et pelage. Elles sont accessibles *via* le menu du panneau Symboles ou par Fenêtre > Bibliothèques de symboles.

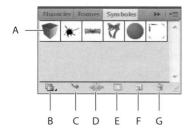

A
B C D E F G

A. Symboles
B. Menu Bibliothèques de symboles
C. Importer l'instance de symbole

D. Rompre le lien au symbole
E. Options de symbole
F. Nouveau symbole
G. Supprimer le symbole

● **Note :** Le panneau Symboles ci-contre correspond au panneau par défaut pour un nouveau document Illustrator de profil Impression.

Travailler avec les bibliothèques de symboles d'Illustrator

Pour commencer, vous ajouterez des sushis à l'illustration en prenant des symboles dans une bibliothèque existante.

1. Choisissez Affichage > Repères commentés pour les désactiver.

2. Ouvrez le panneau Calques en cliquant sur son icône (🔲) à droite de l'espace de travail. Cliquez sur le calque sushi pour confirmer sa sélection. Fermez tous les autres calques en cliquant sur la flèche placée à gauche de leur nom.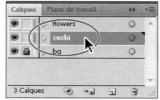

   Lorsque vous ajoutez des symboles à un document, ils font partie du calque sélectionné à ce moment-là.

3. Ouvrez le panneau Symboles en choisissant Fenêtre > Symboles ou en cliquant sur son icône (♣), à droite de l'espace de travail.

4. Cliquez sur le bouton Menu Bibliothèques de symboles (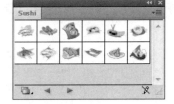), au bas du panneau Symboles, et choisissez la bibliothèque Sushi. Elle s'ouvre sous forme d'un panneau flottant.

Cette bibliothèque est extérieure au fichier Illustrator sur lequel vous travaillez, mais vous pouvez en importer tout symbole dans le document et l'utiliser dans l'illustration.

5. Positionnez le pointeur au-dessus des symboles dans le panneau Sushi pour voir s'afficher leur nom dans une info-bulle. Cliquez sur le symbole Futo pour l'ajouter au panneau Symboles. Fermez le panneau Sushi.

Chaque document propose un ensemble de symboles par défaut dans le panneau Symboles.

Lorsque vous ajoutez des symboles à ce panneau, ils ne sont enregistrés qu'avec le document actif.

▶ **Astuce :** Si vous souhaitez voir les symboles par leur nom à la place de leur vignette, choisissez Liste de petites vignettes ou Liste de grandes vignettes dans le menu du panneau Symboles (⏷≡).

6. Avec l'outil Sélection (➤), faites glisser le symbole Futo depuis le panneau Symboles vers le plan de travail, sur le bord droit du plateau. Ajoutez un autre symbole à gauche du symbole Futo existant.

Les symboles que vous faites glisser sur le plan de travail sont des instances du symbole Futo. Vous allez redimensionner une instance de ce symbole sur la page.

7. Avec l'outil Sélection, sélectionnez l'instance de droite du symbole Futo. Tout en appuyant sur la touche Maj, faites glisser le coin supérieur droit de l'instance vers le bas pour réduire sa taille tout en conservant ses proportions. Relâchez le bouton de la souris, puis la touche de modification.

L'instance du symbole étant sélectionnée sur le plan de travail, notez le mot Symbole affiché dans le panneau Contrôle et les options associées à un symbole.

● **Note :** Même s'il est possible de transformer les instances d'un symbole de nombreuses façons, certaines de leurs caractéristiques ne peuvent pas être modifiées. Par exemple, la couleur de fond est verrouillée car elle est contrôlée par le symbole d'origine dans le panneau Symboles.

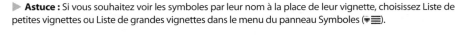

Vous allez à présent modifier le symbole de sushi d'origine afin d'en affecter toutes les instances. Il existe plusieurs façons de procéder et cette section va en présenter une.

8. Avec l'outil Sélection (), double-cliquez sur la plus petite instance du symbole Futo.

   Une boîte d'avertissement apparaît. Elle vous signale que vous allez modifier le symbole d'origine et que toutes les instances seront actualisées. Cliquez sur OK. Vous passez alors en mode Isolation afin de ne pas modifier les autres objets de la page.

   La taille de l'instance du symbole Futo sur laquelle vous avez cliqué change. En effet, vous travaillez sur le symbole d'origine, non sur celui que vous avez redimensionné dans la page. Vous pouvez à présent modifier les formes qui composent le symbole.

9. Avec l'outil Sélection, double-cliquez sur l'instance du symbole Futo pour la dissocier.

   ▶ **Astuce :** N'hésitez pas à agrandir l'affichage des instances du symbole Futo.

10. Cliquez sur la forme rouge qui ressemble à un plateau et qui se trouve sous les morceaux de sushi. Appuyez sur la touche Suppr pour la supprimer. Répétez l'opération pour les deux lignes noires incurvées.

11. Avec l'outil Sélection, double-cliquez en dehors du contenu du sushi ou cliquez sur le bouton Quitter le mode Isolation () dans l'angle supérieur gauche du plan de travail jusqu'à sortir du mode Isolation. Vous pourrez ainsi modifier le reste du contenu. Notez que les deux instances de Futo ont été modifiées.

▶ **Astuce :** Pour modifier un symbole, vous pouvez également sélectionner toutes ses instances sur le plan de travail et cliquer sur le bouton Modifier le symbole dans le panneau Contrôle.

12. Choisissez Fichier > Enregistrer et gardez le document ouvert.

Créer des symboles

● **Note :** Vous ne pouvez pas utiliser des images importées liées pour créer des symboles.

Vous pouvez créer vos propres symboles, à partir de tracés, de tracés transparents, de texte, d'images pixellisées, d'objets filaires et de groupes d'objets. Les symboles peuvent même inclure des objets actifs, comme des contours, des dégradés de formes, des effets ou d'autres instances de symboles.

Vous allez à présent créer votre propre symbole à partir d'une illustration existante.

1. Choisissez Affichage > Draw_flower. Vous obtenez une vue agrandie du côté droit du plan de travail.

2. Ouvrez le panneau Calques en cliquant sur son icône (🐚), à droite de l'espace de travail, et activez le calque flowers. Vous placerez les prochaines instances de symbole sur ce calque.

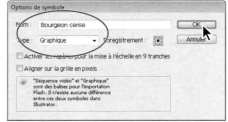

3. Avec l'outil Sélection, tracez un rectangle de sélection autour des deux formes roses à droite du plan de travail.

4. Ouvrez le panneau Symboles en cliquant sur son icône (♣). Avec l'outil Sélection, faites glisser les formes sélectionnées vers une zone vide du panneau Symboles.

5. Dans la boîte de dialogue Options de symbole qui apparaît, saisissez **Bourgeon cerise** dans le champ Nom et choisissez le type Graphique. Cliquez sur OK pour créer le symbole.

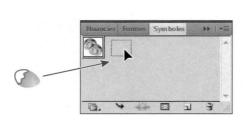

● **Note :** Par défaut, l'illustration sélectionnée devient une instance du nouveau symbole. Si vous ne souhaitez pas ce fonctionnement, appuyez sur la touche Maj pendant que vous créez le nouveau symbole.

Après que le symbole Bourgeon cerise a été créé, les formes d'origine à droite du plan de travail sont converties en une instance de symbole. Vous pouvez les laisser en place ou les supprimer.

6. Choisissez Affichage > Ajuster le plan de travail à la fenêtre.

7. Choisissez Fichier > Enregistrer.

Modifier un symbole

Dans cette section, vous ajouterez plusieurs instances du symbole Bourgeon cerise sur l'illustration. Ensuite, vous modifierez le symbole dans le panneau Symboles, et toutes ses instances seront actualisées.

1. Dans le panneau Outils, activez l'outil Zoom (🔍) et cliquez deux fois sur l'extrémité droite de la branche située en haut du plan de travail.

2. Avec l'outil Sélection, faites glisser une instance du symbole Bourgeon cerise sur l'extrémité droite de la branche.

3. Faites glisser une autre instance du symbole depuis le panneau Symboles sur les branches supérieures (voir figure).

Vous allez à présent ajouter d'autres instances d'un symbole déjà présent sur le plan de travail en utilisant une touche de modification.

4. Avec l'outil Sélection (▶), et tout en appuyant sur la touche Alt (Windows) ou Option (Mac OS), faites glisser l'une des instances de Bourgeon cerise déjà présentes sur le plan de travail de manière à en créer une copie. Lorsque la nouvelle instance est à sa place, relâchez le bouton de la souris, puis la touche de modification. Il doit y avoir trois instances du symbole Bourgeon cerise.

5. Avec cette méthode, créez un total de sept instances sur la branche supérieure. Référez-vous à la figure pour leur emplacement approximatif.

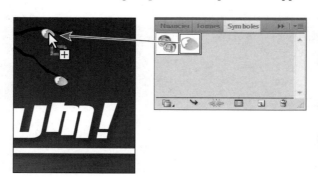

6. Dans le panneau Symboles, double-cliquez sur le symbole Bourgeon cerise pour le modifier. Une instance temporaire du symbole apparaît à l'écran au centre de la fenêtre de document.

Quand vous modifiez un symbole en double-cliquant dessus dans le panneau Symboles, vous masquez l'intégralité du contenu du plan de travail, à l'exception du symbole.

7. Appuyez plusieurs fois sur Ctrl++ (Windows) ou Cmd++ (Mac OS) pour augmenter le facteur de zoom.

8. Avec l'outil Sélection, sélectionnez la forme blanche la plus petite. Dans le panneau Contrôle, changez la couleur de contour à [Sans] et la couleur de fond à Pink (rose).

9. Choisissez Sélection > Tout ou tracez un rectangle de sélection autour des formes.

10. Choisissez Objet > Transformation > Transformation répartie pour ouvrir la boîte de dialogue Transformation répartie. Fixez Mise à l'échelle Horizontale et Verticale à 80 % et Angle à –20°. Cliquez sur OK.

Cette opération vous permet de redimensionner toutes les instances du symbole à la fois, au lieu de le faire individuellement. Vous pouvez apporter d'autres modifications au symbole de la même manière.

11. Double-cliquez en dehors de l'instance du symbole sur le plan de travail ou cliquez sur le bouton Quitter le mode Isolation (◀) dans l'angle supérieur gauche du plan de travail pour revenir à l'illustration. Appuyez sur Ctrl+0 (Windows) ou Cmd+0 (Mac OS) pour ajuster le plan de travail à la fenêtre.

Les instances du symbole utilisent désormais un bourgeon plus petit.

Sélectionnez les formes du symbole.

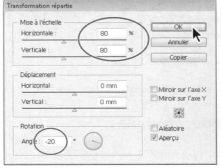
Transformez le contenu.

Le résultat.

12. Choisissez Fichier > Enregistrer.

Rompre le lien vers un symbole

Parfois, vous devrez modifier certaines instances sur le plan de travail. Puisque les outils de symbolisme permettent de modifier des instances seulement jusqu'à un certain point, vous devrez rompre le lien existant entre un symbole et une instance. Cela a pour effet de créer un groupe des instances déliées (si l'objet est constitué de plusieurs objets) sur le plan de travail. Vous pouvez ensuite le dégrouper et modifier les objets individuels.

Vous allez rompre le lien avec l'une des instances de Bourgeon cerise.

1. Avec l'outil Sélection (▶), sélectionnez l'une des instances du symbole du bourgeon sur la page. Dans le panneau Contrôle, cliquez sur le bouton Rompre le lien.

   L'objet devient alors un groupe de tracés, comme l'indique le mot Groupe sur la gauche du panneau Contrôle. Vous devez alors voir les points d'ancrage des formes.

▶ **Astuce :** Vous pouvez également rompre le lien d'une instance de symbole en la sélectionnant sur le plan de travail et en cliquant sur le bouton Rompre le lien au symbole (⇄) situé au bas du panneau Symboles.

● **Note :** Si la couleur de votre sélection diffère de celle montrée sur la figure, ce n'est pas un problème.

2. Activez l'outil Zoom (🔍) et tracez un rectangle de sélection autour du contenu sélectionné afin de l'agrandir.

3. Les deux formes étant sélectionnées, choisissez Édition > Modifier les couleurs > Saturation.

4. Dans la boîte de dialogue Saturation, fixez Intensité à **−60** et cochez la case Aperçu. Cliquez sur OK.

 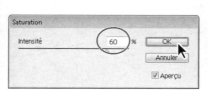 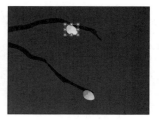

5. Choisissez Fichier > Enregistrer et gardez l'illustration sélectionnée.

Remplacer des symboles

À partir du bourgeon modifié, vous allez créer un symbole avec lequel vous remplacerez quelques-unes des instances du symbole Bourgeon cerise.

1. Choisissez Affichage > Ajuster le plan de travail à la fenêtre.

2. Avec l'outil Sélection (▶), faites glisser les formes modifiées dans le panneau Symboles. Dans la boîte de dialogue Options de symbole, saisissez **Bourgeon cerise 2** dans le champ Nom et choisissez le type Graphique. Cliquez sur OK.

3. Avec l'outil Sélection, sélectionnez une instance de Bourgeon cerise sur le plan de travail. Dans le panneau Contrôle, cliquez sur la flèche à droite du champ Remplacer l'instance par un symbole pour ouvrir le panneau Symboles. Cliquez sur le symbole Bourgeon cerise 2.

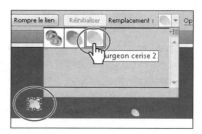

4. Choisissez Sélection > Désélectionner.

5. Choisissez Fichier > Enregistrer. Gardez le fichier ouvert.

Calques de symbole

Ouvrez le panneau Calques lorsque vous modifiez un symbole à l'aide de ces méthodes : vous verrez que le symbole se trouve sur son propre calque.

De manière comparable à la manipulation des groupes en mode Isolation, vous voyez uniquement les calques associés à ce symbole, non les calques du document. Depuis le panneau Calques, vous pouvez renommer, ajouter, supprimer, afficher/masquer et réorganiser le contenu d'un symbole.

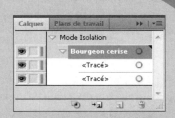

Renommer des symboles

Dans le panneau Symboles, vous pouvez facilement renommer un symbole. Toutes ses instances présentes sur le plan de travail sont alors actualisées. Mettez en pratique avec le symbole Futo.

1. Avec l'outil Sélection (▶), sélectionnez l'une des instances du symbole Futo sur le plan de travail (par exemple, le premier symbole de sushi que vous avez placé sur la page).

2. Dans le panneau Symboles, vérifiez que le symbole Futo est sélectionné et cliquez sur le bouton Options de symbole (▣) dans le haut du panneau Symboles.

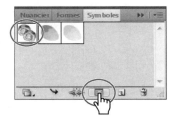

3. Dans la boîte de dialogue Options de symbole, changez le nom à **sushi** et le type à Graphique. Cliquez sur OK.

Les outils de symbolisme

L'outil Pulvérisation de symboles (▣) du panneau Outils permet de pulvériser des symboles sur le plan de travail, en créant des jeux de symboles, groupes d'instances du symbole. À partir de cet outil, vous pouvez créer des jeux d'instances avec un symbole, puis avec un autre.

Pulvériser des instances de symbole

Vous allez à présent dessiner une fleur, l'enregistrer sous forme de symbole, puis employer l'outil Pulvérisation de symboles pour ajouter des fleurs à l'illustration.

1. Choisissez Affichage > Draw_flower.

2. Dans le panneau Outils, activez l'outil Rectangle arrondi (▢). Cliquez une fois à gauche du plan de travail. Dans la boîte de dialogue Rectangle arrondi, fixez Largeur à **55 pt**, Hauteur à **30 pt** et Rayon à **25 pt**. Cliquez sur OK.

3. Le rectangle arrondi étant sélectionné, appuyez sur la touche D pour lui appliquer un fond par défaut blanc et un contour noir de 1 pt.

4. Activez l'outil Zoom (🔍) et cliquez trois fois sur le rectangle arrondi.

5. Dans le panneau Outils, activez l'outil Rotation (⟳). Appuyez sur la touche Alt (Windows) ou Option (Mac OS), positionnez le pointeur juste à droite du point central du rectangle arrondi et cliquez.

6. Dans la boîte de dialogue Rotation, fixez l'angle à **72°** et cliquez sur Copier.

7. Appuyez trois fois sur Ctrl+D (Windows) ou Cmd+D (Mac OS) pour répéter la transformation et créer un total de cinq rectangles arrondis.

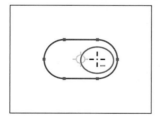

Positionnez le pointeur.

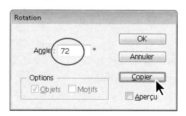

Créez une copie pivotée du rectangle initial.

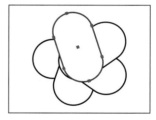

Répétez la transformation.

8. Avec l'outil Sélection, tracez un rectangle de sélection sur les formes de rectangles arrondis. Choisissez Fenêtre > Pathfinder pour ouvrir le panneau Pathfinder. Cliquez sur le bouton Réunion pour fusionner toutes les formes en une seule. Fermez le groupe du panneau Pathfinder.

9. La forme réunie étant sélectionnée, dans le panneau Contrôle changez la couleur de fond à Flower (le dégradé rose) et la couleur de contour à [Sans].

10. Ouvrez le panneau Symboles en cliquant sur son icône (♣), à droite de l'espace de travail. Faites glisser la forme de fleur dans ce panneau. Dans la boîte de dialogue

Options de symbole, changez le nom à **Fleur** et le type à Graphique. Cliquez sur OK. Supprimez la forme de fleur d'origine sur le côté droit du plan de travail.

11. Choisissez Affichage > Ajuster le plan de travail à la fenêtre.

12. Dans le panneau Outils, activez l'outil Pulvérisation de symboles ( ). Vérifiez que le symbole Fleur est sélectionné dans le panneau Symboles.

13. Dans le panneau Outils, double-cliquez sur l'outil Pulvérisateur de symboles ( ). Dans la boîte de dialogue Options des outils de symbolisme, fixez Intensité à **3** et Densité du jeu de symboles à **7**. Cliquez sur OK.

● Note : Une valeur d'intensité plus élevée augmente la vitesse de changement : l'outil Pulvérisateur de symboles ajoute des symboles plus rapidement. Plus la valeur de densité du jeu de symboles est élevée, plus les instances de symboles sont proches les unes des autres.

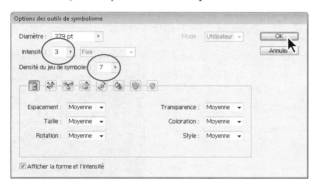

14. En partant du côté gauche du plan de travail, par-dessus l'arbre, cliquez et faites glisser légèrement l'outil Pulvérisation de symboles vers le haut et le bas, de gauche à droite, à la manière d'un aérographe ou d'une bombe de peinture, pour créer des fleurs sur les branches. Relâchez lorsque vous avez cinq fleurs sur le plan de travail.

Vous voyez un cadre de sélection autour des instances du symbole Fleur, ce qui identifie un jeu de symboles. Au moment de la pulvérisation, les instances sont regroupées pour ne constituer qu'un seul objet. Quand vous vous servez de l'outil Pulvérisation de symboles et qu'un jeu de symboles est sélectionné, les instances de symbole sont ajoutées à ce jeu. Vous pouvez facilement supprimer un jeu de symboles complet : sélectionnez-le et appuyez sur la touche Suppr.

Pulvérisez les symboles.

Observez le résultat.

15. Choisissez Sélection > Désélectionner.

16. Avec l'outil Pulvérisation de symboles, faites glisser à nouveau sur la branche supérieure, de manière à ajouter quelques autres instances de la fleur.

   Lorsque vous relâchez, vous voyez un cadre de sélection autour des nouvelles fleurs. Pour ajouter des instances à un jeu de symboles existant, vous devez commencer par le sélectionner.

17. Choisissez Édition > Annuler Pulvérisation pour supprimer le dernier jeu de symboles Fleur.

18. Avec l'outil Sélection, sélectionnez le jeu de symboles Fleur en haut du plan de travail.

19. Activez l'outil Pulvérisation de symboles et ajoutez d'autres fleurs à la branche d'arbre. Cette fois, cliquez et relâchez, au lieu de cliquer et de faire glisser, pour ajouter une seule fleur à la fois.

20. Choisissez Fichier > Enregistrer et gardez le jeu de symboles sélectionné.

   À la section suivante, vous allez employer les outils de symbolisme pour modifier l'aspect des instances de symbole individuelles.

> **Astuce :** Si l'emplacement d'une fleur ne vous convient pas, choisissez Édition > Annuler Pulvérisation pour supprimer les instances ajoutées par le clic précédent.

Modifier des symboles avec les outils de symbolisme

Dans les étapes suivantes, vous allez modifier les fleurs du jeu de symboles en utilisant les outils de symbolisme disponibles dans le panneau Outils.

1. Le jeu de symboles Fleur étant sélectionné et l'outil Pulvérisation de symboles étant toujours activé, positionnez le pointeur sur l'une des fleurs. Appuyez sur la touche Alt (Windows) ou Option (Mac OS) et cliquez pour supprimer l'instance dans le jeu.

2. Dans le panneau Outils, à partir du groupe de l'outil Pulvérisation de symboles, sélectionnez l'outil Redimensionnement de symboles ( ). Positionnez le pointeur au-dessus de certaines fleurs, puis cliquez et maintenez pour augmenter la taille des fleurs. Pour la réduire, cliquez et appuyez en même temps sur la touche Alt (Windows) ou Option (Mac OS).

3. Réduisez certaines fleurs, en variant leur taille.

> **Astuce :** Si le redimensionnement de symboles est trop rapide, double-cliquez sur l'outil Redimensionnement de symboles dans le panneau Outils et réduisez les valeurs d'intensité et de densité dans la boîte de dialogue Options des outils de symbolisme.

> **Astuce :** Pour affecter moins d'instances du symbole Fleur à la fois, appuyez à plusieurs reprises sur la touche Crochet ouvrant ([) pour réduire le diamètre de la forme.

Redimensionnez quelques fleurs.   Observez le résultat.

● **Note :** L'outil Redimensionnement de symboles est plus performant si vous relâchez rapidement après avoir cliqué sur les instances de symboles.

Vous allez faire pivoter certains symboles.

4. Dans le panneau Outils, activez l'outil Rotation de symboles (🔄) dans le groupe de l'outil Redimensionnement de symboles. Positionnez le pointeur au-dessus d'une fleur dans le jeu de symboles, puis faites glisser vers la droite ou la gauche afin de les faire pivoter.

   Plus vous déplacez le pointeur, plus la rotation est importante.

● **Note :** Les flèches qui apparaissent pendant l'utilisation de l'outil indiquent la direction de la rotation.

Faites glisser pour faire pivoter   Observez le résultat.
des fleurs.

5. Dans le panneau Outils, activez l'outil Glissement de symboles (🔄). Le jeu de symboles étant toujours sélectionné, appuyez plusieurs fois sur la touche Crochet fermant (]) pour augmenter la taille de la forme. Cliquez sur des instances du symbole Fleur et faites-les glisser.

6. Choisissez Sélection > Désélectionner.

7. Choisissez Fichier > Enregistrer.

▶ **Astuce :** Il existe plusieurs outils de symbolisme que vous pouvez tester, notamment Coloration de symboles (🎨), lequel vous permet d'appliquer une couleur aux instances de symbole sélectionnées dans le jeu.

À quoi servent les outils de symbolisme ?

Glissement de symboles (☙). Sert à déplacer les instances de symboles et permet également de modifier l'ordre de dessinv relatif des instances de symboles d'un même jeu.

Espacement de symboles (☙). Permet de rapprocher ou d'éloigner les instances de symboles les unes des autres.

Redimensionnement de symboles (☙). Augmente ou réduit la taille des instances de symboles.

Rotation de symboles (☙). Permet d'orienter les instances de symboles d'un jeu. Celles situées près du pointeur s'orientent en fonction de la direction de déplacement. Lorsque vous faites glisser le pointeur, une flèche s'affiche au-dessus pour indiquer l'orientation actuelle des instances de symboles.

Coloration de symboles (☙). Sert à colorier les instances de symboles : la teinte est modifiée mais la luminosité d'origine est conservée, ce qui explique que les objets noirs et blancs ne sont pas affectés.

Transparence de symboles (☙). Augmente ou réduit la transparence des instances de symboles d'un jeu.

Stylisation de symboles (☙). Permet d'appliquer un style graphique à une instance de symbole. Vous pouvez passer à l'outil Stylisation de symboles à partir de n'importe quel autre outil de symbolisme en cliquant sur un style dans le panneau Styles.

Copier et modifier des jeux de symboles

Un jeu de symboles est considéré comme un seul objet. Pour modifier les instances qu'il contient, servez-vous des outils de symbolisme offerts par le panneau Outils. Cependant, vous pouvez dupliquer des instances de symboles et employer les outils de symbolisme pour que la copie ait un aspect différent.

Vous allez à présent dupliquer le jeu de symboles Fleur et le placer dans la partie inférieure du plan de travail.

1. Ouvrez le panneau Calques en cliquant sur son icône (☙). Assurez-vous que le calque bg est verrouillé, comme indiqué par l'icône de cadenas (☙) placée à droite de l'icône de visibilité (☙). Fermez le panneau Calques en cliquant sur son icône.

2. Activez l'outil Sélection (☙) et tracez un rectangle de sélection au travers des symboles dans la partie supérieure du plan de travail, en incluant les fleurs et les bourgeons.

▶ **Astuce :** Pour sélectionner, dans une illustration, toutes les instances d'un symbole qui ne font pas partie d'un jeu de symboles, sélectionnez une seule instance du symbole et choisissez Sélection > Identique > Instance de symbole.

3. Choisissez Objet > Associer.

4. Appuyez sur la touche Alt (Windows) ou Option (Mac OS) et faites glisser une copie des instances en bas et à droite du plan de travail. Lorsque la copie est en position, relâchez le bouton de la souris, puis la touche de modification.

5. Choisissez Objet > Transformation > Transformation répartie. Dans la boîte de dialogue Transformation répartie, cochez Miroir sur l'axe X et Miroir sur l'axe Y. Cliquez sur OK.

6. Le jeu de symboles copié étant toujours sélectionné, double-cliquez sur l'outil Rotation (⟳) dans le panneau Outils. Dans la boîte de dialogue Rotation, fixez Angle à **23°**, puis cliquez sur OK.

7. Avec l'outil Sélection, faites glisser le groupe en position au-dessus de la branche d'arbre inférieure.

Note : Vous pouvez appliquer de nombreuses transformations à un jeu de symboles. Vous pouvez également déplacer une poignée du cadre de sélection d'un symbole avec l'outil Sélection pour le redimensionner.

8. Choisissez Sélection > Désélectionner puis Fichier > Enregistrer.

Création d'une bibliothèque

Pensez à sauvegarder les illustrations fréquemment employées sous forme de symboles : elles seront ainsi faciles d'accès lorsque vous en aurez besoin. Dans cette partie de la leçon, vous allez prendre les symboles créés jusqu'à présent et en faire une bibliothèque que vous pourrez partager avec d'autres documents ou utilisateurs.

Note : Les bibliothèques de symboles sont enregistrées sous forme de fichiers Adobe Illustrator (.ai).

1. Dans le panneau Symboles, cliquez sur le bouton Menu Bibliothèques de symboles (▥) et choisissez Enregistrer les symboles.

Note : Le document qui contient les symboles doit être ouvert et actif lorsque vous les enregistrez dans une bibliothèque séparée.

2. Dans la boîte de dialogue Enregistrer les symboles comme bibliothèque, choisissez une destination, comme le Bureau, pour placer le fichier de la bibliothèque et nommez-le **affiche_sushi.ai**. Cliquez sur Enregistrer.

▶ **Astuce :** Si vous enregistrez la bibliothèque dans le dossier par défaut, vous pouvez créer des sous-dossiers dont l'arborescence correspond à vos besoins. Ainsi, vous organisez les bibliothèques et vous y accédez par le biais du bouton Menu Bibliothèques de symboles ou par Fenêtre > Bibliothèques de symboles.

3. Sans fermer le fichier affiche.ai, ouvrez un nouveau document *via* Fichier > Nouveau. Cliquez sur OK pour accepter les paramètres par défaut.

4. Dans le panneau Symboles, cliquez sur le bouton Menu Bibliothèques de symboles (🗐) et choisissez Autre bibliothèque. Allez dans le dossier où vous avez enregistré la bibliothèque affiche_sushi.ai, sélectionnez-la et cliquez sur Ouvrir.

   La bibliothèque affiche_sushi apparaît sous forme de panneau flottant dans l'espace de travail. Vous pouvez l'ancrer ou le laisser à sa place. Il restera ouvert pendant toute la session d'utilisation d'Illustrator. Lorsque vous quitterez Illustrator et relancerez le logiciel, il ne se rouvrira pas.

5. Faites glisser des symboles du panneau de la bibliothèque affiche_sushi sur votre page.

6. Choisissez Fichier > Fermer, sans enregistrer le fichier. Gardez le fichier affiche.ai ouvert si vous prévoyez de réaliser les étapes de la section "À vous de jouer".

Placage d'un symbole sur une illustration 3D

Vous pouvez plaquer n'importe quelle illustration 2D enregistrée comme un symbole dans le panneau Symboles sur les surfaces sélectionnées d'un objet 3D. Pour en savoir plus sur le placage de symboles sur des illustrations 3D, consultez la Leçon 12, "Application d'effets".

Intégrer des symboles avec Flash

Illustrator prend parfaitement en charge l'exportation aux formats SWF et SVG. Lorsque vous exportez vers Flash, fixez le type du symbole à Séquence vidéo. Une fois dans Flash, choisissez un autre type, si nécessaire. Vous pouvez également indiquer une mise à l'échelle en 9 tranches dans Illustrator pour que l'animation soit correctement mise à l'échelle lorsqu'elle sert dans les composants d'interface utilisateur.

Il est possible de déplacer une illustration Illustrator dans l'environnement de création Flash ou directement dans le Flash Player. Vous pouvez copier et coller une image, enregistrer des fichiers au format SWF ou exporter directement une illustration en Flash. Par ailleurs, Illustrator prend en charge le texte dynamique et les symboles d'animation de Flash.

Dans Illustrator, le flux des symboles est identique à celui de Flash.

- Étape 1 : création de symbole.

  Lorsque vous créez un symbole dans Illustrator, la boîte de dialogue Options de symbole vous permet de le nommer et de définir des options propres à Flash : le type de symbole de séquence vidéo (par défaut pour les symboles Flash), l'emplacement de la grille de repérage (enregistrement) Flash et les guides (repères) de mise à l'échelle 9 tranches. De plus, vous pouvez utiliser les mêmes raccourcis clavier pour les symboles dans les deux logiciels (comme la touche F8 pour créer un symbole).

- Étape 2 : mode Isolation pour la modification de symbole.

- Étape 3 : propriétés et liens de symbole.

- Étape 4 : objets de texte de saisie, statique et dynamique.

Vous allez à présent créer un bouton, l'enregistrer sous forme de symbole et modifier les options du symbole.

1. Choisissez Fenêtre > Espace de travail > Les indispensables.

2. Choisissez Fichier > Nouveau.

3. Dans la boîte de dialogue Nouveau document, choisissez Web dans le menu Nouveau profil de document. Conservez les autres paramètres par défaut. Cliquez sur OK.

4. Choisissez Fichier > Enregistrer sous, nommez le fichier **boutons.ai** et sélectionnez le dossier Lesson14. Choisissez Adobe Illustrator (*.AI) dans le menu Type (Windows) ou Adobe Illustrator (ai) dans le menu Format (Mac OS), puis cliquez sur Enregistrer. Dans la boîte de dialogue Options Illustrator, gardez les options par défaut et cliquez sur OK.

5. Ouvrez le panneau Symboles en cliquant sur son icône (♣).

6. Faites glisser le symbole Puce – Avant bleu depuis le panneau Symboles sur le plan de travail.

7. Activez l'outil Sélection (▶), appuyez sur la touche Maj et cliquez dans le coin supérieur droit du bouton et faites-le glisser pour l'agrandir.

8. Le bouton étant toujours sélectionné, dans le panneau Contrôle, saisissez **Accueil** comme Nom de l'instance. Appuyez sur Entrée ou Retour.

   Le nom de l'instance est facultatif dans Illustrator et ne sert qu'à identifier une instance de symbole parmi les autres. Donner un nom d'instance à chaque bouton se révélera utile si vous décidez d'importer du contenu Illustrator dans Flash (Fichier > Importer > Importer dans la scène).

▶ **Astuce :** Nous l'avons indiqué précédemment, Illustrator est livré avec un grand nombre de symboles. Vous les trouverez en cliquant sur le bouton Menu Bibliothèques de symboles situé au bas du panneau Symboles.

9. Faites glisser le bouton sélectionné vers la droite et appuyez sur Maj+Alt (Windows) ou Maj+Option (Mac OS) pour en créer une copie. Relâchez tout d'abord le bouton de la souris, puis les touches de modification. Dans le panneau Contrôle, saisissez **Info** dans le champ Nom de l'instance, puis appuyez sur Entrée ou Retour.

Redimensionnez l'instance de symbole.

Nommez l'instance.

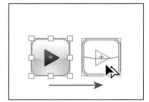

Dupliquez l'instance.

10. L'un des boutons étant toujours sélectionné, cliquez sur le bouton Options de symbole (▦) dans le panneau Symboles. Sélectionnez Séquence vidéo, cochez Activer les repères pour la mise à l'échelle en 9 tranches et cliquez sur OK.

Vous allez ajuster les repères de mise à l'échelle en 9 tranches.

11. Avec l'outil Sélection, double-cliquez sur le bouton de gauche pour passer en mode Isolation. Lorsque la boîte d'avertissement apparaît, cliquez sur OK.

12. Dans le panneau Outils, activez l'outil Zoom (🔍) et cliquez trois fois sur le bouton de gauche pour agrandir son affichage. Choisissez Sélection > Tout.

En choisissant Sélection > Tout, vous voyez les points d'ancrage des formes. Lorsque vous ajustez les repères de mise à l'échelle en 9 tranches, l'objectif est de les positionner de manière à indiquer les parties redimensionnables de l'objet (en général, il ne s'agit pas des angles).

13. Avec l'outil Sélection, faites glisser vers la gauche le repère à l'extrême droite, en vous arrêtant juste après le bord gauche de la flèche noire (voir figure).

Vous pouvez utiliser la mise à l'échelle en 9 tranches (échelle 9) pour définir une mise à l'échelle de type composant pour les styles graphiques et les symboles de séquences vidéo.

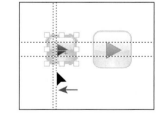

14. Avec l'outil Sélection, double-cliquez en dehors des boutons pour sortir du mode Isolation.

15. Choisissez Affichage > Ajuster le plan de travail à la fenêtre puis Fichier > Enregistrer.

Options de symbole Flash

Séquence vidéo. Utilisez des symboles de clip pour créer des éléments d'animation réutilisables (en Flash). Les clips possèdent leur propre scénario à images multiples, qui est lu indépendamment du scénario principal du document ; petites animations à l'intérieur de l'animation principale, ils peuvent contenir des contrôles interactifs, des sons,

voire des occurrences d'autres clips. Vous pouvez également placer des occurrences de clip dans le scénario d'un symbole de bouton pour créer des boutons animés. En outre, les clips sont programmables à l'aide du code ActionScript.

Aligner sur la grille en pixels. Pour créer un symbole aligné sur la grille en pixels, sélectionnez l'option Aligner sur la grille en pixels dans la boîte de dialogue Options de symbole. Les symboles alignés sur la grille en pixels restent alignés à taille réelle quel que soit leur emplacement sur le plan de travail.

Mise à l'échelle en 9 tranches. Vous pouvez utiliser une mise à l'échelle en 9 tranches pour spécifier la mise à l'échelle des styles de composant pour les séquences vidéo et les styles graphiques. Ce type de mise à l'échelle permet de créer des symboles de séquence vidéo qui seront correctement mis à l'échelle afin d'être utilisés comme composants de l'interface utilisateur, contrairement au type de mise à l'échelle généralement appliqué aux graphiques et aux éléments de symbole.

Le symbole est divisé en neuf sections avec une incrustation de type grille, et chacune des neuf zones est mise à l'échelle de façon indépendante. Pour préserver l'intégrité visuelle du symbole, les angles ne sont pas mis à l'échelle, alors que les autres parties de l'image (qui ne sont donc pas étirées) sont agrandies ou réduites selon les besoins.

Extrait de l'Aide d'Illustrator

Pour les étapes suivantes, Adobe Flash CS5 doit être installé sur votre ordinateur.

1. Ouvrez Adobe Flash CS5.

2. Choisissez Fichier > Nouveau. Dans la boîte de dialogue Nouveau document, vérifiez que l'onglet Général est activé et que ActionScript 3.0 est sélectionné sur la liste. Cliquez sur OK.

3. Choisissez Fichier > Importer > Importer dans la bibliothèque. Sélectionnez le fichier boutons.ai que vous venez d'enregistrer dans Illustrator et cliquez sur Ouvrir. La boîte de dialogue Importer "boutons.ai" dans la bibliothèque s'affiche.

   Cette boîte de dialogue permet, entre autres, de sélectionner le plan de travail et les calques à importer, ainsi que la manière d'importer le contenu. L'option Importer les symboles non utilisés, située en bas à gauche, sert à importer tous les symboles du panneau Symboles d'Illustrator dans le panneau Bibliothèque de

Flash. Cette méthode peut se révéler très utile si, par exemple, vous développez une série de boutons pour un site.

4. Cliquez sur OK.

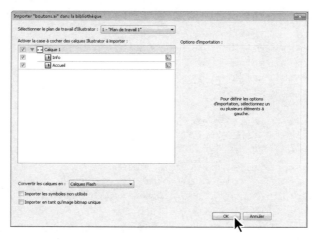

5. Ouvrez le panneau Bibliothèque en cliquant sur son onglet à droite de l'espace de travail. Cliquez sur la flèche à gauche des noms de dossiers pour révéler les éléments ainsi que le symbole Puce – Avant dans le dossier Symboles Illustrator.

6. Faites glisser le symbole Puce – Avant sur la scène.

● **Note :** Pour placer du contenu Illustrator CS5 dans Flash CS5, vous pouvez copier depuis Illustrator et coller dans Flash (en utilisant les préférences de collage par défaut) ou choisir Fichier > Importer > Importer dans la scène. Cette méthode place les deux boutons sur la scène et le nom de chaque instance apparaît dans le panneau Propriétés lorsqu'elles sont sélectionnées indépendamment. Le contenu est également ajouté au panneau Bibliothèque.

7. Choisissez Fichier > Fermer pour fermer le fichier Flash. N'enregistrez pas les modifications. Quittez Flash et revenez à Illustrator.

Coller une illustration Illustrator dans Flash

Une autre solution consiste à copier et coller du contenu Illustrator CS5 dans Flash CS5. Au moment du collage, la boîte de dialogue Coller apparaît. Vous pouvez coller une simple image bitmap ou utiliser les paramètres d'importation de fichiers AI. Cette dernière option est identique à la commande Fichier > Importer > Importer dans la scène, mais sans l'affichage de la boîte de dialogue Importer "boutons.ai".

Lorsque vous collez une illustration Illustrator dans Flash, les attributs suivants sont préservés :

Tracés et formes	Extensibilité
Épaisseur des contours	Définition des dégradés
Texte (dont les polices OpenType)	Images liées
Symboles	Modes de fusio

Extrait de l'Aide d'Illustrator

À vous de jouer

Essayez d'intégrer des symboles dans une illustration contenant des images répétitives provenant de cartes qui contiennent des icônes et des panneaux routiers, et faites-en des puces originales et personnalisées pour vos textes. Les symboles permettent de mettre très rapidement à jour les logos sur les cartes de visite ou les badges nominatifs et tous les documents comprenant plusieurs instances d'une même image.

Pour placer plusieurs instances de symboles, procédez de la façon suivante :

1. Sélectionnez l'image destinée à devenir un symbole.

2. Avec l'outil Sélection, faites glisser cette image dans le panneau Symboles. Supprimez l'original.

3. Pour ajouter une instance de symbole, faites-le glisser depuis le panneau Symboles sur le plan de travail.

4. Répétez l'opération pour chaque nouvelle instance dont vous avez besoin ou faites glisser l'instance d'origine tout en appuyant sur la touche Alt (Windows) ou Option (Mac OS) pour en créer des clones.

5. Dans le panneau Symboles, les instances de symbole sont désormais liées au symbole d'origine. Si celui-ci est modifié, toutes ses instances adopteront automatiquement ces modifications.

Révisions

Questions

1. Quels sont les trois avantages de l'utilisation des symboles ?

2. Quel est l'outil de symbolisme employé pour faire pivoter des instances de symboles dans un jeu de symboles ?

3. Si vous employez un outil de symbolisme sur une zone contenant deux symboles différents, lequel sera affecté par l'outil ?

4. Comment actualise-t-on un symbole existant ?

5. Nommez un élément qui ne peut pas devenir un symbole.

6. Comment accédez-vous aux symboles créés dans un autre document ?

7. Indiquez au moins deux manières d'importer des symboles Illustrator dans Flash.

Réponses

1. a) La mise en place de formes multiples est facilitée ; b) l'édition d'un symbole actualise automatiquement toutes ses instances ; c) un symbole peut être plaqué sur un objet 3D (voir la Leçon 13, "Application d'effets").

2. L'outil Rotation de symboles.

3. Seule l'instance liée au symbole actif dans le panneau Symboles est affectée.

4. En double-cliquant sur son icône dans le panneau Symboles ou sur l'une de ses instances dans le plan de travail, puis en apportant les modifications en mode Isolation.

5. Les images non incorporées ne peuvent pas devenir des symboles.

6. a) En cliquant sur le bouton Menu Bibliothèques de symboles (🖿) en bas du panneau Symboles et en choisissant Autre bibliothèque dans le menu qui s'affiche ; b) en choisissant Autre bibliothèque dans le menu du panneau Symboles ; c) en choisissant Fenêtre > Bibliothèques de symboles > Autre bibliothèque.

7. a) Copier les symboles dans Illustrator et les coller dans Flash ; b) choisir Fichier > Importer > Importer dans la scène ; c) choisir Fichier > Importer > Importer dans la bibliothèque.

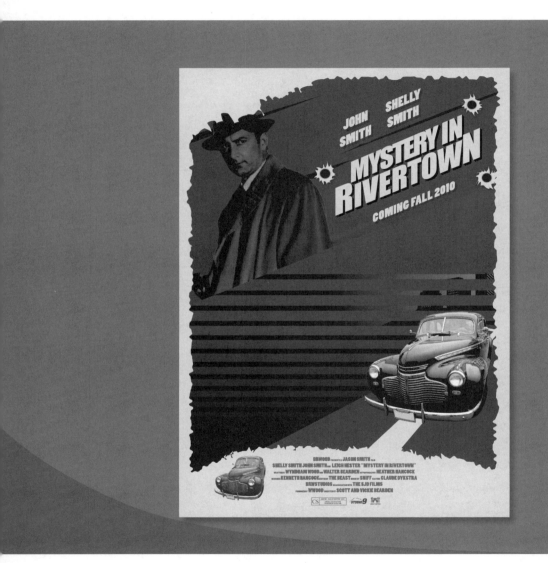

Vous pouvez facilement ajouter une image créée dans
un logiciel d'édition d'images à un fichier Adobe Illustrator.
C'est une méthode efficace pour étudier l'aspect d'une
photographie incorporée dans un dessin simple ou pour
tester les effets spéciaux d'Illustrator sur des images bitmap.

Graphiques Illustrator et autres applications Adobe

15

Au cours de cette leçon, vous apprendrez à :

- faire la différence entre les images vectorielles et bitmap ;

- importer des graphiques Adobe Photoshop dans un fichier Adobe Illustrator ;

- créer et modifier un masque d'écrêtage ;

- créer un masque d'écrêtage à partir de tracés transparents ;

- créer un masque d'opacité pour n'afficher qu'une partie d'une image ;

- échantillonner une couleur dans une image importée ;

- remplacer une image importée par une autre et actualiser le document ;

- exporter un fichier composé de plusieurs calques vers Adobe Photoshop.

Cette leçon vous prendra environ une heure. Si nécessaire, supprimez le dossier de la leçon précédente de votre disque dur et copiez le dossier Lesson15.

Mise en route

Avant de commencer, vous devez restaurer les préférences par défaut d'Adobe Illustrator. Vous ouvrirez ensuite le fichier image terminé pour voir ce que vous allez créer.

1. Pour vous assurer que les outils et les panneaux fonctionneront exactement comme ils sont décrits au fil de cette leçon, supprimez ou désactivez (en le renommant) le fichier des préférences d'Adobe Illustrator CS5 (pour en savoir plus, reportez-vous à la section "Rétablissement des préférences par défaut" de l'Introduction).

2. Lancez Adobe Illustrator CS5.

3. Ouvrez le fichier L15end_1.ai qui se trouve dans le dossier Lesson15 sur votre disque dur. Il s'agit de l'affiche d'un film. Vous allez y ajouter des graphiques et les modifier au cours de cette leçon. Laissez-le ouvert pour référence ou choisissez Fichier > Fermer.

Vous allez ouvrir le fichier de départ à partir d'Adobe Bridge CS5.

Utiliser Adobe Bridge

Adobe Bridge est une application qui est installée avec les logiciels de Creative Suite 5, comme Illustrator. Elle permet, entre autres, de parcourir visuellement du contenu et de gérer les métadonnées.

1. Choisissez Fichier > Parcourir dans Bridge pour ouvrir Adobe Bridge.

2. Dans le panneau Favoris, cliquez sur Bureau et choisissez le fichier L15start_1.ai, situé dans le dossier Lesson15. Dans le panneau Contenu, cliquez sur le fichier.

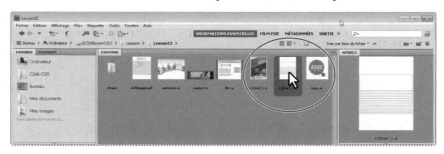

3. Au bas du panneau Contenu, faites glisser le curseur vers la droite pour augmenter la taille des vignettes.

Note : Si vous n'avez pas encore copié les fichiers de cette leçon sur votre disque dur à partir du dossier Lesson15 du CD-ROM *Adobe Illustrator CS5 Classroom in a Book*, faites-le maintenant. Pour savoir comment procéder, consultez la section "Copie des fichiers d'exercices de *Classroom in a Book*" à la page 2.

Note : La première fois que vous lancez Adobe Bridge, une boîte de dialogue apparaîtra peut-être et vous demandera si vous souhaitez que Bridge soit lancé à l'ouverture de session. Cliquez sur Oui pour accepter ce fonctionnement, ou sur Non pour lancer manuellement Adobe Bridge lorsque vous en avez besoin.

4. Dans la partie supérieure droite d'Adobe Bridge, cliquez sur Film fixe. Vous changez alors l'aspect de l'espace de travail. Cette vue en film fixe affiche une plus grande zone d'aperçu de l'objet. Cliquez sur Informations essentielles pour revenir à l'espace de travail d'origine.

5. Au bas du panneau Contenu, faites glisser le curseur vers la gauche de manière à voir l'ensemble des vignettes.

6. Le fichier L15start_1.ai étant toujours sélectionné dans le panneau Contenu, cliquez sur l'onglet du panneau Métadonnées à droite de l'espace de travail. Consultez les métadonnées du fichier. Elles indiquent les données de l'appareil photo, les nuances du document, etc. Affichez le panneau Mots-clés en cliquant sur son onglet.

   Des mots clés peuvent être associés aux objets, comme les illustrations. Après avoir attribué un mot clé, vous pourrez rechercher ultérieurement du contenu qui le contient.

7. Dans le panneau Mots-clés, cliquez sur le bouton Nouveau mot-clé pour créer un mot clé. Saisissez **rivertown** dans le champ Mot-clé et appuyez sur Entrée ou Retour. Cochez la case à gauche du mot clé. Vous associez ainsi le mot clé au fichier sélectionné.

8. Choisissez édition > Rechercher. Dans la boîte de dialogue, sélectionnez Mots-clés dans le premier menu de la section Critères. Saisissez **rivertown** dans le champ à l'extrême droite. Laissez le champ central à contient/contiennent. Cliquez sur Rechercher.

   Les résultats de la recherche apparaissent dans le panneau Contenu.

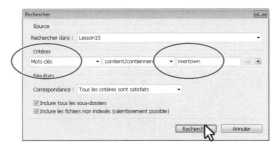

9. Cliquez sur la croix dans le coin supérieur droit du panneau Contenu pour fermer les résultats de la recherche et retourner au dossier.

Obtenir un aperçu des fichiers et exploiter les métadonnées et les mots clés ne sont que quelques-unes des possibilités offertes par Bridge. Pour de plus amples informations sur son utilisation, choisissez Aide > Aide d'Illustrator et recherchez Adobe Bridge.

10. Double-cliquez sur le fichier L15start_1.ai pour l'ouvrir dans Illustrator. Laissez Adobe Bridge ouvert.

11. Choisissez Affichage > Ajuster le plan de travail à la fenêtre.

12. Choisissez Fenêtre > Espace de travail > Les indispensables pour réinitialiser l'espace de travail.

13. Choisissez Fichier > Enregistrer sous, nommez le fichier **affichefilm.ai** et sélectionnez le dossier Lesson15. Choisissez Adobe Illustrator (*.AI) dans le menu Type (Windows) ou Adobe Illustrator (ai) dans le menu Format (Mac OS), puis cliquez sur Enregistrer. Dans la boîte de dialogue Options Illustrator, gardez les options par défaut et cliquez sur OK.

Association d'illustrations

Il existe différentes manières d'associer des illustrations Illustrator à des images provenant d'autres logiciels graphiques. Le partage de documents graphiques entre plusieurs applications permet d'associer des dessins et des photographies en tons continus avec des dessins au trait. Bien qu'il soit possible de créer quelques types d'images bitmap dans Illustrator, le véritable spécialiste de l'édition de ces images est Adobe Photoshop. L'édition terminée dans Photoshop, il suffit donc d'importer les images dans Illustrator.

Cette leçon vous guide dans le processus de création d'une image composite. Elle vous entraîne à associer des images bitmap à des images vectorielles et à travailler avec plusieurs applications. Vous ajouterez des images photographiques créées dans Adobe Photoshop à une affiche conçue dans Adobe Illustrator. Ensuite, vous ajusterez la couleur de la photo, vous masquerez celle-ci et vous copierez une de ses couleurs dans le dessin Illustrator. Pour finir, vous actualiserez une image importée et vous exporterez l'affiche vers Photoshop.

Images vectorielles et bitmap

Adobe Illustrator crée des graphiques vectoriels, constitués de formes fondées sur des expressions mathématiques. Ils sont faits de lignes simples et souples qui conservent leurs propriétés quand elles sont mises à l'échelle. Ces images conviennent aux illustrations, aux caractères et aux graphiques tels que des logos qui peuvent être redimensionnés.

 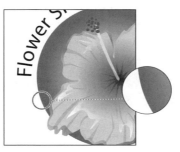

Un logo dessiné comme un graphique vectoriel conserve sa précision lorsque sa taille est augmentée.

Les *images bitmap*, aussi appelées images matricielles, se fondent sur une grille de pixels et sont créées par des logiciels d'édition d'images comme Photoshop. Lorsque vous travaillez sur ces images, vous modifiez des groupes de pixels, non des objets ou des formes. Les graphiques bitmap pouvant présenter des gradations subtiles d'ombre et de couleur, ils sont appropriés pour les images en tons continus comme les photos ou les illustrations créées dans les logiciels de dessin. Un inconvénient des graphiques bitmap est que leur qualité se détériore et qu'ils apparaissent dentelés, ou pixellisés, lorsqu'ils sont redimensionnés.

 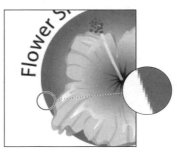

Un logo converti en graphique bitmap perd sa précision lorsque sa taille est augmentée.

Afin de décider si vous devez travailler avec Illustrator ou avec un logiciel d'images bitmap comme Photoshop pour créer et associer des graphiques, étudiez les éléments de l'image et la manière dont elle sera employée.

En général, servez-vous d'Illustrator si vous devez produire des effets ou des caractères avec des lignes claires, qui devront avoir un bel aspect lors d'un agrandissement. Dans la plupart des cas, vous vous en servirez également pour concevoir une composition en plusieurs couches, car ce logiciel offre une plus grande flexibilité pour travailler avec du texte et pour sélectionner, déplacer et modifier des images. Il est possible de créer des images bitmap dans Illustrator, mais le programme ne propose que quelques rares outils d'édition des pixels. Servez-vous de Photoshop pour les images qui nécessitent des traitements au niveau des pixels, des corrections de couleur, des opérations de peinture ou d'autres effets spéciaux. Servez-vous d'Adobe InDesign pour tout mettre en page, d'une simple carte postale jusqu'à un ouvrage composé de plusieurs chapitres, comme ce *Classroom in a Book*.

Importation d'un fichier Adobe Photoshop

Pour importer des fichiers d'illustrations Photoshop dans Illustrator, vous avez à votre disposition plusieurs commandes (Ouvrir, Importer, Coller) ou la technique du glisser-déposer.

Illustrator reconnaît la majorité des informations de Photoshop, y compris les compositions de calques, les calques, le texte modifiable et les tracés. Autrement dit, vous pouvez échanger des fichiers entre Photoshop et Illustrator tout en gardant la possibilité de modifier l'illustration. Pour faciliter le transfert de fichiers entre les deux applications, des calques d'ajustement, non visibles et non accessibles, sont importés dans Illustrator et restaurés lors de l'exportation vers Photoshop.

● **Note :** Illustrator reconnaît les images de type Device N. Par exemple, si vous créez un fichier Duotone (bichromie) dans Photoshop et l'importez dans Illustrator, les couleurs de tons directs sont correctement séparées et imprimées.

Vous commencerez par importer un fichier Photoshop contenant plusieurs compositions de calques dans le document Illustrator sous forme de fichier incorporé. Une composition de calques permet de masquer une illustration dans une image afin que des zones soient transparentes. Les fichiers importés peuvent être incorporés ou liés : les fichiers incorporés sont ajoutés au fichier Illustrator dont la taille augmente en conséquence ; les fichiers liés sont séparés, autrement dit, ce sont des fichiers externes qui comprennent un lien vers le fichier importé. Le fichier lié doit toujours accompagner le fichier Illustrator, faute de quoi le lien est rompu et le fichier importé n'apparaît pas dans l'illustration Illustrator.

Importer un fichier Photoshop

1. Dans Illustrator, choisissez Fenêtre > Calques pour ouvrir le panneau correspondant.

2. Dans le panneau Calques, sélectionnez le calque Content, puis cliquez sur son icône de visibilité pour afficher son contenu.

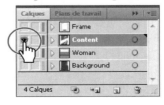

Lorsque vous importez une image, elle est ajoutée au calque sélectionné. Vous allez utiliser le calque Content pour l'image importée. Ce calque comprend déjà une illustration.

3. Choisissez Fichier > Importer.

4. Sélectionnez le fichier car.psd qui se trouve dans le sous-dossier images du dossier Lesson15. Ne double-cliquez pas dessus pour le moment et ne cliquez pas sur Importer.

5. Dans la boîte de dialogue Importer, si l'option Lien est désactivée, cochez-la.

Par défaut, les fichiers Photoshop importés sont liés aux fichiers d'origine. Par conséquent, si le fichier source est modifié, l'image importée dans Illustrator est actualisée. Si vous décochez la case Lien, le fichier PSD est incorporé au fichier Illustrator.

6. Cliquez sur Importer.

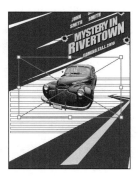

L'image est placée au centre de la fenêtre de document. Elle est sélectionnée, possède des points de sélection et un X au centre. Prêtez également attention au panneau Contrôle. Lorsque l'image est sélectionnée, il affiche les mots Fichier lié, qui signalent que l'image est liée au fichier source ainsi que d'autres informations sur l'image. Si vous cliquez sur Fichier lié dans le panneau Contrôle, vous ouvrez le panneau Liens, que nous décrirons plus loin dans la leçon.

Vous allez à présent déplacer et transformer l'image importée.

Dupliquer et modifier une image importée

Vous pouvez dupliquer des images importées tout comme vous le faites avec les autres objets d'un fichier Illustrator. La copie de l'image est alors modifiable, indépendamment de l'original.

Vous allez modifier l'image car.psd et la dupliquer dans le panneau Calques.

1. Activez l'outil Sélection (▸) et, l'image étant déjà sélectionnée, faites-la glisser vers le bas et la droite de manière à la placer sur la "route" en rouge.

Astuce : Pour transformer une image importée, vous pouvez également ouvrir le panneau Transformation (Fenêtre > Transformation) et y changer des paramètres.

2. Tout en appuyant sur la touche Maj, servez-vous de l'outil Sélection pour faire glisser le point de sélection supérieur droit vers le centre de l'image jusqu'à ce que sa largeur soit d'environ 5,8 pouces.

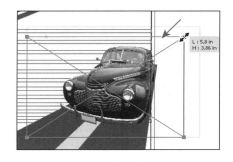

Après avoir redimensionné l'image, notez que le panneau Contrôle affiche une valeur PPP approximativement égale à 165. PPP (points par pouce) fait référence à la résolution de l'image. Lorsque vous travaillez dans Illustrator, si vous réduisez la taille d'une image, sa résolution augmente. Si vous augmentez sa taille, sa résolution diminue.

● **Note :** Les transformations réalisées sur une image liée dans Illustrator et les modifications de la résolution résultantes n'affectent pas l'image d'origine. Les changements concernent uniquement l'image dans Illustrator.

● **Note :** Pour accéder aux flèches de rotation, vous devez placer le pointeur juste au-dessus d'un point d'angle.

3. Avec l'outil Sélection, positionnez le pointeur à côté du point d'ancrage supérieur droit. Les flèches de rotation doivent apparaître. Faites glisser vers le haut et la gauche pour pivoter l'image d'environ quatre degrés. Si les repères commentés sont activés, observez les libellés des dimensions.

4. Choisissez Fichier > Enregistrer et laissez l'image car.psd sélectionnée.

Vous allez à présent dupliquer l'image car.psd et modifier la copie.

5. Dans le panneau Calques, cliquez sur la flèche (▷) à gauche du calque Content pour le développer. Notez le sous-calque car.psd.

Astuce : Pour faire une copie de car.psd, vous pouvez également faire glisser le sous-calque car.psd vers le haut ou le bas sur la liste du calque, tout en appuyant sur Alt (Windows) ou Option (Mac OS). Vous devez commencer par faire glisser le sous-calque, puis appuyer sur la touche de modification.

6. La voiture étant sélectionnée sur le plan de travail, choisissez Édition > Copier puis Édition > Coller sur place. Vous obtenez une nouvelle image car.psd sélectionnée par-dessus l'image d'origine sur le plan de travail.

7. Dans le panneau Calques, double-cliquez sur le nouveau sous-calque car.psd (celui au début du panneau Calques) et renommez-le **small car.psd** dans la boîte de dialogue Options. Cliquez ensuite sur OK.

8. L'image de la voiture copiée étant toujours sélectionnée sur le plan de travail, double-cliquez sur l'outil Mise à l'échelle (▦) dans le panneau Outils. Dans la boîte de dialogue Mise à l'échelle, changez l'échelle uniforme à **40** et cliquez sur OK.

9. Activez l'outil Sélection (▶) et, dans le panneau Calques, cliquez sur la colonne de visibilité à gauche du calque Frame pour afficher son contenu. Faites glisser le sous-calque small car.psd sur le calque Frame. Cliquez sur la flèche (▷) à gauche du calque Content pour le fermer.

10. Avec l'outil Sélection, déplacez la petite voiture à gauche du texte situé en bas de l'affiche. L'image de la petite voiture doit se trouver au-dessus du bord couleur crème. Son emplacement précis n'est pas important. Placez-la de manière à ne pas recouvrir le texte.

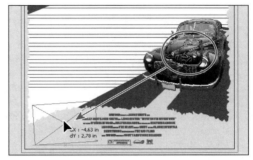

11. Choisissez Sélection > Désélectionner puis Fichier > Enregistrer.

Importer une image Photoshop avec compositions de calques

Les concepteurs créent souvent des compositions multiples d'une mise en page à montrer à leurs clients. À l'aide des compositions de calques de Photoshop, vous avez la possibilité de créer, gérer et visualiser de multiples versions d'une mise en page dans un document Photoshop unique.

Une composition de calques est un instantané de l'état du panneau Calques dans Photoshop. Elle enregistre les informations de calque suivantes :

• la visibilité du calque, si un calque est affiché ou masqué ;

• la position du calque dans le document ;

• l'apparence du calque, si un style de calque lui est appliqué ainsi qu'à son mode de fusion.

Pour créer une composition de calques dans Photoshop, il faut réaliser les modifications dans le document, puis cliquer sur le bouton Créer une composition de calques dans le panneau Compositions de calques. Les compositions de calques s'affichent quand elles sont appliquées dans le document. Vous pouvez les exporter dans des fichiers séparés, vers un fichier PDF unique ou une galerie photo pour le Web, ou en choisir une lors de l'importation d'un fichier Photoshop dans Illustrator.

Vous allez à présent importer un fichier Photoshop qui contient des compositions de calques et l'incorporer dans le fichier Illustrator.

1. Choisissez Affichage > Ajuster le plan de travail à la fenêtre, pour le cas où vous auriez changé le facteur de zoom lors des étapes précédentes.

2. Dans le panneau Calques, cliquez sur l'icône de visibilité (👁) des calques Content et Frame pour masquer leur contenu. Sélectionnez le calque Woman.

3. Choisissez Fichier > Importer.

4. Sélectionnez le fichier woman.psd qui se trouve dans le sous-dossier images du dossier Lesson15. Ne double-cliquez pas dessus pour le moment et ne cliquez pas sur Importer.

5. Dans la boîte de dialogue Importer, si l'option Lien est activée, décochez-la.

Note : Lorsque l'option Lien est désactivée, le fichier PSD est incorporé dans le fichier Illustrator. La boîte de dialogue Options d'importation Photoshop s'affiche uniquement lorsque cette option n'est pas sélectionnée.

6. Cliquez sur Importer.

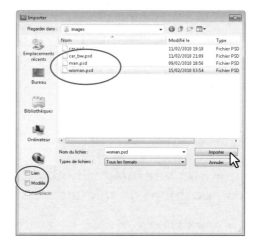

7. Dans la boîte de dialogue Options d'importation Photoshop, sélectionnez Blue woman, black bg dans le menu déroulant Compositions de calques et cochez Afficher l'aperçu pour voir l'illustration.

8. Sélectionnez l'option Convertir les calques Photoshop en objets et choisissez Importer les calques masqués pour que tous les calques soient pris en compte. Cliquez sur OK.

Plutôt que d'aplatir le fichier, vous allez convertir les calques Photoshop en objets, car le fichier woman.psd contient quatre calques et un masque. Vous en aurez besoin dans la suite de la leçon.

9. Dans le panneau Calques, cliquez sur la flèche (▶) à gauche du calque Woman pour le développer. Si nécessaire, agrandissez le panneau Calques pour voir une plus grande partie du contenu. Cliquez sur la flèche à gauche du sous-calque woman.psd pour le développer.

Vous découvrez tous les sous-calques de woman.psd. Il s'agit de calques Photoshop qui apparaissent dans le panneau Calques d'Illustrator car l'image n'a pas été aplatie lors de son importation. L'image étant toujours sélectionnée sur la page, notez que le panneau Contrôle affiche le mot Groupe et propose un lien Images multiples. Lorsque vous importez un fichier Photoshop contenant des calques et que vous décidez de les convertir en objets, Illustrator traite les calques comme des images distinctes dans un groupe.

10. Cliquez sur l'icône de visibilité (👁) à gauche du sous-calque Blue afin de le masquer. Cliquez dessus de nouveau pour le réafficher. Cliquez sur l'icône de visibilité (👁) à gauche du sous-calque woman.psd pour le masquer.

Seuls les rectangles doivent être visibles sur le plan de travail.

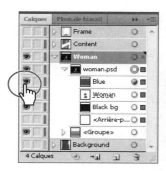 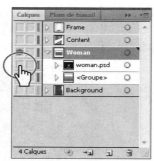 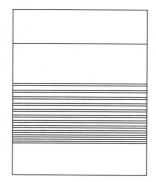

Corriger la couleur d'une image importée

Servez-vous des modifications de couleurs pour ajuster les couleurs dans les images importées de différentes manières. Cela peut vous être utile pour passer à un mode colorimétrique différent (comme RVB, CMJN ou Niveaux de gris) ou pour corriger des valeurs de couleur individuelles. Vous pouvez également augmenter ou réduire la saturation des couleurs (obscurcir ou éclaircir), ou encore inverser des couleurs (créer un négatif).

Vous allez importer une image, ajuster ses couleurs et, plus loin, lui appliquer un masque.

▶ **Astuce :** Pour en savoir plus sur les modes de couleurs et la modification des couleurs, reportez-vous aux rubriques "À propos des couleurs dans les images numériques" et "Utilisation des effets et des filtres" de l'Aide d'Illustrator.

1. Dans le panneau Calques, cliquez sur la colonne de visibilité du calque Content pour en afficher le contenu, puis sélectionnez ce calque.

2. Choisissez Fichier > Importer.

3. Sélectionnez le fichier man.psd qui se trouve dans le sous-dossier images du dossier Lesson15. Ne double-cliquez pas dessus pour le moment et ne cliquez pas sur Importer.

4. Dans la boîte de dialogue Importer, cochez l'option Lien, puis cliquez sur Importer.

● **Note :** Tant que le fichier du document est ouvert, l'option Lien conserve sa configuration antérieure. Autrement dit, la prochaine fois que vous importerez une image, cette option sera automatiquement cochée.

● **Note :** Selon la résolution de votre écran, les options de transformation peuvent apparaître directement dans le panneau Contrôle. Sinon, vous devrez choisir Fenêtre > Transformation pour ouvrir ce panneau.

5. Avec l'outil Sélection (➤), cliquez sur le mot Transformation dans le panneau Contrôle. Vérifiez que le point central est sélectionné dans l'indicateur de point de référence (▦). Dans le panneau Transformation qui s'affiche, fixez X à **1,8 in** (n'oubliez pas de saisir "in") et Y à **3,3 in**. Appuyez sur Entrée ou Retour.

Cette opération place l'image man.psd dans l'angle supérieur gauche. Notez que l'homme semble découpé. Cela vient du masque de calque créé dans Photoshop et reconnu par Illustrator.

Pour modifier les couleurs de l'image, celle-ci doit être incorporée dans le fichier Illustrator. Si le fichier est lié, les modifications doivent être effectuées dans Photoshop, pour être actualisées dans Illustrator. Cependant, vous voudrez parfois incorporer l'image afin de ne pas avoir à gérer un fichier lié.

6. L'image man.psd étant toujours sélectionnée sur le plan de travail, cliquez sur le bouton Incorporer dans le panneau Contrôle. La boîte de dialogue Options d'importation Photoshop s'ouvre alors. Vous pouvez y choisir une composition de calques et d'autres options. Assurez-vous que Fusionner les calques en une seule image est cochée, puis cliquez sur OK.

Dans le panneau Contrôle, vous devez voir à présent le mot Incorporée.

7. L'image étant toujours sélectionnée, choisissez Édition > Modifier les couleurs > Correction de l'équilibre des couleurs.

8. Dans la boîte de dialogue Correction des couleurs, faites glisser les curseurs ou saisissez les valeurs des pourcentages CMJN afin de modifier les couleurs dans l'image. La touche Tab permet de passer d'un champ à l'autre. Nous avons utilisé les valeurs suivantes pour créer une couleur pourpre : C = −70, M = 30, J = 0 et N = 27. N'hésitez pas à essayer différentes valeurs. Cochez Aperçu afin d'apprécier les changements de couleur.

● **Note :** Vous devrez peut-être activer et désactiver Aperçu pour voir les résultats après avoir modifié les options de la boîte de dialogue Correction des couleurs.

9. Lorsque vous êtes satisfait de la couleur de l'image, cliquez sur OK.

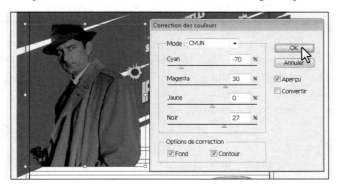

● **Note :** Si vous décidez plus tard d'ajuster les couleurs de la même image en choisissant Édition > Modifier les couleurs > Correction de l'équilibre des couleurs, les valeurs des couleurs seront remises à zéro.

10. Choisissez Sélection > Désélectionner puis Fichier > Enregistrer.

Masquage d'une image

Les masques cachent une partie d'une image afin que seule une autre partie apparaisse. Seuls les objets vectoriels peuvent servir de masque d'écrêtage, mais n'importe quelle illustration peut être masquée. Vous pouvez également importer des masques réalisés dans des fichiers Photoshop. Le masque d'écrêtage et l'objet masqué sont collectivement appelés ensemble d'écrêtage.

Appliquer un masque d'écrêtage à une image

Dans cette courte section, vous allez créer un masque d'écrêtage pour l'image man.psd.

● **Note :** Vous pouvez également appliquer un masque d'écrêtage en choisissant Objet > Masque d'écrêtage > Créer.

1. Avec l'outil Sélection (▶), sélectionnez l'image man.psd. Dans le panneau Contrôle, cliquez sur le bouton Masque. Vous appliquez ainsi un masque d'écrêtage à l'image dans la forme et redimensionnez l'image.

▶ **Astuce :** Pour créer un masque, vous pouvez également utiliser le mode Dessin intérieur, qui permet de dessiner à l'intérieur de l'objet sélectionné. Ce mode élimine plusieurs tâches, comme dessiner puis modifier l'ordre d'empilement, ou dessiner, sélectionner et créer un masque d'écrêtage. Pour de plus amples informations sur les modes de dessin, consultez la Leçon 3, "Création de formes".

2. Dans le panneau Calques, cliquez sur la flèche (▶) à gauche du calque Content pour en afficher le contenu, s'il n'est pas déjà ouvert. Vous devrez peut-être agrandir le panneau Calques ou le faire défiler. Cliquez sur la flèche à gauche du premier sous-calque <Groupe> afin d'en révéler le contenu.

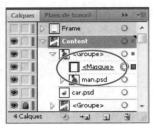

Notez le sous-calque <Masque>. Il s'agit du masque qui a été créé lors du clic sur le bouton Masque dans le panneau Contrôle. Le sous-calque <Groupe> est l'ensemble d'écrêtage qui contient le masque et l'objet masqué.

Vous allez à présent modifier ce masque.

Modifier un masque

1. L'image étant toujours sélectionnée, le bouton Modifier le masque d'écrêtage (▣) et le bouton Modifier le contenu (◉) apparaissent sur le côté gauche du panneau Contrôle.

2. Cliquez sur le bouton Modifier le contenu (◉). Dans le panneau Calques, notez la sélection de man.psd. Cliquez sur le bouton Modifier le masque d'écrêtage (▣) : <Masque> est à présent sélectionné.

   Lorsqu'un objet est masqué, vous pouvez modifier le masque ou cet objet. Servez-vous de ces deux boutons pour modifier l'un ou l'autre.

3. Dans le panneau Contrôle, sélectionnez le bouton Modifier le masque d'écrêtage (▣) et activez l'outil Sélection pour faire glisser légèrement le point d'ancrage central inférieur du masque (voir figure). La partie basse de l'image est masquée.

4. Dans le panneau Outils, activez l'outil Sélection directe (▷). Cliquez d'abord sur le point gauche pour le sélectionner, puis faites-le glisser tout droit vers le bas jusqu'à l'objet rouge en arrière-plan. Faites glisser le point d'ancrage inférieur droit vers le haut jusqu'au même objet rouge en arrière-plan.

Redimensionnez le masque.   Modifiez la forme du masque   Observez le résultat.

5. Avec l'outil Sélection, cliquez sur l'image man.psd. Cliquez sur le bouton Modifier le contenu (⊚) afin de modifier l'image man.psd, non le masque. Avec l'outil Sélection, faites glisser l'homme légèrement vers le bas – vous déplacez l'image non le masque. Choisissez Édition > Annuler Déplacement.

Le bouton Modifier le contenu (⊚) étant toujours activé, vous pouvez appliquer de nombreuses transformations à l'image, notamment une mise à l'échelle, un déplacement et une rotation.

6. Choisissez Sélection > Désélectionner puis Fichier > Enregistrer.

Masquer un objet avec plusieurs formes

Dans cette section, vous allez créer un masque pour l'image woman.psd à partir de plusieurs rectangles. La femme semblera ainsi se tenir derrière des persiennes. Pour créer un masque d'écrêtage avec plusieurs formes, vous devez les convertir en un tracé transparent.

1. Dans le panneau Calques, cliquez sur la flèche (▷) à gauche du calque Content, pour le réduire, puis sur son icône de visibilité, pour masquer son contenu. Cliquez sur la colonne de visibilité à gauche du sous-calque woman.psd pour l'afficher sur le plan de travail.

2. Avec l'outil Sélection, cliquez sur l'image de la femme et choisissez Objet > Disposition > Arrière-plan.

3. Avec l'outil Sélection, cliquez sur l'un des rectangles afin d'en sélectionner le groupe.

Astuce : Pour convertir les rectangles en tracé transparent, vous pouvez également cliquer du bouton droit (Windows) ou en appuyant sur Ctrl (Mac OS) sur le groupe des rectangles et choisir Créer un tracé transparent.

4. Choisissez Objet > Tracé transparent > Créer. Dans le panneau Calques, tous les rectangles ont été placés sur un seul sous-calque, appelé <Tracé transparent>. Gardez le tracé transparent sélectionné.

La commande Tracé transparent crée un seul objet transparent à partir de deux objets ou plus. Les tracés transparents agissent comme des objets groupés. Vous pouvez ainsi créer des objets complexes plus facilement que si vous vous serviez des outils de dessin ou des commandes Pathfinder.

Note : Pour créer un tracé transparent à partir de plusieurs objets, il n'est pas nécessaire de commencer par les associer.

Vous allez à présent masquer l'image woman.psd à l'aide du tracé transparent que vous venez de créer.

Astuce : Vous pouvez également créer un tracé transparent à partir d'un texte.

5. Le tracé transparent étant toujours sélectionné, appuyez sur la touche Maj et cliquez sur l'image de la femme pour l'ajouter à la sélection. Cliquez du bouton droit (Windows) ou en appuyant sur Ctrl (Mac OS) sur le tracé transparent et choisissez Créer un masque d'écrêtage.

Les boutons Modifier le masque d'écrêtage (▣) et Modifier le contenu (◉) s'affichent dans le panneau Contrôle.

Astuce : Vous pouvez également choisir Objet > Masque d'écrêtage > Créer.

6. Choisissez Fichier > Enregistrer et gardez l'image masquée sélectionnée.

Annuler un masque

À un moment donné, il est possible que vous ne vouliez plus masquer des parties d'un objet. Vous pouvez toujours retirer un masque d'un ensemble d'écrêtage afin qu'il ne soit plus un masque.

Astuce : Vous pouvez également cliquer du bouton droit (Windows) ou en appuyant sur Ctrl (Mac OS) sur le tracé transparent rectangle et choisir Annuler le masque d'écrêtage.

• L'image étant toujours sélectionnée, choisissez Objet > Masque d'écrêtage > Annuler. Cette opération libère le masque (tracé transparent) et l'image ; ils sont de nouveau deux objets séparés.

Lorsqu'un masque est annulé, il ne possède aucun contour ni fond.

Créer un masque d'opacité

Un masque d'opacité diffère d'un masque d'écrêtage en ceci qu'il permet non seulement de masquer un objet mais également de modifier la transparence d'une illustration. Il est créé et modifié à l'aide du panneau Transparence.

Dans cette section, vous allez créer un masque d'opacité à partir du tracé transparent afin que l'image woman.psd apparaisse au travers du masque.

1. Ouvrez le panneau Transparence en cliquant sur son icône (⬤) à droite de l'espace de travail.

2. Choisissez Sélection > Désélectionner.

3. Choisissez Affichage > Tracés. Cliquez sur le bord du tracé transparent avec l'outil Sélection (▶). Choisissez Affichage > Aperçu pour revenir en mode Aperçu.

4. Appuyez sur la touche D pour appliquer le fond et le contour par défaut.

   La couleur de l'objet masquant est importante. S'il ne possède pas de fond, rien n'apparaîtra lorsqu'il sera utilisé comme masque d'opacité. Si le masque d'opacité devait être blanc, l'illustration serait intégralement visible ; s'il devait être noir, l'illustration serait cachée tandis que des niveaux de gris dans le masque conduisent à divers degrés de transparence dans l'illustration.

5. Choisissez Sélection > Tout sur le plan de travail actif, pour sélectionner la forme transparente et l'image woman.psd.

6. Dans le menu du panneau Transparence (▼≣), choisissez Créer un masque d'opacité. Vérifiez que l'option Écrêter est cochée.

   L'image woman.psd est désormais masquée par le tracé transparent, comme l'indique le soulignement en pointillés du nom du calque dans le panneau Calques (s'il est ouvert). Pour le moment, le masque d'opacité ne semble présenter aucune différence avec le masque d'écrêtage. Vous allez voir qu'il propose de nombreuses options supplémentaires.

● **Note :** L'objet qui va devenir le masque d'opacité (l'objet masquant) doit être le premier objet sélectionné sur le plan de travail. S'il s'agit d'un objet simple, comme un rectangle, il n'a pas besoin d'être un tracé transparent. Si le masque d'opacité est constitué de plusieurs objets, ils doivent être groupés.

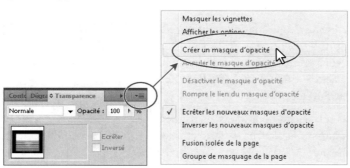

Ajustez maintenant le masque d'opacité que vous venez de créer.

▶ **Astuce :** Pour désactiver et activer un masque d'opacité, choisissez aussi Désactiver/Activer le masque d'opacité dans le menu du panneau Transparence.

7. Dans le panneau Transparence, appuyez sur la touche Maj et cliquez sur la vignette du masque (comme indiqué par les rectangles blancs sur l'arrière-plan noir) pour le désactiver. Une croix rouge apparaît sur le masque et l'intégralité de l'image woman.psd s'affiche dans la fenêtre de document.

● **Note :** Vous devez ouvrir le panneau Transparence sur le côté droit de l'espace de travail car le panneau Transparence du panneau Contrôle se ferme dès que vous manipulez l'illustration.

8. Dans le panneau Transparence, appuyez sur la touche Maj et cliquez de nouveau sur le masque pour le réactiver.

9. Cliquez pour sélectionner le masque d'opacité dans le panneau Transparence. S'il ne l'est pas, sélectionnez-le avec l'outil Sélection. Vous ne pouvez pas modifier une autre illustration. Notez également que l'onglet du document affiche (<Masque d'opacité>/ Masque d'opacité) pour indiquer que vous modifiez à présent le masque.

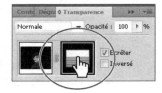

10. Ouvrez le panneau Calques en cliquant sur son icône (🔶) à droite de l'espace de travail. Dans ce panneau, vous trouvez maintenant le calque <Masque d'opacité>. Cliquez sur la flèche (▷) à sa gauche pour le développer.

11. Le masque étant sélectionné, dans le panneau Contrôle, cliquez sur la couleur de fond et sélectionnez un dégradé noir vers blanc nommé BW Gradient.

12. Dans le panneau Outils, activez l'outil Dégradé de couleurs (). Appuyez sur la touche Maj, cliquez à environ la moitié de la forme transparente et faites glisser vers le bas (voir figure). Relâchez le bouton de la souris, puis la touche Maj.

13. Cliquez sur l'icône du panneau Transparence (⚫) et notez le changement du masque dans ce panneau.

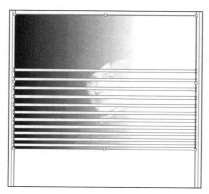
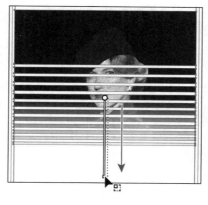

Vous allez à présent déplacer l'image, non le masque d'opacité. La vignette de l'image étant sélectionnée dans le panneau Transparence, l'image et le masque sont liés, par défaut, et le déplacement de l'image sur le plan de travail déplace également le masque.

14. Dans le panneau Transparence, cliquez sur la vignette de l'image pour ne plus modifier le masque. Cliquez sur l'icône de lien (🔗) située entre la vignette de l'image et celle du masque. Cela vous permet de déplacer uniquement l'image ou le masque, non les deux.

Note : Vous avez uniquement accès à l'icône du lien lorsque la vignette de l'image, pas celle du masque, est sélectionnée dans le panneau Transparence.

⬤ **Note :** Vous devez arrêter la modification du masque d'opacité avant de pouvoir travailler avec le reste de l'illustration.

15. L'image étant sélectionnée sur le plan de travail, choisissez Objet > Transformation > Miroir. Dans la boîte de dialogue Miroir, vérifiez que Vertical est sélectionné puis cliquez sur OK.

16. Avec l'outil Sélection, déplacer l'image woman.psd vers le bas et la gauche (voir figure).

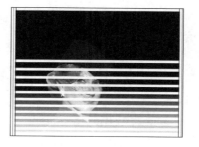

⬤ **Note :** L'emplacement de la femme peut ne pas correspondre exactement à la figure.

17. Dans le panneau Transparence, cliquez sur l'espace vide entre la vignette de l'image et celle du masque, là où se trouvait l'icône de lien (🔗). Vous reliez à nouveau l'image et le masque afin qu'ils se déplacent ensemble.

18. Choisissez Sélection > Désélectionner puis Fichier > Enregistrer.

Échantillonnage de couleurs dans des images importées

Vous pouvez échantillonner, ou copier, les couleurs dans des images importées afin de les appliquer à d'autres objets dans l'illustration. Cela permet d'harmoniser facilement les couleurs dans un fichier qui associe des images Photoshop et des illustrations Illustrator.

Dans cette section, vous vous servirez de l'outil Pipette pour échantillonner des couleurs de l'image importée et les appliquer à un autre objet.

1. Dans le panneau Calques, assurez-vous que tous les calques sont fermés, puis cliquez sur la colonne de visibilité à gauche des calques Frame, Content et Background pour révéler leur contenu sur le plan de travail.

2. Dans le panneau Outils, activez l'outil Zoom (🔍) et tracez un rectangle de sélection autour du texte placé en bas de l'affiche.

3. Activez l'outil Sélection (▶) et double-cliquez deux fois sur le logo studio9 en bas du plan de travail. Cela vous permet de passer en mode Isolation et de sélectionner uniquement le logo dans le groupe. Cliquez pour sélectionner le logo.

4. Appuyez plusieurs fois sur Ctrl+– (Windows) ou Cmd+– (Mac OS), jusqu'à voir la partie inférieure du visage de la femme.

● **Note :** Utiliser la touche Maj avec l'outil Pipette permet d'appliquer à l'objet sélectionné uniquement la couleur échantillonnée. Sans cela, vous appliqueriez à la sélection tous les attributs d'aspect.

5. Dans le panneau Outils, activez l'outil Pipette (🖋), appuyez sur Maj et cliquez n'importe où sur l'image de la femme pour copier une couleur et appliquer le bleu à partir du calque supérieur du fichier woman.psd. Vous pouvez échantillonner la couleur d'autres images et contenus si vous le souhaitez.

La couleur que vous copiez est appliquée au logo sélectionné.

● **Note :** Vous devrez peut-être zoomer sur le logo studio9 pour voir le changement de couleur.

6. Appuyez sur Échap pour quitter le mode Isolation, puis choisissez Affichage > Ajuster le plan de travail à la fenêtre.

7. Choisissez Sélection > Désélectionner puis Fichier > Enregistrer.

Remplacement d'une image importée

Il est facile de remplacer une image importée par une autre afin d'actualiser un document. L'image de remplacement se positionne exactement à l'endroit où se trouvait celle d'origine, vous n'avez donc pas à l'aligner. Si vous avez dimensionné l'image d'origine, vous devrez peut-être redimensionner l'image de remplacement afin de la faire correspondre.

Vous allez ici remplacer l'image smaller car.psd par une version en niveau de gris.

1. Choisissez Fichier > Enregistrer sous, nommez le fichier **affichefilm2.ai** et sélectionnez le dossier Lesson15. Choisissez Adobe Illustrator (*.AI) dans le menu Type (Windows) ou Adobe Illustrator (ai) dans le menu Format (Mac OS), puis cliquez sur Enregistrer. Dans la boîte de dialogue Options Illustrator, gardez les options par défaut et cliquez sur OK.

Option Inclure les fichiers liés dans la boîte de dialogue Options Illustrator

Dans la boîte de dialogue Options Illustrator, si vous cochez la case Inclure les fichiers liés, tous les fichiers liés dans l'illustration Illustrator seront incorporés. Elle doit rester décochée si vous enregistrez une illustration avec des fichiers liés.

2. Avec l'outil Sélection, cliquez sur l'image smaller car.psd dans l'angle inférieur gauche du plan de travail. Dans le panneau Contrôle, cliquez sur le lien bleu souligné Fichier lié pour ouvrir le panneau Liens.

Dans le panneau Liens, certaines images n'ont pas de nom. En effet, il s'agit d'images incorporées. L'icône d'incorporation (⬛) l'indique également.

▶ **Astuce :** Vous pouvez également ouvrir le panneau Liens en choisissant Fenêtre > Liens.

3. Dans le panneau Liens, car.psd est sélectionné. Cliquez sur le bouton Atteindre le lien (→ 🗐) au bas du panneau pour centrer l'image liée sur le plan de travail et la sélectionner, si elle ne l'est pas déjà. Vérifiez que car.psd est toujours sélectionné dans le panneau Liens et cliquez sur le bouton Rééditer le lien (🗐→🗐).

4. Dans la boîte de dialogue Importer, sélectionnez le fichier car_bw.psd situé dans le dossier Lesson15. Vérifiez que l'option Lien est cochée. Cliquez sur Importer pour remplacer l'image de petite voiture par cette nouvelle image.

L'image de remplacement (car_bw.psd) apparaît sur le plan de travail à la place de l'image car.psd. Lorsque vous remplacez une image, les corrections de couleurs faites antérieurement ne sont pas appliquées à la nouvelle image. Cependant, les masques appliqués à l'image originale sont conservés. Tous les modes de calque et les ajustements de transparence appliqués aux autres calques peuvent également affecter l'aspect de l'image.

5. Choisissez Sélection > Désélectionner puis Affichage > Ajuster le plan de travail à la fenêtre.

6. Choisissez Fichier > Enregistrer.

Poursuivez la lecture de cette leçon pour en savoir plus sur l'ouverture et les manipulations de fichiers Illustrator avec calques dans Photoshop, ou passez directement à la section "À vous de jouer".

Exportation d'un fichier avec calques vers Photoshop

Il est possible non seulement d'ouvrir dans Illustrator des fichiers avec calques issus de Photoshop, mais également de réaliser l'opération inverse, c'est-à-dire d'exporter un fichier avec calques depuis Illustrator et de le charger dans Photoshop. Le transfert de fichiers avec calques entre Illustrator et Photoshop est très pratique pour créer et éditer des images destinées au Web ou à l'impression. Cette technique permet de préserver les relations hiérarchiques entre les calques ; il suffit, pour cela, d'activer l'option Écrire les calques imbriqués lors de l'exportation du fichier. Vous pouvez ainsi ouvrir et modifier des objets de texte.

1. Choisissez Fichier > Exporter.

2. Localisez le dossier cible et appelez ce fichier **affiche.psd**. Vous conserverez ainsi le fichier Illustrator d'origine.

3. Choisissez Photoshop (*.PSD) dans le menu Type (Windows) ou Format (Mac OS), puis cliquez sur Enregistrer (Windows) ou Exporter (Mac OS).

4. Dans la boîte de dialogue Options d'exportation Photoshop, vérifiez que le mode colorimétrique est CMJN, choisissez la résolution Haute (300 ppp), puis vérifiez que l'option Écrire les calques est cochée. Gardez les autres options par défaut. L'option Conserver le caractère modifiable du texte est grisée car tout le texte a déjà été converti en contours. Cliquez sur OK.

> **Astuce :** Dans la boîte de dialogue Exporter, l'option Utiliser les plans de travail permet d'exporter les plans de travail sous forme de fichiers PSD Photoshop séparés.

● **Note :** Après que vous avez cliqué sur OK, une boîte d'avertissement risque de s'afficher. Cliquez sur OK.

● **Note :** Après avoir cliqué sur OK, vous devrez peut-être patienter avant d'enregistrer le fichier.

L'option Lissage supprime les bords en escalier de l'illustration tandis qu'Écrire les calques permet d'exporter chaque calque de niveau supérieur comme un calque Photoshop.

5. Lancez Adobe Photoshop CS5.

● **Note :** Vous pouvez ouvrir des fichiers Illustrator dans des versions antérieures de Photoshop mais, dans le cadre de cette leçon, nous supposons que vous utilisez Photoshop CS5.

6. Ouvrez le fichier affiche.psd que vous avez exporté à l'étape 4.

7. Cliquez sur l'onglet Calques pour afficher le panneau du même nom : tous les calques sont présents. Choisissez Fichier > Fermer, sans enregistrer les modifications.

> **Astuce :** Il est aussi possible de copier-coller ou glisser-déposer du contenu entre Illustrator et Photoshop. Lorsque vous copiez-collez, une boîte de dialogue demande sous quel type d'objet vous souhaitez importer le contenu issu d'Illustrator : Objet dynamique, Pixels, Tracé ou Calque de la forme. Pour en savoir plus sur le transfert d'un contenu Illustrator dans Photoshop, consultez la rubrique "Duplication de sélections à l'aide de la fonction glisser-déposer" dans l'Aide d'Illustrator.

● **Note :** Une illustration trop complexe peut être pixellisée et aplatie sur un calque.

8. Fermez Photoshop CS5.

Illustrator et Adobe InDesign

Dans Adobe InDesign, il est possible d'importer des fichiers Illustrator (AI) et des fichiers PDF. Vous pouvez également copier-coller du contenu ou faire un glisser-déposer depuis Illustrator. Pour de plus amples informations sur l'utilisation d'Illustrator avec InDesign, consultez le fichier PDF Adobeapps.pdf sur le CD-ROM qui accompagne cet ouvrage.

Illustrator et Adobe Flash

Illustrator CS5 permet d'utiliser du contenu Illustrator dans Adobe Flash et d'exporter des illustrations au format Flash (SWF). Pour de plus amples informations sur l'utilisation d'Illustrator avec Adobe Flash, consultez le fichier PDF Adobeapps.pdf sur le CD-ROM qui accompagne cet ouvrage.

Illustrator et Adobe Flash Catalyst

Avec Illustrator CS5, vous pouvez créer et enregistrer un fichier Illustrator qui sera utilisé avec Flash Catalyst. Pour de plus amples informations sur l'utilisation d'Illustrator avec Flash Catalyst, consultez le fichier PDF Adobeapps.pdf sur le CD-ROM qui accompagne cet ouvrage.

Illustrator et Adobe Flex

Dans Illustrator CS5, vous pouvez enregistrer un fichier afin de l'employer dans Flex. Pour de plus amples informations sur l'utilisation d'Illustrator avec Flex, consultez le fichier PDF Adobeapps.pdf sur le CD-ROM qui accompagne cet ouvrage.

À vous de jouer

Puisque vous savez à présent importer et masquer une image dans un fichier Illustrator, libre à vous d'importer d'autres images et de leur appliquer une série de modifications. Vous pouvez également réaliser des masques à partir d'objets créés dans Illustrator. Pour d'autres expérimentations, procédez ainsi :

1. En plus de corriger les couleurs dans les images, vous pouvez appliquer des effets de transformation, comme une déformation ou une rotation, ou utiliser des filtres et effets, tels que les filtres/effets Artistiques ou Distorsion, pour créer un contraste entre les deux voitures sur l'affiche.

2. Employez les outils des formes de base ou de dessin pour dessiner des objets et créer un tracé transparent qui servira de masque. Ensuite, placez l'image woman.psd dans le fichier avec le tracé transparent et transformez le tracé transparent en masque.

3. Créez de grands caractères et utilisez le texte comme masque d'écrêtage pour masquer un objet importé.

4. Choisissez Fichier > Fermer, sans enregistrer le fichier.

Révisions

Questions

1. Quelle est la différence entre lier et incorporer un fichier dans Illustrator ?
2. Comment crée-t-on un masque d'opacité pour une image importée ?
3. Quels sont les types d'objets utilisables comme masques ?
4. Quelles modifications de couleurs peut-on appliquer à un objet sélectionné à l'aide d'effets ?
5. Comment peut-on remplacer une image importée par une autre image dans un document ?
6. Indiquez deux manières de placer du contenu provenant d'Illustrator dans Adobe InDesign.

Réponses

1. Un fichier lié est un fichier externe, séparé et connecté, par un lien électronique, au fichier Illustrator dont il n'augmente pas significativement la taille. Il doit accompagner le fichier Illustrator, faute de quoi le lien est rompu et le fichier importé n'apparaît pas dans le fichier Illustrator. Un fichier incorporé est inclus dans le fichier Illustrator, dont il en augmente la taille. Ce fichier faisant partie du fichier Illustrator, aucun lien ne peut être rompu. Les fichiers liés et incorporés peuvent être actualisés à l'aide du bouton Remplacer le lien dans le panneau Liens.

2. En plaçant l'objet à employer comme masque par-dessus l'objet à masquer. Pour cela, il faut sélectionner le masque et les objets à masquer, puis l'option Créer un masque d'opacité dans le menu du panneau Transparence.

3. Un masque peut être réalisé à partir d'un tracé simple ou transparent, de caractères, de fichiers Photoshop importés. On peut aussi créer des masques d'écrêtage avec n'importe quelle forme placée au-dessus de la pile de calques ou du groupe.

4. Les effets sont employés pour modifier le mode de couleurs (RVB, CMJN ou Niveaux de gris) ou ajuster les couleurs individuelles dans un objet sélectionné. Ils servent également à augmenter ou à réduire la saturation des couleurs ou à les inverser dans un objet sélectionné. Les modifications de couleurs peuvent être appliquées à des images importées ainsi qu'à des illustrations créées dans Illustrator.

5. Pour remplacer une image importée, il faut la sélectionner dans le panneau Liens, cliquer sur le bouton Remplacer le lien, puis localiser et sélectionner l'image de remplacement et, enfin, cliquer sur Importer.

6. a) Choisir Fichier > Importer dans InDesign pour importer un graphique et créer un lien avec l'original ; b) choisir Édition > Coller après avoir copié du contenu dans Illustrator. Dans ce cas, aucun lien n'est créé avec l'original.

Index

E

I

Dépôt légal : septembre 2010
IMPRIMÉ EN FRANCE

Achevé d'imprimer le 2 septembre 2010
sur les presses de l'imprimerie « La Source d'Or »
63039 Clermont-Ferrand
Imprimeur n° 10597